SÉRIE COMENTÁRIOS BÍBLICOS

JOÃO CALVINO

Tradução: Valter Graciano Martins

Vol. 1

```
C168s      Calvin, Jean, 1509-1564
              Salmos / João Calvino ; tradução: Valter Graciano
           Martins. – 2. reimpr. – São José dos Campos, SP: Fiel,
           2018.
              4 v. – (Comentários bíblicos)
              Tradução de: Calvin's commentaries: commentary on
           the book of Psalms.
              Inclui referências bibliográficas.
              ISBN 9788599145708 (v.1)
                   9788599145944 (v.2)
                   9788581320113 (v.3)
                   9788599145494 (v.4)
              1. Bíblia. A.T. Salmos - Comentários. I. Martins,
           Valter Graciano. II. Título. III. Comentários bíblicos
           (Fiel).
                                                       CDD: 223.207
```

Catalogação na publicação: Mariana C. de Melo Pedrosa – CRB07/6477

Salmos Volume 1
Série Comentários Bíblicos João Calvino
Título do Original: Calvin's Commentaries:
Commentary on the book of Psalms
by John Calvin
Edição baseada na tradução inglesa de
James Anderson, publicada por Baker Book
House, Grand Rapids, MI, USA, 1998.

■

Copyright © 2009 Editora Fiel
Primeira Edição em Português

■

Todos os direitos em língua portuguesa
reservados por Editora Fiel da Missão
Evangélica Literária

PROIBIDA A REPRODUÇÃO DESTE LIVRO POR
QUAISQUER MEIOS, SEM A PERMISSÃO ESCRITA
DOS EDITORES, SALVO EM BREVES CITAÇÕES, COM
INDICAÇÃO DA FONTE.

A versão bíblica utilizada nesta obra
é uma variação da tradução feita por
João Calvino

■

Diretor: Tiago J. Santos Filho
Editor: Tiago J. Santos Filho
Editor da Série João Calvino:
Franklin Ferreira
Tradução: Valter Graciano Martins
Capa: Edvanio Silva
Diagramação: Wirley Corrêa - Layout
Direção de arte: Rick Denham
ISBN: 978-85-99145-70-8

Caixa Postal 1601
CEP: 12230-971
São José dos Campos, SP
PABX: (12) 3919-9999
www.editorafiel.com.br

Sumário

Prefácio 7
Introdução 11
Dedicatória 25
Salmos 1 41
Salmos 2 50
Salmos 3 70
Salmos 4 79
Salmos 5 95
Salmos 6 110
Salmos 7 122
Salmos 8 141
Salmos 9 158
Salmos 10 184
Salmos 11 210
Salmos 12 223
Salmos 13 235
Salmos 14 243
Salmos 15 258
Salmos 16 271
Salmos 17 292
Salmos 18 316
Salmos 19 369
Salmos 20 396
Salmos 21 407

Salmos 22 421
Salmos 23 457
Salmos 24 468
Salmos 25 482
Salmos 26 508
Salmos 27 522
Salmos 28 539
Salmos 29 550
Salmos 30 560

Prefácio
à Tradução Brasileira

O professor Émile G. Leónard em longas e amáveis conversas pessoais tentou orientar-me no rigor da pesquisa histórica: conversas à mesa do hotel-residência em que fui tantas vezes seu comensal; ou na residência pastoral de Santos onde minha mulher e eu hospedávamos a ele e a Mme. Leónard; ou nas tertúlias da Sociedade de Estudos Históricos da velha Faculdade de Filosofia, rua Maria Antônia, onde ele conseguiu reunir jovens professores mais tarde famosos na USP; pastores como J. C. Motta e eu; "leigos" protestantes como Odilon Nogueira de Mattos (então secretário da Faculdade), e um ou outro de seus alunos na USP que nascia.

Foi com ele, ao longo dessa graduação informal, que aprendi a ver a História, não como bola de cristal que prevê o futuro, mas como roteiro para entender o presente.

Foi também ele que então me abriu os olhos para a importância, já então, do movimento pentecostal no Brasil; dinâmico e popular, o pentecostalismo alastrava-se com seus dois grupos maiores, a Congregação Cristã do Brasil e as Assembléias de Deus.

Leónard entendia que na sociedade brasileira processava-se desde o século XIX até esses dias uma reforma na religião. Reforma não idêntica à européia do século XVI em sua manifestação social, mas com extraordinárias semelhanças: aqui, como lá (e especialmente na França), a Reforma era abraçada por integrantes da pequena "nobreza" e pequena classe média tanto rural como urbana; aqui, como lá, a reforma brotava em bolsões de piedade católica romana "leiga".

Diversamente de lá, aqui nobreza e clero não aderiram à reforma apesar da simpatia de alguns e da neutralidade quase cúmplice de D. Pedro II; quem aderiu foram damas, como Da. Maria Antônia, filha de barão; as filhas do Comendador Barros, latifundiário e magnata do café; duas senhoras da parentela de Honório Hermeto, a gente Paranaguá, de Correntes, Piauí e outros. Casos importantes, mas isolados. E nem aderiram vigários e padres, exceto um tanto tarde: José Manuel da Conceição teve a simpatia de alguns deles, mas veio só, ficou só e morreu só. Padres (alguns, e de valor) vieram depois, quando as igrejas-de-reforma já estavam estruturadas no modelo missionário. Aqui, como lá, a reforma nasceu com a Bíblia e teve características discretas de reavivamento espiritual sem barulheira. Mas aqui, como lá, a emotividade, quando intensa, deu em iluminismo, como no caso do primeiro cisma, o do Dr. Miguel Vieira Ferreira na Igreja do Rio.

O galicismo do professor repontava, parecia-me então, em observações que diplomaticamente fazia à ausência em nós de conhecimento direto de Calvino; e quando eu lhe objetava com Westminster e Hodge o professor sugeria que "talvez" houvesse ali traços de escolástica calvinista, e não devíamos "também" cultivar Calvino propriamente dito?

E mais de uma vez o historiador do protestantismo brasileiro me afirmava que às "denominações" tradicionais, e particularmente à presbiteriana, poderia caber a missão histórica de oferecer estrutura bíblica não-sectária aos nossos iluministas; pois assim o movimento deles que com dinamismo atingia grupos menos privilegiados da sociedade brasileira teria solidez para enfrentar a história.

Mais tarde ao ler sua *Histoire du Protestantisme* creio que o entendi melhor e afinal, na teologia apologética de F. Turretini (que foi básico na elaboração da Teologia de Princeton, a qual modelou nossos primeiros missionários), vi mais claramente a distinção entre escolástica calvinista (valiosa) e João Calvino (inestimável).

Tentei aplicar as conclusões do sábio francês (e presbítero regente) à ação eclesiástica.

Propus à comissão do Centenário que convidássemos também os pentecostais para nossa campanha; a Congregação Cristã, originária de uma igreja presbiteriana italiana de Chicago e com traços de calvinismo, escusou-se; mas vieram Assembléias de Deus, para espanto de nossa gente e proveito nosso e deles.

Tentei também administrar uma tradução da *Institutio*, ou de sua tradução em francês quinhentista feita pelo próprio Calvino; não fui bem sucedido e os poucos de nós que queriam (e querem) ir a Calvino tiveram de continuar com a excelente tradução castelhana, ou com o próprio tradutor-Calvino (edição Belles Lettres, 1936); quanto a mim, fui feliz: o francês quinhentista da tradução feita por Calvino é límpido, cristalino e elegante; mais tarde comprei em antiquário de Amsterdã a edição latina de 1561 na qual, vez por outra, caminho aos esbarrões, com o velho Santos Saraiva à mão. (A tradução norte americana a que tínhamos acesso era bastante pedregosa.)

Mas Calvino continuava pouco acessível ao entendimento e à instrução espiritual do público de língua portuguesa.

Participei da criação do Seminário José Manuel da Conceição com seu curso de mestrado teológico; ali se fez uma escola de teologia reformada calviniana. E o grande público continuava jejuno do gênio da Reforma que foi João Calvino.

Ora pois. Eis que a providência Divina chama o rev. Valter Graciano Martins para traduzir Calvino, e dá-lhe um grupo dedicado de companheiros para editar suas traduções. Começa pelos *Comentários*, e faz bem: neles estão o Calvino-reformador; o Calvino-pastor; o Calvino-teólogo; o Calvino-exegeta e, sempre, como em quanto escreveu, o Calvino-artista da palavra escrita, com sua limpidez gaulesa. Calvino escrevia com naturalidade, sem preciosismos provincianos e sem arrevezamentos e obscuridade.

A tradução é feita de uma boa tradução inglesa; quando o sentido pode ser melhor entendido em francês, ou em latim, esse tradutor coloca ao pé da página o texto francês ou, se necessário, o latino; o rev. Valter Graciano Martins mantém essas notas.

Graciano dá-nos Calvino simples, natural: sua tradução não é um labirinto, é clara fonte; descobrimos encantados que ler Calvino em português é, além do mais, agradável.

Quanto ao *Comentário dos Salmos,* não vejo necessidade de alongar-me pois também temos neste volume o prefácio à tradução inglesa, suficiente.

Baste-nos anotar um óbvio que alguém poderia não apreender: Calvino escreveu antes que a "Alta Crítica", tão alérgica a admitir elemento sobrenatural na Revelação Especial de Deus ao Homem, tivesse entulhado o caminho de comentaristas e ensaístas com uma ficção científica às avessas.

Mesmo comentadores eruditos e perfeitamente evangélicos se sentem hoje obrigados a comentar o Velho Testamento com pá na mão para remover o entulho acumulado em quase dois séculos por críticos secularistas, e a leitura acaba sendo cansativa e tediosa; alguém deveria contar-lhes que o rei está nu, e que ficção não é ciência.

Contudo, Calvino dá a atenção devida à tessitura histórica que envolve cada Salmo, quando há dados suficientes; a peculiaridades da língua hebraica, quando é o caso; a velhas traduções, quando pertinente; à contribuição de Pais e Doutores, quando oportuna: Calvino é exegeta competente e erudito; e é crente em Jesus Cristo: sabe que qualquer texto da Palavra de Deus se entende no contexto de toda a Palavra de Deus.

Que o público de língua portuguesa apreciará esta tradução, não há dúvida.

Desejamos que nosso bom tradutor continue, com a graça do Senhor.

Rev. Boanerges Ribeiro (1919-2003)
Ministro da Igreja Presbiteriana do Brasil e
Presidente do Supremo Concílio da IPB (1966-1974)

Introdução

O *LIVRO DOS SALMOS*, visto meramente como uma composição poética, tem sido objeto de nossa mais viva atenção. Homens dos mais refinados e apurados pendores têm com freqüência se dedicado ao estudo dele, partindo das belezas poéticas que lhe são abundantes, e têm admitido, neste respeito, a superioridade das alegações do mesmo. O maior de nossos poetas ingleses[1] assim se expressa acerca desses cânticos sacros: "Não só em seu divino argumento, mas na própria arte crítica da composição, eles podem facilmente ser realçados acima de todos os gêneros de poesia lírica como sendo algo incomparável." Outro excelente erudito,[2] discorrendo sobre o mesmo tema, diz: "Em sua fluência e inspiração líricas, em sua força e majestade esmagadoras, as quais parecem ainda ecoar os terríveis sons uma vez ouvidos sob as trovejantes nuvens do Sinai, a poesia das antigas e sacras Escrituras é a mais esplêndida que já incandesceu o coração humano."

A excelência intrínseca desse Livro, porém, exige ainda nossa mais vivaz atenção. Escrito sob a influência do Espírito de inspiração, seu tema central é digno de sua celestial origem. Em geral, ele contém detalhes da história nacional do povo judeu, registros de porções particulares da vida e experiências de indivíduos e predições de eventos futuros. Cada um desses tópicos abarca um campo muito amplo, e inclui ilustrações de cada verdade religiosa que se faz necessário conhecer, exemplificações de cada sentimento devoto que é nosso de-

---

1 Milton.
2 Sir Daniel K. Sandford.

ver apreciar, e exemplos de cada conflito espiritual que nos é possível experimentar. Deparamo-nos com muitas manifestações da imensurabilidade, da majestade e das perfeições do único e verdadeiro Deus, seu governo do mundo e seu especial desvelo por seu povo eleito. Deparamo-nos com os variados exercícios da alma regenerada, e vemo-la numa ocasião oferendo ferventes súplicas Àquele que ouve as orações, e noutra celebrando suas perfeições e obras; numa ocasião dando expressão às ardentes aspirações de amor a Deus e de confiança nele, e noutra se digladiando com a descrença e a corrupção; em certa ocasião pranteando sob a disciplina divina em decorrência do pecado, e noutra se regozijando sob o efeito da mercê perdoadora e desfrutando daquela paz que excede a toda e qualquer compreensão. Presenciamos infindáveis e grandiosas predições concernentes ao Messias – sua humilhação, sofrimentos, morte, ressurreição e ascensão para assentar-se à direita do Pai; sua obra no céu como Intercessor de seu povo, bem como sua autoridade como Rei universal; a efusão das influências do Espírito Santo e a conversão de todas as nações à fé do evangelho. Em suma, ali estendemos nossa vista para o juízo final, para a reunião de todos os justos diante de Deus e para a exclusão eterna dos ímpios, tanto da felicidade quanto da esperança.

Esses tópicos, e outros similares, são demonstrados nos mais nobres estilos da poesia e numa expressão cuja magnificência e sublimidade correspondem à importância e grandiosidade dos sentimentos que constituem a essência desse Livro; e enquanto proporcionam uma prova incontestável de que o Livro é inspirado, de que ele consiste, não das criações provenientes da mera capacidade humana, mas de uma emanação celestial, demonstram que seu caráter e tendência são totalmente diferentes do caráter e tendência da mais admirável poesia que a habilidade das nações pagãs jamais produziu. Ele não serve a qualquer paixão depravada; não nutre qualquer virtude fictícia; não se presta a oferecer seu delicioso incenso no santuário da degradante superstição. Ele ensina a mais sublime piedade e a mais pura moralidade. Sua única intenção é refinar e enaltecer a natureza humana, elevar a alma a Deus e inspirá-la com a admiração e o amor por seu caráter, refrear as paixões, purificar as afeições e incitar o cultivo de tudo quanto é verdadeiro, honesto, justo, puro, louvável e de boa fama. Ele tem guiado o santo em suas dúvidas e dificuldades; o tem animado na renúncia e no sofrimento; lhe tem comunicado apoio e conforto em seu encontro com a morte. Esse Livro tem sido, conseqüentemente, apreciado pelos homens mais excelentes de todas as épocas, os quais têm se esforçado por encontrar as mais puras expressões nas quais pudessem demonstrar a suprema excelência desse santo Livro. Atanásio o intitula: "Uma epítome de todas as Escrituras." Basílio: "Um compêndio de toda a teologia." Lutero: "Uma mini-bíblia e sumário do Velho Testamento." Melanchthon: "A mais elegante obra existente no mundo." E quanto ao apreço que Calvino tinha por seu valor, apontamos para o excelente prefácio no qual ele introduz esta seção de seus labores em busca da atenção do leitor.

O Comentário de Calvino sobre os Salmos, uma nova tradução do qual está agora em vias de ser apresentada ao leitor de língua inglesa, é distinguido por muitas excelências, as quais têm granjeado inapreciável reputação para seus comentários sobre outras partes da Escritura. Neste, bem como em seus demais comentários, seu primeiro e grande objetivo é descobrir a intenção do Espírito Santo. E para tal descoberta, ele toma por empréstimo o princípio elaborado por Melancthon: "a Escritura não pode ser entendida teologicamente, a menos que, antes de tudo, seja ela entendida gramaticalmente." Anterior ao seu tempo, o que estava mais em voga era o método místico e alegórico de explicar as Escrituras, segundo o qual o intérprete, detendo-se mui pouco ou absolutamente nada no sentido literal, saía em busca dos significados velados e alegóricos. Rejeitando, porém, tal método hermenêutico, o qual contribuía mui pouco à correta compreensão da Palavra de Deus, e segundo o qual o significado se fazia inteiramente dependente das fantasias do intérprete, Calvino se apegou à investigação do sentido gramatical e literal, por meio de um criterioso exame do texto hebraico, bem como por meio de uma diligente atenção voltada para o alvo e para a intenção do discurso do escritor.

Este princípio hermenêutico não tem como ser excessivamente apreciado. Em primeiro lugar, ele deve prender a atenção do comentarista; e quando é negligenciado, o princípio fundamental da crítica sacra é violado. Calvino estava sempre e profundamente atento à sua importância. Seu único defeito está em sua influência para restringir demasiadamente. Muitos dos Salmos, além do sentido literal, contêm também o sentido profético, evangélico e espiritual. Ao mesmo tempo que têm uma referência primária a Davi e à nação de Israel, apontam também para Cristo e a Igreja do Novo Testamento, fundado no fato de que a primeira referência era típica da última. Calvino, aliás, explica alguns dos Salmos com base neste princípio. Ele, porém, aplica o princípio menos freqüentemente do que poderia ter feito sem violar os cânones da sã hermenêutica. Sua profunda aversão pelo método místico de interpretação e pelo absurdo e extensão extravagante a que foi levado pelos Pais, talvez o tenha feito correr para o outro extremo de limitar demasiadamente sua atenção ao sentido literal e dirigir sua atenção pouco demais para o caráter profético e espiritual do Livro e para a referência que o mesmo faz a Cristo e à Igreja. Em conseqüência de tal fato, suas exposições contêm menos unção e são menos ricas de sentimento evangélico do que de outra forma seriam. Há, contudo, dois princípios da verdade evangélica que ele se empenha por inculcar sempre que alguma oportunidade se lhe apresente – a doutrina da justificação pela fé em Cristo sem as obras da lei; e a necessidade de santidade pessoal para a salvação.

Outra excelência do presente *Comentário* está em seu caráter prático. O autor não se limita a aridez e a detalhes insossos de meros exercícios gramaticais, como se estivesse comentando algum clássico grego ou romano. Ele direciona todas as suas explanações a questões práticas, e assim sua obra exibe uma feliz combinação de observações críticas e filosóficas com exposição prática.

Aqui, uma vez mais, encontramos patenteado o raciocínio sadio e penetrante pelo qual Calvino tem sido universalmente admirado. Tal fato se manifesta na judiciosa seleção que ele faz dentre uma enorme gama de interpretações a que é evidentemente a única verdadeira ou que parece ser a mais provável. Às vezes ele renuncia certa interpretação por ser pobre e insatisfatória. Em outras vezes, ele simplesmente declara sua preferência por uma ou outra interpretação, quando, após criterioso exame, pareceu-lhe ter o balanço dos argumentos em seu favor; sem, contudo, expressar alguma oposição final a algum ponto de vista, quando o que preferiu era apoiado por apenas uma leve preponderância de evidência. Em outras vezes, ele não decide entre diferentes interpretações, demonstrando que, com respeito a certas palavras e expressões, ele não chega a uma opinião fixa. Em todos esses exemplos,[3] ele revela muita perspicácia e bom senso. Indubitavelmente, ele às vezes se equivoca em sua interpretação de passagens particulares. Mas quando se considera que as Escrituras há muito se fizeram um livro selado, e que os auxílios de que se dispunha eram poucos e imperfeitos, comparados com aqueles que ora possuímos, é ainda admirável que ele tenha tido pleno êxito em trazer a lume seu genuíno significado. Isso se deveu principalmente ao vigor e acuidade do intelecto, combinados com um raciocínio sadio e discriminativo. Tais, deveras, eram as qualidades mentais por meio das quais ele peculiarmente se distinguia. Não nos deparamos com nenhum lampejo de poesia, nenhuma chispa de fantasia, dando evidência de uma poderosa imaginação. As passagens eloqüentes que ocorrem são a eloqüência da razão, não as eclosões da imaginação. Sua força de pensamento, porém, o vigor e perspicácia de seu intelecto, o extraordinário poder de seu raciocínio, atrai nossa espontânea admiração.

---

3 No Comentário de Calvino, e das quais temos ainda mui numerosos exemplos em *Poole's Synopsis Criticorum*, de forma alguma deve supor-se que o significado da linguagem da Escritura é vago, impreciso e duvidoso. Houvessem os professos intérpretes da Escritura sempre efetuado sua tarefa com critério, bem como com ciência e talento, deixando-se guiar pelas regras da sã hermenêutica, e os leitores não haveriam se emaranhado em tantas diferentes e contraditórias interpretações. Entretanto, ainda há palavras e orações, cuja exata significação é mais ou menos duvidosa e incerta, de modo que se torna difícil determinar entre diferentes sentidos que lhes foram impostos. As razões disso são bem delineadas por Cresswell, em seu prefácio a *The Book of Psalms With Nots* (pp. 14-16), e a passagem tem assim servido de apoio a uma série de variadas interpretações, das quais Calvino trata neste Comentário, e que citaremos por inteiro, não obstante serem longas.

Desde que este *Comentário* foi pela primeira vez publicado, um grande volume de traduções dos *Salmos*, bem como numerosas obras críticas e explanatórias sobre eles, têm vindo a lume, enquanto que um grande contingente de novas luzes se tem projetado sobre muitas passagens proveniente de pesquisas filológicas mais extensas, de atenção para o paralelismo da poesia hebraica[4] e de informações mais completas que hoje possuímos, pelas descobertas de excursionistas modernos, da história natural, dos costumes e dos hábitos orientais, aos quais se faz freqüente alusão nos Salmos. Mas tal é a acuidade do raciocínio e sucesso em descobrir a mente do Espírito que distinguem essas preleções, que as mesmas jamais serão excedidas por qualquer comentário moderno sobre o mesmo tema. E ainda que já se passou quase três séculos desde que foram escritas, há poucas obras específicas sobre os Salmos, das quais o estudante da presente época, que deseje criticamente examinar, extrairá uma assistência mais importante.

Nem é a imparcialidade e a integridade de Calvino, como intérprete, menos evidentes nesta obra que seu raciocínio. Sendo seu primeiro e principal objetivo descobrir a intenção do Espírito Santo, ele se chegou à Palavra de Deus não com o propósito de encontrar argumentos para estabelecer algumas opiniões ou teorias preconcebidas, mas no humilde caráter de um aprendiz, e jamais o encontramos pervertendo ou torcendo uma passagem em apoio mesmo daquelas doutrinas que mais ardentemente afagou. Longe de fazer isso, ele mui amiúde evita

---

[4] O paralelismo é o característico distintivo da poesia hebraica, e uma atenção para ela, deve--se admitir, fornece muita assistência na elucidação daquilo que é obscuro, bem como esclarece passagens difíceis. Algumas traduções modernas dos Salmos, como a francesa e a de Skinner, trazem as linhas tão bem arranjadas que fazem o paralelismo saltar aos olhos, propiciando ao leitor descobrir, num relance, a precisão tanto da estrutura quanto do significado, a qual, no ordinário modo de descrever, pode passar despercebida mesmo depois de leitura constante e atenta. Para uma investigação completa desse tema, o leitor é remetido às elegantes preleções do Dr. Lowth sobre *Poesia Sacra*, bem como seu *Preliminary Dissertation*, anexado à sua tradução do profeta Isaías, obras que criaram uma nova era na literatura sacra, pela luz que elas lançam sobre o caráter da poesia hebraica, com respeito à qual o erudito esteve antes hesitante e perplexo, ante a obscuridade que permanecia sobre o tema. O Bispo Jebb, em seu "Sacred Literature", também investigou o paralelismo da poesia hebraica com muita habilidade, e com sucesso conseguiu controverter algumas das posições do Bispo Lowth.

um texto que já fora explicado por outros comentaristas como prova de alguma doutrina importante, e o qual ele teria considerado pelo mesmo prisma, não fosse sua aversão em impor às Escrituras uma construção forçada, e sua rígida determinação em aderir aos princípios da justa e lógica interpretação. Por exemplo, as palavras do Salmo 2.7: "Ele me disse: Tu és meu Filho, eu, hoje, te gerei", foram citadas por Agostinho e muitos outros eminentes doutores como prova da eterna geração do Filho de Deus. Mas como Paulo, em Atos 13.33, as explica como que recebendo seu cumprimento na ressurreição de Cristo, Calvino as descarta da categoria de provas que apoiam a doutrina de uma geração eterna, embora ele defenda a doutrina,[5] e as considera como a referir-se meramente à manifestação provinda da Filiação de Cristo através de sua ressurreição dentre os mortos. Uma vez mais, o Salmo 8.5: "Fizeste-o, no entanto, por um pouco, menor do que Deus, e de glória e de honra o coroaste", tem sido explicado com freqüência como expressão profética da humilhação temporária e subseqüente exaltação de Cristo, opinião esta apoiada por razões que longe estão de ser desprezíveis; mas Calvino, julgando pelo prisma do escopo da passagem, a considera exclusivamente em referência ao homem, e enquanto Paulo a cita em Hebreus 2.7, e a aplica a Cristo, ele lha aplica apenas à guisa de acomodação. Da mesma forma, as palavras no Salmo 33.6: "Os céus por sua palavra se fizeram, e pelo sopro [espírito] de sua boca, o exército deles", têm sido consideradas por muitos judiciosos doutores como uma evidência da Trindade – 'Jehovah', denotando o Pai; 'a palavra de Jehovah', o Filho; e 'o sopro [espírito] da boca de Jehovah', o Espíri-

---

5 Que Calvino defendeu essa doutrina faz-se evidente à luz de seu comentário sobre Atos 13.33, onde, depois de afirmar que as palavras do Salmo 2, acima citado, se referem à inequívoca evidência pela qual o Pai proveu que Cristo fosse seu Filho ao ressuscitá-lo dos mortos, observa ele: "Isso, contudo, não é uma objeção à doutrina de que Cristo, a Palavra pessoal, foi gerado pelo Pai eterno antes que houvesse tempo; mas essa geração é um mistério insondável." Com respeito aos que argumentam, à luz dessa passagem, em apoio dessa doutrina, ele diz: "Sei que Agostinho, e a maioria dos comentaristas, se agradam mais com a sutil especulação de que 'hoje' denota um ato contínuo ou um ato eterno. Mas quando o próprio Espírito de Deus é seu próprio intérprete, e explica pelos lábios de Paulo o que foi dito por Davi, não mais somos autorizados a inventar e a dar às palavras qualquer outro significado."

to Santo. Enquanto Calvino, porém, admite que a 'palavra de Jehovah' significa a Eterna Palavra, o Unigênito Filho de Deus, todavia raciocina que o sentido da frase: "o sopro [espírito] da boca de Jehovah", que ordinariamente se ostenta na Escritura, não significa a terceira Pessoa da adorável Trindade, e, sim, simplesmente *sermo, expressão verbal*, ainda que não houvesse uma verdade que defendesse com mais bravura e considerasse mais como sendo essencial ao sistema cristão do que as doutrinas da Trindade e da Deidade do Espírito Santo. "É bem possível", diz Tholuck, "que, ao seguir essa direção do raciocínio, ele tenha desnecessariamente sacrificado este ou algum outro texto-prova; até que o princípio do qual ele provinha fosse em todos os casos aprovado."

Este Comentário, de igual forma, produz características bem patentes da erudição de seu autor. Sua íntima familiaridade com a língua hebraica, cujo conhecimento é de imensa importância na interpretação das Escrituras do Velho Testamento, se faz evidente por toda parte. Padre Simão, a quem a acrimônia da controvérsia o levou exacerbadamente a depreciar e a mencionar de forma injusta aqueles que dele diferiam, assevera, aliás, que Calvino era tão ignorante da língua hebraica, que nada conhecia além das letras. No entanto, basta-nos apenas examinar seu comentário sobre os Salmos, para não falar de seus comentários sobre outras partes do Velho Testamento, para nos convencermos de que seu conhecimento da língua hebraica era acurado e minucioso, levando em conta a época em que ele viveu. Ele às vezes se envolve num exame crítico do texto original, manifestando à luz de suas observações filológicas, ainda que breves, uma inusitada familiaridade com aquele idioma; chegando, em suas interpretações, aos mesmos resultados que uma profunda exegese e uma atenção mais minuciosa, filologicamente, têm conduzido os críticos modernos. Com freqüência, quando ele, expressamente, não critica o texto hebraico, ou faz suas afirmações na forma de crítica, o pesquisador do hebraico perceberá que suas observações se fundam numa detida atenção ao estrito significado das palavras hebraicas, e que freqüentemente expressa seu preciso significado com muito energia, com sucesso e com delicadeza de expressão. Nem é lógico esperar, à luz deste comentário, que Calvino houvesse percorrido todo o campo do conhecimento, até onde poderia o mesmo ser explorado em seus dias. Do antigo e moderno sistemas de filosofia, de história civil e eclesiástica, tanto quanto dos clássicos gregos e romanos, ele extrai matérias e mostra como pôde ele empregar, com exemplo e força, e no entanto sem a mínima ostentação ou pedantismo, sua variada aquisição para ilustrar a sacra verdade.

Em suma, esta obra está permeada de profunda piedade e ampla experiência cristã. Todo o seu matiz indica ser ela o fruto de uma alma que sentia as profundas operações da piedade; de uma alma na qual o amor de Deus era supremo, que buscava seu descanso e felicidade nele só, que reconhecia sua mão e providência em cada evento, que confiava nele em toda e qualquer circunstância, que o fitava como a um Pai e um Amigo que dispensa todas as bênçãos e que, em todas as suas faculdades, era consagrada com total devotamento a Cristo e ao evangelho. Por toda parte, também, ele trata da grande experiência religiosa do homem. Quer o autor comente os lamentosos cânticos nos quais a tristeza derrama sua amargura, ou os triunfantes e jubilosos cânticos nos quais as perfeições e a providência de Deus, os livramentos individuais e nacionais são celebrados; quer fale ele dos exercícios religiosos de Davi, ou das provações de sua vida, ou de seus conflitos íntimos, percebemos uma mente que experimentara por si própria muito daquilo que ilustrava. Tal experiência qualificava eminentemente a Calvino para tornar-se intérprete dos Salmos. Colocado, às vezes, em circunstâncias similares àquelas de Davi, como ele mesmo graficamente descreve em seu *Prefácio*, se viu assim capacitado a conceber acuradamente o fio de pensamento de Davi, a ver coisas como se fosse com seus próprios olhos, a traçar a compleição e caráter de seus sentimentos, e dessa forma a retratá-los de uma maneira tão justa e natural, que nos deixa quase convencidos a pensar, ao perscrutar a descrição deles, que fossem descritos pelo próprio Davi.

Esta obra foi traduzida do original em latim e conferida com a versão francesa, a qual foi escrita pelo próprio autor. A edição francesa que tem sido usada, e a qual foi indubitavelmente a última corrigida sob os cuidados oculares do autor, foi impressa em 1563 e é descrita no frontispício como "tão cuidadosamente revisada, e tão fielmente comparada com a versão latina, que pode ser considerada uma nova tradução". Enquanto o tradutor fazia da versão latina seu livro-texto, ele fez uma confrontação muitíssimo cuidadosa com a versão francesa, pela qual se viu imensamente corroborado para imprimir uma mais clara e mais plena representação do significado de seu autor. Tendo a versão francesa vindo a lume depois da versão latina, e sendo ela escrita na língua nativa de Calvino, na qual se esperava fosse escrita com mais facilidade do que numa língua morta, admitido, não obstante, que suas obras em latim visam à pureza de seu estilo clássico, ela contém numerosas expansões do pensamento e expressão, pelas quais ele remove as obscuridades ocasionais da versão latina, que se acha escrita num estilo mais comprimido e conciso. Às vezes, ainda que não com freqüência, nos deparamos com uma sentença completa, na versão francesa, que não será encontrada na latina; mas há casos que ocorrem com freqüência em que, ao inserir na versão francesa uma cláusula no início, no meio ou no fim de uma oração, a qual não ocorre no latim, ele explica o que é obscuro na última versão, ou introduz um novo pensamento ou expressa seu significado com mais clareza e numa linguagem mais copiosa. O tradutor introduziu essas cláusulas adicionais no texto, em seu devido lugar, e as indicou com um adendo ao original francês na forma de notas de rodapé. Ele, entretanto, às vezes traduz da versão francesa onde parece mais completa e mais perspicaz do que o latim, sem o indicar em notas de rodapé. Em uns poucos exemplos, onde a expressão nas duas versões é diferente, ele deu a expressão de ambas, retendo no texto a da versão latina e transferindo a da versão francesa para o rodapé.

Com respeito ao princípio sobre o qual ele procedeu na tarefa de traduzir, é bastante dizer que se esforçou por expressar o significado do autor na linguagem tão fiel ao original quanto lhe foi possível, evitando ser demasiadamente literal, por um lado, e demasiadamente liberal, por outro; esse é, em seu entendimento, o método pelo qual um tradutor pode melhor fielmente representar ao leitor o sentido, bem como o estilo e hábito de seu autor.

Foi dado à própria versão de Calvino, do Texto Sacro, em preferência ao de nossa Bíblia em língua inglesa, quando isso era necessário ao claro entendimento de suas ilustrações. As duas versões, entretanto, contêm boa dose de semelhança uma com a outra. Às vezes a versão inglesa é uma acurada tradução de Calvino; outras vezes [se assemelham] às variantes marginais que se encontram em algumas de nossas Bíblias em inglês. Entretanto, ele não poucas vezes difere de ambas; e, em alguns exemplos, ainda que não em todos, onde ele difere sua tradução parece ser superior em exatidão e põe o sentimento do original numa claridade mais plena e com maior efeito do que se faz em nossa versão inglesa. As citações bíblicas que ele faz têm conferido com as palavras de nossa Bíblia inglesa, exceto naqueles casos em que seu argumento exigia que sua própria tradução da passagem fosse conservada.

Esta obra foi traduzida para o inglês alguns anos após seu primeiro aparecimento, através de Arthur Golding, cuja tradução foi publicada em Londres, em 1571. Arthur Golding, membro de ilustre família e natural de Londres, foi um dos mais renomados tradutores dos clássicos romanos, na época da Rainha Elizabeth, quando a tradução dessas valiosas obras da antigüidade, para o idioma inglês, envolvia todo o seu labor literário. Ele traduziu a *História* de Justino, os *Comentários* de César, a *Metamorfose* de Ovídio, os *Benefícios* de Sêneca e outros autores clássicos; bem como diversas obras modernas, tanto em francês como em latim, entre as quais está uma série dos escritos de Calvino, além dos Salmos. Tudo indica que sua única obra tenha sido "Discurso sobre o terremoto que ocorreu no Reino da Inglaterra e outros lugares da Cristandade, a seis de abril de 1580", publicado em seis volumes. "É uma pena", diz Warton, "que tenha ele dado tanto de seu tempo à tradução."[6] Golding foi, sem qualquer sombra de dúvida, um bom erudito clássico e bem familiarizado com

---

6 Veja-se *Biographica Dramatica*; Lowndes' Biographer's Manual of English Literature; e Warton's History of English Poetry, Vol. III, pp. 409-414.

o estilo de Calvino; mas, como sua tradução foi realizada há quase três séculos atrás, toda ela está saturada de palavras e frases que se tornaram antiquadas e obsoletas, à luz da grande transformação que sofreu a língua inglesa desde aquele período. Sendo, por essa conta, freqüentemente muito obscura, às vezes ininteligível, ela fracassa em oferecer uma justa representação, a um leitor de língua inglesa do presente tempo, da obra de Calvino, e o leva a formar menos estima favorável de seu valor do que é devido ao seu mais elevado mérito. Além disso, tudo indica que Golding não conheceu a versão francesa, a qual oferece a um tradutor infindável assistência na fiel apresentação do pensamento de Calvino.

No que respeita às *notas* que se encontram apensas a esta tradução, elas pretendem capacitar o leitor a entender com mais clareza o significado das observações filológicas e as críticas de Calvino quando são obscuras, à luz da sucintez com que são expressas; ou com o fim de exibir os méritos de Calvino como comentarista, demonstrando quão freqüentemente suas interpretações são adotadas e apoiadas pelos mais eminentes críticos bíblicos; ou para ilustrar o Texto Sacro, demonstrando o significado preciso dos termos hebraicos ou explicando alguma porção da história natural ou algum costume ou hábito oriental ao qual haja alguma alusão. As versões antigas oferecem importante assistência na explicação de passagens difíceis e sua tradução de textos particulares tem sido ocasionalmente apresentada quando tal coisa contribui para a elucidação dos mesmos, ou lança luz sobre as observações de Calvino. Dessas versões, a Septuaginta, a Vulgata e a de Jerônimo parecem ser as únicas que ele consultou, e à primeira ele faz freqüentes referências.

Como as traduções de *A Sociedade João Calvino* se destinam a toda a comunidade cristã, tem sido considerado fora de ordem entrar em questões teológicas, sobre as quais existe diferença de opinião entre as diversas denominações da comunidade cristã. Ao elaborar estas notas, o editor repetidas vezes comparou a tradução que Calvino fez do Texto Sacro com o original hebraico, bem como com a Septuaginta, com a Vulgata e com a versão de Jerônimo. Ele consultou também um considerável número de obras críticas sobre os Salmos escritas por alguns dos mais eminentes eruditos bíblicos que têm escrito sobre este livro, quer como um empreendimento separado, quer em conjunto com outros livros da Escritura. Ele faz livre uso das ricas histórias fornecidas pela erudição; e no decurso da obra ele finca cuidadosamente as balizas de suas fontes autorizadas quando tal coisa fornece maior peso às suas afirmações. Muitos dos autores citados foram homens de proeminente erudição, tirocínio e piedade, possuindo profunda familiaridade com a língua hebraica, bem como com devotados anos de laboriosos estudos no campo da investigação do significado deste Sacro Livro; e é maravilhoso descobrir quão estritamente os resultados das investigações de Calvino, mesmo no tocante às passagens mais difíceis, se harmonizam com os resultados a que chegaram os críticos modernos, guiados pela exatidão dos princípios hermenêuticos. Isso às vezes tem forçado a atenção do editor, e quanto mais ele comparava as críticas e as interpretações de Calvino com os labores de tão preclaros mestres, mais sublimemente despertava sua admiração pelo talento, penetração, erudição e acume crítico desse grande comentarista. Aliás, não umas poucas, senão as mais belas interpretações que serão encontradas em comentários e obras críticas, foram antes apresentadas por Calvino, ainda que seja ignorada sua fonte de origem. Que fique expresso indelevelmente aqui que o exame da filologia do Sacro Texto, bem como as obras críticas sobre o tema, levaram o editor a observar quão estreitamente Calvino amiúde adere, em suas interpretações, à autoridade do original hebraico, o que o capacitou em muitos casos, no decurso da tradução, a apresentar o significado de seu autor mais corretamente do que de outra forma teria feito, bem como a evitar equívocos nos quais Golding com freqüência caiu, evidentemente por não estar familiarizado com a filologia da passagem, ou a crítica à qual Calvino brevemente se reporta ou se refere, e a qual é difícil ao leitor claramente entender, a menos que a encontre expressa de forma mais plena em alguma outra obra crítica. Resta apenas acrescentar que o último volume conterá uma tabela das passagens dos Salmos citadas no Novo Testamento, assim como uma lista dos temas particulares de cada Salmo segundo a interpretação do reformador francês.

Edinburgh, junho de 1845.

James Anderson

Dedicatória

*João Calvino
aos leitores piedosos e sinceros,
saudações*

Visto que a leitura destes meus *Comentários* tem transmitido infindos benefícios à Igreja de Deus, enquanto eu mesmo tenho colhido bênçãos procedentes da composição dos mesmos, não terei motivo para sentir-me pesaroso por ter empreendido esta obra. Tendo feito aqui, em nossa pequena escola, uma exposição do Livro dos Salmos, cerca de três anos atrás, pensei que tivesse, por esse meio, me desincumbido satisfatoriamente de meu dever, e resolvi não publicar aos olhos do mundo o que, de forma familiar, ensinara aos meus próprios paroquianos. E, de fato, antes mesmo de empreender a exposição deste livro em minhas preleções, ante as solicitações de meus irmãos, tive que expor a razão por que me afastava deste tema, ou seja: porque o mais fiel doutor da Igreja de Deus, Martin Bucer, havia labutado neste campo com tão singular erudição, diligência, fidelidade e com tanto sucesso, que afinal não havia tanta necessidade de eu lançar mão dessa tarefa. E tivessem os Comentários de Wolfgang Musculus, naquele tempo, sido publicados, e não me teria omitido fazer-lhes justiça, mencionando-os da mesma forma, já que ele também, na avaliação dos homens de bem, granjeou não pouco louvor por sua diligência e indústria nessa caminhada. Não tinha ainda chegado ao fim do livro quando, vejam só: fui estimulado por reiteradas solicitações para não deixar que minhas preleções, as quais algumas pessoas, cuidadosa e fielmente, e não sem muito esforço, tomaram nota, se perdessem para o mundo. Meu propósito permanecia ainda inalterado; só prometi que faria o que por muito tempo bailava em minha mente, a saber: escrever algo sobre o tema na língua francesa, para que meus compatriotas não prosseguissem sem os meios que lhes possibilitassem entender um livro tão proveitoso quando lido com a devida reflexão. Enquanto pensava em fazer tal tentativa, de súbito, e contrariando meu propósito inicial, ocorreu-me, por qual impulso não sei, fazer uma exposição, em latim, de um só dos Salmos, à guisa de ensaio. Ao perceber que meu sucesso correspondia ao meu desejo, muito além do que me aventurara antecipar, cobrei ânimo, e a seguir comecei a fazer a mesma tentativa com outros Salmos. Ao percebê-lo, meus amigos íntimos, como se agindo assim me constrangessem a concordar, me injetaram mais confiança a não desistir de minha empresa. Uma das razões que me levaram a atender suas solicitações, e a qual também desde o início me induzira a fazer a primeira tentativa, foi certa apreensão de que, em algum período futuro, as notas tomadas de minhas preleções viessem a ser publicadas ao mundo, contrariando meus desejos, ou, pelo menos, sem meu conhecimento. E posso sinceramente dizer que fui convencido a executar esta tarefa, mais por tal apreensão do que de minha livre vontade. Ao mesmo tempo, enquanto prosseguia com a execução do trabalho, passei a perceber mais distintamente que tal empreendimento de forma alguma era algo supérfluo, como também tenho sentido de minha própria experiência que, para os leitores que não são muito experientes, estaria fornecendo importante assistência na compreensão dos Salmos.

As riquezas variadas e esplêndidas que compõem este tesouro não são algo fácil de se expressar em palavras; tanto é verdade que estou bem consciente de que, seja como melhor me expresse, estarei longe de revelar toda a excelência do tema. Como, porém, é melhor apresentar aos meus leitores alguma prova, não obstante pequena, das grandiosas vantagens que usufruirão do estudo deste livro, do que guardar total silêncio sobre o assunto, que me seja permitido, brevemente, chamar a atenção para uma questão, cuja grandeza não admite permanecer completamente velada.

Tenho por costume denominar este livro – e creio não de forma incorreta – de: "*Uma Anatomia de Todas as Partes da Alma*", pois não há sequer uma emoção da qual alguém porventura tenha participado que não esteja aí representada como num espelho. Ou, melhor, o Espírito Santo, aqui, extirpa da vida todas as tristezas, as dores, os temores, as dúvidas, as expectativas, as preocupações, as perplexidades, enfim, todas as emoções perturbadas com que a mente humana se agita. As demais partes da Escritura contêm os mandamentos, os quais Deus ordenou a seus servos que no-los anunciassem. Aqui, porém, os profetas mesmos, visto que nos são descritos falando com Deus e pondo a descoberto todos os seus mais íntimos pensamentos e afeições, convidam ou, melhor, atraem cada um de nós a fazer um exame de si mesmo individualmente, a fim de que nenhuma das muitas debilidades a que estamos sujeitos, e nenhum dos muitos vícios aos quais estamos jungidos, permaneça oculto. Com toda certeza é uma rara e singular vantagem quando todos os esconderijos se põem a descoberto e o coração é trazido à claridade e purgado da mais perniciosa das infecções – a hipocrisia! Em suma, como invocar a Deus é um dos principais meios de garantir nossa segurança, e como a melhor e mais inerrante regra para guiar-nos nesse exercício não pode ser encontrada em outra parte senão nos Salmos, segue-se que em proporção à proficiência que uma pessoa haja alcançado em compreendê-los, terá também alcançado o conhecimento da mais importante parte da doutrina celestial. A genuína e fervorosa oração provém, antes de tudo, de um real senso de nossa necessidade, e, em seguida, da fé nas promessas de Deus. É através de uma atenta leitura dessas composições inspiradas que os homens serão mais eficazmente despertados para a consciência de suas enfermidades, e, ao mesmo tempo, instruídos a buscar o antídoto para sua cura. Numa palavra, tudo quanto nos serve de encorajamento, ao nos pormos a buscar a Deus em oração, nos é ensinado neste livro. E não é só o caso de as promessas divinas nos serem apresentadas nele, mas às vezes se nos exibe, por assim dizer, uma posição entre os convites de Deus, por um lado, e os empedimentos da carne, por outro, envolvendo-nos e preparando-nos para a oração. Desse modo ensinando-nos – se porventura em qualquer tempo formos agitados por forte gama de dúvidas – a resistir e lutar contra tais empedimentos, até que a alma, libertada e desembaraçada de todos eles, se ponha diante de Deus; e não só isso, mas que, mesmo em meio às dúvidas, os temores e as apreensões, envidemos todo o nosso esforço em orar, até que experimentemos alguma consolação que venha acalmar e trazer refrigério às nossas mentes.¹ Ainda que a incerteza escancare seus portões contra nossas orações, não devemos transigir, sempre que nossos corações oscilem ou sejam agitados pela inquietude; ao contrário, devemos perseverar até que a fé finalmente saia vitoriosa desses conflitos. Em muitos lugares, podemos perceber o exercício dos servos de Deus orando com demasiada hesitação, de modo que se vêem quase que subjugados pela expectativa alternada de sucesso e prelibação de fracasso, medo de receber o prêmio só depois de extenuantes esforços. Vemos, por outro lado, a carne manifestando sua enfermidade; e, por outro, a fé desenvolvendo seu vigor; e se não é suficientemente valente e corajosa como poderia ser, pelo menos se prepara para a luta e gradualmente adquirir perfeito vigor.

Mas, como os elementos que servem para ensinar-nos o genuíno método de orar corretamente se acham esparsos por todo este comentário, não me interromperei agora para tratar de tópicos que serão inevitavelmente repetidos depois, nem deterei meus leitores de prosseguirem em direção à própria obra. Simplesmente pareceu-me ser indispensável mostrar de passagem que este livro nos torna notório este privilégio, o qual é desejável acima de todos os demais, a saber: que não só nos é franqueado aquele familiar acesso à presença de Deus, mas também que temos permissão e nos é concedida a liberdade de pôr a descoberto diante dele aquelas nossas fraquezas que teríamos vergonha de confessar diante dos homens. Além disso, temos também aqui prescrito uma regra infalível a nos orientar sobre a maneira correta de oferecer a Deus o sacrifício de louvor, o qual ele declara ser a coisa mais preciosa aos seus olhos e o mais agradável dos aromas. Não existe outro livro onde mais se expressem e magnifiquem as ce-

---

1 "Jusqu'à ce que nous sentions quelque allegement qui nous appaise et contente." – v.f.

lebrações divinas, seja da liberalidade de Deus sem paralelo em favor de sua Igreja, seja de todas as suas obras. Não há nenhum outro livro em que haja registrados tantos livramentos, nenhum outro em que as evidências e as experiências da providência paternal e a solicitude que Deus exerce para conosco sejam celebradas com tanto esplendor de expressão e ao mesmo tempo com a mais estrita aderência à verdade. Em suma, não há outro livro em que somos mais perfeitamente instruídos na correta maneira de louvar a Deus, ou em que somos mais poderosamente estimulados à realização desse sacro exercício. Além do mais, ainda que os Salmos estejam repletos de todo gênero de preceitos que servem para estruturar nossa vida a fim de que a mesma seja saturada de santidade, de piedade e de justiça, todavia eles principalmente nos ensinarão e nos exercitarão para podermos levar a cruz; e levar a cruz é uma genuína prova de nossa obediência, visto que, ao fazermos isso, renunciamos a liderança de nossas próprias afeições e nos submetemos inteiramente a Deus, permitindo-lhe nos governar e dispor de nossa vida segundo os ditames de sua vontade, de modo que as aflições que são as mais amargas e mais severas à nossa natureza se nos tornem suaves, porquanto procedem dele. Numa palavra, aqui não só encontraremos enaltecimento à bondade de Deus, a qual tem por meta ensinar aos homens a descansarem nele só e a buscarem toda a sua felicidade exclusivamente nele; cuja meta é ensinar aos verdadeiros crentes a confiadamente buscarem nele, de todo o seu coração, auxílio em todas as suas necessidades. Mas também descobriremos que a graciosa remissão dos pecados, a qual é o único meio de reconciliação entre Deus e nós, e a qual restaura nossa paz com ele,[2] é tão demonstrada e manifesta, como se aqui nada mais faltasse em relação ao conhecimento da eterna salvação.

Ora, se porventura meus leitores extraírem algum fruto e benefício do labor que ora empreendo, escrevendo estes comentários, devo

---

[2] "Et nous acquiert tranquillite de conscience devant luy." – v. f. "E granjeia para nós tranqüilidade de consciência diante dele."

levá-los a entender que a diminuta medida de experiência que tenho extraído dos conflitos com os quais o Senhor me tem exercitado, me ajudou não simplesmente num grau ordinário, não só em aplicar ao presente uso qualquer instrução que pudesse ser extraída dessas divinas comparações, mas também em compreender mais facilmente o propósito de cada um dos escritores. E como Davi ocupa o principal lugar entre eles, isso me tem auxiliado a compreender mais plenamente as queixas expressas por ele, das aflições íntimas que a Igreja teria que suportar através daqueles que se dispuseram a ser seus membros, para que eu suportasse as mesmas ou coisas similares por parte dos inimigos domésticos da Igreja. Pois ainda que tenha eu seguido a Davi de uma longa distância, e tenha faltado muito pouco para igualar-me a ele, ou, melhor, ainda que, ao anelar tardiamente e com grande dificuldade alcançar as muitas virtudes com as quais ele excedeu a muitos, todavia me senti deslustrado com os vícios contrários. Todavia, se porventura tiver algumas coisas em comum com ele, então não terei hesitação alguma em comparar-me a ele. Ao ler os exemplos de sua fé, paciência, fervor, zelo e integridade, tal ato arrancou de mim, inevitavelmente, incontáveis gemidos e suspiros, por ver que estou mui longe de chegar-me a ele; não obstante, tendo sido de imenso benefício poder eu olhar para ele como num espelho, tanto nos primórdios de minha vocação como ao longo do curso de minha função, tanto que eu sei com toda certeza que todos os inúmeros exemplos de sofrimento por que passou o rei Davi me foram exibidos por Deus como um exemplo a ser imitado. Minha condição, não há dúvida, é muito inferior à dele, e é desnecessário que me esforce para o demonstrar. Mas como ele fora tirado do rebanho e elevado à categoria de suprema autoridade, também Deus, me havendo tirado de minha originariamente obscura e humilde condição, considerou-me digno de ser investido com o sublime ofício de pregador e ministro do evangelho.

Quando era ainda bem pequeno, meu pai me destinou aos estudos de teologia. Mais tarde, porém, ao ponderar que a profissão jurídica comumente promovia aqueles que saíam em busca de riquezas, tal prospecto o induziu a subitamente mudar seu propósito. E assim aconteceu de eu ser afastado do estudo de filosofia e encaminhado aos estudos da jurisprudência. A essa atividade me diligenciei a aplicar-me com toda fidelidade, em obediência a meu pai; mas Deus, pela secreta orientação de sua providência, finalmente deu uma direção diferente ao meu curso. Inicialmente, visto eu me achar tão obstinadamente devotado às superstições do papado, para que pudesse desvencilhar-me com facilidade de tão profundo abismo de lama, Deus, por um ato súbito de conversão, subjugou e trouxe minha mente a uma disposição suscetível, a qual era mais empedernida em tais matérias do que se poderia esperar de mim naquele primeiro período de minha vida. Tendo assim recebido alguma experiência e conhecimento da verdadeira piedade, imediatamente me senti inflamado de um desejo tão intenso de progredir nesse novo caminho que, embora não tivesse abandonado totalmente os outros estudos, me ocupei deles com menos ardor.

  Fiquei totalmente aturdido ao descobrir que antes de haver-se esvaído um ano, todos quantos nutriam algum desejo por uma doutrina mais pura vinham constantemente a mim com o intuito de aprender, embora eu mesmo não passasse ainda de mero neófito e principiante. Possuidor de uma disposição um tanto rude e tímida, o que me levava sempre a amar a solidão e o isolamento, passei, então, a buscar algum canto isolado onde pudesse furtar-me da opinião pública; longe, porém, de poder realizar o objetivo de meus sonhos, todos os meus retraimentos eram como que escolas públicas. Em suma, enquanto meu único e grande objetivo era viver em reclusão, sem ser conhecido, Deus me guiava através de crises e mudanças, de modo a jamais me permitir descansar em lugar algum, até que, a despeito de minha natural disposição, me transformasse em atenção pública. Deixando meu país natal, a França, de fato me refugiei na Alemanha, com o expresso propósito de poder ali desfrutar em algum canto obscuro o repouso que havia sempre desejado, o qual me fora sempre negado.

  Mas qual! Enquanto me escondia em Basle, conhecido apenas

de umas poucas pessoas, muitos fiéis e santos eram queimados na França; e a notícia dessas mortes em fogueira, tendo alcançado as nações distantes, incitavam a mais forte desaprovação entre uma boa parte dos alemães, cuja indignação acendeu-se contra os autores de tal tirania. A fim de conter tal indignação, fizeram-se circular certos panfletos ímpios e mentirosos, declarando que ninguém era tratado com tal crueldade, exceto os anabatistas e pessoas sediciosas que, por seus perversos desvarios e falsas opiniões, estavam transtornando não só a religião, mas ainda toda a ordem civil. Observando que o objetivo almejado por esses instrumentos do tribunal inquisitorial, através de seus disfarces, era não só que a desgraça do derramamento de tanto sangue inocente ficasse impune sob falsas acusações e calúnias, as quais lançavam contra os santos mártires depois de sua morte, mas também para que pudessem, depois, continuar, sem limites, assassinando os pobres santos sem incitar a compaixão no coração do povo em seu favor, pareceu-me que, a menos que eu lhes fizesse oposição, usando o máximo de minha habilidade, meu silêncio não poderia ser justificado ante a acusação de covardia e traição.

Essa foi a consideração que induziu-me a publicar minha *Instituição da Religião Cristã*. Meu objetivo era, antes de tudo, provar que tais notícias eram falsas e caluniosas, e assim defender meus irmãos, cuja morte era preciosa aos olhos do Senhor; e meu próximo objetivo visava a que, como as mesmas crueldades poderiam muito em breve ser praticadas contra muitas pessoas infelizes e indefesas, as nações estrangeiras fossem sensibilizadas, pelo menos, com um mínimo de compaixão e solicitude para com elas. Ao ser publicada, ela não era essa obra ampla e bem trabalhada como agora; mas não passava de um pequeno tratado contendo um sumário das principais verdades da religião cristã; e não foi publicada com outro propósito senão para que os homens soubessem qual era a fé defendida por aqueles a quem eu via sendo ignominiosa e perversamente difamados por aqueles celerados e pérfidos aduladores. É evidente que meu objetivo não visava a granjear fama, diante do fato de que imediatamente depois deixei Basle, e particularmente à luz do fato de que ninguém ali sabia que eu era seu autor.

Para qualquer lugar aonde eu fosse, teria me acautelado a fim de ocultar minha identidade como o autor de tal façanha; e resolvera continuar na mesma privacidade e obscuridade, até que, finalmente, William Farel me deteve em Genebra, não propriamente movido por conselho e exortação, e, sim, movido por uma fulminante imprecação, a qual me fez sentir como se Deus pessoalmente, lá do céu, houvera estendido sua poderosa mão sobre mim e me aprisionado.

Como a estrada mais direta para Strasburg, pela qual eu então pretendia passar, estava bloqueada pelas forças armadas, então decidi passar rapidamente por Genebra, permanecendo ali não mais que uma noite. Um pouco antes disso, o papismo havia sido expulso dela pelos esforços daquela excelente pessoa, a quem já me referi, e de Pedro Viret. Todavia, a situação ainda não estava apaziguada, e a cidade se encontrava dividida em facções ímpias e danosas. Então certo indivíduo, que agora se encontrava ignominiosamente em estado de apostasia, e havia bandeado para os papistas, me descobriu e revelou a outros minha identidade.

Nisso, Farel, que ardia com um inusitado zelo pelo avanço do evangelho, imediatamente pôs em ação toda a sua energia a fim de deter-me. E, ao descobrir que meu coração estava completamente devotado aos meus próprios estudos pessoais, para os quais desejava conservar-me livre de quaisquer outras ocupações, e percebendo ele que não lucraria nada com seus rogos, então lançou sobre mim sua imprecação, dizendo que Deus haveria de amaldiçoar meu isolamento e a tranqüilidade dos estudos que eu tanto buscava, caso me esquivasse e recusasse dar minha assistência, quando a necessidade era em extremo premente.

Sob o impacto de tal imprecação, eu me senti tão abalado de terror, que desisti da viagem que havia começado. Movido, porém, por minha natural solidão e timidez, não me via na obrigação de responsabilizar-me por qualquer ofício particular. Depois disso, tendo já passado quase quatro meses quando, por um lado, os anabatistas começaram a assaltar-nos, e, por outro, um certo apóstata muito perverso, sendo secretamente apoiado pela influência de alguns dos magistrados da cidade, estava em iminência de trazer-nos um bocado de problemas. Ao mesmo tempo, uma sucessão de desavenças sobreveio à cidade,³ o que de modo singular nos afligiu. Sendo, como eu mesmo reconheço, naturalmente de índole tímida, vacilante e pusilânime, fui arremessado ao encontro desses violentos conflitos como uma porção de meu primeiro treinamento. E ainda que não procurasse estar debaixo deles, todavia não me sentia sustentado por uma grandeza tal de espírito, que me alegrasse além do que poderia, quando, em conseqüência de certos distúrbios, fui banido de Genebra.

Vendo-me assim em liberdade e isento dos vínculos de minha vocação, resolvi viver num estado de privacidade, livre do peso e das preocupações de qualquer encargo público. Foi quando aquele mui excelente servo de Cristo, Martin Bucer, empregando um gênero similar de censura e protesto ao que Farel recorrera antes, arrastou-me de volta a uma nova situação. Alarmado com o exemplo de Jonas, o qual ele pusera diante de mim, ainda prossegui na obra do ensino. E embora continuasse como sempre fui, evitando por todos os meios a celebridade,⁴ todavia fui levado, sem o saber, como que pela força, a comparecer às assembléias imperiais, onde, voluntária ou involuntariamente, fui forçado a aparecer ante os olhos de muitos. Mais tarde, quando o Senhor, revelando compaixão por essa cidade, acalmou as perniciosas agitações e tumultos que prevaleciam nela, e por seu infinito poder destruiu tanto os conselhos dos perversos quanto as tentativas sanguinárias dos perturbadores da república, a necessidade forçou-me a voltar à minha função anterior, contrariando minha aspiração e inclinação. O bem-estar desta Igreja, é verdade, era

---

3 "Cependant surveindrent en la ville seditions les unes sur les autres." – v.f.
4 "C'est asçavoir de ne vouloir point apparoistre ou suyvre les grandes assemblees." – v.f. "Isto é, não desejando aparecer ou esperar nas grandes assembléias."

algo tão íntimo de meu coração, que por sua causa não hesitaria a oferecer minha própria vida; minha timidez, não obstante, sugeriu-me muitas razões para escusar-me uma vez mais de, voluntariamente, tomar sobre meus ombros um fardo tão pesado. Entretanto, finalmente uma solene e conscienciosa consideração para com meu dever prevaleceu e me fez consentir em voltar ao rebanho do qual fora separado. Mas o Senhor é minha melhor testemunha da tristeza, lágrimas, profunda ansiedade e abatimento com que eu fiz isso, e muitas pessoas piedosas teriam desejado ver-me livre de tão deplorável estado, não fosse ele aquilo que eu tanto temia e que me fez dar meu consentimento, antecipando-as e fechando seus lábios.

Fosse eu narrar os inúmeros conflitos por meio dos quais o Senhor me tem exercitado, desde aquele tempo, e as quantas provações com as quais ele me tem testado, daria uma longa história. Mas para que eu não seja tedioso aos meus leitores com desperdício de palavras, contentar-me-ei com reiterar sucintamente o que toquei de leve um pouco antes, ou seja, que ao considerar todo o curso da vida de Davi,[5] pareceu-me que, por suas próprias pegadas, ele me indicou o caminho, e daí tenho experimentado não pouca consolação. Como aquele rei fora acossado pelos filisteus e outros inimigos estrangeiros com guerras contínuas, enquanto era muito mais gravemente afligido pela malícia e perversidade de alguns homens pérfidos dentre seu próprio povo, no tocante a mim posso dizer que tenho sido assaltado de todos os lados, e raramente tenho desfrutado de repouso por apenas um momento, senão que sempre tive que manter algum conflito com inimigos, quer fora quer dentro da Igreja. Satanás tem feito incontáveis tentativas para destruir a textura desta Igreja; e uma vez ele alcançou tal empresa, tanto que eu, demasiadamente débil e timorato como sou, fui compelido a rechaçá-lo e a pôr um ponto final aos seus mortíferos assaltos, pondo minha vida em risco e expondo minha pessoa às suas bazófias.

Mais tarde, no espaço de cinco anos, quando alguns libertinos

---

5 "Qu'en considerant tout le discours de la vie de David." – v.f

ímpios se viram munidos com indevida influência, bem como alguns dentre o vulgo, corrompidos pelas fascinações e perversos discursos de tais pessoas, desejavam obter a liberdade de fazer o que bem quisessem, sem qualquer controle, eu me vi obrigado a batalhar sem cessar para defender e manter a disciplina da Igreja. Para tais personagens religiosos e menosprezadores da doutrina celestial era uma questão de total indiferença se a Igreja se precipitasse em ruína, contanto que obtivessem o que buscavam – o poder de agir como bem quisessem. Muitos, também, acossados pela pobreza e pela fome, e outros impelidos pela insaciável ambição ou avareza, bem como um anseio por lucro desonesto, se tornaram por demais fanáticos, lançando todas as coisas em confusão, os quais escolheram antes envolver a si próprios e a nós numa ruína comum do que permanecer tranqüilos vivendo pacífica e honestamente.[6] Ao longo de todo esse extenso período, creio que raramente exista alguma das armas que são forjadas na oficina de Satanás que não fosse empregada por eles com o fim de alcançar seus objetivos. Finalmente, as coisas chegaram a um estado tal que não era possível pôr fim às suas maquinações, de outra forma, senão eliminando-os com uma morte ignominiosa; o que para mim, aliás, era um espetáculo doloroso e deplorável. Sem dúvida, mereciam o mais severo castigo, mas quanto a mim, ao contrário, desejava que vivessem sempre em prosperidade e continuassem incólumes e intocáveis; o que teria sucedido, não fossem eles completamente incorrigíveis, e obstinadamente se recusassem ouvir tão saudável admoestação.

O sofrimento desses cinco anos era profundo e difícil de suportar; mas experimentei não menos dilacerante dor provinda da malignidade daqueles que não cessavam de atacar a mim e ao meu ministério com peçonhentas calúnias. Em grande medida, é verdade, são tão cegos pela paixão de caluniar e ferir que, para sua grande desgraça, de imediato denunciam sua impudência; enquanto que outros, não obstante sua astúcia e esperteza, não podem manter-se encobertos ou disfarçar-se por tanto

---

6 "Que se tenir quois en vivant paisiblement et honnestememt." – v.f.

tempo em sua tentativa de escaparem de ser vergonhosamente desmascarados e humilhados. Todavia, quando alguém, uma centena de vezes, é encontrado inocente de uma acusação assacada contra si, e quando a acusação é uma vez mais reiterada sem qualquer causa ou razão, tal coisa é uma indignidade por demais difícil de suportar.

Só porque afirmo e mantenho que o mundo é dirigido e governado pela secreta providência de Deus, uma multidão de homens presunçosos se ergue contra mim alegando que apresento Deus como sendo o autor do pecado. Essa é uma calúnia tão estúpida, que num piscar de olhos se desfaria em nada, se tais pessoas não sofressem de coceira nos ouvidos e não sentissem profundo prazer em nutrir-se com tais discursos. Mas há muitos outros cujas mentes se encontram tão entulhadas de inveja e mau humor, de ingratidão e malignidade, que não há falsidade, ainda a mais absurda, sim, ainda a mais monstruosa, que não recebam assim que lhes chega aos ouvidos. Outros tudo fazem para destruir o eterno propósito divino da predestinação, pelo qual Deus distingue entre os réprobos e os eleitos; outros tomam sobre si o encargo de defender o livre-arbítrio; e, com muita disposição, muitos se precipitam em suas fileiras, não tanto movidos de ignorância, movidos, porém, de um fanatismo perverso o qual não há como descrever. Se os que me causam tais sofrimentos porventura fossem inimigos francos e confessos, a situação poderia de alguma forma ser suportável. Visto, porém, que os que se escondem sob o nome de *irmãos*, e não só comem o sacro pão de Cristo, mas ainda o administram a outrem, e visto que, em suma, blasonam em alto e bom som ser pregadores do evangelho, movendo guerras tão nefandas contra mim, quão detestável se torna! Em tal matéria, posso com muita razão fazer coro à queixa de Davi: "Até meu amigo íntimo, em quem eu confiava, que comia do meu pão, levantou contra mim o calcanhar" [Sl 41.9]. "Com efeito, não é inimigo que me afronta; se o fosse, eu o suportaria; nem é o que me odeia quem se exalta contra mim, pois dele eu me esconderia; mas és tu, homem meu igual, meu companheiro e meu íntimo amigo" [Sl 55.12-14].

Outros fazem circular notícias ridículas a respeito dos meus tesouros; outros, da extravagante autoridade e imensurável influência que, dizem eles, eu possuo; outros falam de minha mesa farta e de minha magnificência. Mas quando um homem vive contente com o alimento frugal e uma vestimenta vulgar, e não requer dos mais humildes mais frugalidade do que ele mesmo revela e pratica, dir-se-á que tal pessoa é em demasia suntuosa e que vive em exagerado requinte de estilo? Quanto ao poder e influência de que me invejam, quisera desvencilhar-me de tal fardo que puseram sobre mim; pois avaliam meu poder pelo acúmulo de afazeres e pelo imenso peso de trabalhos com que fui sobrecarregado. E se há alguns a quem não posso, enquanto viver, persuadir de que não sou rico, minha morte finalmente o provará. Confesso, deveras, que não sou pobre; pois não desejo nada mais além daquilo que possuo.

Todas essas estórias não passam de invencionices, e não existe qualquer realidade em nenhuma delas. Muitos, porém, são facilmente persuadidos por sua plausibilidade e as aplaudem. E a razão consiste no fato de que a maioria julga que os únicos meios de disfarçar sua hediondez é lançando todas as coisas em desordem e confundindo preto com branco; e acreditam que o melhor e mais curto caminho pelo qual podem obter plena liberdade, para que vivam impunemente e como bem lhes apraz, é destruindo a autoridade dos servos de Cristo.

Além de tudo isso, há aqueles de quem Davi se queixava – "como vis bufões em festim" [Sl 35.16]. E o que tenho em mente não é apenas os tipos 'lambedores de pratos', que buscam algum alimento para encher seu ventre,[7] mas todos aqueles que, por meio de falsas notícias, buscam obter os favores dos grandes. Vivendo por longo tempo acostumado a deglutir erros como esses, confesso que me tornei quase empedernido; todavia, quando a insolência de tais indivíduos aumenta, às vezes outra coisa não faço senão sentir meu coração ferido por dilacerantes pontadas. Não era suficiente que eu fosse tratado de forma tão desumana pelo meu próximo. Além disso, num país distante, para os lados do oceano gelado, como eu não sei, suscitou-se um tumulto, promovido pelo frenesi de uns pou-

---

7 "Et je n'enten pas seulement les frians qui cherchent quelque lippee pour farcir leur ventre." – v.f.

cos, os quais mais tarde sublevaram contra mim uma vasta multidão dos que vivem no ócio e não têm o que fazer, exceto embaraçar os passos daqueles que estão labutando para a edificação da Igreja.[8]

Estou ainda falando dos inimigos internos da Igreja – daqueles que, gabando-se vigorosamente do evangelho de Cristo, não obstante se investem contra mim com mais impetuosidade do que contra os confessos adversários da Igreja, só porque não abraço suas noções grosseiras e fictícias concernentes à maneira carnal de comer a Cristo no sacramento; e de quem posso protestar, segundo o exemplo de Davi: "Sou pela paz; quando, porém, eu falo, eles teimam pela guerra" [Sl 120.7]. Além do mais, a cruel ingratidão de todos eles se manifesta no seguinte: sem escrúpulo atacam pelos flancos e pela retaguarda a um homem que exaustivamente se esforça por manter a mesma causa comum a todos eles, e a quem, portanto, deveriam auxiliar e socorrer. Com toda certeza, se tais pessoas fossem possuidoras de pelo menos um pouquinho de humanidade, a fúria dos papistas que é desferida contra mim, com tão desenfreada violência, apaziguariam a animosidade tão implacável que mantêm em relação a mim.

Visto, porém, que a condição de Davi era tal que, embora merecesse o bem por parte de seu próprio povo, ele era, não obstante, amargamente odiado sem causa por muitos, como ele mesmo se queixa no Salmo 69.4: "por isso tenho que restituir o que não furtei" – o que me transmitia não pouca consolação, ao ser injustamente atacado pelo ódio daqueles que deveriam me prestar assistência e confortar-me, ao conformar-me ao exemplo de tão grande e tão excelente personagem. Tal conhecimento e experiência me têm sido de grande valia, capacitando-me a entender os Salmos, de modo que, em minhas meditações sobre eles, não perambulei, por assim dizer, por regiões ignotas.

---

8 "Mais encore ce n'estoit pas assez d'estre traitté ainsi inhumainement par mes voisins, si non qu'en un pays lointain vers la mer glacee le temps se troublast aussi je ne scay comment par la phrenesie d'aucuns, pour puis apres faire lever contre moy comme un nuee de gens qui sont trop de loisir et n'ont que faire s'ils ne s'escarmouschent à empescher ceux qui travaillent à edification." – v.f.

Meus leitores, também, se não me engano, observarão que, ao expor as afeições íntimas, tanto de Davi quanto dos demais [escritores], discorro sobre aquelas questões das quais tenho experiências pessoais. Além do mais, visto que tenho labutado fielmente para abrir este tesouro a todo o povo de Deus, ainda que o que tenho feito não tenha correspondido aos meus desejos, no entanto a tentativa que tenho empreendido merece ser recebida com certa medida de simpatia. Entretanto, apenas solicito que cada um julgue meus labores com justiça e candura, segundo os benefícios e frutos que deles advierem. Certamente, como disse anteriormente, quando alguém ler estes comentários, verá claramente que não busquei ser agradável, a menos que eles, ao mesmo tempo, sejam proveitosos a outrem.

Portanto, não tenho só observado do começo ao fim um estilo simples de ensinar, mas, a fim de ser afastado ao máximo de toda e qualquer ostentação, tenho também, geralmente, evitado refutar as opiniões de outros, ainda que tal coisa apresentasse uma oportunidade muito favorável para plausível exibição e arrancar os aplausos daqueles que saborearão meu livro com detida reflexão. Jamais toco em opiniões opostas, a não ser onde houve razão para temer que, guardando silêncio sobre elas, poderia deixar meus leitores em dúvida e perplexidade. Ao mesmo tempo, estou consciente de que teria sido muito mais agradável ao paladar de muitos, se eu tivesse reunido grande acervo de matérias que granjeassem grande fascínio e adquirissem fama para o escritor; mas senti que nada é mais importante do que granjear o respeito que produza a edificação da Igreja. Que o Deus que implantou tal desejo em meu coração conceda, por sua graça, que o êxito seja correspondente!

Genebra, 22 de julho de 1557

Salmos 1

Quem quer que tenha feito a coletânea dos Salmos em um só volume, seja Esdras ou alguma outra pessoa, parece ter colocado este Salmo no início à guisa de prefácio, no qual o autor inculca a todos os piedosos o dever de se meditar na lei de Deus. A suma e substância de todo o Salmo consistem em que são bem-aventurados os que aplicam seus corações a buscar a sabedoria celestial; ao passo que, os profanos desprezadores de Deus, ainda que por algum tempo se julguem felizes, por fim terão o mais miserável fim.

[vv. 1, 2]
Bem-aventurado é o homem que não anda no conselho dos ímpios, nem se detém na vereda dos pecadores, nem se assenta junto com os escarnecedores. Seu deleite, porém, está na lei de Jehovah; e em sua lei medita dia e noite.

1. Bem-aventurado é o homem.[1] A intenção do salmista, segundo expressei acima, é que tudo estará bem com os devotos servos de Deus, cuja incansável diligência é fazer progresso no estudo da lei divina. Já que o maior contingente do gênero humano vive sempre acostumado a escarnecer da conduta dos santos como sendo mera ingenuidade e a considerar seu labor como sendo total desperdício, era

---

1 Na Septuaginta, a redação é: μακαριος άνηρ, *bem-aventurado é o homem*. Tanto Calvino quanto nossos tradutores de língua inglesa adotaram essa redação. Mas a palavra hebraica אשרי, *ashre*, traduzida por *bem-aventurado*, está no plural, enquanto que האיש, *há-ish*, *o homem*, está no singular. Conseqüentemente, as palavras foram traduzidas como uma exclamação, e podem ser expressas literalmente assim: *Oh, bem-aventurança do homem!* uma bela e enfática forma de expressão.

de suma importância que o justo fosse confirmado na vereda da santidade, pela consideração da miserável condição de todos os homens destituídos da bênção de Deus e da convicção de que Deus a ninguém é favorável senão àqueles que zelosamente se devotam ao estudo da verdade divina. Além do mais, como a corrupção sempre prevaleceu no mundo, a uma extensão tal que o caráter geral da vida humana nada mais é senão um perene afastar-se da lei de Deus, o salmista, antes de declarar a ditosa sorte dos estudantes da divina lei, os admoesta a se precaverem para não se deixar levar pela impiedade da multidão que os cerca. Começando com uma declaração que revela sua aversão pelos perversos, ele nos ensina quão impossível é para alguém aplicar sua mente à meditação na lei de Deus, se antes não recuar e afastar-se da sociedade dos ímpios. Eis aqui sem dúvida uma admoestação em extremo necessária; porquanto vemos quão irrefletidamente os homens se precipitam nas armadilhas de Satanás; no mínimo, quão poucos, comparativamente, há que se protegem contra as fascinações do pecado. Para que vivamos plenamente conscientes dos perigos que nos cercam, necessário se faz recordar que o mundo está saturado de corrupção mortífera, e que o primeiro passo para se viver bem consiste em renunciar a companhia dos ímpios, de outra sorte é inevitável que nos contaminemos com sua própria poluição.

Como o profeta, em primeiro lugar, prescreve aos santos precaução contra as tentações para o mal, seguiremos a mesma ordem. Sua afirmação, de que é bem-aventurado quem não se enleia com os ímpios, é o que o comum sentimento e opinião do gênero humano dificilmente admitirá; pois enquanto todos os homens naturalmente desejam e correm após a felicidade, vemos com quanta determinação se entregam a seus pecados; sim, todos aqueles que se afastam ao máximo da justiça, procurando satisfazer suas imundas concupiscências, se julgam felizes em virtude de alcançarem os desejos de seu coração. O profeta, ao contrário, aqui ensina que ninguém pode ser devidamente encorajado ao temor e ao serviço de Deus, e bem assim ao estudo de sua lei, sem que, convictamente, se persuada de que todos os ímpios são miseráveis e que os que não se afastam de sua companhia se envolverão na mesma destruição a eles destinada. Como, porém, não é fácil evitar os ímpios com quem estamos misturados no mundo, sendo-nos impossível distanciar-nos totalmente deles, o salmista, a fim de imprimir maior ênfase à sua exortação, emprega uma multiplicidade de expressões.

Em primeiro lugar, ele nos proíbe de *andarmos em seu conselho*; em segundo lugar, de *determo-nos em sua vereda*; e, finalmente, de *assentarmo-nos junto deles*.

A suma de tudo é: os servos de Deus devem diligenciar-se ao máximo por cultivar aversão pela vida dos ímpios. Como, porém, a habilidade de Satanás consiste em insinuar seus embustes, de uma forma muito astuta, o profeta, a fim de que ninguém se deixe insensivelmente enganar, mostra como paulatinamente os homens são ordinariamente induzidos a desviar-se de seu reto caminho. No primeiro passo, não se precipitam em franco desprezo a Deus; mas, tendo uma vez começado a dar ouvidos ao mau conselho, Satanás os conduz, passo a passo, a um desvio mais acentuado, até que se lançam de ponta cabeça em franca transgressão. O profeta, pois, começa com *conselho*, termo este, a meu ver, significando a perversidade que ainda não se exteriorizou abertamente. A seguir ele fala de *vereda*, o que deve ser tomado no sentido de habitual modo ou maneira de viver. E coloca no ápice da ilustração o *assento*, uma expressão metafórica que designa a obstinação produzida pelo hábito de uma vida pecaminosa. Da mesma forma, também, devem-se entender os três verbos: *andar, deter* e *assentar*. Quando uma pessoa *anda* voluntariamente em consonância com a satisfação de suas corruptoras luxúrias, a prática do pecado o enfatua tanto que, esquecido de si mesma, se torna cada vez mais empedernida na perversidade, o que o profeta denomina de *deter-se no caminho dos pecadores*. Então, por fim, segue-se uma desesperada obstinação, a qual o profeta expressa usando a figura do *assentar-se*. Se porventura existe a mesma gradação nas palavras hebraicas, רשעים (*reshaim*), חטאים (*chataim*) e לצים (*letsim*), ou seja, um aumento gradual do mal, deixo a critério de outrem.² A meu ver, tudo indica que não há, a não ser, talvez, na última palavra. Pois aqueles que se denominam de *escarnecedores*, tendo-se desfeito de todo o temor de Deus, cometem pecado sem qualquer restrição, na esperança de escapar impunemente, e sem compunção ou temor se divertem do juízo de Deus como se jamais houvesse um dia em que serão chamados a prestar-lhe contas. O termo hebraico חטאים (*chataim*), significando a perversidade franca, é mui apropriadamente associado ao termo *vereda*, o qual significa uma professa e habitual maneira de viver.³ Ora, se nos dias do salmista necessário se fazia que os devotos adoradores de Deus evitassem a companhia dos ímpios, a fim de manterem sua vida bem estruturada, quanto mais no tempo presente, quando o mundo se transformou em algo muitíssimo mais corrupto, nosso dever é evitar criteriosamente todas as ameaças da sociedade, para que nos conservemos incontaminados de todas as suas impurezas. O profeta, contudo, não só prescreve aos fiéis que se mantenham à distância dos ímpios, temendo ser contaminados por eles, senão que sua admoestação implica ainda que cada um seja prudente, a fim de que não se corrompa e nem se entregue à impiedade.⁴ Mesmo que uma pessoa não tenha ainda contraído todo o aviltamento provindo dos maus exemplos, no entanto é possível que se assemelhe aos perversos, ao imitar espontaneamente seus hábitos corruptos.

No segundo versículo, o salmista não declara simplesmente ser bem-aventurado aquele que teme a Deus, como faz em outros passos, senão que designa *o estudo da lei* como sendo a marca da piedade, nos ensinando que Deus só é corretamente servido quando sua lei for obedecida. Não se deixa a cada um a liberdade de codificar um sistema de religião ao sabor de sua própria inclinação, senão que o padrão de piedade deve ser tomado da Palavra de Deus. Quando Davi, aqui, fala da *lei*, não se deve deduzir como se as demais partes da Escritura fossem

---

2 C'est à dire, um accroissement de mal comme par degrez. – v.f.
3 Il est bien conjoint avec le verbe significant une profession de vivre et un train tout accoustumé. – v.f.
4 Et s'adonner de soy-mesme à impiete. – v.f.

excluídas, mas, antes, visto que toda a Escritura outra coisa não é senão a exposição da lei, ela é como a cabeça sob a qual se compreende todo o corpo. O profeta, pois, ao enaltecer a lei, inclui todo o restante dos escritos inspirados. É mister, pois, que ele seja compreendido como a exortar os fiéis a meditarem também nos Salmos. Ao caracterizar o santo *se deleitando* na lei do Senhor, daí podemos aprender que a obediência forçada ou servil não é de forma alguma aceitável diante de Deus, e que só são dignos estudantes da lei aqueles que se chegam a ela com uma mente disposta e se deleitam com suas instruções, não considerando nada mais desejável e delicioso do que extrair dela o genuíno progresso. Desse amor pela lei procede a constante *meditação* nela, o que o profeta menciona na última cláusula do versículo; pois todos quantos são verdadeiramente impulsionados pelo amor à lei devem sentir prazer no diligente estudo dela.

[v. 3]
Ele será como uma árvore plantada junto a ribeiros de águas, que produz seu fruto na estação própria, cujas folhas não murcharão, e tudo quanto faz prosperará.

Aqui, o salmista ilustra, e ao mesmo tempo confirma pelo uso de metáfora, a afirmação feita no versículo precedente; pois ele mostra em que sentido os que temem a Deus são considerados bem-aventurados, ou seja, não porque desfrutem de evanescente e infantil alegria, mas porque se encontram numa condição saudável. Há nas palavras um contraste implícito entre o vigor de uma árvore plantada num sítio bem regado e a aparência decaída de uma que, embora viceje prazenteiramente por algum tempo, no entanto logo murcha em decorrência da aridez do solo em que se acha plantada. Com respeito aos ímpios, como veremos mais adiante [Salmo 37.35], eles são às vezes como "os cedros do Líbano". Desfrutam de uma prosperidade tão exuberante, tanto de riquezas quanto de honras, que nada parece faltar-lhes para sua presente felicidade. Não obstante, quanto mais alto se ergam e quanto mais expandam por todos os lados seus galhos, uma vez não possuindo raízes bem fincadas no chão, nem ainda suficiente umidade da qual venha a derivar seus nutrientes, toda a sua beleza se esvai e desaparece. Portanto, é tão-somente pela bênção divina que alguém pode permanecer numa condição de prosperidade. Os que explicam a figura dos fiéis *produzindo seu fruto na estação própria*, significando que sabiamente discernem quando uma coisa deve ser feita, até onde pode ser bem feita, em minha opinião revela mais sutileza do que bom senso, impondo às palavras do profeta um sentido que ele jamais pretendeu. Obviamente, sua intenção nada mais nada menos era que os filhos de Deus vicejam constantemente, e são sempre regados com as secretas influências da graça divina, de modo que tudo quanto lhes suceda é proveitoso para sua salvação. Enquanto que, em contrapartida, os ímpios são arrebatados pelas repentinas tempestades ou consumidos pelo escaldante calor. E ao dizer: *produz seu fruto na estação própria*,[5] ele expressa o pleno sazonamento do fruto produzido, ao passo que, embora os ímpios aparentem precoce fecundidade, contudo nada produzem que conduza à perfeição.

[v. 4]
Os ímpios não são assim; são, porém, como a palha que o vento dispersa.

O salmista bem que poderia, com propriedade, ter comparado os ímpios a uma árvore que rapidamente murcha, à semelhança de Jeremias que os compara ao arbusto que cresce no deserto [Jr 17.6]. Considerando, porém, que tal figura não era suficientemente forte, ele os avilta ainda mais, empregando uma outra [figura] que os exibe por um prisma que os torna ainda mais desprezíveis. E a razão é porque ele não mantém seus olhos postos na condição de prosperidade da qual se vangloriam por um curto tempo, mas

---

5 "E produziu todo o seu produto para a maturidade." – (*Street's New Literal Version of the Psalms*.)

sua mente pondera seriamente na destruição que os aguarda e que, finalmente, os surpreenderá. Portanto, eis o significado: embora os ímpios vivam no momento prosperamente, todavia vão paulatinamente se transformando em palha; pois quando o Senhor os derribar, ele os arrojará de um lado para o outro com sua fulminante ira. Além disso, com essa forma de falar, o Espírito Santo nos ensina a contemplarmos com os olhos da fé o que de outra forma nos pareceria incrível; pois ainda que o ímpio se eleve e surja de forma sobranceira, à semelhança de uma árvore imponente, que descansemos certos de que ele será como a palha ou o refugo, sabendo que no devido tempo Deus o arrojará da alta posição em que se encontra, com o sopro de sua boca.

[vv. 5, 6]
Portanto, os ímpios não prevalecerão no juízo nem os pecadores, na congregação dos justos. Porque Jehovah conhece o caminho dos justos; mas o caminho dos ímpios perecerá.

No quinto versículo, o profeta ensina que uma vida feliz depende de uma sã consciência, e que, portanto, não é de admirar que o ímpio de repente se veja sem aquela felicidade que julgara possuir. E há implícita nas palavras uma espécie de concessão: o profeta tacitamente reconhece que os ímpios se deleitam e desfrutam e triunfam durante o reinado da desordem moral no mundo; justamente como os ladrões se regalam nas florestas e esconderijos enquanto se vêem fora do alcance da justiça. Ele nos assegura, porém, que as coisas nem sempre correrão bem em seu presente estado de confusão, e que quando forem reduzidas ao seu real estado, tais pessoas ímpias se verão inteiramente privadas de seus prazeres e perceberão que foram enfatuadas imaginando ser felizes. E assim percebemos que o salmista apresenta o ímpio como sendo um ser miserável, visto a felicidade ser uma bênção interior procedente de uma sã consciência. Ele não nega que, antes que compareçam a juízo, todas as coisas foram bem sucedidas com eles; mas nega que sejam de fato felizes, a menos que tenham substancial e inabalável integridade de caráter para se manterem; pois a genuína integridade dos justos se manifesta quando ela finalmente é provada. É deveras verdade que o Senhor exerce juízo diariamente, quando faz distinção entre os justos e os perversos; visto, porém, que isso só é feito parcialmente nesta vida, devemos olhar mais alto se desejamos ver a *assembléia dos justos*, da qual se faz menção aqui.

Mesmo neste mundo, a prosperidade dos ímpios começa a escoar-se assim que Deus manifesta os emblemas de seu juízo (porque, sendo despertos do sono, são constrangidos a reconhe- cer, queiram ou não, que não têm qualquer parte na assembléia dos justos); visto, porém, que isso nem sempre se concretiza em relação a todos os homens, no presente estado, devemos pacientemente esperar o dia da revelação final, quando Cristo separará as ovelhas dos cabritos. Ao mesmo tempo, devemos ter como verdade geral o fato de que os ímpios estão destinados à miséria; pois suas próprias consciências os condenam em virtude de sua perversidade; e, assim que forem convocados a prestar contas de sua vida, seu sono será interrompido, e então perceberão que estiveram meramente sonhando quando acreditavam ser felizes, sem visualizar em seu interior o real estado de seus corações.

Além do mais, as coisas, aqui, parecem ser atiradas à mercê da sorte, e como não nos é fácil, no meio da confusão prevalecente, reconhecer a verdade do que o salmista havia dito, ele, pois, apresenta, para nossa consideração, o grande princípio de que Deus é o Juiz do mundo. Isto concedido, segue-se que não pode haver outra sorte para o reto e o justo senão o bem-estar, enquanto que, em contrapartida, outra sorte não está reservada ao ímpio senão a mais terrível destruição. De acordo com toda a evidência externa, os servos de Deus não podem extrair benefício algum de sua retidão; mas, como é o ofício peculiar de Deus defendê-los e tomar providência em favor de sua segurança, eles devem viver felizes sob a proteção divina. E de tal fato podemos também concluir que, como Deus é o inexorável vingador contra os perversos, ainda que por algum tempo ele pareça não notar o que o ímpio faz, finalmente o visitará com a destruição. Portanto, em vez de admitirmo-nos ser enganados com sua imaginária felicidade, tenhamos sempre diante de nossos olhos, em circunstâncias de estresses, a providência de Deus, a quem pertence a prerrogativa de estabelecer os negócios do mundo e fazer com que, do caos, surja a perfeita ordem.

Salmos 2

Davi orgulhava-se de que seu reino, ainda que assaltado por uma vasta multidão de poderosos inimigos, seria, não obstante, perpétuo, visto que ele era protegido pela mão e poder de Deus. Ele acrescenta que, a despeito de seus inimigos, seu reino se estenderia até aos confins da terra. E assim ele exorta os reis e demais governantes a despirem-se de seu orgulho e a receberem, com mentes submissas, o jugo que Deus lhes impôs; pois ser-lhes-ia debalde a tentativa de livrar-se dele. Tudo isso era típico e contém uma profecia concernente ao futuro reino de Cristo.

[vv. 1-3]
Por que as nações insurgem tumultuosamente, e os povos murmuram em vão? Os reis da terra têm se aliado, e os príncipes têm se congregado contra Jehovah e contra seu Cristo. Quebremos seus laços, e lancemos de nós seu jugo.

Nós sabemos que muitos conspiravam contra Davi e se esforçavam por impedi-lo de subir ao trono, e de suas hostis tentativas, houvera ele julgado segundo os olhos dos sentidos e da razão, teria razão em encher-se de apreensão e prontamente perder toda a esperança de tornar-se rei. E, de fato, ele tinha às vezes que lutar renhidamente contra muitas e graves tentações. Mas como ele tinha o testemunho de uma consciência aprovativa de que nada tentara precipitadamente, nem agira com ambição e com aquele depravado desejo que impele a muitos de buscarem mudanças no governo dos reinos; como ele estava, ao contrário, totalmente persuadido de que havia sido feito rei por designação divina, quando não cobiçara nada disso, e nem mesmo o imaginara;[1] revestiu-se de coragem por meio de uma inabalável confiança em Deus contra o mundo inteiro, justamente como revela nessas palavras, nobremente derrama desprezo, tanto sobre os reis quanto sobre seus exércitos. Ele confessa, deveras, que tinha uma dolorosa batalha a enfrentar, porquanto ela não representava uma parcela sem importância, senão que todas as nações, com seus reis, haviam conspirado contra ele. Mas, corajosamente, ele se orgulha de que as tentativas deles tinham sido frustradas, porquanto travaram batalha, não contra o homem mortal, mas contra o próprio Deus. Não fica claro, à luz dessas palavras, se ele está falando só de inimigos dentro de seu próprio reino, ou se estende seu desafio aos invasores estrangeiros. Visto, porém, que eram os inimigos que se insurgiam contra ele de todos os quadrantes, e que assim que ele restabelecia os distúrbios entre o seu próprio povo, os estados circunvizinhos, por seu turno, se lhe tornavam hostis, disponho-me a crer que ambas as classes de inimigos estão subentendidas, ou seja, gentios e judeus. Seria um modo muito estranho de se expressar, falando de muitas nações e povos quando apenas uma única nação estava em questão, bem como falar de muitos reis quando ele tinha diante dos olhos apenas Saul. Além disso, harmoniza-se melhor com a completude do tipo supor-se que diferentes tipos de inimigos estavam mancomunados; pois sabemos que Cristo não tinha a ver só com os inimigos de seu próprio país, mas igualmente com inimigos de outras nações, tendo o mundo inteiro entrado em comum conspiração para efetuar sua des- truição. Aliás, os judeus primeiramente começaram a enfurecer-se contra Cristo, da mesma forma que o fizeram outrora contra Davi. Mais tarde, porém, a mesma sorte de demência assenhoreou-se

---

1 Ne mesme y pensait. – v.f.

de outras nações. A suma é: embora aqueles que se diligenciavam por fazê-lo sucumbir fossem corroborados por poderosos exércitos, todavia seus tumultos e conselhos resultariam sendo inúteis e ineficazes.

Ao atribuir aos povos tumulto e anarquia, e aos reis e governadores a convocação de assembléias, bem como ir atrás de conselhos, ele empregou uma linguagem muito apropriada. Todavia ele notifica que, quando os reis se reúnem e se consultam, e os povos derramam sua fúria máxima, todos eles, unidos, nada fazem além disso. Mas é mister que tomemos cuidado ao assinalarmos a base de tal confiança, não significando que ele confiava em si mesmo como se fosse um rei precipitado, ou movido por seu próprio arbítrio, senão que apenas seguia a vocação divina. Daqui ele conclui que em sua pessoa Deus estava sendo injuriado; e Deus não podia outra coisa fazer senão demonstrar que era o defensor do reino do qual ele mesmo era o fundador. Ao honrar-se com o título de *Messias*, ou o *Ungido*, Davi declara que reinava tão-somente pela autoridade e mandato de Deus, visto que o óleo trazido pela mão de Samuel fez rei a ele que antes não passava de uma pessoa desconhecida. Aliás, os inimigos de Davi não imaginavam que fossem fazer contra Deus um ataque tão violento; sim, eles resolutamente negariam que essa fosse sua intenção; no entanto não é sem razão que Davi põe a Deus em oposição a eles, e fala como se diretamente desferissem seus ataques contra Deus mesmo; pois ao buscarem solapar o reino que ele erigira, cega e ferozmente declaravam guerra contra Deus. Se todos aqueles que são rebeldes contra Deus, e que resistem as autoridades por ele ordenadas, isso muito mais se aplica àquele reino sagrado que foi estabelecido por especial privilégio.

Mas agora é o momento oportuno de buscarmos a substância do tipo. Que Davi profetizava a respeito de Cristo é claramente manifesto à luz do fato de que ele sabia que seu próprio reino não passava de mera sombra. E para que aprendamos aplicar a Cristo tudo quanto Davi, em tempos passados, cantou acerca de si mesmo, devemos conservar este princípio, o qual encontramos por toda parte em todos os profetas, a saber, que ele, com sua posteridade, foi feito rei, não tanto por sua própria causa, mas por ser um tipo do Redentor. Com freqüência teremos ocasião de voltar a este ponto mais tarde, agora, porém, devo informar sucintamente a meus leitores que, como o reino temporal de Davi era para o antigo povo de Deus, um penhor do reino eterno, que finalmente foi verdadeiramente estabelecido na pessoa de Cristo; e aquelas coisas que Davi declara acerca de si mesmo não são violentamente, nem ainda alegoricamente, aplicadas a Cristo, mas eram legitimamente um vatícinio em relação a ele. Se atentamente considerarmos a natureza do reino, perceberemos que seria um absurdo ignorarmos o propósito ou escopo e permanecermos na mera sombra. Que o reino de Cristo é aqui descrito pelo espírito de profecia nos é suficientemente atestado pelos apóstolos, os quais, vendo os ímpios conspirando contra Cristo, se armam em oração com esta doutrina [At 4.24]. Colocar, porém, nossa fé além do alcance de todas as cavilações se faz plenamente manifesto à luz de todos os profetas, ou seja, que aquelas coisas que Davi testificou acerca de seu próprio reino são apropriadamente aplicáveis a Cristo. Portanto, que fique estabelecido o seguinte: que todos quantos não se submetem à autoridade de Cristo fazem guerra contra Deus. Visto que a Deus apraz governar-nos pela mão de seu próprio Filho, aqueles que se recusam a obedecer ao próprio Cristo negam a autoridade de Deus, e lhes é debalde fazer uma profissão de fé diferente. Pois o seguinte dito é verdadeiro: "E o Pai a ninguém julga, mas ao Filho confiou todo julgamento" [Jo 5.22]. E é de grande importância manter firme esta inseparável conexão, a saber: como a majestade de Deus tem resplandecido em seu unigênito Filho, assim o Pai não será temido nem adorado senão na pessoa do Filho.

Uma dupla consolação pode-se extrair desta passagem. Em primeiro lugar, enquanto o mundo se enraivece procurando transtornar e pôr um fim à prosperidade do reino de Cristo, temos apenas que recordar que, em tudo isso, há apenas um cumprimento do que fora há muito vaticinado, e nenhuma mudança que porventura ocorra nos inquietará demasiadamente. Ao contrário, ser-nos-á muitíssimo proveitoso comparar aquelas coisas que os apóstolos experimentaram com o que testemunhamos no tempo presente. Por sua própria natureza, o reino de Cristo seria pacífico, e dele paz genuína flui para o mundo; através da perversidade e malícia humanas, porém, ele jamais sai da obscuridade para a publicidade sem que surjam distúrbios. Nem é absolutamente surpreendente nem incomum se o mundo começa a enraivecer-se tão logo se erija um trono para Cristo. A outra consolação que se segue consiste em que, quando os ímpios passam em revista suas tropas, e quando também, dependendo de seu grande número, de suas riquezas e de seus meios de defesa, não só derramam suas arrogantes blasfêmias, mas furiosamente se voltam contra o próprio céu, podemos rir-nos deles com toda tranqüilidade, confiando nesta única consideração – aquele a quem lançam seus ataques é o Deus que habita o céu. Quando virmos Cristo bem perto, atarefado com o número e a força de seus inimigos, lembremo-nos de que estão travando guerra com Deus, contra quem não haverão de prevalecer, e portanto suas tentativas, tenham a força que tiverem, e se intensifiquem como puderem, se darão em nada e serão completamente ineficazes. Lembremo-nos, além do mais, que esta doutrina percorre todo o evangelho; pois a oração dos apóstolos, que já citei, manifestamente testifica que ela não pode restringir-se à pessoa de Cristo.

3. Quebremos seus laços etc. Aqui temos uma prosopopéia,[2] na qual o profeta introduz seus inimigos como que falando; e ele emprega esta figura para melhor expressar seus desígnios ímpios e traiçoeiros. Não que eles publicamente se declaravam rebeldes contra Deus (pois

---

2 Figura de retórica, na qual pessoas ou coisas aparente ou supostamente falam; uma personificação.

eles, ao contrário, encobriam sua rebelião sob todo gênero possível de pretexto, e presunçosamente se vangloriavam de ter Deus de seu lado); visto, porém, que estavam firmemente determinados, por todos os meios, a ferro e fogo, banir Davi do trono, seja o que for que confessassem com sua boca, toda a sua conferência equivalia ao seguinte: como poderiam destruir o reino que Deus mesmo estabelecera. Ao descrever seu governo usando expressões metafóricas de *laços* e *jugo*, nas pessoas de seus adversários, ele indiretamente condena seu orgulho. Pois os representa falando desprezivelmente do governo de Davi, como se submeter-se a ele fosse uma escravidão e humilhante sujeição, assim como vemos suceder a todos os inimigos de Cristo que, quando se vêem compelidos a se sujeitarem à sua autoridade, o reputam não menos degradante do que se a máxima desgraça abatesse sobre eles.

[vv. 4-6]
Aquele que habita o céu se rirá deles; o Senhor[3] os tratará com desdém. Então lhes falará em sua ira, e os fustigará em seu furioso desprazer. Tenho ungido o meu Rei sobre o meu santo monte Sião.

Depois de nos informar sobre os tumultos e sublevações, as conferências e orgulho, as preparações e expedientes, o poderio e empenhos de seus inimigos, em oposição a todos eles Davi coloca só o poder de Deus, o qual, conclui ele, eclodiria contra eles em sua tentativa de frustrar o decreto divino. E, como fez um pouco antes, ao denominá-los *reis da terra*, ele expressa sua débil e perecível condição; por isso agora, pelo imponente título: *Aquele que habita o céu*, ele enaltece o poder de Deus, como se dissesse que seu poder permanece intacto e inalterado, sempre que os homens se investem contra

---

3 O termo em nossas Bíblias Hebraicas é *Elohai*; num considerável número de manuscritos, porém, é *Jehovah*. Os judeus dos últimos séculos cultivaram uma tremenda superstição em torno da pronúncia do vocábulo *Jehovah*, e freqüentemente inseriam *Adonai* e *Elohim* em vez de *Jehovah*, em seus manuscritos das Escrituras. Os manuscritos mais antigos, porém, trazem freqüentemente *Jehovah*, onde os mais modernos têm *Adonai* e *Elohim*. O MSS. sessenta da coleção do Dr. Kennicott e o vinte e cinco de De Rossi rezam *Jehovah*, aqui. *Street*, ii.4.

ele. Que se exaltem o quanto puderem, jamais alcançarão o céu; sim, enquanto imaginam poder confundir céu e terra, se assemelham a uma multidão de gafanhotos, e o Senhor, entrementes, imperturbável contempla do alto suas enfatuadas evoluções. E Davi, em dois lances, descreve a Deus *rindo*: primeiramente, ele nos ensina que Deus não necessita de grandes exércitos a fim de reprimir a rebelião dos ímpios, como se isso fosse uma empresa por demais árdua e difícil; ao contrário, ele pode fazer isso com a mais perfeita facilidade. Em segundo lugar, ele queria que entendêssemos que quando Deus permite que o domínio de seu Filho seja perturbado, ele deixa de interferir não por estar ocupado em outros lugares, nem por ser incapaz de prover assistência, nem porque negligencie a honra de seu Filho; mas, sim, propositadamente prorroga a ação de sua ira para o devido tempo, ou seja, até que ele haja exposto o enfatuado furor deles ao desprezo público. Portanto, estejamos seguros de que, se Deus não estende imediatamente sua mão contra os ímpios, é porque hoje é o seu tempo de rir-se. E ainda que, nesse ínterim, nos seja mister chorarmos, mitiguemos, todavia, a amargura de nossa tristeza, sim, enxuguemos nossas lágrimas como resultado desta reflexão, sabendo que Deus não é conivente com a perversidade de seus inimigos como que movido por indolência e debilidade, mas porque por enquanto ele deve enfrentar a insolência deles com completo desprezo. Usando o advérbio *então*, ele aponta para o tempo próprio de exercer juízo, como se quisesse dizer que, depois que o Senhor, por algum tempo, aparentemente não percebe as práticas perversas daqueles que se opõem ao governo de seu Filho, subitamente mudará seu curso, e mostrará que nada o aborrece mais do que esse tipo de presunção.

Além do mais, ele descreve Deus *falando*, não com o propósito de instruir seus inimigos, mas tão-só para convencê-los de sua demência. Aliás, pelo verbo *falar* ele não quer dizer nada mais que a manifestação da ira de Deus, a qual os ímpios não percebem até que a sintam. Os inimigos de Davi criam que lhes seria a coisa mais fácil do mundo destruir aquele que, vindo de uma humilde cabana de pastor, havia, na visão deles,[4] presunçosamente assumido o poder soberano. A profecia e a unção de Samuel não passaram, em sua estima, de meras pretensões ridículas. Mas quando finalmente os derrotou e estabeleceu a Davi no trono, Deus, por esse ato, falou, não tanto com sua língua, mas sobretudo com sua mão, manifestando-se como o fundador do reino davídico. O salmista aqui, portanto, usa o falar em lugar do agir, pelo qual o Senhor, sem proferir uma só palavra, faz manifesto seu propósito. De maneira semelhante, sempre que defende o reino de seu Filho contra os ímpios, pela manifestação e aplicação de sua ira, ainda que não profira uma só palavra, no entanto ele na verdade está falando muito a fim de fazer-se compreender.[5] Davi mais tarde, falando em nome de Deus, mostra com mais clareza como seus inimigos eram culpados de perversamente lutar contra Deus mesmo através do ódio que nutriam contra aquele a quem Deus fizera rei. Eis a suma de tudo: os ímpios podem, agora, conduzir-se tão perversamente quanto desejarem, mas chegará o momento em que sentirão o que significa guerrear contra o céu. O pronome *eu* é igualmente enfático, pelo qual Deus tenciona mostrar que ele está exaltado tão acima dos homens deste mundo, que juntando toda a multidão deles não é possível obscurecer sua glória num grau mínimo. Tão amiúde, pois, quanto o poder do homem possa parecer formidável aos nossos olhos, tenhamos em mente o quanto o mesmo é excedido pelo poder de Deus. Nessas palavras, vemos posto diante de nós o imutável e eterno propósito de Deus a defender eficazmente, até ao fim, o reino de seu Filho, do qual ele é o fundador; e isso traz suporte à nossa fé em meio aos turbulentos tumultos do mundo. Sejam quais forem as tramas, pois, que os homens engendrem contra ele, que esta única consideração seja suficiente para satisfazer-nos, a saber: não podem tornar ineficaz a unção divina. Aqui se faz menção

---

4 Il avoit a leur avis. – v.f.
5 Encore qu'il ne dise un seul mot, si est ce qu'en effect il parle assez pour se faire entendre. – v.f.

ao *monte Sião*, em termos expressos, não porque Davi fosse primeiro ungido ali, mas porque afinal, no tempo próprio de Deus, a veracidade da profecia foi manifesta e realmente estabelecida pelo solene rito de sua sagração. E ainda que Davi, nessas palavras, tivesse em consideração a promessa de Deus, e chamasse a atenção de si mesmo e de outros para ela, todavia, ao mesmo tempo, ele quis significar que seu próprio reinado é santo e inseparavelmente conectado com o templo de Deus. Mas isso se aplica mais apropriadamente ao reino de Cristo, o qual sabemos ser tanto espiritual quanto jungido ao sacerdócio, e que essa é a principal parte do culto divino.

[vv. 7, 8]
Declararei o decreto: O Senhor me disse: Tu és meu Filho; neste dia eu te gerei. Pede-me, e eu te darei os pagãos para serem tua herança, e as partes mais remotas da terra para serem tua possessão.

7. Declararei o decreto. Davi, para desfazer toda a pretensão de ignorância de seus inimigos, assume o ofício de um pregador, a fim de publicar o decreto de Deus; ou, ao menos, ele protesta dizendo que subiu ao trono, não sem uma segura e clara prova de sua vocação; como se quisesse dizer: Eu não avancei publicamente, sem qualquer consideração, a fim de usurpar o reino, mas trouxe comigo o mandato de Deus, sem o qual teria agido presunçosamente, investindo a mim mesmo com uma condição tão honrosa. Tal coisa, porém, foi muito mais legitimamente cumprida em Cristo, e Davi, indubitavelmente, sob a influência do espírito de profecia, tinha uma referência especial a ele. Pois dessa forma todos os ímpios se tornam inescusáveis, visto que Cristo, por si próprio, provou ter sido investido com o poder legítimo de Deus, não só por meio de seus milagres, mas também por meio da pregação do evangelho. De fato, o mesmo testemunho ressoa pelo mundo inteiro. Primeiramente os apóstolos, e depois deles os pastores e os mestres, testemunharam que Cristo foi feito Rei, por Deus o Pai; visto, porém, que agiam na qualidade de embaixadores no lugar de Cristo, *Ele*, com justiça e propriedade, reivindica para si, com exclusividade, o que foi feito por eles. Conseqüentemente, Paulo [Ef 2.17] atribui a Cristo o que os ministros do evangelho fizeram em seu nome. "E vindo", diz ele, "evangelizou paz a vós outros que estáveis longe e paz também aos que estavam perto." Com isso, também, a autoridade do evangelho é melhor estabelecida; porque, embora seja ele estabelecido por outros, contudo não deixa de ser o evangelho de Cristo. Portanto, assim que ouvimos o evangelho pregado pelos homens, devemos considerar que não é propriamente eles quem fala, mas é Cristo quem fala por meio deles. E essa é uma vantagem singular, a saber, que Cristo amorosamente nos atrai para si por meio de sua própria voz, para que de forma alguma duvidemos da majestade de seu reino.

Por esta conta, devemos tomar o máximo cuidado para não recusarmos perversamente o edito que ele publica: *Tu és meu Filho*. Davi, na verdade, podia com propriedade ser chamado o filho de Deus em virtude de sua dignidade real, justamente como descobrimos que os príncipes, em razão de serem elevados acima dos demais, são chamados deuses e filhos de Deus. Mas aqui Deus, pelo título singularmente sublime, com o qual honra a Davi, o exalta não só acima de todos os mortais, mas até mesmo acima dos anjos. Isso o apóstolo [Hb 1.5] sábia e diligentemente considera, ao informar-nos que tal linguagem jamais foi usada em relação a qualquer dos anjos. Davi, individualmente considerado, era inferior aos anjos, mas até onde representava a pessoa de Cristo, ele é com sobejas razões preferido muito acima deles. Pela expressão, Filho de Deus, neste lugar, não devemos, pois, entender um filho entre muitos, e, sim, seu Filho Unigênito, o único a possuir a preeminência no céu e na terra. Quando Deus diz: *eu te gerei*, deve-se entender como que se referindo ao entendimento ou conhecimento humano dela; pois Davi foi gerado por Deus quando claramente se manifestou a escolha dele para ser rei. As palavras, *neste dia*, portanto, denota o tempo dessa manifestação; pois que tornou-se notório que ele se fez rei por nomeação divina, ele surgiu como aquele que havia sido finalmente gerado de Deus, já que uma honra tão imensurável não poderia pertencer a uma pessoa isoladamente. A mesma explicação das palavras deve aplicar-se a Cristo. Não se diz que ele é gerado em qualquer outro sentido, senão que o Pai testifica dele como sendo seu próprio Filho. Esta passagem, estou consciente, tem sido explicada por muitos como se referindo à eterna geração de Cristo; e das palavras, *neste dia*, arrazoam ingenuamente como se denotassem um ato eterno sem qualquer relação a tempo. Paulo, porém, que é o mais fiel e melhor qualificado intérprete desta profecia, em Atos 13.33, chama nossa atenção para a manifestação da glória celestial de Cristo, da qual temos falado. A expressão, *ser gerado*, não implica, portanto, que ele, então, começou a ser o Filho de Deus, mas que sua existência então se fez manifesta ao mundo. Finalmente, esse *gerar* não deve ser inferido do amor mútuo que existe entre o Pai e o Filho; apenas significa que *Aquele* que esteve oculto desde o princípio no secreto seio do Pai, que mais tarde esteve obscuramente representado sob a lei, se fez notório como o Filho de Deus a partir do tempo quando se manifestou com marcas autênticas e evidentes de Filiação, segundo o quê se encontra expresso em João 1.14: "E vimos sua glória, glória como do Unigênito do Pai." Entretanto, devemos, ao mesmo tempo, ter em mente o que Paulo ensina [Rm 1.4], ou seja, que ele foi declarado Filho de Deus, com poder, quando ressuscitou dos mortos, e portanto o que aqui está expresso é principalmente uma alusão ao dia da ressurreição. Porém, seja qual for o tempo específico aqui aludido, o Espírito Santo realça o solene e oportuno tempo de sua manifestação, justamente como ele posteriormente faz nestas palavras: "Este é o dia que o Senhor fez; regozijemo-nos e alegremo-nos nele" [Sl 118.24].

8. Pede-me. Cristo, é verdade, pediu a seu Pai: "glorifica-me, ó Pai, contigo mesmo, com a glória que eu tive junto de ti, antes que houvesse mundo" [Jo 17.5]; todavia, o significa mais óbvio é que o Pai não negará absolutamente nada a seu Filho, o que se relaciona com a extensão de seu reino até aos confins da terra. Nesta maravilhosa questão, porém, Cristo é introduzido como que apresentando-se diante do Pai com orações, a fim de ilustrar a graciosa liberalidade de Deus em conferir aos homens a honra de constituir seu próprio Filho Governador sobre o mundo inteiro. É verdade que, como a eterna Palavra de Deus, Cristo tem sempre tido em suas mãos, por direito soberano, autoridade e majestade, e como tal não pode receber nenhum acréscimo mais; mas ainda é exaltado na natureza humana, na qual ele tomou sobre si a forma de servo. Esse título, pois, não lhe é aplicado só como Deus, senão que se estende a toda a sua pessoa como Mediador; pois, após Cristo ter se esvaziado, lhe foi dado um nome que é sobre todo nome, para que diante dele se dobre todo joelho [Fp 2.9]. Davi, como sabemos, depois de ter alcançado marcantes vitórias, reinou sobre uma vasta extensão territorial, de modo que muitas nações se lhe tornaram tributárias; mas o que aqui se acha expresso não se cumpriu nele. Se compararmos seu reino com outras monarquias, veremos que ele esteve confinado dentro de limites muito tacanhos. Portanto, a menos que nossa suposição seja que esta profecia concernente à vasta extensão do reino tivesse sido pronunciada em vão e falsamente, devemos aplicá-la a Cristo, o único que subjugou a si o mundo inteiro e mantém todas as terras e nações sob seu domínio. Consequentemente, aqui, como se dá em muitos outros lugares, a vocação dos gentios é preanunciada, para evitar que todos imaginassem que o Redentor que estava sendo enviado da parte de Deus era rei de uma só nação. E se agora vemos seu reino dividido, diminuído e sucumbido, tal coisa procede da perversidade dos homens, os quais se fazem indignos de estar sob um reinado tão feliz e tão desejável. Ainda, porém, que a ingratidão dos homens retarde a prosperidade do reino de Cristo, tal fato não anula o efeito desta predição, porquanto Cristo recolhe os remanescentes de seu povo de todos os quadrantes, e em meio a essa ignóbil desolação os mantém unidos pelo sagrado vínculo da fé, de modo que não escape um canto sequer, senão que todo o mundo esteja sujeito à sua autoridade. Além disso, quanto mais insolentemente os ímpios ajam, e quanto mais rejeitem sua soberania, não podem, por sua rebelião, destruir sua autoridade e poder. A este tema também pertence o que se segue:

[v. 9]
Com vara de ferro as quebrarás e as farás em pedaços como um vaso de oleiro.

Isso é expressamente declarado com o fim de ensinar-nos que Cristo é munido com poder pelo qual possa reinar mesmo sobre aqueles que se opõem à sua autoridade e recusam obedecê-lo. A linguagem de Davi implica que nem todos recebem voluntariamente seu jugo, senão que muitos se manterão obstinados e rebeldes, a quem, não obstante, ele subjugará pela força e os compelirá a submeter-se-lhe. É verdade que a beleza e glória do reino do qual fala Davi são mais ilustrativamente exibidas quando uma pessoa de boa vontade corre para Cristo no dia de seu poder, a fim de demonstrar ser um vassalo obediente; mas como a maioria dos homens se levanta contra ele com uma violência que desafia toda e qualquer restrição, era necessário adicionar a verdade de que esse rei provaria ser superior a toda essa oposição. Desse invencível poder em guerra Deus exibiu um espécime, primeiramente na pessoa de Davi que, como sabemos, conquistou e subjugou muitos inimigos pela força das armas. Mas a predição é mais plenamente cumprida em Cristo que, não pela espada nem pela lança, mas pelo sopro de sua boca, golpeia os ímpios até à sua completa destruição.

Entretanto, pode parecer portentoso que, enquanto os profetas em outras partes da Escritura celebram a mansidão, a misericórdia e suavidade de nosso Senhor, aqui é ele descrito em extremo rigoroso, austero e aterrorizante. Mas tal severa e assustadora soberania é posta diante de nós com nenhum outro propósito senão para alarmar seus inimigos; e isso de forma alguma é inconsistente com a bondade com que Cristo terna e docemente cuida de seu próprio povo. Aquele que se mostra um pastor amante de suas tenras ovelhas, deve tratar as bestas selvagens com certo grau de severidade, seja para convertê-las de sua crueldade, seja para eficazmente reprimi-las. Con- seqüentemente, no Salmo 110.5, depois que uma exaltação é pronunciada sobre a obediência dos santos, Cristo é imediatamente armado com poder para destruir, no dia de sua ira, os reis e seus exércitos que lhe são hostis. E, certamente, ambos esses aspectos são com propriedade atribuídos a ele, porquanto ele foi enviado pelo Pai "para pregar boas-novas aos quebrantados, enviou-me a curar os quebrantados de coração, a proclamar libertação aos cativos e a pôr em liberdade os algemados" [Is 61.1], e como, por outro lado, muitos, por sua ingratidão, provocam sua ira contra si mesmos, ele assume, por assim dizer, um novo caráter para abater sua obstinação. Pode-se perguntar que cetro de ferro é esse que o Pai pôs na mão de Cristo, com o qual pudesse despedaçar os inimigos de Cristo. Eis minha resposta: o sopro de sua boca substitui todas as demais armas, como acabei de mostrar em Isaías. Portanto, ainda que Cristo não mova sequer um dedo, no entanto, ao falar, ele troveja pavorosamente contra seus inimigos e os destrói só com a vara de sua boca. Podem lamuriar e protestar, e com o furor de um louco resisti-lo como nunca, mas finalmente serão compelidos a sentir que aquele, a quem se recusam honrar como seu rei, é seu juiz. Em suma, são feitos em pedaços por vários métodos, até que se transformem em seu escabelo. Em que aspecto a doutrina do evangelho é uma vara de ferro, pode deduzir-se da Epístola de Paulo aos Coríntios [2 Co 10.4], onde ele ensina que os ministros de Cristo são equipados com armas espirituais para lançar abaixo todo elemento elevado que se exalta contra Cristo etc. Admito que mesmo os próprios fiéis podem oferecer-se em sacrifício a Deus, para que ele os vivifique por sua graça, pois é justo que nos humilhemos no pó, antes que Cristo estenda sua mão para salvar-nos. Mas Cristo prepara seus discípulos para o arrependimento de tal maneira que não lhes pareça algo terrível; ao contrário, ao mostrar-lhes sua vara de pastor, rapidamente converte seu sofrimento em alegria; e longe está de usar sua vara de ferro para fazê-los em pedaços, ao contrário os protege sob a sombra curadora de sua mão e sustenta-os com seu poder. Portanto, quando Davi fala de *quebrar* e *despedaçar*, isso se aplica somente aos rebeldes e incrédulos que se sujeitam a Cristo, não porque se sujeitaram em decorrência do arrependimento, mas porque se vêem arrasados pelo desespero. Aliás, Cristo não fala literalmente de todos os homens; como, porém, denuncia em sua palavra quaisquer juízos que executa sobre eles, ele pode com justiça dizer que mata o ímpio com o sopro de sua boca [2 Ts 2.8]. O salmista expõe a vergonha de seu louco orgulho fazendo uso de uma linda similitude; ensina-nos que, embora sua obstinação seja mais dura que as pedras, na verdade não passam de algo mais frágil que os *vasos de argila*. Entretanto, visto que não vemos os inimigos do Redentor imediatamente despedaçados, mas, ao contrário, a Igreja mesma é que parece ser como o frágil vaso de barro debaixo dos martelos de ferro deles, os santos necessitam de ser admoestados a considerar os juízos que Cristo executa diariamente como presságio da terrível ruína que está reservada para todos os ímpios e a esperar pacientemente pelo último dia, quando os consumirá completamente pelo ardente fogo no meio do qual ele virá. Nesse ínterim, descansemos satisfeitos porque ele "reina no meio de seus inimigos".

[vv. 10, 11]
E agora, ó reis, sede sábios; e vós, juízes da terra, deixai-vos instruir. Servi a Jehovah com temor e alegrai-vos com tremor.

Tendo Davi, como proclamador dos juízos divinos, anunciado a vingança que Deus tomaria contra seus inimigos, procede agora, no caráter de profeta e mestre, a exortar os incrédulos ao arrependimento, para que, sendo tarde demais, não fossem compelidos a reconhecer, à luz da triste experiência, que as divinas ameaças não são inúteis nem ineficazes. E dá aos destinatários o título de *reis e governadores*, classes cuja mente não é fácil de trazer a um estado de submissão; e que são, além disso, embaraçados de aprender o que é correto em razão do tolo conceito que nutrem de sua própria sabedoria, a qual os faz enfatuados. E se Davi não poupa nem ainda os próprios reis, os quais pareciam ser inatingíveis pelas restrições das leis e isentos das normas comuns, sua exortação se aplica muito mais à classe comum dos homens, a fim de que todos, dos mais nobres à classe mais baixa, pudessem humilhar-se diante de Deus. Pelo advérbio, *agora*, ele indica a necessidade de se arrependerem imediatamente, visto que nem sempre serão favorecidos com igual oportunidade. Entrementes, ele tacitamente lhes dá a entender que sua advertência visava ao próprio benefício deles, ou seja, que havia ainda espaço para o arrependimento, contanto que atentassem para a urgência. Ao usar o imperativo, *sede sábios*, indiretamente condena sua falsa confiança posta em sua própria sabedoria, como se quisesse dizer: o princípio da genuína sabedoria consiste em que o homem se desvencilhe do orgulho e se submeta à autoridade de Cristo. Conseqüentemente, por boa que seja uma opinião que os príncipes do mundo tenham ter de sua própria perspicácia, podemos estar certos de que não passam de instrumentos errantes, até que se tornem humildes alunos aos pés de Cristo. Além do mais, ele declara a maneira como deveriam ser sábios, ordenando-lhes a que *servissem ao Senhor com temor*. Ao depositarem confiança em sua elevada condição, se gabam de que estão isentos das leis que obrigam o resto da humanidade; e esse orgulho os cega tão profundamente, que chegam ao ponto de imaginar que até mesmo Deus se lhes submete. O salmista, portanto, os informa que enquanto não aprenderem a temê-lo, se encontram destituídos de todo reto juízo. E, certamente, visto que estão demasiadamente endurecidos pela segurança, ao ponto de omitirem sua obediência a Deus, fortes medidas devem, antes de tudo, ser empregadas com o fim de levá-los a temerem-no, e assim recuperá-los de sua rebelião. Para que não viessem a supor que o serviço para o qual os convocava era muito penoso, ele lhes ensina, pelo imperativo, *alegrai-vos*, quão agradável e desejável ele é, visto que o mesmo propicia motivo de verdadeira alegria. Mas para que não se imaginassem felizes andando em seu próprio caminho, segundo seu espírito libertino e intoxicados com seus prazeres, enquanto continuam sendo inimigos de Deus, o salmista os exorta ainda mais com as palavras, *com temor*, a uma humilde e obsequiosa submissão. Há uma grande diferença entre o estado de prazer e alegria de uma consciência pacífica, a qual o fiel desfruta por ter o favor divino, a quem ele teme, e a desenfreada insolência com a qual os ímpios se acham sobrecarregados, por desprezarem e olvidarem a Deus. A linguagem do profeta, portanto, implica que, enquanto os orgulhosos dissolutamente se regozijam na satisfação das paixões da carne, eles se divertem com sua própria destruição; enquanto que, ao contrário, a única genuína e saudável alegria consiste no fato de que ela emana do temor e reverência a Deus.

[v. 12]
Beijai o Filho para que não se ire, e não pereçais do caminho, quando[6] sua ira está para acender-se num momento. Oh, bem-aventurados são todos os que põem nele sua confiança.

Davi expressa ainda mais distintamente que gênero de temor e serviço Deus requer. Visto ser a vontade de Deus reinar pela mão de seu Filho, e visto ter ele gravado em sua pessoa as marcas e insígnias de sua própria glória, a prova insofismável de nossa obediência e piedade para com ele consiste em abraçarmos reverentemente seu Filho, a quem ele designou rei sobre nós, segundo a declaração: "a fim de que todos honrem o Filho do modo por que honram o Pai. Quem não honra o Filho não honra o Pai que o enviou" [Jo 5.23]. O verbo no imperativo, *beijai*, expressa o solene emblema ou sinal de honra que os súditos costumam render a seus soberanos. A suma consiste em que Deus é defraudado de sua honra caso não seja ele servido em Cristo. O termo hebraico, בר (*Bar*), significa tanto um filho como uma pessoa eleita; mas em qualquer caso em que se o tome, o significado permanecerá o mesmo. Cristo era verdadeiramente o eleito do Pai, a quem o Pai deu todo o poder, para que tão-somente seja preeminente acima dos homens e dos anjos. É nesse sentido que também se diz ser ele 'selado' por Deus [Jo 6.27], visto que uma dignidade peculiar lhe fora conferida, a qual o mantém distante de todas as criaturas. Alguns intérpretes o explica como sendo *o beijo ou o abraço que é*

---

6 Ou, *car son*; ou, para o seu. – nota marginal francesa

puro,⁷ interpretação esta um tanto estranha ou bastante forçada. De minha parte, propositadamente retenho o título *Filho*, o qual responde bem a uma sentença anterior, onde se diz: "Tu és meu Filho, neste dia eu te gerei" [v. 7].

O que vem imediatamente a seguir é uma advertência aos que desprezam a Cristo, de que seu orgulho não ficará impune; como se dissesse: "Visto que Cristo não pode ser desprezado sem que se cometa indignidade contra o Pai, que o adornou com sua própria glória, assim o Pai mesmo não permitirá que uma invasão tal de seus sagrados direitos passe impunemente. E com o fim de ensiná-los a tomarem cuidado para não se deixarem enganar desnecessariamente, com a esperança de uma extensa demora, e em seu presente bem-estar entregarem-se a seus vãos prazeres, são claramente informados de que a ira divina se acenderá *num momento*. Pois vemos quando Deus, por algum tempo, transige com os perversos, e os tolera quando abusam de sua paciência, fazendo aumentar ainda mais sua presunção, visto que não pensam nos juízos divinos de outra forma senão segundo a visão de ótica e as sensações do coração. Sei que alguns intérpretes explicam o termo hebraico, כמעט (*Camoat*), o qual traduzimos, *num momento*, de uma forma diferenciada, isto é, que assim que a ira divina é acesa, mesmo num grau diminuto, ela se dirigirá completamente para os réprobos. Mas é mais adequado aplicá-la ao tempo, e vê-la como uma

---

7 O vocábulo, בר, *Bar*, que aqui significa *filho*, é também às vezes usado para denotar *puro*, como em Jó 11.4; Sl 24.4; e 73.1. No primeiro sentido, é um termo caldaico; no último, é hebraico. Esta tradução, a qual Calvino reprova, é substancialmente a da Septuaginta, cuja redação é δραξασθε παιδειας, literalmente, apegar-se à instrução. Mas, como a versão arábica dos Salmos, que geralmente segue a Septuaginta, tem usado aqui (e em muitos outros lugares, onde a Septuaginta traz παιδειας) um termo que significa não apenas instrução, *mas bons costumes, virtude*, Street acredita que os autores da Septuaginta, por παιδειας, quiseram dizer bons costumes, ou virtude em geral, e que entenderam בר, *Bar*, como uma expressão geral para a mesma coisa. As versões Caldaica, Vulgata e Etíope também traduziram בר, *Bar*, por um termo que significa *doutrina* ou *disciplina*. "Este é um caso notável", diz o Dr. Adam Clarke, "especialmente que numa parte de hebraico tão puro como é o caso deste poema, um termo caldaico teria que encontrar בר, *Bar*, em vez de בן, *Ben*, o que não adiciona nada à força da expressão, ou à elegância da poesia. Estou consciente da suposição de que בר, *Bar*, é também hebraico puro, tanto quanto caldaico; mas, como ele é considerado, no primeiro idioma, no sentido de *purificar*, as versões provavelmente o entendiam assim, aqui. Abraçai o que é *puro*, isto é, a *doutrina* de Deus."

advertência dirigida aos arrogantes, não para que se recrudesçam em sua estupidez e indiferença, nem se favoreçam da paciência divina, com a esperança de escaparem impunemente. Além do mais, ainda que essa palavra pareça estar expressa com o propósito de apresentar uma justificativa do que vem antes,[8] isto é, por que os que se recusam a beijar o Filho perecerão, e ainda que o termo hebraico, כִּי (*Ki*), com mais freqüência signifique *para* do que *quando*, no entanto não me sinto inclinado a afastar-me da tradução comumente recebida, e tenho ponderado ser mais próprio traduzir o termo original pelo advérbio *quando*, que denota tanto a razão como o tempo do que é proclamado. Há quem explique a frase *perecer do caminho* no sentido de um caminho perverso, ou maneira ímpia de viver. Outros o resolvem assim: *para que vosso caminho não pereça*, em consonância com a expressão do Salmo primeiro: *o caminho do ímpio perecerá*. Eu, porém, sou mais inclinado a atribuir às palavras um sentido diferente e a focalizá-las como uma denúncia contra os ímpios, pela qual são advertidos de que a ira de Deus os eliminará quando acreditarem que estão na metade de sua corrida. Sabemos como os desprezadores de Deus costumam gabar-se na prosperidade e cometer grandes excessos. O profeta, pois, com grande propriedade, ameaça dizendo que, quando disserem: Paz e segurança, imaginando encontrar-se muito longe de seu fim, serão eliminados por repentina destruição [1 Ts 5.3].

A sentença conclusiva do Salmo modifica o que fora anteriormente expresso sobre a severidade de Cristo; pois sua vara de ferro e furor da ira divina espalhariam terror em todos os homens, sem distinção, a menos que esse conforto fosse adicionado. Tendo, pois, discorrido sobre o terrível juízo que penderia sobre os incrédulos, ele agora encoraja os fiéis e devotos servos de Deus a nutrirem boa esperança, anunciando a doçura de sua graça. Paulo, igualmente, observa a mesma ordem [2 Co 10.6], declarando que a vingança estava em prontidão contra os desobedientes, e adicionando imediatamente, em referência

---

8 Pour rendre raison du precedent ascavoir pour quoy c'est qu'ils periront. – v.f.

aos crentes: "uma vez completa vossa submissão". Agora entendemos a intenção do salmista. Como é possível que os crentes tenham aplicado a si próprios a severidade de que ele faz menção, ele abre para eles o santuário da esperança, para onde poderão fugir, para que não sejam esmagados pelo terror da ira divina;[9] assim como Joel [2.32] também, depois de convocar os ímpios a comparecerem diante do terrível tribunal de Deus, o qual por si só é assustador aos olhos humanos,[10] imediatamente junta o conforto: "Todo aquele que invocar o nome do Senhor será salvo." Pois, em minha opinião, esta exclamação: *Bem-aventurados são todos os que põem nele sua confiança*,[11] deve ser lida como uma frase por si mesma distinta. O pronome, *nele*, pode referir-se tanto a Deus quanto a Cristo; em minha opinião, porém, ele concorda mais, à luz do escopo do Salmo como um todo, como uma referência a Cristo, a quem o salmista, um pouco antes, ordenou que os reis e juízes da terra beijassem.

---

9   Pour n'estre point accablez de la frayeur d'ire de Dieu. – v.f.
10 Qui de soy est espouvantable aux hommes. – v.f.
11 O termo אשר, *ashre*, o qual ocorre no início do Salmo, é também usado aqui; e, portanto, as palavras podem ser traduzidas: *Oh, bem-aventurança de todos aqueles que põem nele sua confiança*.

Salmos 3

Davi, embora expulso de seu reino, deprimido e sem qualquer esperança de encontrar lenitivo em alguma parte da terra, não cessa de invocar a Deus e de buscar apoio em suas promessas contra os mais profundos terrores, contra os motejos e cruéis assaltos de seus inimigos; e, finalmente, contra a própria morte, que avançava para ele com todo o seu vigor. No fim do Salmo, ele se congratula consigo mesmo e com toda a Igreja em referência à maior de todas as bênçãos.

Salmo de Davi, quando fugia de Absalão, seu filho.[1]

Quão amarga era a dor de Davi oriunda da conspiração que sofria de sua própria casa, a qual provinha da traição de seu próprio filho, o que para cada um de nós é fácil de conjecturar-se à luz das sensibilidades da natureza humana. E quando, além de tudo, ele sabia muito bem que tal hecatombe lhe era trazida por Deus mesmo em decorrência de sua própria culpa, ao manchar a esposa de outro homem e derramar sangue inocente, poderia cair em total desespero e sucumbir sob o peso da angústia, não fosse o encorajamento recebido da promessa divina que o faz esperar pela vida mesmo em face da morte. Visto que aqui não se faz qualquer alusão aos seus pecados, somos

---

[1] A inscrição ou título do Salmo aponta para a conspiração de Absalão, e que o Salmo tem essa referência faz-se evidente à luz de todo o teor do mesmo. "Esses títulos, porém, são destituídos de autoridade, como o criterioso leitor dos Salmos logo notará. Devem ser considerados meramente como glosas marginais dos judeus, porém pobres guias na interpretação da Escritura." – *Fry's Translation and Exposition of the Psalms*.

levados a inferir que somente uma parte de suas orações está compreendida neste Salmo; pois como Deus o punira expressamente em decorrência de seu adultério e de sua perversa traição contra Urias, não pode haver dúvida de que ele fosse afinal oprimido com graves e terríveis tormentos do espírito. Depois que ele se humilhou perante Deus, porém, cobrou ânimo; e ao sentir-se assegurado de haver obtido o perdão, sentiu-se também plenamente persuadido de que Deus estava do seu lado e sabia que ele haveria de sempre presidir seu reino e ser seu protetor.[2] Mas ele, não obstante, se queixa de seu filho e de toda a facção envolvida na conspiração, porque sabia que perversamente se ergueram com o propósito de frustrar o decreto de Deus. De modo semelhante, se porventura Deus faz uso dos homens perversos e perniciosos como azorragues para castigar-nos e fazer-nos diligentemente ponderar sobre a causa, ou seja: que nada sofremos que não seja o que merecemos, a fim de que essa reflexão nos conduza ao arrependimento. Mas se nossos inimigos, ao nos perseguir, lutam[3] antes contra Deus do que contra nós, que a consideração de sua ação seja imediatamente seguida pela confiante persuasão de nossa segurança sob sua proteção, cuja graça, a qual ele nos prometeu, eles desprezam e espezinham.

[vv. 1, 2]
Ó Senhor, como se multiplicam meus adversários! São numerosos os que se levantam contra mim. Muitos dizem à minha alma: Não há em Deus socorro para ele. Selah.

A história sagrada não só ensina que Davi foi destronado, mas também abandonado por quase todos os homens; de modo que tinha bem perto de si tantos inimigos quanto o número de seus súditos. É verdade que uns poucos amigos o acompanharam em sua fuga. Ele, porém, escapou em segurança, não tanto pelo auxílio e proteção deles, mas devido aos esconderijos do deserto. Portanto, não surpreende

---

2 Et s'en monstreroit le protecteur. – v.f.
3 En nous poursuyvant. – v.f.

que ele estivesse aterrorizado por tão grande número daqueles que se lhe opunham, pois nada poderia surpreendê-lo mais do que tão súbita rebelião. Era um sinal de inusitada fé quando, golpeado por tão grande consternação, se aventura a fazer francamente sua queixa a Deus e, por assim dizer, derramar sua alma no seio divino.[4] E certamente que este é o único remédio que pode aplacar nossos temores, a saber, lançar sobre ele todas as preocupações que nos atribulam; quando, por um lado, os que têm a convicção de que não são os objetos da atenção divina seriam prostrados e subjugados pelas calamidades que lhes sobrevêm.

No terceiro versículo, ele expressa mais distinta e enfaticamente o orgulho de seus inimigos, escarnecendo-se dele como um pária e como uma pessoa cujas circunstâncias eram sem esperança. E sua intenção é dizer que a ousadia deles aumentou depois disso, porquanto sentiam-se confiantes de que Deus o rejeitara. É provável que nestas palavras sua impiedade seja também referida, visto que não levavam em conta o socorro divino em preservar o rei a quem Deus escolhera. E este segundo ponto de vista é o mais provável, pois Absalão não se gabava com a esperança de receber o favor divino, senão que, desconsiderando-o inteiramente, esperava alcançar vitória com sua própria força. Davi, pois, expressamente introduz a si e aos demais como a falar dessa maneira, com o fim de mostrar que foi em decorrência de um monstruoso e ultrajante menosprezo a Deus que fez com que prorrompessem contra ele com tamanha fúria, como se não quisessem levar em conta tudo quanto havia de tão maravilhoso e com tanta freqüência acontecido em torno de seus livramentos dos perigos mais dramáticos. Os ímpios, quando se erguem com o intuito de destruir-nos, não podem abertamente irromper-se numa tão ousada presunção para que se insinue ser impossível atrairmos qualquer benefício do favor divino. No entanto, como, ou atribuem cada coisa à fortuna, ou sustentam a opinião de que um homem de sucesso o será na proporção de sua

---

4 Il a osé venir familierement faire sa complainte a Dieu et comme se discharger à lui. – v.f.

força, e assim destemidamente se precipitam rumo à conquista de seu objetivo, usando todos os meios, quer sejam corretos quer sejam nocivos, como se não houvesse diferença entre eles; esteja Deus irado contra eles ou lhes esteja favorável, é evidente que não dão o menor valor ao favor divino e motejam dos fiéis como se houvesse alguma vantagem em viver eles sob o cuidado e proteção de Deus.

A tradução de alguns – *muitos dizem de minha alma* – não produz o sentido genuíno desta passagem. A letra ל é na verdade às vezes usada no sentido (*de*), em hebraico, mas Davi, aqui, tencionava expressar algo mais, ou seja, que seu coração se sentia trespassado pelos motejos de seus inimigos. A palavra *alma*, portanto, em minha opinião, aqui significa a sede das afeições. E tem um significado correspondente numa passagem que encontraremos num outro Salmo [35.3]: "Dize à minha alma: Eu sou a tua salvação." Davi, assim, nos ensina, por meio de seu próprio exemplo, que, mesmo que o mundo inteiro, a uma só voz, tente infundir-nos desespero, em vez de atentar para ele, devemos, antes, dar ouvidos unicamente a Deus, e acalentar sempre a esperança da salvação que ele prometeu; e como os ímpios empregam seus esforços com o fim de destruir nossas almas, temos de defender-nos deles recorrendo às nossas orações.

Com respeito à palavra *Selah*, os intérpretes não conseguem acordo. Há quem sustente que ela é um sinal de afirmação, com a mesma significação de *em verdade* ou *amém*. Outros a entendem como significando *para sempre*. Mas como סלל (*Selal*), da qual se deriva, significa *levantar-se, elevar-se*, nos inclinamos para a opinião daqueles que pensam que ela denota a elevação da voz em harmonia no exercício de cantar. Ao mesmo tempo deve-se observar que a música era adaptada ao sentimento, e assim a harmonia estava em uníssono com o caráter ou tema do cântico; justamente como Davi, aqui, depois de se haver queixado de seus inimigos por rirem vergonhosamente, escarnecendo de sua esperança, como se a proteção divina fosse de nenhuma valia para ele, fixa a atenção em sua blasfêmia, a qual feriu severamente seu coração, pelo uso da palavra *Selah*; e, um pouco depois, ao acrescentar uma nova base para a confiança no tocante à segurança de sua pessoa, ele repete a mesma palavra.

[vv. 3, 4]
E tu, Jehovah, és um escudo para mim, és minha glória e aquele que exalta minha cabeça. Com minha voz tenho clamado ao Senhor, e ele de seu santo monte me ouviu. Selah.

A copulativa *e* deve ser assimilada pela partícula disjuntiva *mas*, visto que Davi emprega linguagem saturada de confiança, em oposição à audácia e profanas zombarias de seus inimigos,[5] e testifica que tudo quanto dissessem, não obstante continuaria confiante na palavra de Deus. Além disso, tudo indica que ele acalentara previamente uma inabalável esperança de livramento, à luz da circunstância de não fazer aqui menção de sua presente calamidade como um castigo a ele infligido pela mão de Deus; antes, porém, dependendo do auxílio divino, corajosamente encontra seus inimigos, os quais estavam movendo uma ímpia e perversa guerra contra ele, visto que intentavam depor de seu trono o rei genuíno e legítimo. Em suma, havendo reconhecido antes o seu pecado, agora leva em conta apenas os méritos da presente causa. E assim convém que os servos de Deus ajam quando são molestados pelos perversos. Uma vez pranteado seus próprios pecados, e humildemente recorrido à misericórdia divina, devem conservar seus olhos fixos na causa óbvia e imediata de suas aflições, para que não acalentem dúvida alguma do socorro divino quando imerecidamente se sujeitam a algum tratamento injusto. Especialmente quando, ao serem maltratados, a verdade de Deus é resistida, é mister que se sintam fortemente encorajados e se gloriem na certeza de que Deus, sem a menor sombra de dúvida, manterá a veracidade de suas próprias promessas contra os elementos pérfidos e dissolutos. Não sucedesse assim com Davi, e pareceria ter ele reivindicado tais coisas para si sem qualquer fundamento, visto ter ele se privado da

---

5 L'audace de ses ennemis et risee accompagnee de sacrilege. – v.f.

aprovação e socorro de Deus quando o ofendeu.[6] Uma vez persuadido, porém, de que não fora totalmente eliminado do favor divino, e que a escolha divina para ele ser rei permanecia imutável, ele animou-se a esperar por um resultado favorável às suas atuais tribulações. E, em primeiro lugar, ao comparar Deus a um *escudo*, sua intenção era dizer que ele era defendido pelo poder divino. Daí concluir também que Deus era sua *glória*, visto ser ele o mantenedor e o defensor da dignidade real que lhe aprouvera conferir-lhe [a Davi]. E, diante desse fato, ele se tornou tão ousado, ao ponto de declarar que andaria de fronte imperturbável.[7]

4. Com minha voz clamei ao Senhor. Aqui, ele nos informa que jamais fora tão abalado pela adversidade, ou humilhado pelos escárnios ímpios,[8] ao ponto de ver-se impedido de expressar sua fé; não obstante, quanto mais se sentisse inquieto, mais ele repousaria em Deus. Por isso os santos nunca deixam de finalmente ser vitoriosos sobre todos os seus temores, enquanto que os ímpios, que não põem em Deus sua confiança, são mergulhados em desespero, mesmo quando se deparam com os mais insignificantes perigos. Há quem pense haver aqui uma mudança de tempos; e, por isso, traduzem os verbos no tempo futuro: *Eu me deitarei e dormirei, e acordarei*, visto que imediatamente depois se adiciona um verbo no futuro: *O Senhor me sustentará*. Como ele expressa, porém, com essas últimas palavras, um ato contínuo, creio ser desnecessário mudar os tempos nos três primeiros verbos. Ainda devemos saber que essa confiança de segurança não deve referir-se peculiarmente ao tempo de sua aflição, ou, pelo menos, não deve limitar-se a ele; pois, em minha opinião, Davi antes declara quanto bem havia ele obtido por meio da fé e da oração; ou seja, o estado pacífico e imperturbável de uma mente bem ajustada. Isso ele expressa meta-

---

6 En l'offensant. – v.f.
7 De là procede l'asseurance dont il fait mention puis apres qu'il marchera hardiment la teste levée. – v.f. Disso procedia a confiança da qual ele faz menção um pouco adiante, ou seja, que ousadamente andaria de fronte erguida.
8 Par les mocqueries mal-heureuses des meschans. – v.f. Pelos mesquinhos escárnios dos perversos.

foricamente, quando diz que praticou as ações ordinárias da vida sem ser perturbado pelo medo. "Eu me deitei", diz ele, "desperto e insone; porém dormi profundamente, quando um sono como esse geralmente não sucede com aqueles que são dominados pelas preocupações e temores." Particularmente, porém, notemos bem que Davi chegou a ter essa confiante segurança em decorrência da proteção divina, e não como algo oriundo da estupidez mental. Mesmo os perversos conseguem um sono profundo por meio de uma mente intoxicada, enquanto sonham de haver feito um pacto com a morte. Com Davi era diferente, pois ele encontrou descanso, não em alguma outra base, senão porque ele era sustentado pelo poder de Deus e protegido por seu auxílio. No próximo versículo, ele se estende sobre a incalculável eficácia dessa confiança, da qual todos os santos têm alguma compreensão, à luz de sua experiência da proteção divina. Como o poder de Deus é infinito, então concluem que ele será invencível contra todos os assaltos, os ultrajes, as maquinações e as forças do mundo inteiro. Aliás, a menos que atribuamos a Deus tal honra, nossa coragem irá a pique constantemente. Portanto, aprendamos, quando surgirem os perigos, a não medir a assistência divina pelo padrão humano, mas desdenhemos de todo e qualquer terror que porventura se ponha em nosso caminho, visto que todas as tentativas que os homens engendram contra Deus são de pouca ou nenhuma eficácia.

[vv. 7, 8]
Levanta-te, Senhor, salva-me, meu Deus, pois feriste nos queixos a todos os meus inimigos, quebraste os dentes aos ímpios. A salvação pertence ao Senhor; a tua bênção é sobre o teu povo. Selah.

7. Levanta-te, Senhor. Como nos versículos anteriores Davi se gloriou de seu estado de tranqüilidade, agora faz-se evidente que deseje ele da parte do Senhor que seja preservado em segurança ao longo de toda a sua vida; como se dissesse: Senhor, já que destruíste meus inimigos, faz com que tua benevolência esteja comigo, e que comigo continue até ao término de minha jornada. Visto, porém, não ser algo incomum encontrar Davi, nos Salmos, combinando diversos afetos, parece ser mais provável que, depois de ter feito menção de sua confiança em Deus, volte outra vez a fazer as mesmas orações que fizera no início.⁹ Ele, pois, pede que seja preservado, porquanto se via à mercê de perigo. O que se segue no tocante a *ferir* seus inimigos, pode-se explicar de duas formas: ou que em sua oração ele evoca as memórias de suas vitórias passadas, ou que, havendo experimentado a assistência divina, e obtido a resposta às suas orações, ele agora prorrompe em ações de graças. Sinto-me muito inclinado a adotar este último significado. Em primeiro lugar, pois, ele declara que fugia para Deus em busca de socorro em meio aos perigos e humildemente orava por livramento. E assim que a salvação se concretizava, ele dava graças, e dessa forma ele testifica que reconhecia ser Deus o Autor do livramento que obtivera.¹⁰

8. A salvação pertence ao Senhor. Visto que ל é às vezes usado pelos hebreus para מן, *Min*, alguns, não impropriamente, traduzem esta cláusula – *do Senhor é a salvação*. Eu, contudo, considero que o significado natural e óbvio é simplesmente este: a salvação ou livramento se encontra tão-somente nas mãos de Deus. À luz destas palavras, Davi não só reivindica para Deus o ofício e o encômio exclusivos de salvar, contrastando tacitamente o poder divino com todo o socorro humano, mas também declara que, mesmo que milhares de mortes pendam sobre seu povo, todavia isso não pode incapacitar a Deus de salvá-lo, ou impedi-lo de rapidamente expedir, sem qualquer esforço, o livramento que ele é sempre capaz de conceder. No final do Salmo, Davi afirma que isso fora concedido, não tanto em função dele como indivíduo, quanto em função de todo o povo, que é a Igreja universal, cujo bem-estar dependia da segurança e prosperidade de

---

9 A faire les mesmes prieres qu'au commencement. – v.f.
10 Et puis a cause qu'il a obtenu cela, c'est à dire, qu'il est demeuré, en sauveté, il luy en rend graces; tesmoignant par cela qu'il tient de Dieu sa deliverance et la recognoist de luy. – v.f. E então tendo obtido isso, ou seja, tendo sido preservado em segurança, ele dá graças a Deus; testificando por esse meio que ele lhe devia seu livramento e reconhecia como o mesmo veio dele [Deus].

seu reino, para que a mesma fosse preservada da destruição. Davi, pois, reconhece que a dispersão dessa conspiração ímpia foi devida ao cuidado que Deus exercia no tocante à segurança de sua Igreja. Desta passagem aprendemos que a Igreja será sempre libertada das calamidades que lhe sobrevêm, porque Deus, que é poderoso para salvá-la, jamais suprime dela sua graça e sua bênção.

Salmos 4

Depois que Davi, no início do Salmo, orou a Deus pedindo-lhe socorro, ele volta imediatamente seu discurso para seus inimigos e, dependendo da promessa divina, triunfa sobre eles como vencedor. Ele, pois, nos ensina, com seu exemplo, que, quando formos premidos pela adversidade, ou envolvidos em profundas aflições, meditemos nas promessas de Deus, nas quais a esperança de salvação nos é demonstrada, de modo que, usando este escudo como nossa defesa, rompamos todas as tentações que nos assaltam.

Ao mestre de música em Neginoth. Salmo de Davi.

A ocasião em que este Salmo foi composto é incerto. À luz de seu teor, porém, conjectura-se, com probabilidade, que Davi era, então, um fugitivo e exilado. Portanto, eu o situo no tempo em que ele era perseguido por Saul. Entretanto, se porventura alguém prefere antes tomá-lo como uma referência ao tempo em que Davi foi compelido pela conspiração de Absalão, a fugir em busca de segurança, não me operei muito sobre a questão. Visto, porém, que pouco depois ele usa a expressão: "até quando?" [v. 2],[1] o que indica que ele empreendia uma luta renhida, a opinião que eu já trouxe a lume é a mais provável. Pois sabemos com que variadas provações fora ele acossado antes de haver obtido completo livramento, desde o tempo em que Saul começou

---

1 Ascavoir, Jusques à quand, a vers. 3. – v.f.

a ser seu inimigo. No tocante às palavras que compõem este versículo [1], farei apenas uma ou duas breves observações. Há quem traduza a palavra למנצה (*Lamnetsah*), *para sempre*; e diz-se que ela era o início de um cântico popular, à melodia do qual este Salmo foi composto;[2] eu, no entanto, rejeito tal idéia como uma tradução forçada. Outros, mais acertadamente, são de opinião que מנצה (*Menetsah*), significa aquele que excede e ultrapassa a todos os mais. Visto, porém, que os expositores não estão em sintonia uns com outros no tocante ao gênero particular de excelência e dignidade aqui expresso, seja-nos suficiente que por esta palavra se denote o maestro ou presidente da orquestra.[3] Não concordo que a palavra seja traduzida por *vencedor*; pois embora corresponda ela ao tema do presente Salmo, contudo de forma alguma se adequa a outros lugares, onde encontraremos a mesma palavra hebraica sendo usada. Com respeito à segunda palavra (*Neginoth*), creio ser oriunda do verbo נגן (*Nagan*), o qual significa *tanger* ou *soar*; e, portanto, não tenho dúvida de que se refere a um instrumento musical. Daí segue-se que este Salmo foi designado para ser cantado, não só com a voz, mas também com instrumentos, os quais eram presididos e regulados pelo maestro de quem estamos precisamente falando agora.

[v. 1]
Responde-me quando clamo, ó Deus de minha justiça; na angústia, me tens aliviado; tem misericórdia de mim e ouve minha oração.

À luz dessas palavras temos uma demonstração da fé de Davi que, embora enfrentasse a mais extrema angústia, e deveras quase consumido por uma longa série de calamidades, não sucumbiu à sua dor; nem se permitiu ter o coração tão quebrantado que não tivesse forças para recorrer a Deus, seu Libertador. Através de sua oração ele

---

2 Et ils disent que c'estoit le commencement d'une chanson commune au chant de laquelle ce pseaume a este compose. – v.f.

3 Le principal *chantre*, ou maitre de la musique qui avoit charge de mettre les pseaumes en chants et accords. – v.f. O cantor principal ou líder da música que tinha a incumbência de metrificar os salmos com melodias e harmonias.

testificou que, quando se viu totalmente privado de todo socorro terreno, todavia restava-lhe ainda a esperança em Deus. Além do mais, ele o chama *o Deus de minha justiça*, significando a mesma coisa se o chamasse *o Defensor de seus direitos*,[4] e apela para Deus, visto que os homens, por toda parte, o condenavam, e sua inocência era destruída pelas notícias caluniosas de seus inimigos e pelos juízos perversos do vulgo. E um tratamento tão cruel e injusto como esse que Davi recebia deve ser criteriosamente assinalado. Pois embora nada nos seja mais doloroso do que sermos falsamente condenados e suportar, a um e ao mesmo tempo, iníqua violência e calúnia, todavia, sermos difamados quando fazemos o bem é uma aflição que diariamente atinge os santos. E ela os faz viver tão fatigados sob seus efeitos, que os faz fugir de todas as fascinações do mundo e a depender única e totalmente de Deus. *Justiça*, pois, deve ser entendida, aqui, como uma boa causa, da qual Davi toma Deus por testemunha, enquanto se queixa da conduta maliciosa e injusta dos homens contra ele; e, por seu próprio exemplo, ele nos ensina que, se em qualquer tempo nossa retidão não for percebida e reconhecida pelo mundo, não devemos por isso sentir-nos desestimulados, visto que temos Alguém no céu para defender nossa causa. Mesmo os pagãos têm afirmado que não há melhor cenário para a virtude do que a própria consciência humana. Mas é uma consolação longe de ser suplantada o fato de estarmos diante da vista de Deus e dos anjos. Sabemos que Paulo era dotado com uma coragem proveniente desta fonte [1 Co 4.5], pois quando muitas e más notícias foram espalhadas entre os coríntios, a respeito dele, ele apela para o tribunal de Deus. Isaías também, fortificado pela mesma confiança [1.6 e os versículos seguintes), despreza todas as difamações com que seus inimigos o caluniavam. Portanto, se não podemos encontrar justiça em parte alguma do mundo, o único apoio de nossa paciência se encontra em Deus e em descansar felizes na eqüidade de seu juízo.

Não obstante, pode-se perguntar, à guisa de objeção: Visto que toda

---

4 Mon protecteur, celuy qui maintient mon droict. – v.f. Meu protetor, aquele que mantém meu direito.

a pureza dos homens não passa de mera poluição aos olhos de Deus, como é possível que os santos ousem apresentar sua própria justiça diante dele? Com respeito a Davi, é fácil responder a esta pergunta. Ele não se gabava de sua própria justiça exceto em referência a seus inimigos, de cujas calúnias ele se inocentava. Ele contava com o testemunho de uma boa consciência de que nada intentara sem a vocação e o mandamento de Deus, e por isso não fala precipitadamente ao chamar a Deus de protetor e defensor de seus direitos. Daí aprendemos que Davi honrava a Deus com esse título de louvor, a fim de mais prontamente pô-lo em contraste com o mundo inteiro. E como duas vezes pede para ser ouvido, nisso temos expresso tanto a veemência de sua tristeza quanto o ardor de suas orações. Na última cláusula do versículo, ele também mostra de onde esperava obter a satisfação de suas necessidades, ou seja, da misericórdia de Deus. E com certeza, tão pronto pedimos qualquer coisa a Deus, convém-nos começar com este ponto e implorar-lhe segundo seu beneplácito, para que mitigue nossas misérias.

Na angústia, me tens aliviado. Há quem pense que Davi, aqui, promete a si mesmo o que ainda não experimentara; e no exercício da esperança antecipa as manifestações da graça divina com a qual mais tarde seria favorecido. Em minha opinião, porém, ele antes menciona os benefícios que anteriormente recebera de Deus e pelos quais se fortalecera contra aquilo que estava para acontecer. E assim os fiéis costumam trazer à sua lembrança aquelas coisas que tendem a fortalecer sua fé. Daqui em diante nos depararemos com muitas passagens similares a esta, onde Davi, a fim de imprimir energia à sua fé contra os terrores e perigos,[5] concilia as muitas experiências das quais aprendera que Deus está sempre presente com seu próprio povo e que jamais desaponta suas aspirações. O método de expressão que ele emprega aqui é metafórico, e dessa forma ele indica que um caminho de escape lhe estava aberto, ainda quando estivesse assediado e cercado de todos os lados. As angústias

---

[5] Contre les effrois et dangers qui se presentoyent. – v.f. Contra os terrores e perigos que se apresentavam.

de que ele fala, em minha opinião, refere-se não menos ao estado de sua mente do que às circunstâncias de aflição externa; pois o coração de Davi não era de um caráter tão férreo que o impedisse de ser lançado pela adversidade em profunda angústia mental.

[vv. 2, 3]
Ó filhos dos homens, até quando tentareis converter minha glória em vexame? Até quando amareis a vaidade e saireis em busca da mentira? Selah. Sabei, porém, que Jehovah escolheu para si alguém que seja misericordioso; Jehovah ouvirá quando eu clamar por ele.

2. Ó filhos dos homens. O feliz resultado da oração de Davi foi que, cobrando ânimo, foi capaz não só de repelir a fúria de seus inimigos, mas também de lançar-lhes em rosto um desafio e destemidamente desprezar todas as suas maquinações. Para que nossa confiança, pois, permaneça inabalável, devemos, quando formos assaltados pelos ímpios, não entrarmos em conflito sem antes estarmos munidos, à semelhança de Davi, com a mesma armadura. Eis a súmula: visto que Deus determinara defender Davi pelo seu próprio poder, era debalde que todos os homens do mundo envidassem esforços para destruí-lo, por maior que fosse o poder que pudessem granjearar para fazer-lhe injúrias. Ao chamar de *filhos* àqueles a quem se dirigia, não de Adão ou de alguma pessoa comum, mas *dos homens*, tudo indica que quisesse reprovar seu orgulho.[6] Não concordo com alguns expositores judeus que pensam que a referência aqui é a homens nobres ou homens de elite. Ao contrário, é uma concessão irônica do que reivindicavam para si próprios, pela qual ele ridiculariza sua presunção, estimando-se como se fossem nobres ou sábios, enquanto que seu furor não passava de um sentimento cego a impeli-los a empreendimentos perversos. Nas palavras, *até quando*, ele condena sua perversa obstinação; pois o que tinha em mente não era propriamente que fossem eles instigados contra ele movidos meramente por algum impulso repentino,

---

6 Le mot Hebrieu ne signifie pas simplement Homme, mais homme viril et robuste; en quoy il sembre taxer, en passant, leur arrogance. – v.f. A palavra hebraica significa não simplesmente *homem*, mas um homem forte e robusto; e com esta palavra parece, de passagem, repreender sua arrogância.

e, sim, que um obstinado propósito de injuriá-lo estava profundamente impresso em seus corações. Não os houvera sua malícia os privado de sua compreensão, e os muitos exemplos nos quais Deus provara ser o defensor de Davi os teriam compelido a desistir de suas tentativas contra ele. Mas, como estavam plenamente determinados a desgraçar *aquele* a quem Deus exaltara ao trono real, ele lhes pergunta: Até quando perseverarão em seus esforços para *converter sua glória em vexame*? E deve-se observar que, embora oprimido por todo tipo de exprobrações, tanto entre a fina estirpe quanto entre a ralé, no entanto corajosamente retém com toda firmeza a glória ou a honra da realeza que Deus graciosamente lhe prometera ou lhe conferira, e está plenamente persuadido de que Deus finalmente defenderá seus direitos em relação a ela, por mais que seus inimigos perversamente tentem maculá-la e obscurecê-la, tratando as pretensões dele com desdém e escárnio.

Até quando amareis a vaidade? Com estas palavras, em parte reprova seus inimigos pelas paixões ímpias e maldosas pelas quais os via sendo impelidos, não obstante falsamente pretendiam estar agindo movidos por um santo zelo; e em parte zomba de sua loucura em deleitar-se na esperança de sucesso enquanto digladiam contra Deus. E é uma censura muito evidente. Mesmo quando os ímpios se precipitam de ponta cabeça em toda sorte de perversidade, impulsionados pelas mais grosseiras[7] maldades, se tranqüilizam com ilusórias lisonjas a fim de não sentir-se perturbados pelas punçadas do remorso. Davi, pois, reclama que teimosamente fechavam seus olhos e disfarçavam sua injustiça com um enganoso colorido, o que não os ajudava em nada. Os ímpios podem, deveras, gabar-se e iludir-se, mas quando são expostos seriamente à provação, será sempre manifesto que a razão por que são enganados é que desde o princípio estiveram determinados a tratar enganosamente. Ora, à luz deste passo, devemos revestir-nos de invencível firmeza assim que nos virmos excedidos em prudência e sutileza pelos ímpios. Pois seja com engenhosidade eles nos assaltem, se contamos com o testemunho

---

7   D'une malice si evidente qu'on la pourroit toucher au doigt. – v.f. Com uma malícia tão evidente que alguém podia tocá-la com o dedo.

de uma sã consciência, Deus permanecerá de nosso lado, e contra ele não haverão de prevalecer. Mesmo que excedam muitíssimo em habilidade e possuam imenso poder de ferir-nos, mesmo que estejam na mais perfeita prontidão com seus planos e ajuda subsidiária e tenham um discernimento muito agudo, todavia inventem o que possam, tudo não passará de mentira e vaidade.

3. Sabei, porém, que Jehovah escolheu para si alguém etc. Esta é uma confirmação do versículo precedente; pois ela mostra que a causa da ousadia de Davi consistia neste fato: ele dependia de Deus, o fundador de seu reino. E com certeza podemos seguramente triunfar sobre nossos inimigos, quando somos dominados pela convicção de que fomos chamados por Deus para o ofício que ocupamos ou o trabalho a que nos engajamos. Conseqüentemente Davi, aqui, não se gloria em sua própria força, ou riquezas, ou exércitos, pelos quais granjeou o reino. Visto, porém, que fora escolhido por Deus, ele notifica que as inúmeras tentativas de seus inimigos contra si seriam sem sucesso, porquanto iriam descobrir pessoalmente que Deus, cujo poder não poderiam resistir com sucesso, era contra eles. Em primeiro lugar, ele diz que fora *separado* por Deus, pelo quê pretendia dizer que fora investido para o trono, não pela vontade do homem, nem por sua própria ambição, mas pela determinação de Deus. O termo hebraico, פלה (*phalah*), significa *separar*, e aqui ele se refere à separação para honra e dignidade; como se dissesse: vós não admitis ninguém como rei senão aquele que é escolhido pelo vosso voto ou que vos agrade; mas a prerrogativa peculiar de Deus é fazer ele a escolha de quem quer escolher. Pelo termo *misericórdia* ou *generosidade*, indubitavelmente defende ele o direito de ser rei, à luz do fato de que esta era uma condição que lhe pertencia. É como se ele houvera produzido o emblema ou distintivo de sua vocação. Pois estava corretamente expresso no antigo provérbio: A misericórdia é a virtude mais adequada na vida dos reis. Ora, Deus geralmente supre aqueles a quem imputa a dignidade de possuir esta honra a eles conferida com os dons indispensáveis para o exercício de seu ofício, a fim de que não sejam como os ídolos sem vida. Há quem entenda a palavra, חסיד (*chasid*), num sentido passivo, não como denotando uma pessoa beneficente, mas alguém que é colocado no trono pelo favor divino. Entretanto, como não encontro nas Escrituras nenhum exemplo de tal significado, penso ser mais seguro seguir a interpretação comum, que é esta: Deus escolheu um rei que corresponda ao caráter que deve ser possuído por todo aquele que é chamado para ocupar uma posição em extremo exaltada, tanto quanto deve ser ele misericordioso e beneficente. Daí, ele infere que seria ouvido por Deus assim que o invocasse; pois Deus prova sua fidelidade principalmente nisto: que ele não descuida da obra de suas próprias mãos, senão que continuamente defende aqueles a quem uma vez recebeu em seu favor. Por isso é que somos instruídos a prosseguir destemidamente em nossa vereda; porque, seja o que for que tenhamos empreendido segundo sua vontade, jamais ficará sem efeito. Que esta verdade, pois, adquira um espaço definitivo em nossas mentes, ou seja, que Deus jamais reterá sua assistência daqueles que sinceramente avançam em seu curso. Sem tal conforto, os fiéis inevitavelmente mergulhariam em desespero a cada momento.

[vv. 4, 5]
Tremei, pois, e não pequeis; conversai com vosso próprio coração em vosso leito, e sossegai. Selah. Oferecei sacrifícios de justiça, e ponde vossa confiança no Senhor.

4. Tremei, pois. Ele agora exorta seus inimigos a que se arrependam, se porventura sua loucura não fosse totalmente irremediável. Em primeiro lugar, ele lhes ordena que *tremessem*, ou se *perturbassem*; palavra essa por meio da qual ele repreende sua estupidez em virar-se de ponta cabeça em seu curso perverso, sem o mais leve temor de Deus ou sem qualquer senso de perigo. Com toda certeza, a grande presunção de todos os ímpios, em não hesitarem declarar guerra contra Deus, procede do fato de serem embrutecidos por uma enfatuada segurança; e por sua irracionalidade se tornavam estúpidos e se tornavam ainda mais contumazes ignorando tanto a Deus quanto a si próprios, seguindo em qualquer direção que a concupiscência os levasse. Ele lhes diz que o melhor antídoto para curar a raiva, e impedir que *pecassem* ainda mais, seria despertar-se de sua letargia e começar a temer e tremer; como se dissesse: tão logo vos tendes despertado de vosso torpor e insensibilidade, vosso anseio para pecar se aplacará. Pois a razão pela qual os ímpios são desagradáveis aos bons e honestos, e por que causam tanta confusão, é que vivem demasiadamente em paz consigo mesmos.

Em seguida os admoesta *a conversar com seu próprio coração, em seus leitos*, isto é, ponderar profunda e lentamente sobre si mesmos e, por assim dizer, em algum lugar de total retiro;[8] um exercício contrário à natureza de suas desregradas paixões. No final do versículo, ele lhes ordena *a sossegarem*. Ora, deve-se observar que a causa desse desassossego é a agitação e o tremor, sobre os quais fizera menção antes. Pois se alguém for impelido a pecar por sua enfatuada displicência, o primeiro passo para seu retorno a uma mentalidade sadia é despertar de seu profundo sono com temor e tremor. Em seguida vem a calma e deliberada reflexão; então consideram e reconsideram quais são os perigos que os espreitam. E assim, finalmente, aqueles cujo audacioso espírito por nada se retrai, aprendem a ser ordeiros e pacíficos ou, pelo menos, refreiam sua desvairada violência.

A falar em seus leitos é uma forma de expressão extraída da prática comum e da experiência dos homens. Sabemos que durante nossa relação com os homens no dia-a-dia, nossos pensamentos são distraídos e às vezes julgamos precipitadamente, sendo enganados pela aparência externa; enquanto que, na solidão, podemos dar a algum assunto uma atenção mais profunda; e, ainda mais, o senso de pudor, pois, não permite que uma pessoa reflita sem que dissimule suas próprias faltas. Davi, pois, exorta seus inimigos a desvencilhar-se daqueles que eram testemunhas e juízes de suas ações no cenário da vida pública, e ao se verem a sós, que fizessem um auto-exame mais veraz e honesto. E essa exortação diz respeito a todos nós; pois não há nada que os homens amem mais do que enganar alguém com seus vãos aplausos, até que cada um se compenetre e fale a sós

---

8 Et estans retirez à part pour sonder leurs consciences. – v.f. E eles mesmos se retirando para provarem ou examinarem suas consciências.

com seu próprio coração. Paulo, ao citar esta passagem em Efésios 4.26, ou, pelo menos, ao fazer alusão ao sentimento de Davi, segue a Septuaginta: "Irai-vos e não pequeis." E, contudo, faz uma hábil e bela aplicação da mesma ao seu propósito. Ele ali nos ensina que os homens, em vez de perversamente derramarem sua ira contra seu próximo, deviam antes, por justa causa, irar contra si próprios, a fim de que, por esse meio, venham a abster-se de pecar. E, portanto, ele lhes ordena, antes, a afligir-se interiormente e a sentir ojeriza de si próprios, e em seguida irar-se, não tanto das pessoas, e, sim, dos vícios dos outros.

5. Oferecei sacrifícios de justiça. Muitos são de opinião que Davi exorta seus inimigos a apresentarem alguma evidência de seu arrependimento; e certamente admito que oferecer sacrifícios era em parte ordenado com o propósito de induzir os homens a andarem em novidade de vida. Mas quando considero o caráter dos homens que se opunham a Davi, fico satisfeito em que ele, aqui, censure sua hipocrisia e lance por terra sua descabida vanglória. Davi, quando vagueava pelos desertos, ou pelas cavernas, ou pelos montes, ou pelas regiões para além de sua pátria, como fugitivo, poderia aparentar que estava separado da Igreja de Deus; e com certeza ele era comumente considerado como um membro corrupto, cortado do corpo e da comunhão dos santos. Enquanto a arca do concerto se encontrava nas mãos de seus inimigos, estes conservavam a posse do templo e eram os primeiros a oferecer sacrifícios. Eles, pois, se jactavam contra Deus com a mesma ousadia e presunção com que sabemos têm os hipócritas estado sempre enfunados. Nem é para se duvidar que orgulhosamente abusassem do nome de Deus, como se fossem seus únicos adoradores.[9] Como, porém, Jeremias (7.4) censura os ímpios em virtude da falsa confiança que colocavam no templo do Senhor, também Davi nega que Deus seja pacificado por

---

9 Comme s'ils eussent este gens de bien, adonnez a son service et qu'il n'y eust eu zele qu'en eux. – v.f. Como se fossem seu povo genuíno, devotado ao seu serviço, e que não houvesse zelo algum senão entre eles.

meras cerimônias, visto ele requerer sacrifícios puros. Há nas palavras um contraste implícito entre os sacrifícios de justiça e todos os ritos vãos e espúrios[10] com os quais os falsos adoradores de Deus se satisfazem.

A suma, portanto, é: "Vós vos vangloriais de ter Deus do vosso lado só porque tendes livre acesso ao seu altar para oferecerdes ali vossos sacrifícios com grande pompa; e porque me encontro banido da Terra Santa e não posso comparecer ao templo, então concluís que não sou alvo do cuidado divino. Devíeis, porém, cultuar a Deus de uma forma muito diferente, caso espereis algum bem de suas mãos; pois vossos sacrifícios impuros com que poluís vosso altar, longe de fazê-lo favorável a vós, outra coisa não fará senão provocar a ira divina." Aprendamos, à luz desta passagem, que, ao contendermos com os corruptores da verdadeira religião, os quais podem ter o nome de Deus continuamente nos lábios e vangloriar-se de serem praticantes do culto divino externo, podemos com segurança reprovar sua jactância, uma vez que não oferecem os sacrifícios de uma forma correta. Ao mesmo tempo, porém, devemos ter cuidado para que a vã pretensão de piedade não nos leve a nutrir uma perversa e infundada confiança em lugar da genuína esperança.

[vv. 6, 7]
Muitos dizem: Quem nos mostrará o bem?[11] Ó Jehovah, levanta sobre nós a luz do teu semblante. Deste mais alegria ao meu coração do que a que eles têm quando seu cereal e seu vinho aumentam.

6. Muitos dizem. Há quem nutra a opinião de que Davi, aqui, lamenta a cruel malícia de seus inimigos, porque avidamente perse-

---

10 Entre les sacrifices de justice et toutes les ceremonies, quand elles sont destituees de la verite interieure et destournees de leur droit usage et par consequent falsifiees. – v.f. Entre os sacrifícios de justiça, e todas as cerimônias, quando não são acompanhados de sinceridade de coração, e são pervertidos em seu próprio uso, e conseqüentemente são espúrios.

11 O leitor observará que Calvino não usa a palavra *qualquer*, suplemento este encontrado em nossa versão inglesa. "O termo *qualquer*", diz o Dr. Adam Clarke, "não está no texto, nem algo equivalente a ele; e no entanto não poucos o têm citado, e pregado sobre o texto pondo a ênfase mais forte sobre este termo ilegítimo."

guiam sua vida. Davi, porém, não tenho dúvida, compara um só desejo que fazia arder seu próprio coração com os inumeráveis desejos com os quais quase todo o gênero humano se entretém. Como não é um princípio defendido pelos ímpios e que exerce influência sobre eles, a saber, que os únicos que podem ser verdadeira e perfeitamente felizes são os que se interessam pelo favor divino, os quais devem viver como estrangeiros e peregrinos no mundo, a fim de que pela esperança e pela paciência obtenham, no devido tempo, uma vida superior, permanecem contentes com as coisas boas que perecem; e, portanto, se porventura desfrutam de alguma prosperidade material, não se deixam influenciar por algum interesse por Deus. Conseqüentemente, enquanto eles, segundo o procedimento dos animais inferiores, se apegam a vários objetos, alguns de uma natureza, outros de outra, crendo encontrar neles a suprema felicidade, Davi, com boas razões, se separa deles e propõe a si mesmo uma finalidade de caráter totalmente oposto. Não quero fazer finca pé contra a interpretação que imagina Davi, aqui, se queixando de seus próprios seguidores que, percebendo que a força deles é insuficiente para suportar as necessidades que lhes sobrevinham, e, exaustos pelo aborrecimento e tristeza, entregavam-se às lamúrias e ansiosamente aspiravam sossego. Ao contrário, estou antes inclinado a estender as palavras ainda mais e encará-las no sentido em que Davi, satisfeito somente com o favor divino, protesta que desconsidera e não tem em mínima conta os objetos que outros ardentemente desejam. Tal comparação da aspiração de Davi com as aspirações do mundo ilustra muito bem esta importante doutrina,[12] a saber, que os fiéis, formando um baixo conceito das boas coisas da presente vida, descansam tão-somente em Deus e nada têm por precioso além da experiência pessoal e consciente de seu profundo interesse pelo favor divino. Davi, pois, em primeiro lugar notifica que são insensatos todos aqueles que, aspirando desfrutar de prosperidade, não começam pela busca do favor divino; pois, ao negligenciar

---

12 Or ceste comparaison du desir de David avec ceux des mondains amplifie bien la substance de ceste doctrine. – v.f.

tal bênção, se deixam levar pelas diversas e falsas opiniões em circulação. Em segundo lugar, ele censura outros vícios, a saber, que os homens ordinários e terrenos, ao se entregarem totalmente ao bem-estar e confortos da carne, se refestelam neles, ou os tomam como o seu único desfruto nesta vida, sem ponderar em nada mais elevado.[13] Daí também sucede que, enquanto são supridos com outras coisas segundo seu desejo, são totalmente indiferentes acerca de Deus, justamente como se não sentissem nenhuma necessidade dele. Davi, ao contrário, testifica que, embora estivesse destituído de todas as demais coisas desejáveis, o amor paternal de Deus era suficiente para compensar a perda de todas elas. Eis, portanto, o sentido de tudo: "A maioria das pessoas tentam alegremente alcançar os prazeres e as vantagens da presente vida; minha tese, porém, é que a perfeita felicidade só se pode encontrar no favor divino."

Davi usa a expressão **a luz do semblante de Deus** para denotar o sereno e amável semblante de Deus – as manifestações de seu favor e amor, assim como, por outro lado, o rosto de Deus se nos afigura sombrio e fechado quando ele revela os traços de sua ira. Essa luz, à guisa de uma bela metáfora, pede-se que seja *levantada*, a qual, iluminando nossos corações, produz confiança e esperança. Sermos amados por Deus não nos seria suficiente, a menos que o senso desse amor penetre e habite nossos corações; sendo, porém, iluminados pelo Espírito Santo, recebemos dele os confortos de uma alegria genuína e sólida. Esta passagem nos ensina que são miseráveis os que, plenamente resolutos, não repousam totalmente em Deus, e não ficam satisfeitos[14] mesmo quando possuem exuberante fartura de todas as coisas terrenas; enquanto que, em contrapartida, os fiéis, embora se vejam agitados em meio às muitas tribulações, são realmente felizes, mesmo não contando com nenhuma outra razão para isso, a não ser o fato de o semblante paternal de Deus brilhar sobre eles, o qual converte suas trevas em luz e, por assim dizer, vivifica a própria morte.

---

13 Se contentent d'en jouir sans panser plus haut. – v.f.
14 Se repose totalement en Dieu et y prendre contentement. – v.f.

7. Deste mais alegria ao meu coração. Fazendo uso de outra comparação, ele expressa e ilustra melhor a força de sua afeição, demonstrando que, uma vez obtido o bem pelo qual tanto ansiara, ele não inveja um mínimo sequer as riquezas nem os deleites de outros, senão que vive plenamente satisfeito com sua própria porção. A suma é: ele tinha mais satisfação em contemplar o semblante apaziguado de Deus irradiando sobre ele do que se porventura possuísse silos cheios de grãos e adegas cheias de vinho.[15] Os intérpretes não chegam a um acordo no tocante à palavra מעה (*me-eth*), a qual temos traduzido *no tempo* [*quando*]. Alguns fazem esta tradução: *Tu puseste alegria em meu coração* **desde o tempo em** *que seu cereal e seu vinho aumentaram*; como se Davi quisesse dizer: regozijo-me quando vejo meus inimigos prosperando no mundo.[16] Mas a primeira tradução parece-me muito mais apropriada; segunda a qual, Davi declara que se regozijava mais no favor exclusivo de Deus do que os homens mundanos se regozijam enquanto desfrutam de todos os bens terrenos com cujo desejo geralmente se deixam inflamar. Ele os representara como tão inclinados e tão entregues à busca da prosperidade terrena que não cuidavam de pensar em Deus; e agora acrescenta que sua euforia na abundância e aumento de seu vinho e cereal não é tão profunda como sua alegria apenas na consciência da benevolência divina. Este versículo contém instrução muitíssimo proveitosa. Vemos como os homens mundanos, após desprezarem a graça de Deus e mergulharem de ponta cabeça nos prazeres transitórios, vivem tão longe de se contentarem com eles, que sua própria abundância inflama ainda mais seus desejos, e assim, em meio à sua plenitude, um profundo e secreto mal-estar traz desconforto às suas mentes. Portanto, jamais obteremos paz imperturbável e alegria sólida até que o favor de Deus resplandeça sobre nós. E ainda que os fiéis também aspirem e busquem o conforto terreno, todavia

---

15 A alusão é à alegria proveniente da colheira e da vindima.

16 "Or combien que les expositeurs varient en ce mot que nous avons traduit, Au temps: pource qu'aucuns traduisent, Tu m'as donne liesse au coeur depuis le temps que, etc., comme s'il disoit, Je suis joyeux quand je voy prosperer mes ennemis en ce monde."

não o perseguem com imoderado e desordenado ardor, senão que, pacientemente, podem suportar ser privados dele, desde que tenham consciência de que são objetos do cuidado divino.

[v. 8]
Em paz me deitarei e quando juntamente dormirei, pois tu, Senhor, és o único[17] que me faz repousar em segurança.

Ele chega à seguinte conclusão: uma vez que é protegido pelo poder de Deus, ele desfruta de tanta segurança e tranqüilidade, como se fosse defendido por todos os exércitos da terra. Ora, nós sabemos que viver livre de todo temor e do tormento e inquietação que a preocupação nos traz é uma bênção que deveria ser desejada acima de todas as demais coisas. Este versículo, portanto, é uma confirmação da frase anterior, notificando que Davi com razão prefere a alegria produzida pela luz do amor paternal de Deus de preferência a todas as demais coisas; pois a paz interior do espírito certamente excede a todas as bênçãos das quais possamos formular alguma concepção. Muitos comentaristas explicam este passo como uma expressão da esperança de Davi de que seus inimigos seriam reconciliados consigo, de modo a poder dormir com eles em paz, tendo-lhe Deus concedido o peculiar privilégio de poder descansar sem ser molestado ou inquietado por alguma pessoa. Em meu juízo, porém, o sentido correto consiste em que ele só viveria tranqüilamente e em plena segurança num ambiente de um grande número de pessoas tendo Deus por seu defensor; pois nas palavras, *e quando juntamente dormirei*, considero a partícula *quando* no sentido como se a redação fosse assim: *quando ao mesmo tempo*, isto é, como [se estivesse] com uma multidão. Alguns tomam לבדד (*lebadad*), *único*, em referência a Deus, traduzindo as palavras assim: *Tu, ó Senhor, és o único que me põe em segurança*. Tal coisa, porém, de forma alguma aprovo, porque, ao afastar o contraste entre estas duas palavras, *juntamente* e *único*, perde-se muito da beleza da frase.

---

17 "Seul ou à part." – v.f.

Em suma, Davi se gloria de que só a proteção de Deus era suficiente, e que sob ela ele dorme com tanta segurança, ainda que destituído de toda e qualquer proteção humana, como se ele tivesse muitos vigiando e cuidando continuamente dele, ou como se ele fosse defendido de todos os lados por um grande exército. Portanto, aprendamos de seu exemplo a render a Deus esta honra, a saber: crer que, embora pareça não haver da parte dos homens qualquer socorro, todavia, sob sua mão somente, é que somos guardados em paz e em segurança, como se estivéssemos cercados por um grande exército.

Salmos 5

Davi, ao ser gravemente oprimido pela crueldade de seus inimigos, e sentindo-se profundamente prejudicado, suplica ardentemente que Deus o socorresse. E para mais facilmente obter o que pede, depois de ter, pela seriedade de suas orações, manifestado a profundidade de sua tristeza, primeiramente traz a lume a intolerável malícia de seus inimigos, demonstrando quão inconsistente seria o caráter de Deus caso fossem eles deixados impunes. A seguir fala de sua própria fé e paciência, e ainda de seu conforto, não nutrindo dúvida alguma sobre o resultado feliz. Finalmente, ele conclui que, quando fosse libertado, os benefícios resultantes de seu livramento não se limitariam apenas a si próprio, mas se estenderiam a todos os santos.

Ao mestre de música sobre Nehiloth. Salmo de Davi.

Há quem traduza a palavra hebraica, *Hehiloth*, por *heranças*; e outros, por *exércitos*. Os primeiros apresentam a seguinte razão em defesa de sua opinião: Davi orou pelo bem-estar das doze tribos, às quais ele chama *heranças*.[1] Os últimos asseveram em apoio de seu conceito que, sendo sitiado por uma vasta multidão de homens, ele recorre a Deus em busca de socorro; e, segundo esse sentido, a palavra *sobre* significará *contra*. Não aprovando, porém, as conjecturas de muitos que falam sobre essas inscrições dos Salmos como se fossem

---

1 "Qu'il appelle Heritages." – v.f.

enigmas,² endosso a opinião daqueles que sustentam que ela era um instrumento musical ou uma melodia; mas de que espécie particular era ela, considero de pouca importância determinar.

[vv. 1, 2]
Dá ouvidos, ó Jehovah, às minhas palavras, e atende minha oração. Ouve a voz de meu clamor, Rei meu e Deus meu, pois a ti orarei.

Atrevo-me, não em termos positivos, determinar ou que Davi, neste Salmo, lamenta as injustiças que sofreu de seus inimigos em alguma ocasião específica, ou que ele se queixa, em termos gerais, das várias perseguições com as quais, por um longo tempo, fora acossado por Saul. Há comentaristas judeus que aplicam o Salmo ainda a Absalão; porque, pela expressão, *o sanguinário e fraudulento*, acreditam que Doegue e Aitofel ficam em evidência. Para mim, contudo, parece mais provável que, quando Davi, após a morte de Saul, tomou posse do reino pacificamente, ele se dedicou a escrever as orações que constituíam os frutos de suas meditações em suas aflições e perigos. Para chegar às palavras, porém, ele expressa uma mesma coisa de três formas diferentes; e essa repetição denota a força de sua aflição e de sua longa permanência em oração. Pois ele não era tão amigo de muitas palavras que lançasse mão de diferentes formas de expressão sem qualquer significado; sendo, porém, profundamente aferrado à prática da oração, ele representou, por essas várias expressões, a diversidade de suas queixas.³ Portanto, significa que ele não costumava orar friamente, muito menos a empregar palavras sem nexo; senão que, segundo a veemência de sua tristeza o impelia, ele estava determinado a deplorar suas calamidades diante de Deus; e, visto que o resultado não lhe surgia imediatamente, ele perseverava em repetir as mesmas queixas. Uma vez mais, ele não afirma expressamente o que deseja

---

2 "Mais pource que je n'approuve point ce que devinent plusieurs parlans comme par enigmes sur ces inscriptions des Pseaumes." – v.f.
3 "Il a aussi représenté et exprimé ses gemissemens qui estoyent en grand nombre et de beaucoup de sortes." – v.f.

pedir a Deus;[4] mas há nesse gênero de expressão maior força do que se ele houvera falado distintamente. Ao não expressar os desejos de seu coração, ele revela de forma mais enfática que seus sentimentos íntimos, os quais trouxe consigo à presença de Deus, eram tais que qualquer linguagem que usasse era insuficiente para expressá-los. Da mesma forma, o verbo *clamar*, que significa alta e sonora articulação da voz, serve para caracterizar a gravidade de seu desejo. Davi não clamou como se fosse aos ouvidos de quem é surdo; senão que a veemência de sua tristeza, bem como o ímpeto de sua angústia interior, jorravam neste clamor. O verbo הגה (*hagah*), do qual se deriva o substantivo הגיג (*hagig*), *discurso*, que o profeta usa aqui, significa tanto *falar distintamente* quanto *sussurrar* ou *murmurar*. O segundo sentido, porém, parece melhor ajustável a esta passagem.[5] Depois de Davi ter dito em termos gerais que Deus ouve suas palavras, imediatamente a seguir, e com o propósito de ser mais específico, ele parece dividi-las em duas espécies, chamando a uma de gemidos obscuros ou indistintos, e à outra de clamor.[6] Pela primeira ele quer dizer um murmúrio confuso, tal como é descrito no Cântico de Ezequias, quando o sofrimento o impedia de falar distintamente e de fazer sua voz audível. "Como a andorinha ou o grou, assim eu chilreava e gemia como a pomba" [Is 38.14]. Se, pois, em alguma ocasião, formos levados a orar relutantemente, ou nossas afeições devotas começarem a perder seu fervor, que encontremos aqui os argumentos para reavivar-nos e impelir-nos para frente. E como, ao chamar Deus, *meu Rei e meu Deus*, ele tencionava nutrir mais vivas e favoráveis esperanças com respeito aos resultados de suas aflições, aprendamos a aplicar esses títulos a um uso semelhante, isto é, com o propósito de fazer-nos mais familiarizados com Deus. Finalmente, ele testifica que não se atormentava

---

4 "Ce qu'il veut requerir a Dieu." – v.f.

5 O bispo Horne traduz as palavras de uma forma muito bela: "lamentos como de um pombo", e o bispo Horsley: "suspirando". "A palavra", diz Hammond, "regularmente significa *suspirar* ou *prantear*, não em *voz alta, audível*, mas assim como um lamento."

6 "Il semble que puis apres, pour mieux specifier, il en met deux sortes, appelant les unes Complaintes obscures, et les autres Cri." – v.f.

sobriamente, como os incrédulos costumam fazer, mas que direciona a Deus seus gemidos; pois aqueles que, desconsiderando a Deus, quer se amofinem interiormente ou expressem suas murmurações, não são dignos de desfrutar de sua consideração. Alguns traduzem a última cláusula assim: *Quando eu oro a ti*; a meu ver, porém, é a razão pela qual Davi aponta para o que ele havia dito imediatamente antes, e que seu propósito visava a fortalecer sua confiança em Deus, assumindo o seguinte como um princípio geral: ninguém que invoque a Deus em suas calamidades será repelido por ele.

[v. 3]
Ó tu que de manhã ouves minha voz; ó Jehovah, de manhã me chegarei a ti e ficarei esperando.

A primeira sentença pode também ser lida no futuro do indicativo: *Tu ouvirás minha oração*. Em minha opinião, porém, o verbo está, antes, no modo optativo, justamente como o traduzi. Havendo rogado a Deus que atendesse a seus rogos, ele agora lhe implora que o fizesse com urgência. Há quem pense que ele faz alusão às orações matinais que costumavam ser associadas aos sacrifícios diários no templo, segundo a determinação da lei. Embora não discorde de tal opinião, contudo não tenho dúvida de que, dominado pela fadiga proveniente de uma demora contínua, ele anseia que seu livramento se apresse; como se quisesse dizer: "Tão logo eu acordo, esse é o primeiro alvo de meus pensamentos. Portanto, ó Senhor, não te delongues mais a prestar-me o auxílio de que careço, mas dá-me o que imediatamente desejo."

Tomo a expressão *chegar a Deus* no mesmo sentido de aproximar--se diretamente de Deus. Muitos, como se a linguagem fosse elíptica, completam com as palavras, *minha oração*. Em meu juízo, porém, Davi, antes, tenciona declarar que ele não andava de cá para lá, nem era atraído de diversas maneiras pelas tentações a que estava exposto, senão que recorrer a Deus era a ordem estabelecida em sua vida. Há nas palavras um contraste implícito entre a divagação e os movimentos incertos daqueles que olham ao redor de si à busca de auxílios mundanos, ou a depender de seus conselhos, e a diretriz direta da fé, pela qual todos os santos são retraídos das vãs fascinações do mundo para obter os recursos exclusivamente de Deus. O termo hebraico, ערך (*arac*), significa pôr em ordem ou dispor, e às vezes vestir ou prover. Esse sentido é muito próprio à passagem, na qual Davi claramente declara ser sua determinação não deixar-se afastar no mínimo grau de seu devido curso para as indiretas e espirais veredas do erro e do pecado, mas a ir diretamente a Deus. Pelo termo, *ira*, ele transmite a idéia de esperança e paciência, tanto quanto de ansiedade. Como צפה (*tsapah*), em hebraico significa tanto *esperar* quanto *procurar*, Davi, não tenho dúvida, pretendia dizer que, depois de ter descarregado suas preocupações no seio de Deus, ele, com um espírito ansioso, vigiaria, por assim dizer, à semelhança de uma sentinela, até notar que, em cada feito, Deus o ouvira. Não há dúvida, no exercício do desejo há sempre implícito algum grau de inquietação; mas aquele que está olhando para a graça de Deus com ansioso desejo, pacientemente a aguardará. Esta passagem, portanto, nos ensina a inutilidade daquelas orações às quais não se acha adicionada aquela esperança da qual se pode dizer que eleva as mentes dos suplicantes à torre de vigia.

[vv. 4-6]
Pois tu não és Deus que tem prazer na iniqüidade,[7] e contigo não habita o mal. Os insensatos não permanecerão em tua presença; tu odeias a tantos quantos cometem iniqüidade. Tu destróis os que falam falsidade; Jehovah abominará o sanguinário[8] e o fraudulento.

Aqui, Davi toma a malícia e a perversidade de seus inimigos como argumento para corroborar sua oração na qual busca o favor divino para sua proteção. A linguagem é deveras abrupta, como os santos em oração às vezes gaguejam; mas tal gagueira é mais aceitável aos olhos

---

7 "Ou le mauvais." – versão francesa marginal. "Ou o perverso."
8 As palavras no original são איש דמים, *ish damim*, literalmente, *o homem de sangues*. Usa-se o plural, provavelmente para ensinar-nos que o homem sedento por sangue humano raramente se satisfaz com uma só vítima.

de Deus do que todas as figuras de retórica, embora sejam por demais refinadas e brilhantes. Além disso, o grande propósito que Davi tem em vista é mostrar que, embora a crueldade e traição de seus inimigos houvera alcançado seu ponto máximo, era impossível que Deus não os detivesse logo em seu caminho. Sua ponderação tem por base a natureza de Deus. Já que a justiça e o comportamento reto são o seu prazer, Davi, à luz desse fato, conclui que Deus tomará vingança de todos os injustos e perversos. E como seria possível que escapassem de suas mãos impunemente sendo ele o Juiz do mundo? Esta passagem é digna de nossa mais especial atenção. Pois temos experiência de quão intensamente somos desencorajados pela desmedida insolência dos perversos. Se Deus não a refreasse imediatamente, ou éramos entorpecidos e descoroçoados, ou lançados em total desespero. Davi, porém, à luz desse fato, antes encontra razão para ânimo e confiança. Quanto maior era a ilegalidade com que seus inimigos agiam contra ele, mais intensamente ele suplica pela preservação provinda de Deus, cuja função é destruir todos os perversos, porquanto ele odeia toda e qualquer perversidade.

Que todos os santos, pois, aprendam quão amiúde têm que combater a violência, a fraude, a injustiça, elevando seus pensamentos a Deus a fim de se animarem com a inabalável esperança de livramento, segundo também Paulo os exorta em 2 Tessalonicenses 1.5: "sinal evidente", diz ele, "do reto juízo de Deus, para que sejais considerados dignos do reino de Deus, pelo qual, com efeito, estais sofrendo." E seguramente não seria ele o juiz do mundo se não houvera guardado consigo em depósito uma retribuição destinada a todos os ímpios. O único uso, pois, que se pode fazer desta doutrina é o seguinte: ao vermos os perversos entregando-se às suas luxúrias, e, conseqüentemente, ao duvidarmos secretamente em nossas mentes se é verdade que Deus cuida de nós, aprendamos a satisfazer-nos com a consideração de que Deus, que odeia e abomina toda iniqüidade, não permitirá que eles escapem à punição; e embora os tolere por algum tempo, finalmente se assentará em seu tribunal e revelará sua vingança e que ele é o protetor e defensor de seu povo.[9] Ainda podemos inferir desta passagem a doutrina comum de que Deus, embora opere pela instrumentalidade de Satanás e dos ímpios, e faz uso da malícia deles para a execução de seus juízos, nem por isso é ele Autor do pecado, nem tem nele prazer, porquanto o fim que ele propõe é sempre justo; e com razão condena e pune aos que, por sua misteriosa providência, são dirigidos por onde quer que lhe apraz.

No quarto versículo, há quem tome רע (*ra*), no gênero masculino, por um homem perverso; eu, ao contrário, entendo como sendo a própria perversidade. Davi declara simplesmente que não há acordo entre Deus e a injustiça. Imediatamente a seguir ele prossegue falando dos próprios homens, dizendo: *os insensatos não permanecerão em tua presença*; e esta é uma inferência muito justa, ou seja, que a iniqüidade é algo odioso a Deus, e que, portanto, ele executará justo castigo sobre todos os perversos. Ele os chama de *insensatos*, segundo um uso freqüência do termo na Escritura, os quais, impelidos por cega paixão, se precipitam de ponta cabeça no pecado. Nada é mais insensato do que para o ímpio rejeitar o temor de Deus e nutrir o desejo de fazer da injúria seu princípio diretor; sim, não há pior loucura do que desprezar a Deus sem a influência de quem os homens pervertem todo o direito. Davi põe esta verdade diante de seus olhos para seu próprio conforto; nós, porém, podemos também extrair dela doutrina muito útil para exercitar-nos no temor de Deus; pois o Espírito Santo, ao declarar Deus como o vingador da perversidade, nos põe um freio para reprimir-nos de vivermos em pecado, na vã esperança de escaparmos impunemente.

[v. 7]
E eu, na multidão [ou abundância] de tua misericórdia, entrarei em tua casa e adorarei em teu santo templo, em teu temor.

Há quem pense que a partícula *e*, pela qual esta sentença se une à

---

9 "Comme il est protecteur et defenseur des siens." – v.f.

precedente, é usada em lugar de *porém*; como se Davi, comparando-se com os ímpios, declarasse e se assegurasse de que Deus seria misericordioso para com ele, enquanto abominaria e destruiria os perversos. Deixo, porém, com meus leitores a decisão se não é mais adequado à passagem considerar este versículo como uma inferência do que precede, o que pode ser colocado assim: "Ó Senhor, tu não podes tolerar os perversos; quando, pois, me livrar das mãos deles pela operação de seu poder, virei apresentar-me diante de ti em teu templo, render-te-ei graças pelo livramento que te dignaste conceder-me." Se se preferir a primeira interpretação, então o profeta, por simplesmente recomendar sua própria piedade para com Deus, se distingue da classe de que falava. O escopo da passagem nos leva a entendê-lo como que prometendo render graças a Deus. Ele havia antes falado de seus inimigos como alvos do ódio divino; e agora, estando persuadido de que Deus o guardará a salvo, ele convoca a si próprio para o exercício da gratidão. *Eu virei a teu templo*, diz ele, *na multidão de tuas misericórdias*; como se dissesse: Posso agora aparentar uma condição quase desesperadora, mas, pelo favor divino, serei mantido em perfeita segurança. Esta passagem, pois, nos ensina que, quando estamos aflitos pelas tentações mais extressantes, devemos manter a graça divina diante de nossos olhos, a fim de que, por meio dela, sejamos sustentados pela esperança da divina interposição em meio aos perigos mais sutis. Ademais, como nossas mentes carnais, ou impiamente subestimam a graça de Deus, ou lhe impõem a vulgar estimativa que é comumente imposta pelo mundo, aprendamos a exaltar sua portentosa grandeza, a qual é suficiente para capacitar-nos a vencer todos os temores. O objetivo primordial de Davi era animar-se em solidificar a esperança de preservação provinda da misericórdia divina; ao mesmo tempo, porém, ele mostra que, ao obter livramento, demonstrará gratidão a Deus por ele e o manterá na memória. E como os hipócritas, ao darem graças a Deus, nada fazem senão profanar seu nome, visto que eles mesmos são impuros e corruptos, ele [Davi], portanto, resolve apresentar-se *no temor de Deus*, a fim de adorá-lo com um coração sincero e íntegro.

Igualmente, podemos daí extrair a verdade geral de que é somente pela benevolência de Deus que temos acesso a ele; e que ninguém ora corretamente senão aquele que, havendo experimentado sua graça, crê e se persuade plenamente de que Deus lhe será misericordioso. O temor de Deus é ao mesmo tempo adicionado com o fim de distinguir a genuína e piedosa confiança da vã confiança da carne.

> [vv. 8-10]
> Ó Jehovah, guia-me em tua justiça, por causa de meus adversários; endireita teu caminho diante de minha face. Pois não há fidelidade nos lábios deles; seu íntimo é todo perversidade; sua garganta é sepulcro aberto; com suas línguas urdem engano. Declara-os culpados, ó Deus; que seus conselhos os façam cair; destrói-os na multidão[10] de suas transgressões; pois se rebelaram contra ti.

8. Ó Jehovah, guia-me em tua justiça. Há quem explique essas palavras da seguinte forma: Mostra-me o que é certo e faz-me totalmente devotado à prática daquela justiça que adorna teu caráter; e faze assim por causa de meus adversários; pois os santos, impelidos pela perversa prática e fraudulentas artes dos ímpios, correm o risco de desviar-se do caminho reto.

Esse significado é inquestionavelmente piedoso e proveitoso. A outra interpretação, porém, é mais adequada, a qual visualiza as palavras como uma oração para que Deus guie seu servo em segurança por entre as armadilhas de seus inimigos e lhe abra uma via de escape, mesmo quando parecesse a todos que fora apanhado e cercado de todos os lados. *A justiça de Deus*, portanto, nesta passagem, como em muitas outras, deve ser entendida como sendo sua fidelidade e misericórdia demonstradas na defesa e preservação de seu povo. Conseqüentemente, *em tua justiça*, significa o mesmo que *por tua justiça* ou *segundo tua justiça*. Davi, aspirando ter a Deus como guia de seus passos, se anima na esperança de obter o que pedira, uma vez que Deus é justo; como se dissesse: Senhor, já que és justo, defende-

---

10 "Pour la multitude." – v.f. "Para a multidão."

-me com teu auxílio, para que eu escape das ímpias tramas de meus inimigos. Da mesma importância é a última cláusula do versículo, onde ele ora para que *o caminho de Deus fosse endireitado diante de seu rosto*, em outras palavras, para que fosse libertado pelo poder de Deus dos infortúnios com que se via completamente cercado, e dos quais, segundo o juízo da carne, ele jamais esperava encontrar uma via de escape. E assim ele reconhece quão impossível lhe era evitar cair nas malhas de seus inimigos,[11] a menos que Deus lhe desse sabedoria e lhe abrisse uma via por onde não existia passagem. Cabe-nos, à luz de seu exemplo, fazer o mesmo; de modo que, desconfiando de nós mesmos quando os conselhos fracassam e prevalecem a malícia e a perversidade de nossos inimigos, recorramos imediatamente a Deus, em cujas mãos estão os escapes da morte, como veremos mais adiante (Sl 69).

9. Pois não há fidelidade nos lábios deles. Ele está ainda a reiterar as mesmas queixas que fizera antes, a fim de, por meio delas, fazer seus inimigos ainda mais odiosos aos olhos de Deus e evocar em seu próprio benefício a misericórdia de Deus, pela qual prometeu socorrer aqueles que são injustamente oprimidos. E a isso deve-se prestar particular atenção, a saber: que quanto mais nossos inimigos manifestam sua crueldade contra nós, ou quanto mais perversamente nos fustiguem, mais devemos, com muito mais confiança, enviar aos céus nossos gemidos, porque Deus não permitirá que a raiva deles chegue ao extremo, senão que trará à plena luz sua malícia e vícios perniciosos. Em primeiro lugar, ele os acusa de traição, visto que nada expressam com retidão ou sinceridade; e a causa que aponta para tal comportamento é que interiormente achavam-se saturados de iniqüidade. A seguir os compara a sepulcros – sua garganta é sepulcro *aberto*; como querendo dizer que são um abismo devorador;[12]

---

11 "Par ainsi il confesse n'avoir ne dexterite ne force, ne mesme aucun moyen pour eviter les embusches des ennemis." – v.f. "Assim ele confessa que não possui nem habilidade nem poder, nem qualquer outro meio pelo qual evitar as malhas de seus inimigos."
12 "Gouffres qui devorent tout." – v.f. "Abismos que a tudo devora."

significando que seu desejo de derramar sangue é insaciável. No final do versículo ele fala novamente de sua fraudulência. À luz de tudo isso concluímos que os males com que ele era provado de forma alguma eram de natureza corriqueira, senão que tinha que conviver com os inimigos da pior espécie, os quais não conheciam nem o espírito humanitário nem a moderação. Ao ser oprimido da forma a mais miserável, ele não só persevera em oração, mas também encontra base para a esperança mesmo em meio à confusão e à aparente desesperança de sua condição externa.

Quando Paulo [Rm 3.13], ao citar esta passagem, a estende a todo o gênero humano, tanto judeus quanto gentios, ele não lhe imprime um significado de maior amplitude do que aquele que o Espírito Santo pretendia imprimir. Visto que ele lhe aplica uma substância inegável, ou seja, que sob a pessoa de Davi se encontra descrita a igreja, tanto na pessoa de Cristo, que é a cabeça, quanto em seus membros, segue-se que todos esses devem ser considerados dentre o número de seus inimigos, os quais não foram regenerados pelo Espírito de Deus, estejam ou não dentro dos limites da igreja visível. Pois Davi, nesta passagem, não convoca nem os assírios nem os egípcios para que se apresentem diante do tribunal de Deus, e, sim, os judeus degenerados, os quais, sendo circuncidados na carne, se gloriavam em sua origem da santa linhagem de Abraão. Paulo, pois, não desvia essas palavras de seu genuíno significado quando as aplica a todo o gênero humano, mas assevera, com toda razão, que Davi demonstrou nelas qual é, por natureza, o caráter de toda a família humana.

10. Declara-os culpados. Como o termo hebraico, אשם (*asam*), significa *cortar* ou *destruir*, bem como *pecar*, e é tomado no sentido metafórico de *cair em culpa* ou *ser enganado*, nenhum desses sentidos se adequa nesta passagem; como Davi, porém, imediatamente a seguir acrescenta: *que seus conselhos os façam cair*, não tenho dúvida de que esta primeira oração é associada e semelhante à segunda. Eu, portanto, junto essas duas cláusulas, como a causa e o efeito. Na primeira, ele ora para que Deus os prive de seu entendimento e os lance no erro; e, na segunda, ele ora para que, como o efeito disso, seus conselhos se transformem em nada; noutros termos, para que seus empreendimentos sejam totalmente sem êxito.[13] Pois como é que os conselhos dos ímpios se esboroam e eles mesmos são levados de um lado a outro sem consideração ou juízo, e se fazem vilmente obstinados, senão pelo fato de o Senhor fazê-los inconscientes em suas próprias astúcias, desfazer suas ardilosas maquinações, intoxicá-los com o espírito de frenesi e leviandade, para que ajam insensatamente mesmo nas questões de somenos importância? Se, pois, vivemos temerosos das tramas e fraudes dos homens, e se encontramos aqueles que desejam fazer-nos dano e pessoas perspicazes e espertas, lembremo-nos de que o ofício contínuo de Deus é imprimir estupidez e loucura nos que são sábios para cometer iniquidade. E assim sucederá que, embora venhamos a viver sonolentamente, o Senhor dissipará seus vícios com o sopro de sua boca, por mais espertos sejam eles, e, por fim, os exporá aos motejos do mundo inteiro. Em suma, Davi deseja que Deus estenda suas mãos sobre seus inimigos e ponha um ponto final às suas perversas deliberações. E, de fato, é necessário que Deus torne em nada as tramas que os ímpios astuciosamente maquinam, visto ser Satanás, o inventor de todos os enganos, quem lhes sugere todos os seus métodos de produzir dano. Ao orar: *que seus conselhos os façam cair*, ele quer dizer que não devem obter ou conquistar o que determinaram. Também, ele ora para que Deus os puna segundo merecem, porque, ao declararem guerra, injusta e perversamente, contra uma pessoa inocente, *sua rebelião é contra Deus*. Os soberbos, deveras, jamais ponderam que os pobres, a quem afligem e desprezam, desfrutam de tal estima aos olhos de Deus, que este se sente insultado e injuriado na pessoa deles; pois nem imaginam que as bazófias dirigidas contra os pobres são, na verdade, assacadas contra o próprio céu, algo mais do que se pisassem um pouco de pó ou de barro com seus pés. Mas Deus confere a seus servos o inestimável galardão de tomar sua causa em

---

13 "C'est à dire, ne vienent à bout de leurs enterprises." – v.f.

suas próprias mãos. Portanto, quem quer que tenha uma consciência aprovada e não se aparta de sua retidão, embora sofra injustamente, não tem razão de duvidar de seu direito de valer-se de Deus como um escudo contra seus inimigos.

[vv. 11, 12]
E regozijem-se todos os que põem em ti sua confiança, regozijem-se para sempre, porque tu os proteges; e que se deleitem em ti todos os que amam teu nome.[14] Pois tu, ó Jehovah, abençoarás os justos, e como com um escudo tu os cercarás com tua amorosa benevolência.

11. E regozijem-se todos os que põem em ti sua confiança. Fará pouca diferença ao sentido se lermos estas palavras no tempo futuro – *Regozijarão todos* etc. – ou no modo optativo – *Regozijem-se todos* etc. Pois em ambos os modos o significado do profeta será o mesmo; isto é, se Deus o livrar, o fruto desse livramento será comum a todos os santos; como se dissesse: Senhor, se tu me socorreres, a benevolência que me conferires não se restringirá a mim somente, mas se estenderá a todos os teus servos; pois isso servirá para confirmar mais a fé deles, e os levará a louvar teu nome com mais fervor. Portanto, a fim de induzir a Deus a conceder-lhe seu livramento, ele emprega como argumento o fim ou efeito que deveria produzir, contanto que incitasse a todos os santos a exercitar grande confiança em Deus e a encorajá-los a render-lhe louvores e ações de graças. Esta passagem nos ensina que seríamos ingratos para com Deus caso não extraíssemos ânimo e conforto de todas as bênçãos que ele confere a nosso próximo, visto que, por esse meio, ele testifica que estará sempre disposto a derramar sua munificência sobre todos os santos em geral. Conseqüentemente, acrescenta-se a razão de tal alegria: *porque o Senhor os cobrirá ou os protegerá*. Tão logo Deus conceda algumas bênçãos a alguns dos fiéis,

---

14 Nas edições latinas mais antigas, como na edição francesa, os verbos *regozijar* e *deleitar* são traduzidos, à margem, no tempo futuro, assim: "E todos os que confiam em ti se regozijarão; sim, se regozijarão para sempre; e tu os cobrirás, e aqueles que amam teu nome se deleitarão em ti."

os demais, como já afirmei antes, devem concluir que ele se mostrará beneficente para com eles também. Esta passagem também nos ensina que a genuína alegria não procede de alguma outra fonte senão só da proteção divina. Podemos ficar expostos a mil mortes, mas essa única consideração deve ser-nos plenamente suficiente, ou seja, que somos envolvidos e defendidos pela mão divina. E esse será o caso se porventura as sombras ilusórias deste mundo não nos fascinarem tanto que nos excitem a buscar nelas refúgio. É mister que notemos também em particular a afirmação de que aqueles que confiam no Senhor amam seu nome. Lembrarmo-nos de Deus e enchermos nossos corações com sua alegria, ou, antes, deixarmo-nos arrebatar por seu amor, depois de levar-nos a fazer prova de sua munificência, deve ser-nos algo de extremo lenitivo. Em contrapartida, todos os incrédulos desejam que o nome de Deus seja sepultado e sua lembrança afastada deles com horror.

12. Pois tu, ó Jehovah, abençoarás os justos. O salmista confirma neste ponto a sentença conclusiva do versículo precedente, isto é, que todos os servos de Deus em geral buscarão apoio para sua fé com base no que ele experimentou, pois ele, partindo de um só exemplo, poderia moldar nosso juízo sobre a imutabilidade e perpetuidade da graça divina para com todos os santos. Também, por esse meio ele nos ensina que não existe alegria genuína e eficaz senão aquela que nasce do senso do amor paternal de Deus. A palavra *abençoar*, em hebraico (quando falamos dela como um ato humano), significa desejar felicidade e prosperidade a alguém e orar por ele;[15] quando, porém, é expressa como um ato divino, significa o mesmo que fazer uma pessoa prosperar, ou enriquecê-la abundantemente com todas as coisas boas; porque, visto que o favor de Deus é eficaz, sua bênção, por natureza, produz em abundância tudo quanto é bom. O título *justo* não se restringe a uma pessoa em particular, mas significa todos os servos de Deus em geral. Aqueles, contudo, que na Escritura são cha-

---

15 "Signifie, souhaitter bien et prosperite a quelqu'un et prier pour lay." – v.f.

mados justos, não são assim chamados em razão do mérito de seus feitos, mas porque têm fome e sede de justiça; pois, como Deus os tem recebido em seu favor, não lhes imputando seus pecados, ele aceita seus sinceros esforços como perfeita justiça.

O que se segue tem a mesma importância que a cláusula precedente: *Tu os premiarás com teu gracioso favor*, ou, melhor, *como com um escudo*. O que o salmista quer dizer é o seguinte: o fiel será completamente defendido de todos os lados, visto que Deus, de forma alguma, os privará de sua graça, a qual é para eles uma fortaleza inexpugnável, e a mantém em perfeita segurança. O verbo *premiar*, que o salmista emprega, às vezes denota em hebraico *ornamento* ou *glória*; mas, visto que aí se adiciona a similitude de um *escudo*, não tenho dúvida de que ele o usa metaforicamente no sentido de *fortificar* ou *cercar*.[16] O significado, pois, é que, por maiores e variados sejam os perigos que cercam os justos, não obstante eles escaparão e se salvarão, porque Deus lhes é favorável.

---

16 O bispo Horsley pensa que צנה, *katsinah*, *como um escudo*, deve ser construído com רצון, *ratson*, *favor* ou *beneplácito*, e traduz as palavras assim: "Como um escudo de beneplácito, tu porás guarda à sua volta." A tradução da Septuaginta é a mesma Ὡς ὅπλῳ εὐδοκίας, *como um escudo de beneplácito*. A palavra צנה, *tsinah*, significa esse tipo de escudo, do meio do qual se ergue uma grande saliência encimada por uma adaga, e que foi grandemente útil em guerras antigas como uma arma defensiva e ofensiva.

Salmos 6

Ao ser Davi afligido pela mão de Deus, ele reconhece que provocara a ira divina com seus pecados, e portanto, a fim de obter lenitivo, ora por perdão. Ao mesmo tempo, lamenta que, ao ser tirado do mundo, ficaria privado da oportunidade de louvar a Deus. Então, havendo obtido confiança, ele celebra a graça de Deus e dirige seu discurso aos seus inimigos, os quais se gloriavam de suas calamidades.

<small>Ao mestre de música em Neginoth, em oitava. Cântico de Davi.</small>

O título – *cântico* – revela que Davi compôs este Salmo, no qual descreve as ardentes evoluções de suas aflições ao tempo de seu sofrimento, após ter ele obtido livramento dos males que deplora. Não há certeza quanto ao tipo de castigo de que ele fala. Os que o restringem a doenças físicas não ventilam em apoio de sua opinião nenhum argumento de real valor. Insistem sobre a palavra אמל (*amal*), a qual ocorre no terceiro versículo, onde ele diz: "Estou fraco", que deveras significa estar doente; é mais provável, porém, que seja aqui usada metaforicamente. Alegam que Ezequias, após descobrir que estava enfermo, cantou com os mesmos rasgos que são aqui registrados acerca da morte. No Salmo 116, porém, onde não se menciona qualquer enfermidade física, a mesma queixa é expressa pelo salmista em nome de toda a Igreja. Podemos, aliás, deduzir dessas palavras que a vida de Davi estava em risco máximo, mas poderia ter sido algum outro tipo de aflição além da doença física com a qual ele labutava. Podemos, pois, adotar esta como sendo a interpretação mais provável, a saber: que ele fora atingido por alguma calamidade grave, ou que algum castigo lhe fora infligido, o qual se lhe afigurava de todos os lados como a sombra da morte. Deve-se considerar também que este Salmo não foi composto ao mesmo tempo em que ele apresentou a Deus as orações nele registradas; mas que as orações sobre as quais meditara e pronunciara em meio aos perigos e tristezas foram, após ter recebido a resposta, submetidas à escrita. Isso explica por que ele junta a dor com que certamente lutara por algum tempo à alegria que experimentou posteriormente. Com respeito à palavra, *oitava*, como dissemos antes que נגינות (*Neginoth*), significa um instrumento musical, não sei se seria correto dizer que era uma harpa de oito cordas. Sou, antes, inclinado à opinião de que ela indica a melodia, e realça o tipo particular de música em que o Salmo devia ser cantado.[1] Entretanto, em um assunto tão obscuro e de tão pouca importância, deixo a cada um a liberdade de formar sua própria conjectura.

[v. 1]
Jehovah, não me reprendas em tua ira, nem me castigues em tua indignação.

A calamidade que Davi ora experimentava havia sido, provavelmente, infligida pelos homens, mas sabiamente considera que ele tem a tratar é com Deus. As pessoas se vêem tão incomodamente atormentadas sob suas aflições, que não conseguem imediatamente uma visão direta e nítida de seus pecados, a fim de que, desse modo, se produza a convicção de que mereceram a ira divina. E no entanto vemos quão irrefletidos e insensíveis são quase todos os homens sobre esta questão. Pois enquanto clamam que estão aflitos e se sentem miseráveis, raramente um entre cem olha para a mão que golpeia. Portanto, seja

---

1 *Sheminith*, ou *oitava*, "pensa-se ser a nota mais aguda ou a mais suave, como *Alomoth* é a mais baixa; à luz do qual vemos 1 Cr 15.20,21. Tudo isso, porém, não passa de conjectura; e os próprios judeus não têm nenhum conhecimento seguro de sua música antiga e da significação dos termos pertencentes a ela." – *Poole's Annotations*.

de que ponto nossas aflições venham, aprendamos a volver instantaneamente nossos pensamentos para Deus e reconhecê-lo como o Juiz que nos intima, como culpados, a comparecer diante de seu tribunal, já que, de nossa própria iniciativa, não antecipamos seu juízo. Como os homens, porém, quando compelidos a sentir que Deus está irado com eles, às vezes se entregam a reclamações repassadas de impiedade, em vez de detectar faltas em si mesmos e seus próprios pecados, deve notar-se particularmente que Davi não atribui simplesmente a Deus as aflições sob as quais ora se vê sofrendo, mas reconhece que são a justa recompensa por seus pecados. Ele não censura a Deus como se ele fosse um inimigo, tratando-o com crueldade sem qualquer justa causa; senão que, atribuindo-lhe o direito de repreender e castigar, ele deseja e ora pelo menos que se ponha limites à punição que ora se lhe inflige. Com isso ele declara que Deus é justo Juiz a exercer vingança contra os pecados dos homens.[2] Mas assim que confessa que é castigado por justa razão, ele ardentemente roga a Deus que não o trate segundo a estrita justiça, ou segundo o mais extremo rigor da lei. Ele não recusa totalmente a punição, pois tal atitude seria irracional; ele julgava que, sem ela, seria mais prejudicado do que beneficiado. Mas o que ele teme mesmo é a ira de Deus, a qual ameaça os pecadores com ruína e perdição.

À cólera e indignação Davi tacitamente contrasta castigo paternal e brando, e este último ele estava disposto a suportar. Temos um contraste similar nas palavras de Jeremias [10.24]: "Castiga-me, ó Senhor, mas em justa medida, não em tua ira, para que não me reduzas a nada." É verdade que está escrito que Deus se mostra irado contra os pecadores quando lhes inflige punição, mas não no sentido próprio e estrito, ainda que, para com alguns, ele não só adiciona algo da doçura de sua graça para mitigar sua dor, mas também se lhes mostra favorável, moderando seu castigo e misericordiosamente retraindo sua mão. Mas, como devemos inevitavelmente sentir-nos abalados de

---

2 "En faisant vengence des forfaits des hommes." – v.f.

terror sempre que ele se mostre o vingador da impiedade, não é sem causa que Davi, segundo as sensações da carne, esteja temeroso de sua ira e indignação. Portanto, o sentido é o seguinte: Ó Senhor, deveras confesso que mereço ser destruído e reduzido a nada; mas quando me sentir incapaz de suportar a severidade de tua ira, não me trates segundo meus merecimentos, mas, ao contrário, perdoa meus pecados, mediante os quais tenho provocado tua ira contra mim. Tão logo, pois, nos virmos oprimidos pela adversidade, aprendamos do exemplo de Davi a recorrer a este antídoto, para que sejamos conduzidos a um estado de paz com Deus; pois não se deve esperar que se vá bem conosco ou sejamos prósperos, se não estamos interessados em sua graça. Daí deduz-se que jamais nos veremos sem um fardo de males, até que ele perdoe nossos pecados.

[vv. 2, 3]
Tem misericórdia de mim, ó Jehovah, porque me sinto enfraquecido; sara-me, ó Jehovah, porque meus ossos estão amedrontados. E minha alma está excessivamente perturbada;[3] e tu, ó Jehovah, até quando?[4]

2. Tem misericórdia de mim. Ao clamar veementemente a Deus, que usasse de misericórdia para com ele, daqui se manifesta ainda mais nitidamente que, pelos termos *ira* e *indignação*, ele não pretendia insinuar crueldade ou severidade indevida, mas somente o juízo tal como Deus executa sobre os réprobos, a quem não poupa usando de misericórdia como faz a seus próprios filhos. Se porventura se houvera queixado de ser mui injusta e severamente castigado, ele agora haveria apenas adicionado algo a este resultado: Contém-te, para que, ao castigar-me, não excedas a medida de minha ofensa. Ao valer-se,

---
3 Ou *profundamente terrificado*. Esta é uma tradução muitíssimo correta das palavras originais מאד נבהלה, *nibhalah meod*; e são muito semelhantes àquelas pronunciadas pelo Salvador em sua agonia: "Minha alma está profundamente triste, até à morte."
4 "Mais toy, Seigneur, jusques à quand m'affligeras-tu?" – v.f. ("Tu, porém, ó Senhor, até quando me afligirás?")

pois, exclusivamente da misericórdia de Deus, Davi demonstra que nada deseja além de não ser tratado segundo a estrita justiça ou segundo merecia. Com o fim de induzir a Deus a exercer sua perdoadora misericórdia para com ele, declara que está acabado: *Tem misericórdia de mim, ó Jehovah, porque me sinto enfraquecido*. Como disse antes, ele evoca sua fraqueza, não porque estivesse enfermo, mas porque se sentia fulminado e perturbado por algo que lhe havia sucedido. E como sabemos que o propósito de Deus, ao infligir-nos algum castigo, consiste em humilhar-nos, então, quando somos reprimidos sob sua vara, a porta se abre para que sua misericórdia nos alcance. Além disso, visto que sua peculiar função é curar os enfermos, erguer os caídos, amparar os fracos e, finalmente, comunicar vida aos mortos, esta, por si mesma, é uma razão suficiente para buscarmos seu favor quando nos acharmos mergulhados em nossas aflições.

Após Davi haver protestado que colocara sua esperança de salvação exclusivamente na misericórdia de Deus, e haver tristemente demonstrado o quanto se encontrava degradado, ele acrescenta que isso havia prejudicado sua saúde física, e ora pela restauração dessa bênção: *Sara-me, ó Jehovah!* E esta é a ordem que devemos observar, a saber: que saibamos que todas as bênçãos que pedimos a Deus emanam da fonte de sua graciosa munificência, e que então somos, e somente então, libertados das calamidades e castigos,[5] ou seja, quando ele usar de misericórdia em nosso favor.

Porque meus ossos estão amedrontados. Isso confirma a observação que acabo de fazer, ou seja: da própria miséria de suas aflições, ele entreteve a esperança de algum lenitivo; pois Deus, quanto mais vê o infeliz oprimido e à mercê da destruição, tanto mais se prontifica a socorrê-lo. Ele atribui medo a seus *ossos*, não porque sejam dotados de emoção, mas porque a veemência de sua tristeza era tal que afetara todo seu corpo. Ele não fala de sua carne, a qual é a mais tenra e a mais suscetível parte do sistema corporal; menciona, porém, seus ossos,

---

5 "Des maux et chastiemens." – v.f.

com isso insinuando que as partes mais resistentes de sua estrutura foram feitas para tremerem de medo. A seguir assinala a causa disso, dizendo: **E minha alma está excessivamente perturbada**. A partícula conectiva, *e*, em minha opinião, tem aqui o sentido da partícula causal, *pois*, como se quisesse dizer: Tão severa e íntima é a angústia de meu coração, que afeta e esvai as energias de cada parte de meu corpo. Não aprovo a opinião que aqui toma *alma* por vida, e nem mesmo se adequa ao escopo da passagem.

3. E tu, ó Jehovah, até quando? Essa forma elíptica de expressão serve para expressar mais energicamente a veemência da conturbação, a qual não só conserva as mentes humanas confusas, mas igualmente suas línguas, impedindo o fluxo da linguagem no meio da sentença. Contudo, é duvidoso o significado desta expressão abrupta. Há quem, para completar a sentença, a complemente com as palavras: *me afligirás?* ou: *continuarás a castigar-me?* Outros lêem: *Até quando adiarás tua misericórdia?* Mas o que está declarado no versículo seguinte mostra que este segundo sentido é o mais provável, pois ali Davi ora para que o Senhor o considerasse com olhos de graça e compaixão. Ele, pois, se queixa de Deus se haver esquecido dele, ou que não tinha por ele nenhuma consideração, assim como aparentemente Deus se mantém afastado de nós sempre que sua assistência ou graça realmente não se manifesta em nosso favor. Deus, em sua compaixão para conosco, permite que oremos para que se apresse em socorrer-nos; mas quando nos queixamos abertamente de sua muita delonga, visando a que nossas orações ou nosso sofrimento, por essa conta, não vão além dos limites, devemos submeter nosso caso inteiramente à sua vontade, e não querer que ele se apresse mais do que lhe apraz.

[vv. 4, 5]
Volta-te, ó Senhor, e livra minha alma; salva-me em consideração por tua misericórdia. Pois, na morte, não há recordação de ti; e, no sepulcro, quem te reconhecerá?[6]

---

6 "Car il n'est fait nulle mention de toy en la mort: qui est-ce qui te louëra au sepulchre?" – v.f. ("Pois na morte não se faz menção de ti; e quem te louvará na sepultura?")

4. Volta-te, ó Senhor. Nos versículos precedentes, o salmista deplorou a ausência de Deus; e agora ele ansiosamente solicita as indicações de sua presença; pois nossa felicidade consiste nisto: que somos alvos da consideração divina, porém cremos que ele se encontra alienado de nós caso não nos apresente alguma evidência substancial de seu cuidado por nós. Que Davi, naquele tempo, enfrentava risco máximo, deduzimos dessas palavras, nas quais ele ora tanto pelo livramento de sua alma, por assim dizer, das guelras da morte, quanto por sua restauração a um estado de segurança. Todavia, não se faz qualquer menção de alguma enfermidade física; e, portanto, não faço idéia alguma sobre a natureza de sua aflição. Davi, uma vez mais, confirma o que só tocara no segundo versículo *concernente à misericórdia de Deus*, isto é, que este é o único refúgio donde espera vir seu livramento, a saber: *salva-me em consideração por tua misericórdia*. Os homens jamais encontrarão um antídoto para suas misérias, enquanto, esquecendo-se de seus próprios méritos, diante do fato de que são os únicos a enganar a si próprios, não aprenderem a recorrer à misericórdia gratuita de Deus.

5. Pois na morte não há recordação de ti. Depois de Deus nos conceder gratuitamente todas as coisas, ele nada requer em troca senão uma grata lembrança de seus benefícios. Referência a essa gratidão se faz quando Davi diz: "*Pois, na morte, não há recordação de Deus, nem no sepulcro qualquer celebração de seu louvor.*" Eis sua intenção: se, pela graça de Deus, ele fosse libertado da morte, lhe seria agradecido e guardaria isso na memória. E lamenta que, se fosse retirado do mundo, ficaria privado do poder e da oportunidade de manifestar sua gratidão, visto que, nesse caso, ele não mais estaria presente na sociedade dos homens para ali enaltecer ou celebrar o Nome de Deus. À luz desta passagem, alguns concluem que os mortos não têm emoção alguma e que esta é completamente extinta neles. Essa, porém, é uma inferência precipitada e injustificada, pois de nada se trata aqui senão da celebração mútua da graça de Deus, na qual os homens se engajam enquanto caminham na terra dos viventes. Sabemos que somos postos sobre a terra para louvar a Deus com uma só mente e uma só boca, e que esse é propósito de nossa vida. A morte, é verdade, põe um fim a esses louvores; mas não se deduz desse fato que as almas dos fiéis, quando despida de seus corpos, são privadas de entendimento ou não são sensibilizadas por qualquer afeição para com Deus. Deve considerar-se também que, na presente ocasião, Davi temia o juízo de Deus se a morte lhe sobreviesse, e isso o fez mudo para não cantar os louvores de Deus. É unicamente a benevolência de Deus, sensivelmente experimentada por nós, que abre nossos lábios para a celebração de seu louvor; e, portanto, sempre que a alegria e o bem-estar se esvaem, os louvores, naturalmente, também se esvaem. Não é de admirar, pois, se a ira de Deus, que nos subjuga com aquele medo de destruição eterna, extingue em nós os louvores de Deus.

À luz desta passagem, somos munidos com a solução de outra pergunta, a saber: por que Davi ficou tão amedrontado ante a morte, como se nada houvesse que esperar para além deste mundo? Eruditos reconhecem três causas por que os pais sob o regime da lei foram mantidos tão escravizados pelo temor da morte. A primeira é porque a graça de Deus, não havendo ainda se manifestado mediante a vinda de Cristo, as promessas, que então eram obscuras, lhes propiciavam apenas leve noção da vida futura. A segunda é porque a presente vida, durante a qual Deus trata conosco como Pai, é por natureza desejável. E a terceira é porque receavam que, depois de seu falecimento, ocorresse alguma mudança para pior na religião. Para mim, pois, essas razões parecem suficientemente sólidas. O espírito de Davi nem sempre estava dominado pelo temor que ora sentia; e quando a morte chegou, sendo idoso e cansado desta vida, serenamente rendeu sua alma ao repouso divino. A segunda razão nos é igualmente aplicável na presente época, como foi para os antigos pais, porquanto o amor paternal de Deus fulgura também sobre nós ainda nesta vida, e com muito mais provas revelatórias do que sob a anterior dispensação. Como já observei, porém, considero essa queixa de Davi como a incluir algo distinto, a saber, que sentindo contra si a mão de Deus, e conhecendo seu ódio ao pecado,[7] ele se sente dominado pelo temor e envolvido na mais profunda angústia. O mesmo pode-se dizer também de Ezequias, se bem que ele não orou simplesmente pelo livramento da morte, mas da ira divina, a qual sentia ser algo por demais espantoso [Is 38.3].

> [vv. 6, 7]
> Meus gemidos me têm levado à exaustão; todas as noites faço nadar[8] meu leito; com minhas lágrimas rego meu divã. Meus olhos, pelo desgosto, estão ofuscados; envelheceram entre meus perseguidores.

Essas formas de expressão são hiperbólicas, porém não se deve imaginar Davi, à moda dos poetas, exagerando seu sofrimento;[9] ele, porém, declara real e simplesmente quão severo e amargo o sentia. Deve ter-se sempre em mente que sua aflição não procedia tanto de ter ele sido severamente ferido com fadiga física; considerando, porém, o quanto Deus estava desgostoso com ele, viu, por assim dizer, o inferno escancarado para recebê-lo; e a fadiga mental que isso produz excede a todos os demais sofrimentos. Aliás, quanto mais sinceramente é um homem devotado a Deus, muitíssimo mais severamente perturbado é ele pelo senso da ira divina; e é por isso que as pessoas santas, que de outra forma são dotadas de inusitada fortaleza, têm revelado neste aspecto muito mais debilidade e necessidade de determinação. E nada nos impede, nestes dias atuais, de experimentar em nós pessoalmente o que Davi descreve concernente a si, senão a estupidez de nossa carne. Os que têm experimentado, mesmo em grau moderado, o que significa lutar contra o temor da morte eterna, se sentirão satisfeitos com o fato de que nada há de extravagante nestas palavras. Portanto, saibamos que aqui Davi nos é apresentado como alguém que é afligido

---

7 "Ascavoir que sentant la main de Dieu contraire, veu qu'il l'advertissoit de sa vengence contre le peche." – v.f.
8 "Je baigne ma couche." – v.f. ("Encharco meu divã.") "Ou: jefaynager." – v. francesa marginal. ("Ou: faço nadar.")
9 "Il ne faut pas penser toutesfois que David amplifie sa tristesse à la façon des Poëtes." – v.f.

com os terrores de sua consciência[10] e sentindo em seu íntimo tormentos, não de uma espécie ordinária, mas de uma espécie tal que quase o levou ao total desfalecimento, e ficou como se estivesse morto. Com respeito às palavras, ele diz: **Meus olhos, pelo desgosto, estão ofuscados**; pois a tristeza que domina a mente facilmente segue sua rota rumo aos olhos, e seguindo essa via concretamente se revela. Como o termo עתק (*athah*), que traduzi, *envelheceram*, às vezes significa sair de determinado lugar, há quem o expõe assim: a benevolência de seus olhos se perdeu, e sua visão, por assim dizer, se desvaneceu. Outros o entendem como seus olhos desapareceram por trás da intumescência provocada pelo pranto. A primeira opinião, contudo, segundo a qual Davi se queixa da deficiência de seus olhos, por assim dizer, proveniente da idade, para mim é a mais simples. Quanto ao que ele adiciona – **todas as noites** –, descobrimos daí que ele estava quase que totalmente definhado com o prolongado sofrimento; e, não obstante, em todo tempo nunca cessou de orar a Deus.

[vv. 8-10]
Apartai-vos de mim, todos os obreiros da iniqüidade; pois o Senhor ouviu a voz de meu lamento. O Senhor ouviu minha súplica; o Senhor receberá[11] minha oração. Que todos os meus inimigos sejam cobertos de vergonha e profundamente confundidos; que retrocedam e sejam repentinamente confundidos.[12]

Depois que Davi tomou suas aflições e tribulações, e as depositou diante de Deus, a seguir ele, por assim dizer, assume um novo comportamento. E, indubitavelmente, ele havia sido afligido com mui prolongado desânimo de espírito antes que pudesse recobrar-se e atingir um grau tal de segurança como aqui ele exibe;[13] pois já vimos que ele gastou muitas noites em continuado lamento. Ora, por mais

---

10 "Des frayeurs de la morte." – v.f. ("Com os terrores da morte.")
11 "A receu." – v.f. ("Tem recebido." Eis a tradução que é adotada em todas as versões antigas, ainda que o verbo hebraico esteja no tempo futuro.)
12 "En un moment." – v.f. ("num instante.")
13 "Avant que pouvoir se relever et venir à sentir telle asseurance qu'il monstre yci." – v.f.

angustiado e exausto estivesse ele, no entanto esperou seu delongado livramento com paciência, muito mais agora, com profundo entusiasmo, se anima a cantar sua vitória. Dirigindo seu discurso contra seus adversários, ele o apresenta não como a parte menor de sua tentação, a saber, que os ímpios triunfaram sobre ele, o considerou como perdido e em condição de desespero; pois sabemos com que insolência a soberba e a crueldade deles se expandem contra os filhos de Deus, quando os vêem esmagados sob a cruz. E para isso Satanás os mobiliza a fim de que levem os fiéis ao desespero, ao perceberem sua esperança transformada em objeto de motejo. Esta passagem nos ensina que a graça de Deus é a única luz de vida para os santos; e que, tão logo Deus manifeste algum sinal de sua ira, se vêem não só profundamente amedrontados, mas também, por assim dizer, precipitados nas trevas da morte; enquanto que, em contrapartida, tão logo descubram mais uma vez que Deus é misericordioso para com eles, se sentem imediatamente restaurados à vida. Deve notar-se que Davi reitera três vezes que suas orações foram ouvidas, pelo quê testifica que seu livramento é atribuído a Deus, e se confirma na confiança de que não recorrera a Deus em vão. E se devemos receber algum fruto de nossas orações, devemos também crer que os ouvidos de Deus não se fecharam contra elas. Pelo termo, *lamento*,[14] Davi não só indica veemência e gravidade, mas também notifica de que estivera totalmente envolvido em pranto e em dolorosas lamentações. Deve notar-se também a confiança e a segurança que Davi extrai, para si, do favor divino. Desse fato somos instruídos que não há nada no mundo inteiro que nos faça cair em desespero, seja o que for e seja qual for a oposição que se nos faça,[15] se estivermos plenamente persuadidos de sermos amados por Deus; e daqui entendemos também o que o amor paternal de Deus pode fazer

---

14 "*A voz de meu lamento, meu pranto em alto som*", diz Hengstenberg, e então acrescenta, fazendo uma citação de *Ilustração Oriental da Sagrada Escritura, por Roberts*: "A tristeza silenciosa não é muito conhecida no Oriente. Daí, quando as pessoas falam de lamentação, então dizem: Ouvi, porventura, a voz de seu pranto?"
15 "Qu'il n'y a rien en tout le monde qui se dresse contrre nous." – v.f.

em nosso favor. Pelo advérbio, *repentinamente*, Davi quer dizer que quando, aparentemente, não existe meio algum de se livrarem os fiéis da aflição, e quando tudo parecer desesperador e destituído de esperança, então é aí que são libertados pelo poder de Deus, o que é contrário a toda e qualquer expectativa [humana]. Quando Deus, repentinamente, muda a condição aflitiva dos homens para aquela de alegria e felicidade, nisso manifesta mais distintamente seu poder e o faz transparecer de uma forma muito mais grandiosa.

Salmos 7

Davi, oprimido pelas calúnias injustas, invoca a Deus para que seja seu advogado de defesa e confia sua inocência à divina proteção. Em primeiro lugar, ele protesta que sua consciência não o acusava da perversidade de que era acusado. Em segundo lugar, ele mostra que isso afeta a glória de Deus de tal forma, que este executará juízo contra os ímpios. Em terceiro lugar, para inspirar confiança à sua mente, ele medita seriamente sobre a benevolência e justiça de Deus e põe diante de seus olhos as promessas divinas. Finalmente, como se houvesse obtido os desejos de seu coração, ele escarnece da demência e das vãs tentativas de seus inimigos; ou, antes, dependendo do socorro divino, ele se assegura de que todas as diligências deles contra ele se converterão na própria destruição deles.

> Shiggaion de Davi, que ele cantou a Jehovah, conforme as palavras de Cush, o benjamita.

Com respeito à palavra, *Shiggaion*, os intérpretes judeus não estão concordes. Há quem a entenda como sendo um instrumento musical. Para outros, porém, parece ser uma melodia em que o cântico foi composto. Outros supõem que ela era o começo de uma canção popular, em cuja melodia Davi quis que este Salmo fosse cantado. Outros ainda a traduzem pela palavra hebraica, *deleite* ou *regozijo*.[1] A segunda opinião parece-me a

---

1 "Delectation, ou Resjouissance." – v.f.

mais provável, ou seja, que era uma espécie de melodia ou canção, como se alguém a denominasse de verso sáfico ou faleuciano.² Quanto a mim, porém, não teço argumento sobre um assunto de pouca importância. Também se diz que o Salmo foi composto conforme as *palavras de Cush*. Não posso subscrever a interpretação (ainda que seja comumente aceita) de que *palavras*, aqui, significam *afazeres* ou *negócios*. Colocar *palavra* em lugar de *um assunto* ou de *um negócio* é, admito, uma forma comum de se expressar entre os judeus; mas como Davi, pouco depois, declara que era falsamente acusado de algum crime, creio que ele aqui fala de acusação ou propriamente de calúnia, segundo julgo, de que Cush, algum dos familiares de Saul, era o autor, ou, pelo menos, o instrumento que a promoveu e a fez circular. A opinião daqueles que dizem que aqui se fala de Saul com um nome fictício não encontra apoio de algum argumento de peso. Segundo eles, Davi evitou chamá-lo por esse nome com o fim de poupar a dignidade real. Admito que Davi nutria profunda reverência pela santa unção; mas, como expressamente chama Saul nominalmente em outros lugares onde o repreende não com menos severidade, e o pinta em cores não menos negras do que o faz neste Salmo, por que ele supriria seu nome aqui, e não naquela passagem? Em minha opinião, pois, ele aqui expressa pelo próprio nome, e sem figura, um acusador perverso, que incitara o ódio contra Davi, culpando-o falsamente por algum crime, e que havia sido ou subornado pelo rei a fazer isso, ou, procurando o favor real, havia de moto próprio caluniado a Davi. Pois Davi, sabemos nós, foi muitíssimo caluniado, como se fora ingrato e traidor para com o rei, seu sogro. Saul, deveras, pertencia à tribo de Benjamim. Entretanto, não cremos que ele é aqui a pessoa mencionada, senão que aquele que falsamente acusava a Davi era um parente de Saul, alguém que pertencia à mesma tribo dele.

---

2 "Ascavoir que c'a este une espece de melodie ou certain chant, comme nous scavons que selon la diversite des nations et langues, il y a diverses mesures de vers." – v.f. "Isto é, que era uma espécie de melodia ou cântico, como sabemos que, segundo a diversidade de nações e línguas, há diferentes métricas de verso."

[vv. 1, 2]
Ó Jehovah, meu Deus, em ti confio; salva-me de todos aqueles que me perseguem, e livra-me. Para que ele, como leão, não arrebate minha alma, e a faça em pedaços, não havendo quem a livre.

Bem no início do Salmo, Davi já fala da existência de muitos inimigos, e no segundo versículo ele especifica alguém na forma singular. E com toda certeza, visto que as mentes de todos os homens se inflamaram contra ele, por isso tinha boas razões para orar a fim de que se visse libertado de todos os seus perseguidores. Mas, como a perversa crueldade do rei, como um tição, acendera contra ele, ainda que inocente, o ódio de todo o povo, ele tinha também boas razões para converter sua pena particularmente contra o mesmo. Por conseguinte, no primeiro versículo ele descreve o verdadeiro caráter de suas próprias circunstâncias – era um homem perseguido; e, no segundo versículo, a fonte ou causa da calamidade que ora suportava. Há forte ênfase nas palavras que ele usa no início do Salmo: **Ó Jehovah, meu Deus, em ti confio**. Na verdade o verbo, no hebraico, está no tempo passado; portanto, se literalmente traduzido, a redação seria: *Em ti tenho confiado*; como o hebraico, porém, às vezes toma um tempo por outro,[3] prefiro traduzi-lo no presente: *Em ti confio*, especialmente visto ser muitíssimo evidente que, como se denomina, denota-se um ato contínuo. Davi não se gloria naquela confiança em Deus da qual ora tinha fracassado, mas naquela confiança que constantemente acalentava em suas aflições. E essa é a genuína e indubitável prova de nossa fé, quando, sendo visitado pela adversidade, nós, não obstante, perseveramos em acalentar e exercitar esperança em Deus. À luz desta passagem também aprendemos que o portão da misericórdia estará fechado contra nossas orações caso a chave da fé não no-lo abrir. Nem tampouco usa linguagem supérflua quando chama a Jehovah *seu próprio Deus*; pois ao levantar essa verdade como um baluarte diante de seus próprios olhos, ele rebate as ondas das tentações, para que não

---

3 "Mais pource que les Hebrieux prenent souvent un temps pour l'autre." – v.f.

inundem sua fé. No segundo versículo, usando a figura de *um leão*, ele projeta por um facho de luz ainda mais forte a crueldade de Saul, como um argumento para induzir a Deus a conceder-lhe assistência, ainda quando descreva *Deus* em sua peculiar função de resgatar suas pobres ovelhas das guelras dos lobos.

[vv. 3-5]
Ó Jehovah, meu Deus, se sou culpado de fazer esta coisa, se há iniqüidade em minhas mãos, se paguei com o mal a quem estava em paz comigo, e não libertei aquele que me perseguia sem causa: então que o inimigo persiga minha alma e a alcance; espezinhe no chão[4] minha vida e arraste[5] no pó minha glória. Selah.

3. Ó Jehovah, meu Deus. Davi, neste ponto, insiste com Deus a mostrar-lhe seu favor, protesta que é injustamente molestado, sem mesmo ser culpado de crime algum. Com o fim de imprimir ao seu protesto mais vigor, ele usa a imprecação. Se cometera algum erro, ele declara sua prontidão em ser responsabilizado; sim, ele se oferece para suportar o mais severo castigo, caso não seja completamente inocente do crime acerca do qual todos os homens acreditavam estivesse ele já quase convencido. E ao rogar a Deus que o socorresse sob nenhuma outra condição senão esta, a saber: para que sua integridade não fosse embaraçada pelas provações, ele nos ensina, por seu exemplo, que, enquanto temos o recurso divino, devemos fazer dele nossa primordial preocupação para assegurar-nos bem de nossa própria consciência com respeito à justiça de nossa causa; pois cometeríamos grave erro se desejássemos engajá-lo como advogado e defensor de uma má causa. O pronome *esta* revela que ele fala de uma coisa que era geralmente notória; daí podermos concluir que a calúnia levantada contra ele por Cush se espalhara amplamente. E quando Davi se viu condenado pelas falsas notícias e injustos juízos que os homens assacavam contra ele, e não via antídoto algum sobre a terra,

---

4 "Et foulle ma vie en terre." – v.f. "E ele calque minha vida no chão."
5 "Et qu'il mette." – v.f. "E derrube."

ele recorreu ao tribunal divino e se contenta em manter sua inocência diante do Juiz celestial; exemplo que deveria ser imitado por todo crente piedoso, a fim de que, em oposição às notícias caluniosas que são divulgadas contra ele, descanse satisfeito unicamente com o juízo divino. A seguir declara mais distintamente que não cometera crime algum. E no quarto versículo menciona duas particularidades em sua defesa. A primeira é que ele não havia cometido erro algum contra alguém; e a segunda é que havia se esforçado em fazer o bem em favor de seus inimigos, por quem, não obstante, havia sido injuriado sem nenhuma justa causa. Portanto, explico o quarto versículo assim: Se prejudiquei alguém que vivia em paz comigo, e ao contrário deixei de socorrer o indigno que me perseguia sem justa causa etc. Visto que Davi era odiado por quase todos os homens, como se a ambição de reinar o houvera impelido perfidamente a rebelar-se contra Saul, e armara armadilhas para o monarca a quem se comprometera por juramento de obedecer,[6] na primeira parte do versículo ele se lava de calúnia tão infame. Provavelmente, a razão de ele chamar Saul *aquele que vivia em paz comigo* seja que, em razão de sua dignidade real, sua pessoa devia ser sagrada e guardada do perigo,[7] de modo que não seria ilícito fazer qualquer tentativa hostil contra ele. Essa frase, contudo, pode ser entendida em termos gerais, como se dissesse: Nenhum daqueles que humildemente se refrearam de injuriar-me e se conduziram com espírito humano para comigo, pode com justiça queixar-se de um único exemplo meu de lançar injúria contra ele. E no entanto era a convicção geral de que Davi, num clima de paz, havia provocado grande confusão e deflagrado guerra. À luz desse fato tanto mais se manifesta que Davi, desde que desfrutava da aprovação divina, sentia-se feliz com a consolação oriunda dela, visto que ele não receberia nenhum conforto proveniente de outra fonte.

---

6 "Apres luy avoir fait le serment." – v.f. "Depois de ter feito o juramento de fidelidade a ele."

7 "Pource que le nom et titre royal luy devoit estre une sauvegarde et le tenir en seurete." – "Porque o nome e o título de realeza seriam para ele sua proteção e a segurança certa de sua pessoa."

Na segunda cláusula do quarto versículo, ele avança mais e declara que havia sido amigo, não só em relação aos bons, mas também em relação aos maus; e não só se refreara de toda e qualquer vingança, mas que até mesmo socorrera seus inimigos, por quem fora profunda e cruelmente injuriado. Certamente não seria uma virtude muito louvável amar os bons e pacíficos, a não ser que haja uma associação entre essa autonomia e a docilidade em suportar pacientemente os maus. Mas quando uma pessoa se guarda não só de vingar as injúrias que haja recebido, mas também se esforça por vencer o mal pela prática do bem, ela está a manifestar uma das graças da natureza renovada e santificada, e com isso prova a si mesma pertencer ao rol dos filhos de Deus; pois tal mansidão só pode proceder do Espírito de adoção. No tocante aos termos, como a palavra hebraica, חלץ, *chalats*, a qual traduzi, *libertar*, significa *dividir* e *separar*, alguns, para evitar a necessidade de prover-se de alguma palavra para completar a lacuna existente, e dar sentido,[8] explicam assim a passagem: *Se me afastei de meus perseguidores para não socorrê-los*. A outra interpretação, contudo, segundo a qual o verbo é traduzido, *libertar*, ou *resgatar de* perigo, é mais geralmente aceita; porque o verbo *separar* ou *pôr de lado* é aplicado às coisas que desejamos pôr em segurança. E assim o termo negativo, *não*, seria suprido, omissão esta que encontramos não poucas vezes ocorrendo nos Salmos.

5. Então que o inimigo persiga. Eis uma extraordinária evidência da profunda confiança que Davi tinha em sua própria integridade, estando disposto a suportar qualquer gênero de castigo, embora temeroso, desde que fosse encontrado culpado de algum crime. Se pudermos levar à presença de Deus uma boa consciência como esta, sua mão mui prontamente se estenderá para proporcionar-nos imediata assistência. Mas como às vezes sucede que aqueles que nos molestam o fazem porque são provocados por nós, ou ardemos de desejo por vingança quando ofendidos, somos indignos de receber o socorro divino; sim, nossa própria impaciência fecha a porta às nossas orações. Em primeiro lugar, Davi está

---

8 Na cláusula: "E não me entregou àquele que me perseguia sem causa", a palavra *não* é um suplemento que não tem função no texto hebraico.

preparado para ser entregue à vontade de seus inimigos, para que *se assenhoreassem de sua vida e a lançassem ao chão*; para em seguida ser publicamente exibido como objeto de seu escárnio, de modo que, mesmo depois de morto, fosse exposto à miséria eterna. Há quem pense que a palavra כבוד (*kebod*), que traduzimos por *glória*, deve ser, aqui, tomada por *vida*, e assim teremos três palavras: *alma*, *vida* e *glória*, significando a mesma coisa. A meu ver, porém, o significado da passagem será mais completo se tomarmos a palavra *glória* no sentido de *memória*, ou *seu bom nome*, como se quisesse dizer: Que meu inimigo não só me destrua, mas também, depois de matar-me, fale de mim nos mais ignominiosos termos, de modo que meu nome seja mergulhado na lama ou na imundícia.

[vv. 6-8]
Levanta-te, ó Jehovah, em tua ira, exalta-te contra a fúria de meus inimigos e desperta-te em meu favor para o juízo que ordenaste.[9] E então a assembléia dos povos [ou nações] se reunirá ao teu redor, e por causa disto volta-te para as alturas. Jehovah julgará os povos [ou nações]; julga-me, ó Jehovah, segundo minha justiça e segundo a integridade que há em mim.

6. Levanta-te, ó Jehovah. Davi, agora, coloca a ira de Deus em oposição à fúria de seus inimigos; e quando nos encontrarmos em circunstâncias idênticas, que ajamos da mesma maneira. Quando os ímpios se inflamam contra nós, e lançam sua raiva e fúria para destruir-nos, devemos humildemente rogar a Deus que também se inflame; noutros termos, revelar que realmente ele não tem menos zelo e menos poder para preservar-nos do que a inclinação que os inimigos têm para destruir-nos. A expressão, *Levanta-te*, é tomada num sentido figurativo para significar *ascender a um tribunal*, ou, melhor, *alguém que se prepara para fazer resistência*; e ela, aqui, se aplica a Deus, porque, enquanto se delonga em nos socorrer, somos tentados a imaginá-lo adormecido. Conseqüentemente, Davi também, pouco depois, roga-lhe que *acorde*; pois, da parte de Deus, parecia que não prestar assistência a alguém que se encontrava mui aflito e opresso de todos

---

9 A tradução é de *Street*: "E exerce em meu favor o juízo que ordenaste."

os lados era o mesmo que a inconsciência do sono.

No final do versículo, ele mostra que nada pedia senão o que estivesse em consonância com o desígnio divino. E aqui está a regra que devemos observar em nossas orações; devemos em cada coisa conformar nossos pedidos à vontade divina, conforme João também nos instrui [Jo 5.15]. E deveras jamais poderemos orar com fé, a menos que atentemos, em primeiro lugar, para o que Deus ordena, a fim de que nossas mentes não se desviem precipitada e impensadamente, desejando mais do que lhes é permitido desejar e orar. Davi, portanto, a fim de orar corretamente, repousa na palavra e na promessa de Deus; e a seqüência de seu exercício é esta: Senhor, não guiado por ambição, nem por uma paixão violenta e inconseqüente, nem por um impulso depravado, inconsideradamente a pedir-te o que seja para a satisfação de minha natureza carnal, e, sim, que a clara luz de tua Palavra me dirija, e que dela eu dependa com toda a segurança. Visto que Deus, de seu próprio beneplácito, o chamara um dia para ser rei, cabia-lhe defender e manter os direitos do homem a quem ele escolhesse para ser servo. A linguagem de Davi, portanto, retrata o seguinte: "Quando vivia mui contente com minha humilde condição de vida privativa, foi de teu agrado separar-me para a honrosa condição de rei; agora, pois, cabe a ti manter essa causa contra Saul e seus correligionários, os quais envidam todo esforço para destroçar teu decreto, declarando guerra contra mim." O termo hebraico, עורה (*urah*), o qual traduzimos, *desperta-te*,[10] também pode ser tomado transitivamente por *construir* ou *estabelecer* o direito de Davi. Entretanto, a suma de tudo chega ao seguinte: Davi, confiando na vocação divina, suplica a Deus que estenda a mão em sua defesa. Os fiéis, portanto, devem tomar cuidado para não irem além desses limites, caso queiram ter Deus em sua companhia, defendo-os e preservando-os.

7. Assembléia dos povos. Há quem delimite esta frase exclusivamente ao povo de Israel, como se Davi prometesse que, tão logo subisse ao trono, ele diligenciaria em reunir uma assembléia, em san-

---

10 "Lequel nous avons traduit Veille." – v.f.

to culto divino, de pessoas que outrora viviam como se estivessem em estado de dispersão. Sob o reinado de Saul, a religião ficou negligenciada, ou havia prevalecido um estado de desenfreada liberdade na prática da perversidade, de tal sorte que poucos demonstravam alguma consideração por Deus. O significado, pois, segundo tais expositores, é o seguinte: Senhor, ao me constituíres rei, todo o povo, que tão conspurcadamente se afastara de ti,[11] voltará de suas peregrinações e rumos desordenados para ti e para teu serviço, de sorte que todos saberão que tu governas no meio deles, e te adorarão como seu único Rei. Eu, ao contrário, estou inclinado a ver isso como linguagem que diz respeito a muitas nações. Aqui, Davi fala em termos elevados dos efeitos resultantes de seu livramento, cuja notícia se difundiria mais e mais amplamente; e suas palavras são como se quisesse dizer: "Senhor, quando me puseres na pacífica posse do reino, tal fato será não só um benefício conferido a mim pessoalmente, mas será uma lição comum a muitas nações, ensinando-as a reconhecerem teu justo juízo, de tal sorte que volvam seus olhos para o teu tribunal."[12] Aqui, Davi faz alusão à prática de um povo que estava em volta de seu rei, formando um círculo, quando ele convocava uma assembléia solene. No mesmo sentido, Davi acrescenta imediatamente a seguir que Deus, que por algum tempo se manteve quieto e guardou silêncio, se ergueria tão alto que não só uma ou duas, mas todas as nações poderiam contemplar sua glória: **E por causa disto, volta-te para as alturas.**[13] Há nestas palavras uma comparação tácita, ou seja, ainda que não fosse necessário ter em consideração apenas um homem, é indispensável que Deus conserve o mundo no temor e na reverência de seu juízo.

---

11 "Tout le peuple qui s'estoit ainsi vilenement destourné de toy." – v.f.

12 "Mais ce sera un enseignement commun a plusieurs peuples, pour recognoistre ton juste jugement, tellement qu'ils dresseront les yeux vers ton siege judicial." – v.f.

13 Fry traduz: "E sobre ele reassume o teu tribunal celeste." Ele supõe que a palavra עליה, *aleha*, que Calvino traduziu *por causa disso*, pode subentender-se: "concernente a este negócio", e produz a seguinte paráfrase: "Reassume o teu tribunal a fim de investigar a causa pela qual fui de antemão julgado pelo adversário."

8. Jehovah julgará as nações. Esta cláusula está estreitamente conectada ao versículo precedente. Davi orou a Deus para que ele se revelasse como juiz das nações; e agora ele assume como uma verdade insofismável e admitida que julgar as nações é o ofício peculiar de Deus; pois o verbo conjugado no tempo futuro, e traduzido, *julgará*, denota, aqui, uma ação contínua; e tal é o significado do tempo futuro nas cláusulas gerais. Além disso, ele aqui não fala de apenas uma nação, senão que compreende todas as nações. Ao reconhecer a Deus como o Juiz do mundo inteiro, ele conclui logo depois disto que Deus manterá sua causa e seu direito. Mui freqüentemente parece que somos esquecidos e oprimidos, e quando isso acontece, devemos evocar esta verdade à nossa lembrança, ou seja: já que Deus é o governante do mundo, é tão absolutamente impossível que ele se abdique de seu ofício quanto é impossível que ele negue a si próprio. De tal fonte fluirá um manancial contínuo de conforto, ainda que uma longa sucessão de calamidades nos comprima; pois à luz dessa verdade podemos seguramente concluir que ele cuidará de defender nossa inocência. Seria contrário a todos os princípios de são raciocínio supor que aquele que governa muitas nações negligencie ainda que seja uma única pessoa. O que sucede com respeito aos juízes deste mundo jamais sucederá com respeito a Deus; ele não pode, como sucede com os juízes da terra, estar tão ocupado com os negócios grandes e públicos que venha a negligenciar os problemas individuais, por uma questão de incapacidade em atendê-los.

Davi uma vez mais introduz a visão de *sua integridade*, ou seja, que ele não podia, segundo o exemplo dos hipócritas, fazer do nome de Deus um mero pretexto para melhor promover seus próprios propósitos. Visto que Deus não se deixa influenciar pelo respeito humano, não podemos esperar que ele esteja do nosso lado, e a nosso favor, se porventura nossa causa não for boa. Pergunta-se, porém, como é possível que Davi, aqui, se gabe de sua própria integridade diante de Deus, quando em outros passos ele suplica a Deus que entre em juízo com ele. A resposta é fácil, e é esta: O tema aqui desenvolvido não é como Davi podia responder se Deus demandaria dele que desse conta de toda sua vida, mas que, ao comparar-se com seus inimigos, ele mantém, e não sem razão, que em relação a eles ele era justo. Mas quando cada santo é passado em revista pelo juízo divino, e seu próprio caráter é testado por seus próprios méritos, a questão é muito diferente, porque, em tal conjuntura, o único santuário ao qual pode ele recorrer em busca de segurança é a misericórdia de Deus.

> [vv. 9-11]
> Rogo-te que a malícia dos perversos chegue ao fim, e que dirijas os justos; porque Deus, que é justo, prova [ou sonda] os corações e os rins. Minha defesa [ou escudo] está em Deus, que salva os retos de coração. Deus julga os justos e aqueles que desprezam a Deus todos os dias.

9. Rogo-te que a malícia dos perversos chegue ao fim. Davi, primeiramente, ora para que Deus refreie a malícia de seus inimigos e a faça desaparecer; daqui se deduz que sua aflição tinha sido de longa duração. Outros supõem que aqui temos, ao contrário, uma terrível imprecação, e explicam que o termo hebraico, גמר (*gamar*), é um tanto diferente. Em vez de traduzi-lo *cessar* e *chegar ao fim*, como fiz, o entendem como *fazer cessar*, que é equivalente a *destruir* ou *consumir*.[14] Por conseguinte, segundo eles, Davi deseja que Deus fizesse a injúria que os perversos haviam inventado cair sobre as próprias cabeças deles: *Que a perversidade dos perversos os consuma*. Em minha opinião, a primeira interpretação é a mais simples, ou seja, que Davi suplica a Deus que leve seu sofrimento ao fim. Portanto, segue-se imediatamente a oração correspondente: **e que dirijas os justos**, ou: os *estabeleças*; pois é de pouca importância qual dessas duas traduções adotemos. O significado é o seguinte: que Deus restabeleça e confirme os justos que estão sendo equivocadamente oprimidos, e então se torne evidente que eles vão permanecer protegidos pelo poder de Deus, apesar da

---

14 "Les autres estiment plustost que ce soit une vehemente imprecation, et exposent ce mot Hebrieu un peu autrement. Car en lieu que nous le traduisons Cesser et Prendre fin, ils le prenent pour Faire cesser, qui est Destruire et Consumer." – v.f.

perseguição a que estão sujeitos.

Porque Deus sonda os corações. A copulativa hebraica é aqui muito apropriadamente traduzida pela partícula causal, *porque*, uma vez que Davi, indubitavelmente, adicionou esta cláusula como um argumento em reforço à sua oração. Ele agora declara pela terceira vez que, escudando-se no testemunho de uma boa consciência, se apresenta confiante diante de Deus. Aqui, porém, ele expressa algo mais do que fizera antes, ou seja, que não só demonstrou sua inocência através de sua conduta externa, mas também cultivou pureza na aflição secreta de seu coração. Tudo indica que ele demonstra essa confiança em oposição à insolência e ostentação de seus inimigos, por meio de quem, possivelmente, tais calúnias a seu respeito estiveram circulando por entre o povo, quando o constrangeram, em sua profunda aflição, a apresentar seu coração e rins para que fossem testados por Deus. É provável também que ele fale dessa maneira com o intuito de despi-los de todas as plausíveis, porém falsas e enganosas, pretensões, das quais faziam uso com o propósito de enganar os homens; e se alcançavam êxito com tal coisa, então se sentiam satisfeitos.[15] Ele mostra que, embora pudessem triunfar aos olhos do mundo, bem como recebessem os aplausos da multidão, não obstante nada granjeavam com isso, visto que, mais cedo ou mais tarde, teriam que comparecer perante o tribunal de Deus, onde a pergunta não será: "Quais foram vossos títulos?" ou: "Qual foi o esplendor de vossas ações?", e, sim: "Qual foi a proporção da pureza de vossos corações?"

10. Meu escudo. Não é fascinante que Davi às vezes misture meditações às suas orações para, com isso, inspirar-se com uma confiança muito mais profunda? É possível que nos apresentemos a Deus em oração com grande entusiasmo; mas nosso fervor, se não estiver associado a uma nova força, imediatamente decai ou começa a arrefecer-se. Davi, portanto, a fim de prosseguir em oração com a mesma ardorosa

---

15 "Il se peut faire aussi qu'il parle ainsi pour oster toutes ces belles apparances bien fardees dont ils se servoyent pour abuser les hommes et ce leur estoit assez." – v.f.

devoção e afeição com que começara, traz à sua lembrança algumas das mais populares verdades da religião, e com esse expediente nutre e revigora sua fé. Declara que, como Deus *salva os retos de coração*, ele se sente perfeitamente a salvo sob a proteção divina. Daí se deduz que ele contava com o testemunho de uma consciência aprovada. Portanto, como ele não diz simplesmente, *os justos*, e, sim, *os retos de coração*, parece que tinha os olhos postos naquela sondagem interior *do coração e dos rins* mencionada no versículo precedente.

11. Deus julga os justos. Há quem leia: *Deus é um Juiz justo*, e *Deus está a cada dia irado*. As palavras certamente admitirão esse sentido; mas, como a doutrina é mais completa de acordo com a primeira redação, preferi segui-la; a forma como a vejo é mais aprovada pela maioria dos teólogos e, além disso, mais adequada ao tema que Davi agora desenvolve. Como Saul e seus cúmplices haviam sido, movidos pelas notícias caluniosas, até então bem sucedidos em seus perversos desígnios de causar, em termos gerais, prejuízos a Davi, de modo a ser condenado por quase todo o povo, o santo homem se apoia nesta única consideração, a saber: seja qual for a confusão nas coisas relativas ao mundo, Deus, não obstante, pode discernir com perfeita facilidade entre os justos e os perversos. Davi, pois, apela dos falsos juízos humanos àquele que jamais se deixa enganar. Pode-se, contudo, perguntar: Como é possível o salmista representar Deus a julgar diariamente, quando o vemos amiúde delongando o juízo por tempo sem conta? Os escritos sacros, com sobejas razões, celebram a longanimidade divina; mas, embora exercite Deus sua paciência, e não execute imediatamente seus juízos, todavia, como não passa um momento sequer, nem mesmo um dia, sem que se forneça a mais clara evidência de que ele discerne entre os justos e os perversos, não obstante a confusão reinante no mundo, é certo que ele jamais cessa de exercer a função de Juiz. Todos quantos se derem ao trabalho de abrir seus olhos para contemplarem o governo do mundo, verão distintamente que a paciência de Deus é muito diferente de aprovação ou conivência. Seguramente, pois, seu próprio povo, confiadamente, a ele recorrerá a cada dia.

[vv. 12-14]
Se o homem não se converter, Deus afiará sua espada; já tem armado seu arco, e está em prontidão.[16] E já preparou para ele[17] os instrumentos de morte; e porá em ação suas setas contra aqueles que perseguem.[18] Eis que ele sentirá dores de parto e dará à luz a iniqüidade; ele concebeu a perversidade e dará à luz a falsidade.[19]

12. Se o homem não se converter. Estes versículos são geralmente explicados de duas formas. A primeira significa que, se os inimigos de Davi perseverassem em seus maliciosos propósitos contra ele, é anunciada contra eles a vingança merecida por sua perversa obstinação. Conseqüentemente, na segunda cláusula, ele preenche com a palavra *Deus: Se ele [o homem] não se converter, [Deus] afiará sua espada;*[20] como se quisesse dizer: Se meu inimigo não se arrepender,[21] ele, finalmente, sentirá que Deus está completamente armado com o propósito de sustentar e defender os justos. Se porventura for tomado nesse sentido, o terceiro versículo deverá ser considerado como

---

16 "Il a *ja* tendu son arc, et l'a dressé *ascavoir pour tirer*." – v.f. "Ele *já* distendeu seu arco e o deixou preparado, *isto é, armado*." As palavras em itálico são suplementares, não estando expressas no texto hebraico. Calvino, em sua versão francesa, uniformemente distinguiu as palavras suplementares, imprimindo-as com caracteres menores.

17 Segundo Calvino, o pronome se refere ao arco. Fry o traduz diferentemente. Diz ele: "É literalmente *para ele mesmo – para seu uso*. Devemos ter em vista a metáfora do guerreiro preparando-se para a ação."

18 "Pour les bailler aux persecuteurs." – v.f. "Dá-los aos perseguidores."

19 Car il a conceu meschancete, *ou moleste*, mais il enfantera mensonge." – v.f. "Pois concebeu a perversidade, *ou injúria*, mas dará à luz a falsidade."

20 Esse é o ponto de vista adotado por Hengstenberg em seu excelente Comentário aos Salmos. "A forma de expressão aparentemente grosseira, em nosso texto", diz ele, "representando Deus como um guerreiro equipado com espada e arco, além de motivar o motejo por parte dos pecadores e o enfraquecimento da fé por parte dos crentes, os quais não prestam para coadunar o perigo visível com os pensamentos puros da agência controlável de Deus, mas buscam vestir tais pensamentos com carne e sangue, e considera o juiz posicionado contra o pecador, homem contra homem, espada contra espada."

21 "Ne cesse de me poursuyvre." – v.f. "Não cessa de perseguir-me."

que uma afirmação da causa que levou Deus a equipar-se assim com armadura, ou seja, porque os ímpios, ao conceberem todo gênero de dano, ao esforçar-se por dar à luz a perversidade e, finalmente, dar à luz o engano e a falsidade, fazem seu assalto direto à pessoa de Deus e abertamente fazem-lhe guerra. Em minha opinião, porém, os que lêem esses dois versículos como uma só oração contínua apresentam uma interpretação mais precisa. Não me sinto, contudo, satisfeito com o fato de que ainda realcem plenamente o significado do salmista. Davi, não tenho dúvida, ao relacionar as tremendas tentativas de seus inimigos contra ele, tentava com isso ilustrar de forma mais proeminente a graça de Deus; pois quando esses homens maliciosos, fortalecidos por poderosas forças militares, e fartamente supridos de armaduras, furiosamente se precipitaram sobre ele numa firme expectativa de destruí-lo, quem não diria que tudo estava contra ele? Além do mais, há implícita nas palavras uma espécie de ironia, quando insinua estar receoso de que o expusessem à morte. Eles querem dizer a mesma coisa como se Davi houvera dito: "Se meus inimigos não alterarem seu propósito, ou volverem sua fúria ou sua força noutra direção, quem poderá preservar-me de perecer por suas mãos? Eles têm formidável suprimento de armas e estão fazendo tudo, por todos os métodos, para executar minha morte."

Saul, porém, é a pessoa de quem Davi particularmente fala, e portanto ele diz: *já tem armado seu arco para os perseguidores*. O que está implícito é que Saul tinha muitos agentes em prontidão, os quais diligentemente empregariam extremo esforço em busca da destruição de Davi. O desígnio do profeta, portanto, era manifestar a grandeza da graça divina, ao mostrar a grandeza do perigo do qual havia sido por Deus libertado.[22] Além do mais, quando ele diz aqui: *se ele não se converter*, *converção* não significa arrependimento e regeneração no inimigo de Davi, mas somente uma mudança de vontade e propósito, como se dissesse: "Está no poder de meu

---

22 "Duquel il avoit este delivré par luy." – v.f.

inimigo fazer tudo o que sua fantasia lhe sugira."[23] Portanto, parece por demais evidente quão maravilhosa foi a mudança que subitamente se mostrou contrária a toda expectativa. Ao dizer que Saul havia *preparado os instrumentos de morte para seu arco*, ele notifica que não fora após nenhuma coisa ordinária, mas estava plenamente determinado a ferir de morte ao homem contra quem ele atirou. Alguns, traduzindo a palavra hebraica דולקים (*doulekim*), a qual traduzimos *perseguidores*, por *flechas*, eles a traduziram por *ardente*,[24] visto que ela tem também esse sentido;[25] mas a tradução que tenho apresentado é a mais apropriada. Davi se queixa de ter razão em estar temeroso, não apenas de um homem, mas de uma grande multidão, visto que Saul havia armado um poderoso exército com o fim de perseguir e castigar um pobre fugitivo.

14. Eis que ele está com dores de perversidade. Até aqui, Davi mostrou quão grande e terrível era o perigo que se avizinhava dele. Neste versículo, escarnecendo das presunçosas e tolas tentativas de Saul, e de seus magníficentes preparativos, Davi declara que haviam fracassado em consumar seu objetivo.[26] Pelo advérbio demonstrativo, *Eis*, ele aumenta o espanto, visto ter chegado a tal resultado, de sua parte totalmente inesperado. *Eis*, diz ele, *depois*

---

23 "Au reste, quand il est yci parlé *de se retourner*, ce n'est pas pour signifier ce que nous appelons repentance et amendement en son ennemi, mais tant seulement une volonte et deliberation diverse; comme s'il dit qu'il estoit en la puissance de l'ennemi de parfaire tout ce qui luy venoit en la fantasie." – v.f.

24 Aqueles que adotam esta tradução, apoiam-na à luz do texto da Septuaginta, Vulgata e versões Siríacas, ainda que a versão Caldaica leia *perseguindo*; e elas geralmente apresentam os versículos 12 e 13 como uma representação de Deus sob a imagem de um guerreiro pronto a lançar seus dardos flamejantes, ardentes e ferinos, contra o alvo ao qual ele se opõe. "Leio דולקים, *urentes, inflammatos*; as flechas do Todo-poderoso [Dt 32.24]. Languidez proveniente da fome, a febre do carbúnculo e o amargor da pestilência. Schultens [Pv 26.23]. Os relâmpagos são também chamados as flechas de Deus [Sl 18.15] e representados como a artilharia do céu." – *Dr Kennicott's note on this place in his Select Passages of the Old Testament*. Hengstenberg tem o mesmo ponto de vista. Sua tradução é: *Ele [isto é, Deus] faz suas flechas flamejantes*. "דלק, *arder*. Nos cercos era costume embeber as flechas em matéria inflamável, e lançá-las depois de acesas."

25 "Là ou nous avons mis *Persecuteurs* aucuns le rapportans aux *flèches*, traduissent Ardentes; pource que le mot Hebrieu emporte aussi ceste signification." – v.f.

26 "Disant que tout cela est allé en fumee." – v.f. "Dizendo que tudo terminou em fumaça."

de sentir dores e dar à luz a perversidade, como se tivesse concebido injúria, finalmente nada nasceu senão vento e vaidade, porque Deus frustrou suas expectativas e destruiu todas essas tentativas perversas.[27] Iniqüidade e injúria representam aqui uma espécie de violência e ultraje[28] que Saul intentava infligir sobre Davi. Alguns intérpretes crêem que a ordem das palavras está invertida, visto que *sentir dores de parto* está colocado antes de *conceber*; penso, porém, que as palavras têm o seu lugar próprio, se você as explicar assim: Eis que sentirá dores para dar à luz a perversidade, pois que concebeu injúria; que é o mesmo que dizer: como ele desde muito engendrou em seu íntimo minha destruição, assim ele fará o máximo para pôr seu desígnio em ação. A seguir Davi acrescenta: *deu à luz a falsidade*. Significa que Saul se sentiu desapontado em sua expectativa; como Isaías [26.18], de forma semelhante, fala dos incrédulos, "dando à luz vento", quando seu sucesso não correspondeu aos seus intentos perversos e presunçosos.

Portanto, assim que virmos os ímpios tramando secretamente nossa ruína, lembremo-nos de que eles falam falsamente a si próprios; em outras palavras, enganam a si próprios, e não conseguirão executar o que desejam em seu coração.[29] Não obstante, se porventura não percebermos que estão desapontados em seus desígnios, até que lhes venham as dores de parto, não nos perturbemos, mas suportemos com espírito de paciente submissão ante a vontade e providência de Deus.

[vv. 15, 16]

---

27 "Pource que Dieu l'a frustré de son attente et renverse toutes ces meschantes entreprises." – v.f.
28 "Pour toutes violences et outrages." – v.f.
29 "C'est a dire, se deçoyvent et ne viendront à bout de ce qu'ils couvent en leurs coeurs." – v.f.

Cavou um poço e o aprofundou;[30] e caiu no fosso que ele mesmo fez. Sua perversidade se voltará sobre sua própria cabeça, e sua violência descerá sobre seu crânio.

Neste ponto Davi não diz simplesmente que seus perversos intentos eram sem sucesso, mas que, pela maravilhosa providência divina, o resultado era precisamente o oposto do que tinha sido contemplado. Ele põe isso em primeiro plano metaforicamente, empregando a figura de um *poço* e de um *fosso*; e a seguir ele expressa a mesma coisa em termos simples, sem figura, declarando que *o mal intentado por outros se voltou sobre a cabeça de quem o tramara*. Não há dúvida de que essa expressão foi extraída de um provérbio comum entre os judeus: Aquele que cava um poço cairá nele. Eles o citavam quando queriam dizer que os perversos e astutos são apanhados nas redes e armadilhas que eles mesmos armam para outros, ou que os inventores da ruína alheia perecem por seus próprios inventos.[31] Há uma dupla aplicação dessa doutrina: a primeira consiste em que por mais habilidosos em forjar astúcias nossos inimigos sejam e quantos meios de engendrar malefícios eles tenham, não obstante devemos atentar para os resultados que Deus aqui promete, a saber: que cairão por sua própria espada. E isso não é algo que acontece casualmente; senão que Deus, mediante a secreta direção de sua própria

---

30 Fry, à luz de uma comparação do termo hebraico que Calvino traduz *aprofundou-o*, com o termo cognato arábico, supõe que o mesmo significa: "cavá-lo mais, com o fim de cobri-lo e ocultá-lo." A imagem é tomada do método comum, no oriente, de apanhar leões e outros animais selvagens, cavando poços nos pontos onde eram observados freqüentarem, cobrindo-os superficialmente com ramos ou pequenos galhos de árvores. A tradução que Lutero faz desta cláusula é precisamente a mesma feita por Calvino; e em seu comentário sobre o lugar, ele explica bem a força das expressões do salmista. "Vejam", diz ele, "quão admiravelmente ele expressa a fúria ardente dos ímpios, não simplesmente declarando: *ele cavou um poço*, mas ainda faz um adendo: *e o aprofundou*. Portanto, ativos e diligentes são aqueles que têm um poço aberto e a cova preparada. Eles fazem de tudo, exploram tudo e não se sentem satisfeitos de ter apenas cavado um poço, mas o ampliam e o aprofundam, tão fundo quanto lhes for possível, para que tenham como destruir e subverter o inocente."

31 "Tomboyent au mal qu'ils avoyent brassé." – v.f. "Caem na destruição que eles mesmos engendraram."

mão, faz com que o mal intentado contra o inocente se volte contra a própria cabeça do inimigo. A segunda consiste em que, se porventura formos, em certa circunstância e movidos por alguma paixão, instigados a infligir alguma injúria contra nosso próximo, ou a cometer alguma perversidade contra ele, lembremo-nos deste princípio de justiça retributiva, a qual é às vezes aplicada pelo governo divino sobre aqueles que preparam um poço para outros, e eles mesmos é que caem nele. E o resultado final é este: que cada um, na proporção em que consultam sua própria felicidade e bem-estar, devem atentamente restringir-se de fazer alguma injúria a outrem, mesmo em grau mínimo.

[v. 17]
Louvarei a Jehovah de acordo com sua justiça; e cantarei louvores ao nome de Jehovah, o Altíssimo.

Uma vez que o desígnio de Deus nos livramentos que conquista para seus servos é para que ofereçam em troca os sacrifícios de louvor, Davi aqui promete que reconhecerá com gratidão o livramento que recebera, e ao mesmo tempo afirma que sua preservação da morte era indubitável e manifestamente obra de Deus. Ele não poderia, de fato e de coração, ter atribuído a Deus o louvor de seu livramento, caso não estivesse plenamente persuadido de que não fora preservado por algum poder humano. Ele, pois, não só promete demonstrar gratidão devida ao seu Libertador, mas também confirma numa só palavra o que ele repetira ao longo de todo o Salmo, a saber: que ele deve sua vida à graça de Deus, a qual não permitiu que Saul destruísse. *A justiça de Deus*, aqui, deve subentender sua fidelidade, através da qual ele se mostra bom para com seus servos, defendendo e preservando suas vidas. Deus não encerra nem oculta de nós sua justiça nos recônditos recessos de sua própria mente, senão que a manifesta em nosso benefício quando nos defende contra toda violência injusta, nos livra da opressão e nos preserva em segurança, mesmo que os perversos nos façam guerra e nos persigam.

Salmos 8

Davi, refletindo sobre a beneficência paternal de Deus para com o gênero humano, não se contenta em simplesmente dar graças por ela, mas também se sente fascinado por ela.

> Ao mestre de música sobre Hagittith. Cântico de Davi.
>
> [v. 1]
> Ó Jehovah,[1] Senhor nosso, quão maravilhoso é teu nome em toda a terra; estabeleceste[2] tua glória acima dos céus!

Se גתית (*Gittith*), significa um instrumento musical ou alguma melodia específica, ou o início de algum cântico famoso e notório, não me responsabilizo a determinar. Os que acreditam que o Salmo é assim intitulado por ter sido composto na cidade de Gate, apresentam uma explicação forçada e artificial do assunto. Das outras três opiniões que mencionei acima, não importa muito qual delas seja adotada. O elemento primordial a ser apreendido é no que tange ao conteúdo do salmo e ao que ele visa. Davi, é verdade, expõe diante de seus olhos o grandioso poder e glória de Deus na criação e no governo do universo material; mas ele apenas relanceia levemente sobre este tema, de

---

1 Esta primeira palavra constitui o nome incomunicável de Deus; a palavra seguinte, אדנינו, *Adonenu, nosso Senhor*, é derivada da raiz, דן, *dan*, que significa *governar, julgar, suportar*.

2 "Pourceque tu as mis." – v.f. "Porque tu tens posto." "Ou, qui as mis, ou que de mettre." – versão marginal francesa. "Ou, que tens posto, ou ainda puseste."

passagem, por assim dizer, e insiste principalmente sobre o tema da infinita bondade divina para conosco. Existe diante de nossos olhos, em toda a ordem da natureza, os mais ricos elementos a manifestarem a glória de Deus, mas, visto que somos inquestionavelmente mais poderosamente afetados com o que nós mesmos experimentamos, Davi, neste Salmo, com grande propriedade, expressamente celebra o favor especial que Deus manifesta no interesse da humanidade. Posto que este, de todos os objetos que se acham expostos à nossa contemplação, é o mais nítido espelho no qual podemos contemplar sua glória.

Entretanto, é estranho que ele tenha iniciado o Salmo com uma exclamação, quando a forma usual é primeiramente fazer a avaliação de uma coisa, e então magnificar sua grandeza e excelência. Mas se tivermos em mente o que se diz em outras passagens da Escritura referente à impossibilidade de expressarem-se em palavras as obras de Deus, não causará estranheza que Davi, com esta exclamação, se considere incapacitado à tarefa de relatá-las detalhadamente. Davi, portanto, ao refletir sobre a incompreensível benevolência com que Deus condescendeu graciosamente galardoar a raça humana; e sentindo todos os seus pensamentos e sentidos mergulhados em contemplação e subjugados por ela, exclama que esta é uma coisa digna de admiração, visto que não tem como ser expressa em palavras.[3] Além disso, o Espírito Santo, que dirigia a língua de Davi, sem dúvida pretendia, com sua instrumentalidade, despertar os homens do torpor e indiferença que lhes são tão peculiares, de maneira que não se contentem em apenas celebrar o infinito amor de Deus e os imensuráveis benefícios que recebem de suas dadivosas mãos, com uma atitude de lentidão e frigidez, mas, ao contrário, que apliquem todo o seu coração a este santo exercício e que se dediquem a ele todos os seus mais ingentes esforços. Esta exclamação de Davi implica que, quando todas as faculdades

---

3 "Puis que langue ne bouche ne la scaurolt exprimer." – v.f. "Visto que nem língua nem boca pode expressá-lo."

da mente humana são aplicadas ao máximo na meditação sobre este tema,[4] elas se tornam ainda mais insuficientes.

O *nome* de Deus, da maneira como o explico, deve ser aqui subentendido como sendo o conhecimento do caráter e perfeições de Deus, até ao ponto em que ele se nos faz conhecido. Não aprovo as especulações sutis daqueles que crêem que o nome de Deus significa nada mais nada menos que Deus mesmo. Deve referir-se mais às obras e propriedades pelas quais ele é conhecido do que à sua essência. Davi, portanto, diz que a terra está cheia da prodigiosa glória de Deus, tanto que a fama ou renome dela não apenas alcança os céus, senão que sobe muito acima deles. O verbo תנה (*tenah*), tem sido traduzido por alguns no tempo pretérito, *tem posto*; mas, em minha opinião, fazem uma tradução mais acurada aqueles que o traduzem no modo infinitivo, *colocar* ou *pôr*; porque a segunda cláusula é só uma ampliação do sujeito da primeira; como se ele dissesse: a terra é por demais pequena para conter a glória ou as maravilhosas manifestações do caráter e perfeições de Deus. Segundo esse ponto de vista, אשר (*asher*), não será um relativo, mas terá o significado da partícula expletiva ou exegética, *ainda*, que usamos para explicar o que precedeu.[5]

[v. 2]
Da boca de crianças e lactentes tens baseado tua força por causa dos adversários, para pores em fuga o inimigo e vingador.

Ele agora apresenta a prova do tema que tentara discursar,[6] declarando que a providência de Deus, a fim de fazer-se conhecida pelo

---

4 "A louer les graces de Dieu." – v.f. "Em enaltecer a graça de Deus."
5 "Mais vaudra autant comme Que, dont on use pour declarer ce qui a precedé." – v.f.
6 A doutrina que se propusera ilustrar neste Salmo é a excelência do nome de Deus, ou seu poder, sua bondade e outras perfeições como manifestadas em sua providência e governo do mundo; e isso o salmista declara no primeiro versículo. Ele, pois, procede a estabelecer e a ilustrar esta doutrina: 1. Do caso das crianças; 2. Dos céus estrelados; e 3. De preocupar-se Deus com o homem e de visitá-lo, não obstante sua indignidade, pecaminosidade e miséria.

gênero humano, não espera que os homens cheguem à maturidade, mas ainda na aurora da infância emite tanta glória quanto é suficiente para refutar todos os ímpios que, por seu profano desprezo a Deus, gostariam de extinguir seu próprio nome.[7]

A opinião de alguns, que pensam que מפי (*mephi*), *da boca*, significa כפי (*kephi*), *na boca*, não se pode admitir, porque impropriamente enfraquece a ênfase que Davi pretendia dar à sua linguagem e discurso. O significado, pois, é que Deus, a fim de ordenar sua providência, não carece da poderosa eloqüência dos retóricos,[8] nem mesmo da linguagem distinta e metódica, porque a linguagem infantil, mesmo quando não bem expressa, é bastante ágil e eloqüente para celebrá-la. Contudo pode-se perguntar: Em que sentido ele fala de crianças como proclamadoras da glória divina? Em minha opinião, raciocinam tolamente os que crêem que isso sucede quando as crianças começam a articular sua linguagem, visto que, então, também as faculdades intelectuais da alma se revelam. Admitindo-se que sejam chamadas criancinhas ou crianças, mesmo que tenham chegado aos seus sete anos, como é possível que tais pessoas imaginem que os que agora falam distintamente estejam ainda sugando os seios maternos? Nem há mais verdade na opinião daqueles que afirmam que as palavras, *de crianças e lactentes*, são aqui expressas de forma alegórica para os fiéis que, sendo regenerados pelo Espírito de Deus, não mais retêm a antiga era da carne. Que necessidade há, pois, em deturpar as palavras de Davi, quando sua verdadeira intenção é tão óbvia e oportuna? Ele simplesmente diz que as crianças e lactentes são advogadas suficientemente vitais para reivindicar a providência divina. Por que ele não deixou essa questão com os homens, porém mostra que a

---

7 "Qui voudroyent que son nom fust totalement aboli de la memoire des hommes." – v.f. "Que gostariam que seu nome fosse totalmente extinto da memória dos homens."

8 "Que Dieu pour magnifier et exalter sa providence n'ha pas besoin de la rhetorique et eloquence de grans orateurs." – v.f. "Que Deus, a fim de magnificar e exaltar sua providência, não carece da retórica e eloqüência de grandes oradores."

linguagem infantil, mesmo antes de serem capazes de articular uma única palavra inteligível as criancinhas já expressam em alto som e distintamente, magnificando a liberalidade divina em favor da raça humana? Como é possível que a nutrição lhes esteja à mão tão logo nascem, senão porque Deus prodigiosamente transforma sangue em leite? Da mesma forma, como é possível que tenham a habilidade de mamar, senão porque o mesmo Deus, imprimindo-lhes um misterioso instinto, adaptou suas línguas para procederem assim? Davi, portanto, tem toda razão de declarar que, ainda que as línguas de todos os que chegam à idade viril ficassem em silêncio, os balbucios ininteligíveis das criancinhas seriam suficientemente capazes de celebrar os louvores de Deus. E quando ele não só introduz as criancinhas como testemunhas e proclamadoras da glória de Deus, mas também atribui *vigor plenamente desenvolvido* às suas bocas, a expressão é por demais enfática. Significa o mesmo que ele tivesse dito: Eis os campeões invencíveis de Deus, os quais, quando entram em ação, são capazes de facilmente dispersar e desbaratar todo o exército dos ímpios desprezadores de Deus e dos que se têm entregue à impiedade.[9] É bom que observemos bem contra quem Davi impõe às criancinhas o ofício de defenderem a glória de Deus, a saber: contra empedernidos menosprezadores de Deus, que ousam levantar-se contra o céu e declarar guerra a Deus, como os poetas disseram, na remota era dos gigantes.[10]

Portanto, visto que esses monstros,[11] com furiosa violência, extirpam pelas raízes a tudo o que é santidade e temor de Deus[12] que há no mundo, e por sua audácia tramam fazer violência ao próprio céu, Davi, motejando deles, introduz no campo de batalha, contra eles, as bocas dos infantes, as quais, diz ele, se munem de armadura

---

9 "Et desconfire toute l'armee des meschans contempteurs de Dieu, et gens adonnez à impiete." – v.f.
10 "Comme les poëtes ont dit anciennement des geans." – v.f.
11 "Cyclopes." – *versão latina*. "Ces monstres." – v.f.
12 "Et crainte de Dieu." – v.f.

de suficiente resistência, e que resiste os mais violentos impactos, com o fim de lançar ao pó seu intolerável orgulho.[13] Ele, pois, imediatamente acrescenta: **por causa dos adversários**. Deus não precisa declarar guerra com grande poderio para conquistar os fiéis que voluntariamente atentam para sua voz e demonstram pronta obediência, tão logo ele revele a mais leve intimação de sua vontade. A providência divina, confesso, se manifesta principalmente por causa dos fiéis, posto que só eles têm olhos para enxergá-la. Mas como se mostram dispostos a receber instrução, Deus os instrui com delicadeza; enquanto que, em contrapartida, ele se arma contra seus inimigos, os quais jamais se lhe submetem a não ser por compulsão. Alguns tomam a palavra *baseado* no sentido em que, no próprio nascimento ou geração do homem, Deus lança os fundamentos para manifestar sua própria glória. Mas tal sentido é por demais restrito. Não tenho dúvida de que a palavra é expressa no sentido de *estabelecer*, como se o profeta dissesse: Deus não carece de poderosas forças militares para destruir os ímpios; em lugar delas, as bocas infantis são suficientes para o seu propósito.[14]

Pôr em fuga. Os intérpretes diferem entre si com respeito à palavra השבית (*hashebith*). Ela significa propriamente, *fazer cessar*; pois ela está na conjugação *hiphil* do verbo neutro, שבת (*shabath*), que significa *cessar*. Mas é às vezes tomada metaforicamente para *destruir*, ou *reduzir a nada*, visto que destruição ou morte conduz a um fim. Outros a traduzem, *para que possas restringir*, como se Davi quisesse dizer que foram silenciados, de tal sorte que desistiram de maldizer ou insultar a Deus. Entretanto, como há aqui uma bela alusão a um combate hostil, como já expliquei um pouco antes, preferi a frase, *pôr em fuga*. Pergunta-se, porém: Como é possível que

---

13 "Leur orgueil intolerable." – v.f.

14 "Comme si le prophete eust dit que Dieu se sert des bouches des petis enfans, comme d'une puissante armee et bien duite à la guerre et qu'elles luy suffisent pour detruire et exterminer les meschans." – v.f. "Como se o profeta dissesse: Deus faz uso das bocas das criancinhas como de um poderoso e bem adestrado exército, e isso basta para ele destruir e exterminar os perversos."

Deus ponha em fuga a seus inimigos que, com suas ímpias calúnias e detrações, não cessam de golpear e de violentamente investir contra todas as provas da providência divina que diariamente se lhes manifestam?[15] Respondo: Não são afugentados ou subjugados em relação a serem eles compelidos a tornar-se mais humildes e despretensiosos, mas porque, com todas as suas blasfêmias e rosnados caninos, permanecem no estado de aviltamento e confusão a que foram conduzidos. Para expressar tudo em poucas palavras: já no início da geração ou nascimento de uma pessoa, o esplendor da providência divina é tão evidente, que mesmo as criancinhas, que mamam no seio materno, podem lançar por terra a fúria dos inimigos de Deus. Ainda que seus inimigos se esforcem ao máximo, e mesmo que seu ódio arda centenas de vezes, será debalde que empreendam destruir o vigor que se manifesta na debilidade infantil. Um anseio por vingança reina em todos os incrédulos; enquanto que, em contrapartida, Deus governa seus próprios filhinhos pelo espírito de mansidão e benignidade.[16] Mas, segundo o escopo da presente passagem, o profeta aplica este epíteto, *vingador*, aos desprezadores de Deus, os quais são não apenas cruéis para com o ser humano, mas também ardem com frenético furor, declarando guerra até mesmo contra Deus.

Até agora desempenhei o dever de um fiel intérprete, descerrando a mente do profeta. Uma única dificuldade ainda permanece, ou seja, que Cristo [Mt 21.16] parece dar a esta passagem um significado distinto, quando a aplica às crianças de dez anos de idade. Tal dificuldade, porém, é facilmente removível. Cristo raciocina do maior para o menor, da seguinte forma: Se Deus designou as crianças, mesmo na mais tenra idade, como vindicadoras de sua glória, não há absurdo algum em fazer de

---

15 "Lesquels par leurs mesdisances et detractions plenes de sacrilege ne cessent de heurter et choquer impetueusement encontre tout ce en quoy la providence de Dieu se manifeste journellement." – v.f.

16 "De douceur et benignite." – v.f.

suas línguas os instrumentos para a manifestação de seus louvores, após alcançarem a idade de sete anos em diante.

> [vv. 3, 4]
> Quando vejo teus céus, obras de teus dedos, a lua e as estrelas que ordenaste, que é o homem,[17] para que te lembres dele? E o filho do homem, para que o visites?[18]

Como a partícula hebraica, כִּי (*ki*), às vezes tem o mesmo significado de *por causa* ou *porque*, e simplesmente afirma uma coisa, tanto os pais gregos quanto os latinos têm geralmente lido o versículo quatro como se fosse uma frase em si mesma completa. Indubitavelmente, porém, ela se acha estreitamente conectada ao versículo seguinte; e, portanto, os dois versículos devem ser mantido juntos. O termo hebraico, כִּי (*ki*), pode ser mui apropriadamente traduzido na partícula disjuntiva, *embora, ainda que*, fazendo o sentido ser este: Embora a majestade infinita de Deus se manifeste nos corpos celestes, e logicamente mantenha os olhos humanos postos na contemplação dela, todavia sua glória é vista de uma maneira especial, a saber, no imenso favor com que sustenta os homens e na munificência que manifesta para com eles. Esta interpretação não estaria em oposição com o escopo da passagem; mas prefiro antes seguir a opinião geralmente aceita. Meus leitores, contudo, devem precaver-se em determinar o desígnio do salmista, o qual consiste em acentuar, com esta comparação, a infinita benevolência de Deus; porque, na verdade, é algo grandioso o fato de o Criador do céu, cuja glória tanto é infinitamente imensa quanto nos arrebata com a mais sublime admiração, condescender de uma forma tão graciosa tomar cuidado da raça humana. Que o salmista traça esse contraste, pode inferir-se à luz da palavra hebraica, אֱנוֹשׁ (*enosh*), a qual traduzimos por *homem*, e que

---

17 "Alors je pense, Qu'est-ce de l'homme?" – v.f. "Então penso: que é o homem?"
18 "Ou, as souvenance de luy?" – versão francesa marginal. "Ou, que te preocupes com ele?"

expressa a fragilidade humana, e não a alguma força ou poder que o homem possua.[19] Vemos que os homens miseráveis, em seu movimento sobre a terra, se mesclam por entre as mais vis criaturas; e, portanto, Deus, com toda razão, pode muito bem desprezá-los e tê-los na conta de nenhum valor, caso fossem avaliados à luz de sua própria grandeza e dignidade. O profeta, pois, falando em termos inquisitivos, avilta sua condição, declarando que a maravilhosa generosidade divina se exibe de forma esplendorosa ante o fato de que um Criador tão glorioso, cuja majestade brilha resplendentemente nos céus, graciosamente condescende em adornar uma criatura tão miserável e vil como é o homem com a mais excelente glória e a enriquecê-lo com inumeráveis bênçãos. Se porventura tivesse a intenção de exercer sua liberalidade em favor de algo, ele não teria necessidade de escolher os homens que não passam de pó e barro, preferindo-os acima das demais criaturas, visto possuir ele no céu criaturas suficientes a quem mostrar sua liberalidade.[20] Portanto, quem quer que não se sinta

---

19 A outra frase pela qual o homem é descrito, בן אדם, *ben Adam*, é literalmente o *filho de Adão* – homem, o filho de Adão, e que, como ele, é formado do pó e da terra, como o designativo *Adão* implica, homem, o filho do Adão apóstata e caído, e que é depravado e culpado como ele. "Como antes, os homens são chamados *Enosh* em razão de seu doloroso estado produzido pelo pecado, assim são chamados *Adão* e *filhos de Adão*, isto é, *terrenos*, para conscientizá-los de sua origem e fim, que foram feitos de *Adamah*, terra, sim, do pó e para o pó haverão de voltar [Gn 2.7; 3.19]." – *Ainsworth*. Alguns são de opinião que esta expressão, *ben Adam*, significa o homem em seu mais elevado estado, e que ela é contrastada com a anterior, אנוש, *enosh*, que representa o homem numa condição frágil, vulnerável e miserável. O Dr. Pye Smith traduz as palavras assim:
"Que é o homem, para que te lembres dele?
Sim, o [mais nobre] filho do homem, para que o visites?"
E acrescenta em nota de rodapé: "Nossa língua não tem um único termo que possa caracterizar a distinção tão lindamente expressa por אנוש, *homem frágil, miserável*, βροτος e אדם, *o homem em seu melhor estado*, ανθρωπος. Tenho tentado aproximar a idéia pela inserção de um epíteto." – *Scripture Testimony to the Messiah*, vol. 1, pág. 217. O Bispo Patrick observa que "*Ben Adam* e *bene ish, o filho do homem* e *os filhos dos homens*, são frases que pertencem, na linguagem bíblica, aos príncipes, e às vezes o maior dos príncipes"; e explica a frase, *o filho do homem*, como significando, aqui, "o maior dos homens"; "o maior príncipe do mundo". – *Preface to his paraphrase on the Book of Psalms*.
20 "Veu qu'il avoit assez au ciel envers qui se monstrer liberal." – v.f.

abismado e profundamente afetado ante tal milagre, é mais do que ingrato e estúpido.

Quando o salmista denomina os céus de *os céus de Deus* e *obras de seus dedos*, ele aponta para o mesmo sujeito e tenciona ilustrá-lo. Como é possível que Deus saia daquela parte tão nobre e gloriosa de suas obras e se incline para nós, pobres vermes da terra, senão para magnificar e oferecer uma manifestação mais ilustrativa de sua benevolência? À luz desse fato aprendemos, também, que os que são responsáveis pelo presunçoso uso da bondade divina, se aproveitam dela para orgulhar-se da excelência que possuem, como se a possuíssem por sua própria habilidade, ou como se a possuíssem por seu próprio mérito; enquanto que sua origem deveria, antes, lembrá-los de que ela tem sido gratuitamente conferida aos que são, ao contrário, criaturas vis e desprezíveis e totalmente indignas de receber algum bem da parte de Deus. Qualquer qualidade estimável, pois, que porventura virmos em nós mesmos, que ela nos estimule a celebrarmos a soberana e imerecida bondade que a Deus aprouve conceder-nos.

O verbo, no final do terceiro versículo, que outros traduzem por *preparar*, ou *fundar*, ou *estabelecer*, entendo ser a tradução correta, *ordenar* [pôr em ordem]; pois o salmista parece referir-se à mesma ordem maravilhosa pela qual Deus tão apropriadamente distinguiu a posição das estrelas e diariamente regula seu curso. Ao dizer: *Deus se lembra do homem*, significa dizer que ele lhe tem amor paternal, o defende e cuida dele, bem como lhe estende sua providência. Quase todos os intérpretes traduzem פקד (*pakad*), a última palavra deste versículo, por *visitar*; e não me sinto inclinado a diferir deles, visto que tal sentido se adequa muito bem à passagem. Mas como às vezes significa *lembrar*, e como amiúde se encontrará a reiteração do mesmo pensamento em diferentes palavras, ela pode, aqui, ser mui apropriadamente traduzida por *lembrar*; como se Davi dissesse: O fato de Deus pensar nos homens é algo por demais maravilhoso; e disso os lembra continuamente.

[vv. 5, 6]
Pois[21] tu o fizeste um pouco menor que Deus,[22] e o coroaste de glória e de honra. Tu o puseste sobre as obras de tuas mãos; tu puseste todas as coisas sob seus pés.

5. Tu o fizeste um pouco menor. A copulativa hebraica, כִּי (*ki*), não tenho dúvida, deve ser vertida na partícula causal, *pois*, visto que o salmista confirma o que acaba de dizer concernente à infinita bondade de Deus para com os homens, demonstrando estar perto deles e tendo-os em sua mente. Em primeiro lugar, ele os representa como que adornados com tantas honras como a tornar sua condição não muito inferior à glória divina e celestial. Em segundo lugar, ele menciona o domínio e poder externos que possuem sobre todas as criaturas, à luz do quê é evidente quão elevado é o grau de dignidade a que Deus os exaltou. Aliás, não tenho dúvida de que Davi pretende, pelo primeiro,[23] os dotes distintos que claramente manifestam que os homens foram formados segundo a imagem de Deus e criados para a esperança de uma vida bendita e imortal. A razão por que são dotados e pela qual podem distinguir entre o bem e o mal; o princípio de religião que neles é implantado; seu relacionamento recíproco, o qual é preservado, por certos laços sagrados, de ser dissolvido; o respeito pelo decoro e o senso de pudor que desperta neles a culpa, tanto quanto sua necessidade de serem governados por leis – todas essas coisas são evidentes indicações de preeminente e celestial sabedoria. Davi, portanto, não sem boas razões, exclama que a humanidade se acha adornada de glória e honra.

Ser coroado é descrito, aqui, em termos metafóricos, como se Davi houvera dito que o homem está vestido e adornado com emblemas de honra, os quais não se acham muito longe do esplendor da majestade divina. A Septuaginta traduz אֱלֹהִים (*Elohim*), por *anjos*, o que conta com minha anuência, visto que este nome, tão notório, é às vezes aplicado aos anjos, e explico as palavras de Davi como tendo

---

21 "Ou, Et tu l'as." – versão francesa marginal. "Ou, E tu o fizeste."
22 "Ou, les anges." – versão francesa marginal. "Ou, os anjos."
23 "Qu'il n'entende par la premier." – v.f.

o mesmo sentido se ele dissesse que a condição humana é em nada inferior ao estado divino e celestial. Mas como a outra tradução parece mais natural e quase universalmente adotada pelos intérpretes judeus, preferi segui-la. Nem tampouco é suficiente objetar, dizendo que o apóstolo, em sua epístola aos Hebreus [2.7], citando esta passagem, diz: *por um pouco menor que os anjos*, e não *menor que Deus*;[24] pois conhecemos a liberdade que os apóstolos usavam nas citações de textos bíblicos; não com o intuito de imprimir-lhes um sentido diferente do original, mas porque consideravam ser suficiente mostrar, pela simples referência à Escritura, que o que ensinavam era sancionado pela Palavra de Deus, embora não citassem com precisão palavra por palavra. Conseqüentemente, eles nunca hesitavam em mudar as palavras, desde que a substância do texto permanecesse intocável.

Há outra questão que é ainda mais difícil de se resolver. Enquanto o salmista, aqui, discursa acerca da excelência dos homens e os descreve, neste aspecto, como sendo semelhantes a Deus, o apóstolo aplica a passagem à humilhação de Cristo. Em primeiro lugar, devemos considerar a propriedade de se aplicar à pessoa de Cristo o que é aqui expresso concernente a toda a humanidade; e, em segundo lugar, como podemos explicá-la como uma referência ao fato de Cristo ser humilhado em sua morte, quando seu aspecto ficou deformado, desfigurado e sem atrativo, sob a humilhação e maldição da cruz. O que dizem alguns, que o que é aplicável aos membros pode ser apropriada e perfeitamente transferi-

---

24 Certamente, o fato de Paulo ter usado a palavra *anjos*, em vez de *Deus*, não prova que a tradução de Calvino seja inexata. Como a versão Septuaginta estava em uso geral entre os judeus dos dias de Paulo, ele mui naturalmente faz citações dela precisamente como fazemos com nossas versões inglesas [e portuguesas]. E isso bastava para seu propósito. Seu objetivo era apresentar resposta a alguma objeção que os judeus formulavam contra a dispensação cristã, como sendo inferior à mosaica, já que os anjos eram os mediadores da dispensação mosaica, enquanto que o mediador ou cabeça da dispensação cristã não passava, em sua avaliação, de um homem. A tal objeção ele responde fazendo uso das próprias Escrituras deles, e cita este Salmo para comprovar que Cristo, em sua natureza humana, era um pouco inferior aos anjos, e que ele é exaltado muito acima deles em relação à glória e ao domínio com que ele é coroado. Se o apóstolo tivera feito a citação das Escrituras hebraicas, e usado אלהים, *Elohim*, *Deus*, significando o Altíssimo, seu argumento em apoio da dignidade de Cristo em sua natureza humana teria sido ainda mais forte. – Veja-se *Stuart's Commentary on the Hebrews*, vol. II, pp. 68-71.

do para a cabeça, pode ser uma resposta suficiente à primeira questão; mas dou um passo além, pois Cristo não é só o primogênito de toda criatura; ele é também o restaurador da humanidade. O que Davi, aqui, relata pertence propriamente ao princípio da criação, quando a natureza humana era perfeita.[25] Sabemos, porém, que, pela queda de Adão, toda a humanidade caiu de seu primitivo estado de integridade; porque, pela queda, a imagem divina ficou quase que inteiramente extinta de nós, e fomos igualmente despojados de todos os dons distintivos pelos quais teríamos sido, por assim dizer, elevados à condição de semideuses. Em suma, de um estado da mais sublime excelência fomos reduzidos a uma condição de miserável e humilhante destituição. Como conseqüência dessa corrupção, a liberalidade divina, da qual aqui fala Davi, cessou, pelo menos no sentido em que ela de forma alguma aparece naquela beleza e esplendor em que se manifestava quando o homem ainda vivia em seu estado de integridade. É verdade que ela não foi totalmente extinta; mas, infelizmente, quão ínfima é a porção dela que ainda permanece em meio à miserável subversão e ruínas da queda. Como, porém, o Pai celestial concedeu a seu Filho uma imensurável plenitude de todas as bênçãos, para que todos nós pudéssemos beber dessa fonte, segue-se que tudo quanto Deus nos concede por meio dele [seu Filho] pertence--lhe por direito no mais elevado grau; sim, ele mesmo é a imagem viva de Deus, segundo a qual temos que ser renovados, do que depende nossa participação das inestimáveis bênçãos de que se fala aqui. Se alguém porventura objetar, dizendo que Davi primeiro formulou a pergunta: Que é o homem? visto que Deus derramou tão abundantemente seu favor sobre uma criatura tão miserável, desprezível e indigna, mas que no caso de Cristo não há razão para tanta admiração pelo favor divino, o qual não é um homem qualquer, e, sim, o Filho unigênito de Deus. A resposta é fácil, ou seja: O que foi outorgado à natureza humana de Cristo foi um dom gracioso; mais ainda: o fato de um homem mortal, e

---

25 "Lorsque la nature de l'humain n'estoit point encore corrompue." – v.f. "Quando a natureza humana não era ainda corrompida."

filho de Adão, ser o único Filho de Deus, e o Senhor da glória, e a cabeça dos anjos, oferece uma gloriosa ilustração da mercê divina. Ao mesmo tempo, deve observar-se que todos os dons que ele recebeu devem ser considerados como que procedentes da soberana graça de Deus, tanto mais pela razão de que são destinados principalmente a ser conferidos a nós. Sua excelente e celestial dignidade, portanto, é estendida a nós também, visto que é por nossa causa que ele é enriquecido com ela.

Portanto, o que o apóstolo diz nesta passagem concernente ao aviltamento de Cristo por um pouco tempo não tinha a intenção de oferecer uma explicação deste texto; com o propósito, porém, de enriquecer e ilustrar o tema sobre o qual ele discorria, introduz e acomoda a ele o que havia expresso num sentido diferente. O mesmo apóstolo não hesitou, em Romanos 10.6, enriquecer e empregar da mesma maneira, num sentido diferente do original, as palavras de Moisés em Deuteronômio 30.12: "Não está nos céus, para dizeres: Quem subirá por nós aos céus, que no-lo traga, e no-lo faça ouvir, para que o cumpramos?" O apóstolo, portanto, ao citar este Salmo, não tinha em vista de forma estrita o que Davi pretendia, mas ao fazer alusão a estas palavras: *Tu o fizeste um pouco menor*, e também: *Tu o coroaste de honra*, ele aplica esta redução à morte de Cristo; e a glória e a honra, à sua ressurreição.[26] Um passo semelhante pode ser dado à declaração de Paulo em Efésios 4.8, onde ele não explica propriamente o significado do texto [Sl 68.18], como piamente o aplica, à guisa de acomodação, à pessoa de Cristo.

6. Tu o puseste sobre as obras de tuas mãos. Davi agora traz a lume o segundo ponto, sobre o qual apenas fiz menção, isto é, que à luz do domínio sobre todas as coisas que Deus conferiu aos homens, é evidente quão imenso é o amor que demonstrou para com eles, e quanto valor lhes atribui. Como não tem necessidade de coisa alguma, ele destinou todas as riquezas, tanto as do céu quanto as da terra, para seu uso. É certamente uma honra singular, honra esta que de forma algu-

---

26 "Tu l'as fait un peu moindre; puis Tu l'as couronné d'honneur, il approprie ceste diminution à la mort de Christ, et la gloire et honneur a la resurrection." – v.f.

ma pode ser suficientemente estimada, que o homem mortal, como o representante de Deus, tenha domínio sobre o mundo, como se ele lhe pertencesse por direito, e para qualquer parte que volva seus olhos, nada vê faltando que possa contribuir à conveniência e felicidade de sua vida. Como essa passagem é citada por Paulo em sua primeira epístola aos Coríntios (15.27), onde discorre acerca do reino espiritual de Cristo, alguém pode discordar e dizer que o significado que ele lhe imprime é muito diferente do sentido que tenho extraído. Tal objeção, porém, é fácil de ser respondida, e a resposta que dou é esta: geralmente, toda a ordem deste mundo está disposta e estabelecida com o propósito de conduzir os homens ao conforto e felicidade. De que modo a passagem pode aplicar-se apropriada e exclusivamente a Cristo eu já declarei um pouco antes. A única coisa que agora resta a ser considerada é: a que extensão esta declaração vai – que todas as coisas estão sujeitas aos homens. Ora, não há dúvida de que, se há alguma coisa no céu ou na terra que se opõe aos homens, a grandiosa ordem que Deus estabeleceu no mundo desde o princípio está agora subvertida em confusão. A conseqüência disso é que o gênero humano, depois que foi arruinado pela queda de Adão, ficou não só privado de um estado tão distinto e honrado, e despojado de seu primevo domínio, mas está também mantido cativo sob uma degradante e ignominiosa escravidão. Cristo, é verdade, é o legítimo herdeiro de céu e terra, por quem os fiéis recobram o que haviam perdido em Adão; mas ele ainda não tomou realmente posse da plena possessão de seu império e domínio. Daí o apóstolo conclui que o que é aqui expresso por Davi[27] não será perfeitamente concretizado enquanto a morte não for abolida. Conseqüentemente, o apóstolo arrazoa assim: "Se todas as coisas estão sujeitas a Cristo, então não é possível que algo esteja em oposição a seu povo. Todavia vemos a morte ainda exercendo sua tirania contra eles. Segue-se, pois, que aí permanece a esperança de um estado melhor do que o presente." Ora, isso flui do princípio do qual tenho falado, ou seja, que o mundo foi originalmen-

---

27 "Que ce qui est yei dit par David." – v.f.

te criado para este propósito, que todas as partes dele se destinem à felicidade do homem como seu grande objeto. Em outra parte de seus escritos, o apóstolo argumenta sobre o mesmo princípio, quando, a fim de comprovar que todos nós devemos comparecer, no último dia, ante o tribunal de Cristo, ele apresenta a seguinte passagem: "Para que todo joelho se dobre" [Rm 14.10-12]. Neste silogismo, o que os lógicos chamam de proposição menor deve ser completada,[28] isto é, que ainda há muitos que soberba e obstinadamente lançam de si o jugo e são avessos quanto a dobrarem os joelhos em sinal de sua submissão a ele [Cristo].

[vv. 7-9]
Todas as ovelhas e bois, bem como os animais do campo, as aves do céu e os peixes do mar, tudo quanto percorre as sendas dos mares. Ó Jehovah, Senhor nosso, quão admirável é teu nome em toda a terra.

A questão precedente, com respeito à extensão do domínio do homem sobre as obras de Deus, parece não estar ainda plenamente respondida. Se o profeta aqui declara, à guisa de exposição, a que extensão Deus pôs todas as coisas em sujeição a nós, tal sujeição, tudo indica, deve restringir-se ao que contribui para o conforto e conveniência temporais do homem enquanto viver neste mundo. A essa dificuldade, respondo: nestes versículos o salmista não pretendia oferecer uma enumeração completa de todas as coisas que estão sujeitas ao domínio do homem, e das quais ele falou em termos gerais no versículo precedente, senão que apenas apresentou um exemplo dessa sujeição só em parte; sim, ele escolheu especialmente aquela parte que oferece uma clara e manifesta evidência da verdade que ele pretendia estabelecer, mesmo àqueles cujas mentes sejam incultas e de mínima apreensão. Não há homem de mente tão embotada e estúpida que não consiga ver, bastando dar-se ao trabalho de abrir seus olhos para o fato de que é pela espantosa providência de Deus que os cavalos e bois prestam seus serviços aos homens – que as ovelhas

---

28 "Car il faut suppleer en ceste argument la proposition que les Dialecticiens appellent." – v.f.

produzem lã para vesti-los –, e que todas as sortes de animais os suprem de alimento para sua nutrição e sustento, mesmo de sua própria carne. E quanto mais esse domínio se faz evidente, mais devemos nós ser influenciados pelo senso da benevolência e graça de nosso Deus, à medida que nos alimentamos ou desfrutamos de quaisquer dos outros confortos da vida.

Não devemos, pois, entender Davi como se quisesse dizer que uma prova de que o homem está investido de domínio sobre *todas* as obras de Deus é o fato de ele vestir-se com a lã e a pele de animais, de viver para sua carne e de empregar seu labor em seu próprio benefício; porque isso seria um raciocínio inconclusivo. Ele apenas apresenta isso como exemplo e como um espelho no qual podemos mirar e contemplar o domínio sobre as obras de suas mãos, com o qual Deus honrou o homem. Eis a suma de tudo: Deus, ao criar o homem, deu uma demonstração de sua graça infinita e mais que amor paternal para com ele, o que deve oportunamente extasiar-nos com real espanto; e embora, mediante a queda do homem, essa feliz condição tenha ficado quase que totalmente em ruína, não obstante ainda há nele alguns vestígios da liberalidade divina então demonstrada para com ele, o que é suficiente para encher-nos de pasmo. Nessa deplorável e miserável subversão, é verdade, a ordem legítima que Deus originalmente estabeleceu não mais irradia, mas os fiéis a quem Deus atrai a si, sob Cristo sua Cabeça, desfrutam tão-só dos fragmentos das coisas saudáveis que perderam em Adão, quando lhes fornecem abundante motivo de se extasiarem ante a maneira singularmente graciosa com que Deus os trata. Davi, aqui, restringe sua atenção nos benefícios temporais de Deus, mas nosso dever é elevá-la ao alto e contemplar os inestimáveis tesouros do reino do céu, os quais ele revelou em Cristo, bem assim todos os dons que pertencem à vida espiritual que, ao refletirmos sobre os mesmos, nossos corações se inflamem de amor por Deus, para que sejamos incitados à prática da piedade, e para que não sejamos levados à condição de indolência e venhamos a ser omissos na celebração de seus louvores.

Salmos 9

Depois de haver reconsiderado as primeiras vitórias que granjeara, e depois de haver exaltado com sublimes estribilhos a graça e o poder de Deus em seus felizes resultados, Davi agora, uma vez mais, ao deparar-se com novos inimigos e os perigos surgem, implora a proteção do mesmo Deus por quem fora libertado, e roga-lhe que subverta a soberba de seus inimigos.

Ao mestre de música, Almuth Laben. Salmo de Davi.

Esta inscrição é explicada de várias formas. Alguns a traduzem, *Sobre a morte de Laben*, e adotam a opinião de que ele foi um dos principais capitães dos inimigos de Davi. Outros se inclinam para outra opinião, crendo que tal nome era fictício, e que Golias é a pessoa expressa neste Salmo. De acordo com outros, o nome aplicava-se a um instrumento musical. A meu ver, porém, tudo indica que a opinião mais correta, ou, pelo menos (como costumo expressar-me quando a matéria é obscura[1]), a mais provável é que ele era o início de algum cântico bem conhecido, a cuja melodia o Salmo foi composto. As disputas dos intérpretes sobre a que vitórias Davi aqui celebra, em minha opinião, são desnecessárias e não servem a qualquer propósito. Em primeiro lugar, sua opinião de que ele é um cântico de vitória, no qual Davi simplesmente rende graças a Deus, é confusa e revela ser errô-

---

1 "Comme on a accoustumè de parler quand la chose est obscure." – v.f.

nea à luz do escopo do Salmo. A maior parte é na verdade ocupada em cantar os louvores de Deus, mas que o todo deve ser considerado como uma oração, na qual, com o propósito de elevar sua mente a ter confiança em Deus, ele evoca sua lembrança, segundo seu método costumeiro, das maravilhosas manifestações do poder de Deus pelo qual fora anteriormente libertado da violência e do poder de seus inimigos. Portanto, é um equívoco limitar esse ato de gratidão a uma só vitória, na qual ele tencionava envolver muitos livramentos.

[vv. 1-3]
Eu louvarei a Jehovah de todo o meu coração; contarei todas as tuas obras portentosas. Em ti me alegrarei e exultarei;[2] sim, celebrarei com cânticos o teu nome, ó Altíssimo. Quando meus inimigos retrocedem, eles caem e são postos em fuga[3] em tua presença.

1. Eu louvarei a Jehovah. Davi inicia o Salmo dessa forma para induzir a Deus a socorrê-lo nas calamidades com que ora se via afligido. Visto que Deus continua favorecendo a seu próprio povo ininterruptamente, todo o bem que ele até aqui nos tem feito deve servir-nos de inspiração à vida de confiança e esperança, crendo que ele será gracioso e misericordioso para conosco em dias futuros.[4] Aliás, há nessas palavras uma expressão de gratidão pelos favores que ele vivia a receber de Deus;[5] mas ao recordar das misericórdias divinas já recebidas, ele se enche de ânimo à espera de socorro e auxílio nas emergências futuras; e com esse recurso ele abre a porta da oração.

De todo o meu coração equivale a um coração reto e sincero, que é o oposto de coração doble. Com isso ele se distingue não só dos hipócritas vulgares, os quais louvam a Deus usando somente seus lábios

---

2 Ou, saltarei de alegria. Esse é o significado preciso do termo hebraico, אעלצה, *E-eltsah*. Na Septuaginta, a tradução é ἀγαλλιάσομαι, o que significa a mesma coisa.

3 "Et sont ruinez devant ta face." – v.f. "E são derrotados diante de tua face."

4 "Doit servir pour nous asseurer et faire esperer qu'il nous sera propice et debonnaire à l'advenir." – v.f.

5 "De la faveur qu'il a receuë de Dieu." – v.f.

externos, sem ter seus corações de alguma forma afetados; mas também reconhece que tudo quanto havia feito até agora que porventura fosse recomendável, procedia inteiramente da perfeita graça divina. Mesmo os homens sem religião, admito, quando consolidam alguma vitória memorável, se envergonham de haver defraudado a Deus do louvor que lhe é devido; mas percebemos que assim que tenham articulado uma só expressão de reconhecimento pela assistência divina recebida, imediatamente começam a vaidosamente gabar-se e a cantar triunfos em honra de seu próprio valor, como se não tivessem nenhuma obrigação em relação a Deus. Em suma, não passa de zombaria quando professam que seus atos de heroísmo tiveram como fonte o auxílio divino; porque, depois de fazer-lhe suas oferendas, passam a fazer oferendas a seus próprios conselhos, a sua habilidade, a sua coragem e a seus próprios recursos. Observe-se como o profeta Habacuque, sob a pessoa de um rei presunçoso, sabiamente reprova a ambição que é comum a todos [Hc 1.16]. Sim, descobrimos que os famosos generais da iniquidade, ao voltarem vitoriosos de alguma batalha, desejavam que públicas e solenes ações de graças[6] fossem decretadas em seu nome aos deuses, alimentando no coração qualquer coisa, menos prestar a devida honra a suas falsas divindades; no entanto usavam seus nomes à guisa de falso pretexto a fim de, com isso, obter uma oportunidade de entregar-se a vãs ostentações, e a fim de que sua própria bravura superior fosse reconhecida.[7]

Davi, portanto, com boas razões, afirma que ele era diferente dos filhos deste mundo, cuja hipocrisia ou fraude é descoberta pela perversa e desonesta distribuição que fazem entre Deus eles próprios,[8] arrogando para si a maior parte do louvor que pretendiam atribuir a Deus. Davi louvava a Deus de todo o seu coração, o que eles não faziam; pois certamente não está louvando a Deus de todo o coração aquele mortal que ousa apropriar-se da porção mínima da glória que Deus reivindica tão-

---

6 "Processions." – v.f.
7 "Afin que leurs belles prouesses veissent en cognoissance." – v.f.
8 "Qu'ils font entre Dieu et eux." – v.f.

-somente para si. Deus não pode suportar ver sua glória surrupiada pela criatura, mesmo que seja em grau mínimo, tão intolerável se lhe afigura a sacrílega arrogância daqueles que, ao louvarem a si próprios, obscurecem a glória divina ao máximo que podem.

Contarei todas as tuas obras portentosas. Aqui, Davi confirma o que eu já disse acima, a saber, que ele não trata neste Salmo de uma só vitória ou de um só livramento; pois ele propôs a si mesmo, em termos gerais, que todos os milagres que Deus operara em seu favor, fossem temas de meditação. Ele aplica o termo *portentosas* não a todos os benefícios que havia recebido de Deus, mas aos livramentos mais destacados e memoráveis nos quais fora exibida uma radiante e extraordinária manifestação do poder divino. Deus quer que o reconheçamos como o Autor de todas as bênçãos que recebemos; mas ele gravou algumas de suas dádivas com marcas de maior evidência a fim de despertar nosso senso de forma mais eficaz, que de outra forma ficaria entorpecido ou morto. A linguagem de Davi, portanto, expressa o reconhecimento de ter sido preservado por Deus; não por meios ordinários, mas pelo especial poder de Deus, que fora claramente exibido nesta questão, já que ele estendera sua mão de uma forma miraculosa e fora dos padrões comuns e previstos.

2. Em ti me alegrarei e exultarei. Observe-se como os fiéis louvam a Deus sinceramente e sem hipocrisia, quando em busca da felicidade não se apoiam em si mesmos e nem se deixam intoxicar com arrogância tola e carnal, mas se alegram exclusivamente em Deus; o que nada mais é senão buscar no favor divino a razão de sua alegria, ignorando qualquer outra fonte, já que nele consiste a perfeita felicidade. *Em ti me alegrarei.* Devemos levar em conta quão imensa é a diferença e oposição entre o caráter do prazer que os homens se esforçam por encontrar em si mesmos e o caráter do prazer que buscam em Deus. Davi, procurando expressar mais vigorosamente como ele renuncia tudo o que poderia conservá-lo ou envolvê-lo em fútil deleite, acrescenta o verbo *exultar*, pelo qual ele expressa que encontra em Deus a plenitude de abundância da genuína alegria, de modo tal que não mais carece buscar nem ainda a menor gota dela em alguma outra fonte. Além do mais, é da maior importância recordar o que eu observei anteriormente, ou seja: que Davi põe diante de si os testemunhos da bondade divina que anteriormente experimentara, a fim de encorajar-se, pondo seu coração[9] a descoberto diante de Deus com a alegria máxima, e poder apresentar-lhe suas orações. Aquele que começa sua oração, afirmando que Deus é a grande fonte e objeto de sua alegria, fortifica-se de antemão com a mais sólida confiança, apresentando suas súplicas àquele que ouve nossas orações.

3. Quando meus inimigos retrocedem. Com estas palavras, Davi declara a razão por que oferece a Deus um cântico de louvor, a saber: porque ele reconhece que suas freqüentes vitórias têm sido não uma realização de seu próprio poder, nem pelo poder de seus soldados, mas pelo gracioso favor de Deus. Na primeira parte do versículo ele narra historicamente como seus inimigos foram desbaratados ou postos em fuga; e então ele acrescenta o que só a fé poderia capacitá-lo a dizer, ou seja, que tal coisa não se deu em virtude do poder humano ou por acaso, mas porque Deus lutava em seu favor,[10] e porque se pôs contra o inimigo no campo de batalha. Diz ele: **eles caem**[11] **e são postos em fuga *em tua presença*.** Davi, portanto, agiu sabiamente quando, vendo seus inimigos voltarem as costas, ergueu os olhos de sua mente para Deus, a fim de perceber que a vitória fluía-lhe de nenhuma outra fonte senão do secreto e incompreensível socorro divino. E, indubitavelmente, é tão-somente ele que guia os simples pelo

---

9 "Afin de descouvrir son coeur a Dieu plus alaigrement." – v.f.
10 "Mais pource que Dieu a battaillé pour luy." – v.f.
11 A idéia implícita no verbo כשל, *cashal*, é a de tropeçar, e é aqui empregado num sentido militar. No Samo 27.2, onde se diz dos inimigos de Davi, "tropeçaram e caíram", este é o verbo usado para *tropeçaram*. A idéia ali não é propriamente a de fracassar, mas de ser ferido e enfraquecido pelas pedras postas no caminho, antes de cair. A palavra כשל, *cashal*, tem sido considerada como que tendo o mesmo sentido na passagem que temos ante nossos olhos. "Ela se refere", diz Hammond, "aos que ou desmaiam numa marcha ou são feridos numa batalha, ou especialmente que, em fuga, encontrarram armadilhas em seu caminho, e assim ficavam estropiados e mancos, incapazes de prosseguir, e então caíam, tornando-se presas fáceis a toda sorte de perseguidores, e, como aqui, eram alcançados e pereciam na queda."

espírito de sabedoria, enquanto inflige demência nos astutos e os espanta com admiração – que inspira coragem nos abatidos e tímidos, enquanto que faz os mais ousados tremerem de medo –, que restaura aos fracos sua força, enquanto que os fortes reduz à fraqueza – que sustenta o tímido com seu poder, enquanto que faz a espada cair das mãos do valente; e que, finalmente conduz a batalha a um resultado venturoso ou desastroso, como bem lhe apraz. Quando, pois, vemos nossos inimigos subjugados, devemos precaver-nos de limitar nossa visão ao que é visível aos olhos dos sentidos, como fazem os ímpios que, enquanto vêem com seus olhos físicos, não obstante são cegos; evoquemos, porém, imediatamente à nossa lembrança esta verdade: que quando nossos inimigos voltam as costas, são postos em fuga pela presença do Senhor.[12] Os verbos *cair* e *pôr em fuga*, em hebraico, estão no tempo futuro, mas os traduzi no presente, porque Davi uma vez mais põe diante de seus próprios olhos a bondade de Deus que anteriormente se manifestara em seu favor.

> [vv. 4, 5]
> Pois tens sustentado meu direito e minha causa; te assentaste no trono como um juiz justo.[13] Repreendeste as nações; destruíste os perversos; apagaste seu nome para sempre.

O salmista avança mais um passo no versículo 4, declarando que Deus estendeu sua mão para oferecer-lhe socorro, visto que fora injustamente afligido por seus inimigos. E, seguramente, se quisermos ser favorecidos com a assistência divina, devemos assegurar-nos se porventura estamos ou não lutando debaixo de seu estandarte. Davi, pois, o denomina de **juiz de justiça**, ou, que é a mesma coisa, **juiz justo**; como se dissesse: Deus agiu para comigo segundo sua maneira usual e seu princípio perene de agir, porquanto é seu modo costumeiro providenciar defesa para as boas causas. Sinto-me mais inclinado a traduzir

---

12 "C'est la face de Dieu qui les poursuit." – v.f. "É a face de Deus que os persegue."
13 "Ou pour juger justement." – versão francesa marginal. "Ou para julgar com justiça."

as palavras, *te assentaste como juiz justo*, em vez de traduzi-las, *ó justo juiz, te assentaste*,[14] porque a forma de expressão, segundo minha tradução, é mais enfática. A importância dela é a seguinte: Deus, finalmente, assumiu o caráter de juiz, e subiu ao seu tribunal para exercer o ofício de juiz. Nesse sentido Davi se gloria de ter a lei e o direito de seu lado, e declara que Deus era o mantenedor de seu direito e causa. O que se segue no próximo versículo – **destruíste** [ou, **desbarataste**] **os perversos** – pertence também ao mesmo tema. Quando ele vê seus inimigos subjugados, não se regozija em sua destruição, considerada meramente em si mesma; mas, ao condená-los em virtude de sua injustiça, ele diz que haviam recebido a punição que mereciam. Com o título, *nações*, ele quer dizer que não era um pequeno número de pessoas ímpias que foi destruído, mas um grande exército; sim, todos quantos se levantaram contra ele de todos os diferentes quadrantes. E a bondade divina se manifesta ainda mais esplendente, nisto: que, em virtude do favor que revela a um de seus servos, ele não poupava nem mesmo todas as nações. Ao dizer: **apagaste seu nome para sempre**, pode subentender-se como significando que foram destruídos sem qualquer esperança de ainda serem capazes de ressuscitar, e devotados à vergonha eterna. Não poderíamos de outra forma discernir como Deus sepulta o nome dos ímpios consigo mesmos, não o ouvíssemos declarar que a memória dos justos será abençoada para sempre [Pv 10.7].

[vv. 6-8]
Oh! inimigo! acabaram-se para sempre as desolações; e tu destruíste [ou, demoliste[15]] as cidades; sua memória pereceu com eles. Mas Jehovah está sentado para sempre, ele preparou seu trono para julgar. E julgará o mundo com justiça, julgará as nações com eqüidade.

6. Oh! inimigo! acabaram-se para sempre as desolações. Este sexto versículo recebe variadas explicações. Alguns o lêem em for-

---

14 "J'ay mieux aimé traduire, Tu t'es assis juste juge; que, O juste juge tu t'es assis." – v.f.
15 "*Demoliste*. A palavra hebraica expressa o ato de arrancar os fundamentos dos edifícios." – *Horsley*.

ma de interrogação, vendo a letra ה como um sinal de interrogação, como se Davi, dirigindo seu discurso a seus inimigos, lhes perguntasse se haviam completado sua obra de devastação, como se houvessem resolvido destruir todas as coisas; pois o verbo תמם (*tamam*), às vezes significa *completar*, e às vezes *pôr fim a alguma coisa*. E se aqui o tomarmos neste sentido, então Davi, fazendo uso da linguagem de sarcasmo ou ironia, repreende a insensata confiança de seus inimigos. Outros, traduzindo o versículo sem qualquer interrogação, fazem a ironia ainda mais evidente, e concluem que Davi descreve, nestes três versículos, uma dupla classe de assuntos; em primeiro lugar [v. 6], ele introduz seus inimigos perseguindo-o com selvagem violência e mantendo sua crueldade com determinada obstinação, de modo tal a transparecer que seu propósito fixo era jamais desistir até que o reino de Davi fosse completamente destruído; e, em segundo lugar [vv. 7 e 8], ele representa Deus assentado em seu tribunal, francamente contra eles, para reprimir seus ultrajantes intentos. Se esse sentido for admitido, a copulativa, no início do versículo 7, a qual traduzimos por *e*, seria traduzida pela partícula adversativa, *mas, porém*, assim: Tu, ó inimigo, corriste após nada, senão da matança e destruição de cidades; mas, finalmente, Deus tem demonstrado que está assentado no céu, em seu trono, na qualidade de juiz, para introduzir plena ordem às coisas que se encontram em confusão na terra. Segundo outros, Davi rende graças a Deus, porque, quando os ímpios estavam totalmente determinados a espalhar ruína universal à sua volta, ele pôs fim às suas devastações. Outros entendem as palavras num sentido mais restrito, significando que as desolações dos ímpios foram completadas, porque Deus, em seus justos juízos, fez cair em suas próprias cabeças as calamidades e ruínas que haviam engendrado contra Davi. Segundo outros, Davi, no versículo 6, se queixa de Deus, por um longo tempo, suportar em silêncio a miserável devastação de seu povo, de modo que os ímpios, sendo deixados à larga, assolaram e destruíram tudo segundo o sabor de seu apetite; e, no versículo 7, entendem que ele acrescenta, para sua consolação, que Deus, não obstante, preside os negócios humanos. Não faço objeção ao ponto de vista de que ali é descrito ironicamente a terribilidade do poder do inimigo, quando exibia seus esforços mais excelentes; e, a seguir, que ali o juízo divino está em franca oposição ao inimigo, o qual subitamente trouxe seus avanços a um fim abrupto, contrariando sua expectativa. Não anteciparam nada disso, pois sabemos que os ímpios, embora evitem declarar publicamente que estejam privando a Deus de sua autoridade e domínio, não obstante se precipitam à prática de todo excesso de perversidade, não com menos ousadia do que se fossem agrilhoados com algemas.[16] Já observamos uma maneira quase semelhante de falar num Salmo precedente [7.13].

Este contraste entre o poder dos inimigos de Deus e seu povo, por um lado, e a obra de Deus a interromper seus avanços, por outro, ilustra muito bem o caráter portentoso do socorro que ele concedera a seu povo. Os ímpios não se impõem nenhum limite na ação de fazer dano, ao contrário, avançam para a completa destruição de todas as coisas, e no princípio a destruição parecia estar próxima; mas quando as coisas estavam nesse estado de confusão, Deus se manifestou em tempo para socorrer seu povo.[17] Portanto, quando nada senão destruição se manifestar ante nossos olhos, para qualquer lado que nos viremos,[18] lembremo-nos de erguê-los em direção do trono celestial, donde Deus vê tudo o que se faz aqui em baixo. No mundo, nossos negócios podem ser levados a um extremo tal, que não haja mais esperança alguma para eles; mas o escudo com o qual devemos repelir todas as tentações pelas quais somos assaltados é este: que Deus, não obstante, está assentado no céu, em sua função de Juiz. Sim, quando aparentemente não toma conhecimento de nossa presença e não remedia imediatamente os males que sofremos, convém que atentemos bem, pela fé, para sua providência secreta. O salmista diz, em primeiro lugar, que **Deus está sentado para sempre**, o que

---

16 "Que s'il avoit les pieds et mains liees." – v.f. "do que se fossem amarrados mão e pé."
17 "Dieu s'est monstré bien à propos pour secourir les siens." – v.f.
18 "De quelque costé que nous-nous scachions tourner." – v.f.

nos faz compreender que, por mais que a violência humana triunfe, e ainda que sua fúria se abrase sem medida, jamais arrancarão Deus de seu trono. Ele quer dizer muito mais com essa expressão, a saber: que é impossível que Deus abdique do ofício e autoridade de juiz; verdade esta que ele expressa com muita clareza na segunda cláusula do versículo: **ele preparou seu trono para juízo**, na qual ele declara que Deus reina não só com o propósito de fazer com que sua majestade e glória se projetem de forma inigualável, mas também com o propósito de governar o mundo com justiça.

8. E ele julgará o mundo com justiça. Como Davi justamente acaba de testificar, o poder de Deus não é inativo, como se habitasse o céu só para entregar-se aos deleites [celestiais]; ao contrário, seu poder está constantemente em operação, por cujo exercício ele preserva sua autoridade e governa o mundo com justiça e eqüidade. Portanto, neste versículo Davi acrescenta a utilidade desta doutrina, a saber: que o poder de Deus não se acha confinado ao céu, mas que se manifesta através do socorro prestado aos homens. A doutrina genuína neste tema não é, segundo Epicuro, crer que Deus se acha totalmente devotado ao ócio e prazeres, e que, satisfeito apenas consigo mesmo, não se preocupa absolutamente com a humanidade; e, sim, em vê-lo sentado em seu trono de poder e eqüidade, de modo que estejamos plenamente persuadidos de que, embora não socorra imediatamente aos que são injustamente oprimidos, todavia não fica um momento sequer sem nutrir profundo interesse por eles. E quando parece que por algum tempo não percebe coisa alguma, a conclusão a que devemos chegar, com toda a certeza, é a seguinte: ele não se descuida de seu ofício, senão que deseja com isso exercitar a paciência de seu povo, e, portanto, que aguardemos o resultado com paciência e tranqüilidade de espírito. O pronome demonstrativo, *ele*, em minha opinião, é de grande importância. Sua importância consiste em que é como se Davi estivesse dizendo: Ninguém pode privar Deus de seu ofício como o Juiz do mundo, nem impedi-lo de levar seu juízo a todas as nações. Daqui se depreende que ele será muito mais o juiz de seu próprio povo. Davi qualifica esses juízos como sendo *justos*, a fim de induzir-nos, ao sermos injusta e cruelmente molestados, a solicitar a assistência divina, na confiante expectativa de obtê-la; pois, visto que ele julga as nações com justiça, não permitirá que a injustiça e a opressão reine perene e impunemente no mundo, nem negará seu auxílio aos inocentes.

> [vv. 9-12]
> E Jehovah será um refúgio para o pobre, e uma proteção em tempos de angústia. E os que conhecem teu nome porão em ti sua confiança; porque nunca te esqueceste dos que te buscam, ó Jehovah. Cantai a Jehovah que habita em Sião, e proclamai seus feitos entre as nações. Porque ao requerer sangues, ele se lembrou deles; jamais se esqueceu do clamor do aflito.

9. E Jehovah será um refúgio para o pobre. Davi, neste ponto, apresenta um antídoto à tentação que fortemente aflige os fracos, quando eles, bem como os que se lhes assemelham, se vêem abandonados à vontade dos ímpios e Deus em silêncio.[19] Ele nos traz à lembrança que Deus delonga em socorrer e aparentemente esquece seus fiéis a fim de, finalmente, socorrê-los em ocasião mais oportuna, segundo a intensidade de sua necessidade e aflição. À luz desse fato deduz-se que ele de forma alguma cessa o exercício de seu ofício, ainda quando suporta ver os bons e inocentes serem reduzidos a extrema pobreza, e ainda quando ele os exercita com pranto e lamentações; pois ao agir assim ele está a acender uma lâmpada a fim de capacitá-los a verem os juízos divinos com muito mais nitidez. Conseqüentemente, Davi declara expressamente que Deus interpõe sua proteção *oportunamente* nas aflições de seu povo. **O Senhor será uma proteção para o pobre em tempos de angústia.** À luz desse fato somos instruídos a dar à sua providência tempo de finalmente manifestar-se em ocasião de necessidade. E se a proteção efetuada pelo poder de Deus e a experiência de seu paternal favor são a maior bênção que podemos receber, não nos

---

19 "Exposez a l'appetit et cruaute des meschans, sans que Dieu face semblant d'en rien veoir ne scavoir." – v.f. "Expostos ao desejo e crueldade dos perversos, enquanto Deus parece não ver nem saber coisa alguma a respeito."

sintamos aflitos demais em ser considerados pobres e miseráveis diante do mundo, mas que essa consoladora consideração suavize nossa tristeza, ou seja, que Deus não está longe de nós, uma vez que nossas aflições o invocam a vir em nosso socorro. Observemos também que somos informados de que Deus está perto em *tempos oportunos*, quando socorre os fiéis em suas aflições.[20] O termo hebraico, בצרה (*batsarah*), que ocorre no final do versículo 9, é interpretado por alguns como se fosse um simples termo com sentido de *defesa*; mas aqui eles o traduzem metaforicamente por *angústia*, denotando aquelas circunstâncias tentadoras em que uma pessoa se sente por demais presa e reduzida a extremo tal, que não consegue encontrar escape algum. Eu, contudo, penso que há mais probabilidade na opinião daqueles que tomam ב, a primeira letra de בצרה (*batsarah*), como uma letra subserviente significando *em* , que é seu siginficado ordinário.[21] O que aqui se diz, pois, é que Deus assiste seu próprio povo em tempo de necessidade, isto é, em aflição, ou quando estão sobrecarregados com ela, quando a assistência se faz mais necessária e mais útil.

No versículo 10, o salmista nos ensina que, quando o Senhor liberta os justos, o fruto resultante de tal libertação é que eles mesmos e todos os demais justos adquirem crescente confiança em sua graça; porque, a menos que sejamos plenamente persuadidos de que Deus tem cuidado dos homens e dos negócios humanos, seríamos necessariamente afligidos com constante inquietação. Mas como a maioria dos homens fecha seus olhos para não ver os juízos divinos, Davi restringe tal benefício exclusivamente aos fiéis; e com certeza, onde não existe piedade, também não existe qualquer consciência das obras de Deus. Deve observar-se também que ele atribui aos fiéis *o conhecimento de Deus*; porque a religião procede dele, ao passo que o mesmo

---

20 "Notons aussi que Dieu est dit estre prest en temps opportun quand il subvient aux fideles lors qu'ils sont affligez." – v.f.

21 "*Em tempos críticos*, לעתות, *leitoth*; *em [tempo de] angústia*, בצרה, *batsarah*. בצרה é o substantivo צרה, indicado por sua própria preposição ב, e não é tão bem traduzido como um genitivo seguinte עתות" – *Horsley*.

é extinto pela ignorância e estupidez dos homens. Muitos tomam o *nome de Deus* simplesmente em relação a Deus mesmo; mas, como observei em minha exposição de um dos salmos precedentes, creio que algo mais é expresso por este termo. Visto que a essência de Deus é oculta e incompreensível, seu nome apenas significa seu caráter, até onde lhe aprouver fazê-lo conhecido a nós. Davi em seguida explica a base dessa confiança em Deus, ou seja, que *ele não esquece aqueles que o buscam*. Deus é buscado de duas maneiras: ou pela invocação e orações, ou pelo esforço de se viver vida santa e justa; aliás, uma coisa é sempre inseparavelmente unida à outra. Mas como o salmista está aqui tratando da proteção divina, da qual depende a segurança dos fiéis, *buscar a Deus*, segundo entendo, é valer-nos dele para o auxílio e alívio nos perigos e angústias.

11. Cantai a Jehovah. Davi, não satisfeito em render graças individualmente, e em seu próprio benefício, exorta os fiéis a se unirem a ele no louvor a Deus, e a fazer isso não só porque é seu dever estimular-se reciprocamente a esse exercício religioso, mas porque os livramentos de que ele trata eram dignos de ser pública e solenemente celebrados; e isso é expresso mais claramente na segunda cláusula, onde ele ordena que esses livramentos sejam publicados entre as nações. O significa é que não serão publicados ou celebrados como se devem, a menos que o mundo todo esteja cheio de sua fama. Proclamar os feitos de Deus entre as nações na verdade era, por assim dizer, cantar aos surdos; mas, com esse modo de se expressar, Davi pretendia mostrar que o território da Judéia era demasiadamente acanhado para conter a infinita grandeza dos louvores de Jehovah. Ele atribui a Deus o título, *Aquele que habita em Sião*, visando a distingui-lo de todos os falsos deuses dos gentios. Há na frase uma tácita comparação entre o Deus que fez seu pacto com Abraão e Israel e todos os deuses que, de todas as outras partes do mundo, com exceção da Judéia, eram cultuados segundo as cegas e depravadas fantasias humanas. Não basta que as pessoas honrem e reverenciem alguma divindade, indiscriminadamente ou ao acaso; devem distintamente render ao único Deus vivo e verdadeiro o culto que lhe pertence e o qual ele ordena. Além do mais, visto que Deus particularmente escolheu a Sião como o lugar onde seu nome pudesse ser invocado, Davi, mui apropriadamente, o designa como sendo sua habitação peculiar, não que seja lícito tentar confinar, em algum lugar específico, Aquele a quem "o céu dos céus não pode conter" [1 Rs 8]; mas porque, como veremos mais adiante [Sl 132.12], ele prometera fazer dele o lugar de seu repouso para sempre. Davi não pretendia, segundo sua própria fantasia, designar a Deus um lugar de habitação ali; senão que entendia, mediante revelação celestial, que tal era o beneplácito de Deus mesmo, como Moisés predizia com freqüência [Dt 12]. Isso vem provar ainda mais o que eu disse antes, ou seja, que este Salmo não foi composto por ocasião da vitória de Davi sobre Golias; pois foi só no final do reino de Davi que a arca da aliança foi removida para Sião, segundo o mandamento divino. A conjectura de alguns de que Davi falava pelo Espírito de profecia da residência da arca em Sião, como um evento futuro, parece-me um tanto desnatural e forçada. Além do mais, vemos que os santos pais, quando recorriam a Sião para oferecer sacrifícios a Deus, não agiam meramente segundo a sugestão de suas próprias mentes; mas o que faziam procedia de fé na palavra de Deus, e era feito em obediência a seu mandamento; e eram, portanto, aprovados por Deus mesmo para o culto religioso. Daqui se deduz que não há base alguma para fazer-se uso de seu exemplo como argumento ou justificativa para as observâncias religiosas que os homens supersticiosos têm, por sua própria fantasia, inventado para si. Além disso, não era suficiente que os fiéis, naqueles dias, dependessem da palavra de Deus e se envolvessem naqueles serviços cerimoniais que ele requeria, a menos que, ajudados pelos símbolos externos, elevassem suas mentes acima deles e rendessem a Deus um culto espiritual. Deus, aliás, deu sinais reais de sua presença naquele santuário visível, mas não com o propósito de jungir os sentidos e pensamentos de seu povo aos elementos terrenos; ele desejava, antes, que esses símbolos externos servissem como degraus, pelos quais os fiéis pudessem subir até ao céu. O desígnio divino desde o início, no estabelecimento dos sacramentos e de todos os exercícios externos da religião, era trazer a lume a enferma e débil capacidade de seu povo. Conseqüentemente, mesmo nos dias atuais, o uso genuíno e adequado deles é prestar-nos assistência na busca espiritual de Deus em sua glória celestial, e não para ocupar nossas mentes com as coisas deste mundo, ou mantê-las fixas nas vaidades da carne, tema este que mais adiante teremos oportunidade mais apropriada de examinar mais detalhadamente. E visto que o Senhor, nos tempos antigos, quando era chamado, *Aquele que habita em Sião*, pretendia dar a seu povo uma sólida e completa base de confiança, tranqüilidade e alegria, mesmo agora, depois de a lei proceder de Sião e o pacto da graça fluir-nos daquela fonte, saibamos e sejamos plenamente persuadidos que, onde quer que os fiéis, os quais o adoram com pureza e na devida forma, segundo a determinação de sua palavra, se reúnem para proceder os atos solenes do culto religioso, ele está graciosamente presente e preside em seu meio.

12. Porque ao requerer sangues. No original temos *sangues*, no plural; e, portanto, o relativo que se segue imediatamente, **ele se lembrou deles**, pode mui apropriadamente referir-se a esta palavra, assim: Ele requer sangues e se lembra deles. Mas como é suficientemente comum em hebraico inverter a ordem do antecedente e do relativo, e colocar *deles* antes da palavra a que se refere,[22] alguns o explicam de *os pobres*, assim: Ao requerer sangue, ele se lembrou deles, ou seja, dos pobres, de quem fala um pouco depois. Quanto à suma e importância da matéria, é de pouca importância explicarmos o relativo dessas formas; a primeira, porém, a meu ver, é a explicação mais natural. Há, aqui, uma repetição do que o salmista dissera um pouco antes, ou seja, que devemos especialmente considerar o poder de Deus como se manifesta na misericórdia que ele exerce em favor de seus servos, os quais são injustamente perseguidos pelos perversos. Dentre as numerosas obras de Deus, ele seleciona uma que recomen-

---

22 "Et de mettre Eux, devant le mot auquel il se rapporte." – v.f.

da como especialmente digna de ser lembrada, a saber, sua obra de livrar os pobres da morte. Deus às vezes os deixa, em sua santa providência, ser perseguidos pelos homens; mas por fim ele toma vingança pelos males a eles infligidos. As palavras que Davi usa denotam um ato contínuo; mas não tenho dúvida de que pretendia, a partir desses exemplos, os quais ele relatou na parte precedente do Salmo, levar os homens ao reconhecimento de que Deus requer o sangue inocente e se lembra do clamor de seu povo.

Ele uma vez mais insiste sobre o que eu adverti anteriormente, a saber, que Deus nem sempre põe termo às injúrias tão imediatamente quanto desejamos, nem interrompe as tentativas dos perversos desde o início, mas, ao contrário, retém e delonga sua assistência, de modo tal que aparentemente clamamos a ele sem qualquer resultado, verdade esta que nos é muito importante compreendermos; pois se medirmos o socorro divino pelos nossos sentidos, nossa coragem logo fracassaria, e por fim nossa esperança seria totalmente extinta, e haveria espaço a todo gênero de desapontamento e desespero. Gostaríamos sinceramente que ele, como já disse, estendesse sua mão à distância e repelisse as angústias que ele vê estar-nos preparadas; ao contrário disso, parece que não se apercebe, não impedindo que o sangue inocente seja derramado. Que esta consoladora consideração, por outro lado, nos sustente, e que ele por fim realmente mostre quão precioso a seu olhos é nosso sangue. Caso se objete que a assistência divina vem tarde demais, depois de termos suportado todas as calamidades, respondo que Deus não demora em interferir mais do que ele sabe ser-nos vantajoso humilharmo-nos sob a cruz; e se ele decide antes tomar vingança depois de termos sofrido ultraje, em vez de socorrer-nos antes de sofrermos os males, não é porque ele esteja sempre indisposto e despreparado em socorrer-nos; mas é porque ele sabe que nem sempre é o momento certo para manifestar sua graça. De passagem, é uma extraordinária evidência, não só de seu amor paternal para conosco, mas da bendita imortalidade que é a porção de todos os filhos de Deus, que ele cuide tanto deles mesmo depois de mortos. Deveria ele, por sua graça, impedir as aflições de nos sobrevir, ele que sempre esteve entre nós para não sermos totalmente atados à presente vida? Entretanto, quando ele vinga nossa morte, disto se faz evidente que, ainda que mortos, permaneceremos vivos em sua presença. Pois ele não conserva, segundo o costume dos homens, em estima a memória daqueles a quem ele não quis preservar vivos,[23] mas realmente mostra que ele acaricia em seu seio e oferece proteção aos que parecem não mais existir, vistos pelo prisma humano. E essa é a razão por que Davi diz que ele [Deus] se lembra do sangue quando o requer; porque, embora não queira presentemente livrar seus servos das espadas dos perversos, no entanto não permite que sua morte passe impunemente. A última cláusula tem o mesmo objetivo: **Ele não olvida o clamor dos aflitos**. É possível que Deus não demonstre, ao conceder repentino livramento ou alívio, que prontamente atenta para as queixas de seus servos; mas por fim ele prova incontestavelmente que os tinha sob seu cuidado. Aqui se faz expressa menção de *clamor*, visando a encorajar a todos os que desejam ter experiência com Deus como seu libertador e protetor, de dirigir-lhe seus anseios, seus gemidos e suas orações.

> [vv. 13, 14]
> Tem misericórdia de mim, ó Jehovah, olha para a aflição que sofro da parte daqueles que me perseguem, tu que me ergues das portas da morte. Para que eu narre todos os teus louvores nas portas da filha de Sião, e para que me regozije em tua salvação.

13. Tem misericórdia de mim, ó Jehovah. Em minha opinião, esta é a segunda parte do Salmo. Outros, contudo, mantêm uma opinião distinta, e crêem que Davi, segundo sua prática freqüente, enquanto rende graças a Deus pelo livramento por ele operado, associa com sua ação de

---

23 "Car ce n'est pas qu'il face comme les hommes qui auront en estime et reverence apres la mort la memoire de leurs amis quand ils ne leur ont peu sauver la vie." – v.f. "Porque ele não age como os homens que mantêm em estima e reverência, depois da morte, a memória de seus amigos, quando não mais podem preservar sua vida."

graças um relato do que tinha sido o conteúdo de sua oração no extremo de sua aflição; e exemplos desse gênero, reconheço, se encontram por toda parte nos Salmos. Mas quando considero mais atentamente todas as circunstâncias, sinto-me constrangido a inclinar-me para outra opinião, ou seja, que no princípio ele celebrou os favores a ele conferidos a fim de abrir caminho para a oração; e o Salmo é, finalmente, concluído com oração. Portanto, ele não insere aqui de passagem as orações que anteriormente fizera em meio aos perigos e angústias que o cercavam; senão que, propositadamente, implora o socorro divino no presente momento,[24] e roga que *ele*, da parte de quem já havia tido experiência como seu libertador, continue exercendo a mesma graça em seu favor. Seus inimigos, provavelmente, a quem já havia vencido em várias ocasiões, tendo reunido novo alento e suscitado novas forças, fez um esforço extremo, como vemos com freqüência nos que se lançam desesperadamente sobre seus inimigos com maior impetuosidade e furor. É deveras certo que Davi, quando oferecia esta oração, sentiu-se dominado por um medo mais forte; pois ele não teria, em virtude de um problema sem importância, invocado a Deus para testemunhar sua aflição como aqui ele faz. Deve observar-se que, enquanto humildemente se vale da misericórdia divina, ele suporta com espírito paciente e submisso a cruz que lhe fora posta sobre os ombros.[25] Mas devemos

---

24 "No v. 12", diz Horsley, "o salmista, havendo mencionado como parte do caráter divino, que Deus não esquece o clamor do desamparado, naturalmente pensa em seu próprio estado de desamparo; e nos vv. 13 e 14 clama por livramento. A promessa de se destruir a facção, que era o principal instrumento de sua aflição, recorrendo aos seus pensamentos, ele interrompe uma vez mais, no v. 15, os acordes de exultação." A transição da linguagem de triunfo, na parte precedente do Salmo, à linguagem de oração e lamento no v. 13, e o misto de triunfo e lamento na seqüência do Salmo, são mui notáveis. Esse era o efeito natural da presente condição angustiante do salmista. A pressão de sua angústia o excitava, por um lado, a expressar a linguagem da depressão; enquanto que sua expectativa de livramento o impelia, por outro lado, a expressar a linguagem do triunfo.

25 "Or il faut noter que quand il ya humblement au recours a la misericorde de Dieu, c'est signe qu'il portoit doucement et patiemment la croix que Dieu luy avoir comme mise sur les espaules." – v.f. "Deve-se, porém, observar que, enquanto humildemente se vale da misericórdia de Deus, é um sinal de que ele, submissa e pacientemente, levava a cruz que Deus tinha, por assim dizer, posto sobre seus ombros."

principalmente notar o título que ele atribui a Deus, chamando-o **tu que me ergues das portas da morte**; pois não pudemos encontrar uma expressão mais apropriada para o termo hebraico, מרומם (*meromem*), do que *erguer*. Com isso o salmista, em primeiro lugar, reforça sua fé à luz de sua experiência passada, já que havia sido muitas vezes libertado dos perigos mais engenhosos. E, em segundo lugar, ele se assegura do livramento, mesmo nos vagalhões da morte; visto que Deus costuma não só socorrer a seus servos e livrá-los de suas calamidades pelos meios ordinários, mas também fazê-los subir do túmulo, ainda quando toda esperança de vida haja sido cortada; pois *as portas da morte* é uma expressão metafórica, denotando os perigos extremos que ameaçam com destruição, ou, melhor, que põe o sepulcro escancarado diante de nós. Portanto, a fim de que nem o peso das calamidades que presentemente carregamos, nem o temor daqueles que vemos pairar sobre nós pode submergir nossa fé ou interromper nossas orações, despertemos nossa lembrança de que a função de erguer seu povo das portas da morte não é debalde atribuída a Deus.

14. Para que eu narre. A intenção de Davi é simplesmente que ele celebrará os louvores de Deus em todas as assembléias e sempre que houver maior concorrência do povo (pois naquele tempo havia o costume de o povo reunir-se em assembléias diante dos portões das cidades); mas, ao mesmo tempo, parece haver aqui uma alusão às portas da morte, das quais já falara, como se dissesse: Depois de ter-me livrado da sepultura, empenhar-me-ei a dar testemunho, da maneira mais pública possível, da benevolência divina manifestada em meu livramento. Não obstante, visto que não é suficiente que pronunciemos os louvores de Deus com nossos lábios, se também não procederem do coração, o salmista, na última cláusula do versículo, expressa o regozijo íntimo que sentia nesse exercício: **E para que me regozije em tua salvação**; como se dissesse: Desejo viver neste mundo com nenhum outro propósito senão o de regozijar-me em ter sido preservado pela graça de Deus. Sob o nome de *filha*, como é sobejamente notório, os judeus significavam um povo ou cidade, mas aqui ele denomina a cidade por sua parte principal, a saber, *Sião*.

[vv. 15, 16]
Os gentios são precipitados na cova que fizeram; na rede que ocultaram, seus próprios pés ficaram presos. Jehovah é conhecido por executar juízo. O perverso é enredado na obra de suas próprias mãos. Higgaion. Selah.

15. Os gentios são precipitados. Ao erguer-se em santa confiança, Davi triunfa sobre seus inimigos. Em primeiro lugar, ele se expressa metaforicamente, dizendo que foram apanhados em suas próprias tramas e armadilhas. A seguir expressa a mesma idéia, mas sem qualquer figura, dizendo que foram apanhados em sua própria perversidade. E afirma que tal coisa não se deu por casualidade, senão que era obra de Deus e uma notável prova de seu juízo. Ao comparar seus inimigos a caçadores de animais ou aves, ele não procede assim sem algum fundamento sólido. É verdade que amiúde os maus cometem violência e ultraje, no entanto em seus artifícios engenhosos e enganosos são sempre imitadores de seu pai, Satanás, que é o pai das mentiras; e, portanto, empregam toda sua engenhosidade na prática da perversidade e na invenção de malefícios. Visto, pois, que mui freqüentemente os maus astuciosamente tramam nossa destruição, lembremo-nos de que não lhes é nenhuma invenção nova armar redes e armadilhas aos filhos de Deus. Ao mesmo tempo, deixemo-nos confortar pela reflexão de que quaisquer que sejam suas tentativas contra nós, o resultado não está em seu poder, e que Deus será contra eles, não só para frustrar seus desígnios, mas também para surpreendê-los nos perversos inventos em que laboram, bem como fazer que todos os seus malefícios caiam sobre suas próprias cabeças.

16. O Senhor é conhecido em executar juízos. A redação literal produz o seguinte: *O notório Senhor tem efetuado juízo*. Essa forma de expressão é abrupta, e sua excessiva brevidade a torna obscura. Ela é, portanto, explicada de duas formas. Alguns a explicam assim: Deus começa, então, a ser conhecido quando castiga os perversos. Mas o outro sentido faz a passagem mais perfeita, a saber: que é óbvio e manifesto a todos o fato de Deus exercer a função de juiz, enredando os maus em suas próprias artimanhas. Em suma, sempre que Deus volve contra eles todos os maléficos esquemas que inventam, Davi afirma que, nesse caso, o juízo divino é tão evidente que o que sucede não pode ser atribuído nem à natureza nem ao acaso. Portanto, se Deus dessa maneira exibe manifestamente, em qualquer tempo, o poder de sua mão, aprendamos, pois, a abrir bem nossos olhos para que, à luz dos juízos que ele executa sobre os inimigos de sua Igreja, nossa fé seja confirmada cada vez mais.

No tocante à palavra *Higgaion*, a qual apropriadamente significa *meditação*, não posso presentemente assinalar uma razão melhor por que foi ela inserida do que o fato de Davi ter pretendido fixar as mentes dos piedosos na meditação sobre os juízos divinos. A palavra *Selah* se destina a responder ao mesmo propósito e, como disse antes, regulava o cântico de tal maneira que levava a música a harmonizar as palavras e o sentimento.

[vv. 17, 18]
Os perversos serão lançados no inferno, e todas as nações que se esquecem de Deus. Porque o pobre não será esquecido para sempre; a esperança do humilde não perecerá perpetuamente.

17. Os perversos serão lançados no inferno. Muitos traduzem o verbo no modo optativo: *Que os perversos sejam lançados no inferno*, como se fosse uma imprecação. Em minha opinião, porém, Davi, neste ponto, antes confirma a si e a todos os santos a respeito do futuro, declarando que, seja o que for que os perversos tentem, terão para si mesmos um final desastroso. Pelo verbo *lançar* ele quer dizer que o resultado será ainda pior do que imaginam; pois há implícito nele um tácito contraste entre a altitude de sua presunção e a profundidade de sua queda. Já que não têm nenhum temor de Deus, eles se exaltam acima das nuvens; e então, como se houvessem "feito um pacto com a morte", segundo a linguagem de Isaías [28.15], eles se tornam ainda mais arrogantes e presunçosos. Mas quando os vemos devastando sem qualquer noção do perigo, o profeta nos adverte que sua sandice os lança de ponta cabeça, para que, finalmente, caiam na sepultura, da qual acreditavam estar muito longe. Aqui, pois, nos é descrito uma mudança súbita e inesperada, pela qual Deus, quando lhe apraz, restaura à ordem as coisas que estavam em confusão. Quando, pois, virmos o perverso voando nas alturas livre de todo medo, olhemos com os olhos da fé para a sepultura que lhes está preparada, e descansemos certos de que a mão de Deus, ainda que invisível, está bem perto, a qual poderá retrocedê-los em meio ao curso, em que almejam alcançar o céu, derrubando-os repentinamente no inferno.

É dúbio o significado da palavra hebraica, שאולה (Sheolah), mas não hesitei traduzi-lo por *inferno*.[26] Não penso estar errado quem o traduz por *sepultura*, mas é indubitável que o profeta tinha em mente algo mais do que a morte comum, do contrário ele não teria dito nada de especial do que sucede ao perverso além do que sucede igual e normalmente a todos os fiéis. Ainda que ele não fale em termos expressos de destruição eterna, mas diz meramente: *serão lançados na sepultura*, não obstante, sob a metáfora de *a sepultura*, ele declara que todos os ímpios perecerão, e que a presunção com que, por todos os meios ilícitos, se erguem bem alto para pisar os justos sob a planta de seus pés e para oprimir o inocente, se lhes reverterá em ruína e perdição. Também é verdade que os fiéis descem à sepultura, porém não com aquela pavorosa violência com que os ímpios são lançados nela sem qualquer esperança de emergirem dela novamente. Pelo menos prevalece este fato: embora sejam fechados na sepultura, contudo já se encontram habitando o céu através da esperança.

18. Porque o pobre não será esquecido para sempre. A afirmação de que Deus não se esquecerá do pobre e aflito para sempre é uma confirmação da cláusula precedente. Com isso ele afirma que de

---

26 "Le mot Hebrieu, pour lequel nous avons traduit *Enfer* signifie aussi *Sepulchre*; mais j'ay mieux aimé retenir ceste signification." – v.f. "A palavra hebraica que temos traduzido por *inferno* também significa *sepultura*; mas preferi reter o significado anterior da palavra."

fato pode parecer que foram por algum tempo esquecidos. Portanto, lembremo-nos de que Deus nos prometeu sua assistência, não à guisa de impedir nossas aflições, mas de finalmente socorrer-nos após termos sido por muito tempo oprimidos sob a cruz. Davi fala expressamente de *esperança* ou *expectativa*, para com isso encorajar-nos à prática da oração. A razão por que Deus parece ignorar nossas aflições é porque nos quer despertar por meio de nossas orações; pois quando ouve nossas súplicas (como se daí começasse a lembrar de nós), ele estende sua poderosa mão com o fim de socorrer-nos. Davi uma vez mais reitera que isso não se dá imediatamente, a fim de aprendermos a perseverar esperando, embora nossas expectativas não sejam prontamente satisfeitas.

[vv. 19, 20]
Levanta-te, ó Jehovah; não prevaleça o homem;[27] que as nações sejam julgadas diante de teus olhos. Lança-lhes o medo, ó Jehovah; para que as nações saibam que não passam de homens.

19. Levanta-te, ó Jehovah. Ao rogar que Deus se levantasse, a expressão não se aplica estritamente a Deus, mas se refere à aparição externa e aos nossos sentidos; pois não percebemos ser Deus o libertador de seu povo exceto quando ele surge diante de nossos olhos, como se estivesse sentado no tribunal. Acrescenta-se uma consideração ou razão para induzir a Deus a vingar as injúrias feitas a seu povo, isto é, **não prevaleça o homem**; pois quando Deus se levanta, toda a ferocidade[28] dos ímpios imediatamente se desmorona e se esvai. Donde é que os maus se tornam tão audaciosamente insolentes ou adquirem tão imenso poder de operar malefício, senão do fato de que Deus ainda lhes permite viverem a rédeas soltas? Mas tão logo ele demonstre algum sinal de seu juízo, imediatamente põe termo aos seus violentos tumultos,[29] e quebranta sua força e poder com apenas sua

---

27 "L'homme mortel." – v.f. "homem mortal."
28 "Toute la fierte et arrogance." – v.f. "Todo o orgulho e arrogância."
29 "Leur rage et insolence." – v.f. "Seu furor e insolência."

vara.[30] Somos instruídos, por essa forma de oração, que por mais insolente e orgulhosamente nossos inimigos se gabem do que fazem, não obstante estão na mão de Deus e nada podem fazer senão o que ele lhes permite; e ainda mais, para que possa indubitavelmente, sempre que lhe apraz, nulificar todos os seus empreendimentos, tornando-os inócuos. O salmista, pois, ao falar deles, os chama *homem*. A palavra no original é אנוש (*enosh*), que se deriva de uma raiz que significa miséria ou desgraça, e, conseqüentemente, equivale chamá-los de homem mortal ou quebradiço. Além do mais, o salmista roga a Deus que **julgue os gentios diante de sua face**. Declara que Deus faz isso quando os compele, por um ou outro meio, a comparecerem diante de seu tribunal. Sabemos que os incrédulos, enquanto não são arrastados pela força à presença de Deus, voltam-lhe suas costas o quanto lhes é possível fazê-lo, procurando excluir de suas mentes todo e qualquer pensamento acerca dele como seu Juiz.

20. Lança-lhes o medo, ó Jehovah. A Septuaginta traduz מורה (*morah*) [νομοθέτης], *legislador*, derivando-o de ירה (*yarah*), que às vezes significa *ensinar*.[31] Mas o escopo da passagem requer que a entendamos como temor ou medo; e essa é a opinião de todos os expoentes de cultura consistente. Ora, é preciso considerar de que gênero de temor Davi está falando. Deus, comumente, subjuga mesmo seus escolhidos à obediência por meio do temor. Mas já que ele modera seu rigor para com eles, e, ao mesmo tempo, abranda seus corações empedernidos, de sorte que espontânea e tranqüilamente se lhe submetem, Davi não

---

30 "Solo nutu." – Lat. "En faisant signe seulement du bout du doigt." – v.f.
31 A versão Caldaica lê *temor*, mas as versões Siríaca, Etíope e Vulgata seguem a Septuaginta. A Árabe emprega uma palavra de quase a mesma importância, significando *um doutor ou mestre da lei*. Na Bíblia de Coverdale temos: "Ó Senhor, põe um professor sobre eles." Agostinho e Jerônimo, que adotaram a redação da Septuaginta, traduzem as palavras: "Põe, ó Senhor, um legislador sobre eles"; e mantinham a opinião de que *legislador* significa anticristo, a quem Deus em sua ira deu domínio sobre as nações. Segundo outros, legislador significa Cristo. O Dr. Horsley traduz: "Ó Jehovah, designa um mestre sobre eles." Ainsworth e o Dr. Adam Clarke adotam a mesma tradução, e vêem as palavras como uma oração para que as nações pudessem aprender humilde e piedosamente, para que conhecessem sua responsabilidade diante de Deus e se tornassem sábias para a salvação.

poderia dizer apropriadamente que foram compelidos pelo temor. Com respeito aos réprobos, ele toma uma via distinta de tratamento. Visto sua obstinação ser inflexível, de modo que é mais fácil quebrá-los do que domá-los, ele subjuga sua renitente obstinação pela força; aliás, não que eles sejam reformados, mas, sejam ou não, algum reconhecimento de sua própria fragilidade é extraído deles. Podem ranger os dentes e ferver de raiva, e até mesmo exceder as bestas selvagens em crueldade, mas quando o pavor de Deus se apodera deles, são fulminados por sua própria violência e caem sob seu próprio peso. Alguns explicam essas palavras como sendo uma oração para que Deus trouxesse as nações sob o jugo de Davi e fazê-las tributárias de seu governo; mas essa é uma explicação insípida e forçada. A palavra *temor* [ou *medo*] compreende em geral todas as pragas divinas, pelas quais ele repele, como por pesados golpes de martelo,[32] a rebelião daqueles que jamais obedeceriam a Deus a não ser por compulsão.

Então vem o próximo ponto para o qual as nações devem ser conduzidas, a saber, o reconhecimento de que não passam de homens mortais. Isso, à primeira vista, parece ser uma questão de pouca importância; mas a doutrina que ela contém está longe de ser trivial. Que homem, por iniciativa própria, ousaria mover sequer um dedo? E no entanto todos os ímpios chegam a excessos com tanta ousadia e presunção como se nada existisse que os pudesse impedir de fazerem tudo quanto lhes apeteça. Com certeza, é sendo movidos por uma imaginação tão desregrada que reivindicam para si o que é peculiar a Deus; e, em suma, jamais chegariam a tanto excesso se não ignorassem sua própria condição. Davi, ao rogar que Deus abalasse as nações com terror, para *que soubessem o que os homens realmente são*,[33] não quis dizer que os ímpios lucrarão tanto sob as varas e castigos divinos que se humilharão real e sinceramente; mas o conhecimento de que ele

---

32 "Tous fleax de Dieu par lesquels est rembarre comme a grans coups de marteau.." – v.f.

33 A palavra original é אנוש, *enosh*; portanto é uma oração para que por si mesmos soubessem que não passavam de seres miseráveis, frágeis e perecíveis. A palavra está no singular, mas é usada coletivamente.

fala simplesmente significa uma experiência de sua própria fraqueza. Sua linguagem é mais ou menos isto: Senhor, visto ser a ignorância de si mesmos que os precipita em seu furor contra mim, faze-os realmente experimentar que sua força não justifica sua enfatuada presunção, e depois de se sentirem desapontados em sua vã esperança, que sejam confundidos e aviltados com ignomínia. Às vezes sucede que os que se convencem de sua própria fragilidade ainda assim não se modificam; mas muito se lucra quando sua ímpia presunção é, aos olhos do mundo, exposta ao motejo e escárnio, para que fique em realce quão ridícula é a confiança que presumem colocar em seu próprio vigor. Com respeito aos escolhidos de Deus, devem tirar proveito dos castigos divinos de outra maneira, a saber: que se tornem humildes sob o senso de sua própria fragilidade e voluntariamente se desvencilhem de toda vã confiança e presunção. E isso se dará ao se lembrarem de que não passam de homens. Agostinho disse muito bem e sabiamente que toda a humildade do homem consiste no conhecimento de si próprio. Além do mais, visto que o orgulho é natural a todos, Deus requer que se infunda terror em todos os homens indiscriminadamente, para que, de um lado, seu próprio povo aprenda a ser humilde; e que, do outro, os maus, ainda que não cessem de elevar-se acima da condição humana, sejam repelidos com vexame e confusão.

Salmos 10

Neste Salmo Davi se queixa, em seu próprio nome e no nome de todos os santos piedosos, de que a fraude, a extorsão, a crueldade, a violência e todo gênero de injustiça prevaleciam em todos os rincões do mundo; e a causa que ele assinala para isso é que os ímpios e perversos, se vendo intoxicados com sua prosperidade, lançavam de si todo o temor de Deus, e criam que podiam fazer o que bem quisessem, e isso impunemente. Conseqüentemente, com profunda angústia, ele suplica a Deus por auxílio, para que remediasse suas desesperantes calamidades. Concluindo, ele consola a si e ao restante dos fiéis com a esperança de que obteriam livramento em tempo oportuno. Esta descrição representa, como num espelho, uma viva imagem de um estado amplamente corrupto e caótico da sociedade. Quando, pois, vemos a iniqüidade fluindo como um dilúvio, que a singularidade de uma tentação tal não estremeça a fé dos filhos de Deus nem os leve a cair em desespero, mas que aprendam a mirar nesse espelho. Ele tende a aliviar profundamente a tristeza, a considerar que nada nos sobrevém nos dias atuais que a Igreja de Deus não tenha experimentado nos dias de outrora; sim, basta que sejamos apenas chamados a enfrentar os mesmos conflitos com os quais foram exercitados, Davi e os outros santos patriarcas. Demais, os fiéis são admoestados a recorrer a Deus em um tão confuso estado de coisas; porque, a menos que sejam convencidos de que pertence a Deus socorrê-los, bem como remediar uma situação tão grave, nada ganharão entregando-se a murmurações confusas e enchendo os ares com seus clamores e queixas.

[vv. 1, 2]
Por que te conservas longe, ó Jehovah? Por que te escondes em tempos de angústia?[1] Os ímpios, em sua arrogância, perseguem o pobre;[2] que sejam apanhados nos inventos[3] que engendraram.

1. **Por que te conservas longe, ó Jehovah?** Vemos neste ponto como o profeta, buscando um antídoto para suas calamidades, que eram evidentemente fruto de esperança malograda, dirige-se diretamente a Deus já no ponto de partida. E a regra que devemos observar, quando estamos em angústia e sofrimento, é esta: que busquemos conforto e alívio só na providência de Deus; porque em meio às nossas agitações, apertos e preocupações devemos encher-nos da certeza de que sua função peculiar consiste em prover alívio ao miserável e aflito. É num sentido impróprio e por meio de antropopatia[4] que o salmista fala de Deus como a permanecer à distância. Nada pode ficar oculto de seus olhos; mas já que Deus nos permite falar com ele da maneira como falamos uns com outros, essas formas de expressão não contêm absurdo algum, contanto que as entendamos como sendo aplicadas a Deus, não num sentido estrito, mas apenas de forma figurativa, segundo o critério em que o mero sentido forma da presente aparência das coisas. É possível que uma pessoa justa

---

1 "Et te caches au temps *que sommes* en tribulation?" – v.f. "E te escondes quando estamos em angústia?" – Heb. "Aux opportunitez, ou, aux temps opportuns." – versão francesa marginal. "Em oportunidades, ou em tempos oportunos."

2 "Ou, le poure est persecuté, ou, il brusle en l'orgueil des meschans." – versão francesa marginal. "Ou, o pobre é perseguido; ou, ele se queima na arrogância dos maus."

3 Horsley lê 'sutilezas', e faz uma observação numa nota: "Escolho essa palavra ambígua por estar em dúvida se a petição contra os maus é para que sejam arruinados por seus próprios estratagemas armados contra os justos, ou para que sejam ludibriados por suas próprias especulações ateístas sobre temas morais e religiosos. A meu ver, a palavra מזמות significa ou "fraudes astuciosas" ou "teorias refinadas"; e, nesse último sentido, é usada no quarto versículo." Horsley considera este Salmo como sendo uma descrição geral da opressão dos espíritos ateus e idólatras apóstatas contra os justos, em que todos conspiraram contra eles, e não como uma referência a alguma calamidade específica da nação judaica ou de algum indivíduo.

4 "C'est quand nous attribuons à Dieu les passions, affections, et façons de faire des hommes." – versão francesa marginal. "Isto é, quando atribuímos a Deus paixões, afetos e comportamento humanos."

não impeça uma injúria dirigida contra um pobre diante de seus olhos, visto estar destituída do poder de evitá-lo; mas isso não pode dar-se com a pessoa de Deus, porquanto ele está sempre armado de poder invencível. Portanto, se ele age como se não percebesse, tal atitude corresponde à idéia de estar ele à distância.

A palavra העלים (*taelim*), a qual significa *ocultar*, se explica de duas formas. Segundo alguns, neste ponto Davi se queixa de Deus ocultar-se, como se considerasse os problemas humanos indignos dele. Outros a entendem no sentido de *fechar os olhos*; e esse parece-me ser o ponto de visto mais simples. Deve-se observar que embora Davi, aqui, se queixe de Deus conservar-se à distância, ele estava, não obstante, plenamente convicto de sua presença consigo; do contrário teria sido debalde tê-lo invocado para prover auxílio. A interrogação que ele emprega tem este objetivo: Senhor, visto que governar o mundo é uma prerrogativa que te pertence, e também regulá-lo com tua justiça ao tempo em que o sustentas com teu poder, por que é que não te mostras mais depressa como defensor de teu próprio povo contra a arrogância e incrível orgulho dos ímpios? Davi, contudo, fala nesses termos não tanto à guisa de queixa, mas sobretudo para encorajar-se na confiança de obter o que almejava. Usando um sentido figurado, ele diz que é inconveniente que Deus cesse por tão longo tempo de exercer seu ofício; e no entanto, ao mesmo tempo ele falha em não atribuir-lhe a honra que lhe é devida, e através de suas orações ele deposita em seu seio o grande fardo das angústias que carregava. A expressão seguinte, **em tempos oportunos**, se relaciona com o mesmo tema. Ainda que Deus não estenda sua mão para tomar vingança[5] em tempo hábil, no entanto, quando sustenta o pobre e inocente oprimido, não é o momento para ele defender alguém mais. Davi define em termos breves o tempo oportuno de agir quando os fiéis estão enfrentando angústia. Já falamos dessa forma de expressão no Salmo anterior, no versículo 10.

2. **Os ímpios em sua arrogância**. Antes de pronunciar sua oração

---

5 "Pour faire vengence." – v.f.

contra os ímpios, o salmista, de forma breve, salienta a perversidade deles em cruelmente atormentar os aflitos, por nenhuma outra razão senão porque desdenham deles e os desprezam, com aquela arrogância com que se acham entumecidos. E sua crueldade vai muito além disso, pois, despidos de todo sentimento humano, desdenhosamente triunfam sobre os pobres e aflitos, motejando deles e desferindo contra eles todo gênero de injúrias.[6] Aliás, a crueldade é sempre arrogante, sim, pior ainda, a arrogância é a mãe de todos os males; pois se alguém, através da soberba, não magnificar a si próprio acima do próximo, e através de um arrogante conceito de si próprio o despreza, mesmo o espírito humano mais corriqueiro deve ensinar-nos com que humildade e justiça devemos conduzir-nos na relação uns com os outros. Mas Davi pretendia, aqui, afirmar que a única causa por que os ímpios, a quem ele acusa, exercem sua crueldade contra os infelizes e necessitados, de quem não recebem a menor provocação, é a soberba e a arrogância de seus próprios espíritos. Que cada um, portanto, que deseja viver de modo justo e inculpável com seus irmãos, tome cuidado para que não se precipite em tratar os outros desdenhosamente; e que o mesmo se esforce, acima de tudo, em ter sua mente isenta da enfermidade chamada orgulho.

A palavra דלק (*dalak*), significa tanto *sofrer perseguição* quanto *perseguir*. Por isso alguns preferem traduzir assim as palavras: *O pobre é perseguido pela soberba dos ímpios*. Mas podem também ser apropriadamente traduzidas assim: *O pobre é ferido pela soberba dos ímpios*[77] porque esse é o sentido mais comum da palavra. A soberba dos perversos, como o fogo, devora o pobre e aflito.

[vv. 3, 4]

---

6 "En se mocquant d'eux et les outrageant." – v.f.

7 "דלק, *dalak*, significa duas coisas: *perseguir* e *ser lançado ao fogo*; e ainda que a traduzamos no primeiro sentido e então a apliquemos a רשע, *rasha*, *os perversos*, no tempo ativo – *os perversos perseguem o pobre* –, todavia os intérpretes antigos geralmente a traduzem no modo passivo, e aplicam-na a עני, *cnay*, *o pobre*, que *na soberba dos perversos é lançado ao fogo*, isto é, envolvidos em grande tribulação." – *Hammond*. A palavra usada pela Septuaginta é ἐμπυρίζεται. Pode haver na palavra hebraica uma alusão às fogueiras que os perseguidores acendiam para queimar até à morte os confessores e mártires de Cristo.

Porque o ímpio se louva no desejo de sua própria alma; e o homem violento se bendiz e despreza a Jehovah. O ímpio, na soberba de seu semblante,[8] não cogita: todas as suas maquinações dizem: Não há Deus.

3. Porque o ímpio se louva. Este versículo passa por variadas explicações. Literalmente, a redação é esta: *Porque louva o perverso ou ímpio*; e por isso é necessário tomar alguma palavra como complemento, mas o difícil é decidir qual palavra.[9] Alguns traduzem as palavras, *ímpio* e *violento*, no caso acusativo, assim: *Ele louva o ímpio e bendiz o homem violento*; porque acham estranho que depois de 'louva' a frase terminaria abruptamente, sem dizer nada sobre quem ou o que era louvado. Visto, porém, ser muito comum em hebraico, quando o agente e o sujeito são uma e a mesma pessoa, expressar a palavra apenas uma vez, enquanto a repetimos a fim de completar o sentido,[10] a interpretação que tenho seguido parece-me a mais natural, ou seja, que o homem ímpio louva a si próprio e se ufana do desejo de sua alma, e abençoa a si próprio. Ora, é possível que se pergunte: Que *desejo da alma* é esse? Geralmente é considerado neste sentido: os ímpios lisonjeiam e aplaudem a si próprios, enquanto a sorte lhes sorri e obtém o que almejam e desfrutam de tudo quanto desejam; justamente como Davi acrescenta, um pouco depois, que usam mal sua prosperidade, empreendendo tudo o que vem à sua imaginação. Em minha opinião, porém, *desejo da alma*, aqui, denota, ao contrário, concupiscência e satisfação imoderada da paixão e apetite [carnais]. E assim o significa é o seguinte: entregam-se com deleite aos seus desejos depravados, e, desdenhando do juízo divino, destemidamente se isentam de toda e qualquer culpa, defendendo sua inocência[11] e justificando sua impiedade. Moisés usa uma forma semelhante de expres-

---

8 "In altitudine naris" – literalmente: "Na altivez de seu nariz." Essa é também a tradução literal do texto hebraico: "Nariz arrebitado significa um semblante soberbo, desdenhoso e às vezes irado." – *Ainsworth*.

9 "Il y a mot à mot, Car louë le meschant et il y faut suppleer quelque petit mot: or, cela on y besongne diversement." – v.f.

10 "On la repete pour parfaire le sense." – v.f.

11 "Ils s'osent bien absoudre et tenir pour innocens." – v.f.

são em Deuteronômio 29.19: "E suceda que, alguém ouvindo as palavras desta maldição, se abençoe em seu coração, dizendo: Terei paz, ainda que ande conforme o parecer de meu coração."

De fato Davi diz um pouco depois que os ímpios usam mal sua prosperidade, elogiando a si próprios; mas aqui, em minha opinião, ele expressa algo mais sério, ou seja, que extraem louvor de sua presunção e se gloriam em sua perversidade; e essa tola confiança, ou ousada segurança, é a causa de se despirem de toda e qualquer restrição e de se lançarem a todo gênero de excessos. Conseqüentemente, interpreto os verbos *louvar* e *abençoar* como tendo o mesmo sentido, justamente como as palavras, *homem ímpio* e *violento*, são sinônimos neste passo, embora difiram um do outro como o gênero da espécie. Concorda com essas afirmações o que se acrescenta imediatamente no final do versículo, a saber, que tais pessoas ímpias *desprezam a Deus*. Traduzir o verbo por *blasfemar*, como alguns têm feito, ou *provocar a ira*, como têm feito outros, fica afastado demais do escopo desta passagem. Ao contrário, Davi ensina que a causa de sua displicente entrega à satisfação de sua luxúria se deve ao seu vil menosprezo de Deus. Aquele que regularmente medita no fato de que Deus é seu Juiz, sente-se tão alarmado em sua meditação, que não ousa abençoar sua alma enquanto sua consciência o acusa de culpa e de entregar-se à prática do pecado.[12]

4. O ímpio, na soberba de seu semblante. Outros traduzem assim: *O homem ímpio, levado pela violência de sua ira*, ou *na soberba que ele demonstra, não inquire sobre Deus*. Mas isso em parte perverte o significado e em parte enfraquece a força do que Davi pretendia expressar. Em primeiro lugar, o verbo *inquirir*, que é aqui expresso de forma absoluta, ou seja, sem qualquer substantivo que o governe, é, segundo essa tradução, impropriamente limitado a Deus. Davi simplesmente quer dizer que o ímpio, sem qualquer autocrítica, se permite fazer qualquer coisa, ou não distingue entre o que é lícito e ilícito, visto sua própria concupiscência ser sua lei, sim, pior ainda, como se fosse superior a todas as leis,

---

12 "Cependant qu'il se sent coulpable et adonne à mal faire." – v.f.

ele imagina que lhe é lícito fazer tudo quanto lhe apeteça. O princípio do bom procedimento da vida humana é *inquirir*; em outras palavras, só é possível começar a fazer o bem quando nos guardamos de seguir, sem escolha e discriminação, os ditames de nossa própria imaginação e de deixar-nos levar pelas levianas inclinações de nossa carne. Mas o exercício de inquirição procede da humildade, quando designamos a Deus, como é razoável, o lugar de Juiz e Governante sobre nós. O profeta, pois, mui apropriadamente diz que a razão por que o ímpio, sem qualquer respeito ou consideração, presume fazer tudo quanto deseja é porque, sendo exaltado pela soberba, usurpa de Deus sua prerrogativa de Juiz. A palavra hebraica, אַף, *aph*, que traduzimos por *semblante*, não tenho dúvida de que é aqui tomada em seu sentido próprio e natural, e não metafórico, por *ira*; visto que as pessoas arrogantemente mostram sua insolência mesmo em seu semblante.

Na segunda cláusula, o profeta de forma mais severa ou, pelo menos, mais franca os acusa, declarando que todas as suas imaginações perversas revelam que eles não têm Deus. **Todas as suas maquinações dizem: Não há Deus.**[13] Por estas palavras entendo que pela sua presunção atrevida subvertem toda piedade e justiça, como se não existisse Deus algum assentado no céu. Se realmente cressem que Deus existe, o temor do juízo futuro os refrearia. Não que neguem clara e distintamente a existência de Deus, mas porque o despojam de seu poder. Ora, Deus não passaria de um mero ídolo, se porventura, satisfeito com uma existência inativa, ele se despisse de sua função de Juiz. Portanto, quem quer que recuse admitir que o mundo está sujeito à providência de Deus, ou não crê que sua mão se estende das alturas para governá-lo, tudo faz para pôr fim à existência de Deus.

---

13 A frase no texto hebraico é elíptica, e por isso tem sido traduzida de forma variada. Literalmente, é assim: *Não Deus todos os seus pensamentos*. A versão Siríaca a traduz assim: "*Não há Deus em todos os seus pensamentos.*" A Septuaginta traz: "Οὐκ ἔστιν ὁ θεὸς ἐνώπιον αὐτοῦ" – "Deus não está diante dele." Mudge a traduz assim: "Não há Deus é toda a sua política perversa"; Horsley: "Não há Deus é toda a sua filosofia"; e Fry: "'Elohim não existe' é todo o seu pensamento."

Não basta, contudo, ter na cabeça algum insípido e inexpressivo conhecimento dele; só a genuína e sincera convicção de sua providência é capaz de fazer-nos reverenciá-lo e aceitar seu senhorio.[14] A maioria dos intérpretes entende a última cláusula como significando geralmente que todos os pensamentos de uma pessoa perversa se inclinam à negação da existência de Deus. Em minha opinião, a palavra hebraica, מזמות (*mezimmoth*), é aqui, como em muitos outros lugares, tomada num sentido negativo para pensamentos astuciosos e perversos,[15] de modo que o significado, como já observei, é este: Visto que o ímpio tem a audácia de engendrar e perpetrar todo gênero de perversidade, por mais desumana que seja, daqui se torna suficientemente manifesto que têm lançado de seus corações todo o temor de Deus.

[vv. 5, 6]
Seus caminhos são prósperos em todo tempo; teus juízos estão perante ele nas alturas; ele faz pouco de todos os seus inimigos. Diz em seu coração: de geração em geração não serei abalado, visto que ele não experimenta a adversidade.

Há entre os intérpretes uma grande diversidade de opinião a respeito da primeira cláusula deste versículo. Os tradutores da Septuaginta, pensando que a palavra יחילו (*yachilu*), que está no tempo futuro, se derivasse da raiz, חלל (*chalal*), o que não é verdade, traduziram-na: *seus caminhos são aviltados*.[16] Mas concorda-se entre os expositores judeus que ela se deriva da raiz חול (*chol*). Muitos dentre eles, contudo, a tomam ativamente por *levar alguém a temer*, ou *levar alguém a sofrer*, como se fosse dito: Os caminhos do ímpio são terríveis para os bons e os atormentam.[17] Alguns também aplicam as palavras a Deus, lendo a frase assim: *Seus caminhos procedem*, ou seja, *tem seu curso*, ou *prosperam em todo tempo*. Entretanto, isso, a meu ver, é muito forçado.

---

14 "Qui nous le fait avoir en reverence et nous tient là subjets." – v.f.
15 "Pour meschantes et malicieuses pensees." – v.f. "Pensamentos perversos e maliciosos."
16 "A palavra grega que usaram é Βεζηλουνται.
17 A tradução de Aben Ezras é: "Seus caminhos sempre causam terror."

Mas como esta palavra, em outros textos da Escritura, significa *ser próspero*, sinto-me surpreso de que haja alguma diferença de opinião entre os eruditos acerca desta passagem, quando imediatamente, na cláusula seguinte, o profeta claramente mostra que ele está falando da condição próspera dos ímpios e da bem sucedida trajetória de prazer que os intoxica. Ele não só se queixa da prosperidade deles, mas a partir dela eles agravam ainda mais sua culpa, em que se aproveitam da bondade de Deus para se tornarem ainda mais empedernidos em sua perversidade. Portanto, eu explicaria o versículo assim: visto que desfrutam de uma trajetória de prosperidade contínua, imaginam que Deus está obrigado ou comprometido com eles, razão por que afastam para longe de si os juízos divinos; e se alguém se lhes opõe, se enchem de confiança de que poderão eliminá-lo ou fazê-lo em pedaços com uma baforada ou sopro. Ora, entendemos que o propósito do profeta era que os ímpios motejam de Deus, extraindo coragem de sua paciência; como aquele vil déspota, Dionísio, por ter feito uma viagem bem sucedida, depois de ter saqueado o templo de Proserpina,[18] vangloriou-se de haver Deus favorecido tal sacrilégio.[19] Por isso é que eles afastam para bem longe de si os juízos divinos.

Na opinião de alguns, as palavras, **teus juízos estão perante ele nas alturas**, significam o mesmo se o profeta houvera dito: Deus os trata com tanta clemência, que os poupa; justamente como em outra parte ele se queixa de que ficam isentos das comuns aflições da vida. Tal interpretação, porém, não se harmoniza bem com as palavras, e parece um tanto desnatural e forçada. Então se diz que *os juízos de Deus são postos longe dos ímpios* porque, presumindo que há grande distância entre Deus e eles,[20] então prometem a si próprios não só uma trégua com a morte durante toda sua vida, mas também um eterno pacto com ela. E assim vemos como, ao procrastinarem no dia mau, se

---

18 "Apres qu'il eut pillé le temple de Proserpine." – v.f.
19 Vale. Lib. I. cap. 2.
20 "Pource que se confians de la longue distance qui est entre Dieu et eux." – v.f.

endurecem e se tornam mais e mais obstinados no mal;[21] sim, persuadindo-se de que Deus está encerrado no céu, como se nada tivessem a ver com ele, se reanimam na esperança de escapar ao castigo;[22] como os vemos em Isaías [22.13] gracejando das ameaças dos profetas, dizendo: "Comamos e bebamos, porque amanhã morreremos." Quando os profetas, com o fim de inspirar terror no povo, denunciavam a terrível vingança divina, a qual estava pronta a desferir-se contra eles, esses perversos gritavam que tudo isso não passava de fantasias ou conversa fiada. Deus, portanto, investe furiosamente contra eles, visto que, quando convocou o povo a prantear com cinza e pano de saco, esses zombadores estimularam neles um espírito alegre e festivo; e finalmente jura: "Certamente que esta maldade não vos será expiada até que marrais." Os fiéis realmente erguem seus olhos para o céu e contemplam os juízos divinos; e os temem como se estivessem para cair sobre suas cabeças. Os ímpios, ao contrário, os desprezam, e ainda, para não serem perturbados nem atormentados com o medo ou apreensão deles, tentam bani-los do céu; justamente como os epicureos, embora não presumissem irrestritamente negar a existência de Deus, todavia imaginavam que ele estava confinado no céu, onde se entregava ao ócio, sem sentir a menor preocupação com o que se faz aqui em baixo.[23] De tal soberba emana sua presunçosa confiança de que Davi fala, pela qual se asseguram de ser capazes de destruir, com uma baforada ou apenas um sopro, tudo quanto se constitui em inimigo dele. A palavra פוח (*phuach*), que às vezes significa *enlear*, é aqui mais propriamente tomada como *baforar* ou *soprar*.

O salmista confirma essas afirmações no próximo versículo, onde nos diz que as pessoas de quem fala estão plenamente convictas em seus corações de que se acham fora de todo e qualquer risco de vicissitude. **Diz ele em seu coração: de geração em geração não serei abalado.** Os

---

21 "Car nous voyons comme delayans le temps, il s'endurcissent et obstinent au mal de plus en plus." – v.f.
22 "En l'esperance de jamais ne venir à conte." – v.f. "Na esperança de jamais serem chamados a prestar contas."
23 "Font à croire qu'il est au ciel, où il se donne du bom temps sans se soucier de ce qu'il se fait yci bas." – v.f.

ímpios com freqüência vomitam linguagem soberba a esse respeito. Davi, contudo, apenas toca de leve na úlcera oculta de sua vil arrogância, a qual acariciam em seu próprio peito, e portanto não diz o que falam com seus lábios, mas da convicção de seus corações. É possível que aqui se pergunte: Por que Davi censura em outros o que ele professa acerca de si mesmo em muitos lugares?[24] Por confiar na proteção divina ele corajosamente triunfa sobre inúmeros perigos.[25] E seguramente isso leva os filhos de Deus a munir-se de eficiência para sua segurança, de modo que, embora o mundo caia em ruína centenas de vezes, eles podem ter a confortável certeza de que permanecerão inamovíveis. A resposta a essa pergunta não é difícil, e é como se segue: a promessa que os fiéis têm de segurança é em Deus, e em nenhum outro; não obstante, enquanto agem assim, eles sabem que estão expostos a todas as tormentas de aflições, e pacientemente se curvam a elas. Existe uma grande diferença entre aquele que despreza a Deus e, desfrutando de prosperidade hoje, está tão esquecido de sua condição humana neste mundo, que imagina poder construir seu ninho acima das nuvens, que se convence de que jamais deixará de desfrutar de conforto e repouso[26] – sim, há grande diferença entre ele e a pessoa piedosa que, sabendo que sua vida está presa por um fio e que está cercada por mil mortes, e que, disposta a suportar toda e qualquer espécie de aflições que lhe sejam destinadas, e vivendo no mundo como se estivesse velejando num mar tempestuoso e em extremo perigoso, não obstante suporta pacientemente todas as dificuldades e sofrimentos, animando-se em suas aflições, porquanto depende totalmente da graça de Deus e põe nela toda a sua confiança.[27] O ímpio diz: Não serei abalado, ou serei inabalável para sempre; porque acredita que será suficientemente forte e poderoso para suportar todos os assaltos que lhe forem preparados. O homem fiel diz: Ainda que eu venha a ser abalado, sim, até mesmo caia e

---

24   Salmos 3.7; 23.4; 27.3 etc. – v.f.
25   "Il ose dire hardiment qu'il ne redoute nuls dangers et les desfie tous." – v.f. "Corajosamente declara que não tem medo algum dos perigos, e que os desafia todos."
26   "Et se fait à croire qu'il sera tousjours à son aise et a repos." – v.f.
27   "Toutesfois pource qu'il s'appuye du tout sur la grace de Dieu, et s'y confie, porte patiemment toutes molestes et ennuis et se console en ses afflictions." – v.f.

mergulhe nas maiores profundezas, o que me poderá acontecer além disso? Minha queda não será fatal, pois Deus estenderá sua mão sobre mim e me susterá. E assim somos munidos de uma explicação dos diferentes efeitos que uma apreensão do perigo causa nos bons e nos maus. Os bons podem estremecer e mergulhar em desespero, mas isso os leva a buscar diligentemente refúgio no santuário da graça de Deus;[28] enquanto que o ímpio, ao ser afligido, até mesmo ao ruído de uma folha que cai,[29] vive em constante inquietação, esforça-se por embrutecer-se em sua estupidez e conduz-se a um estado tal de vertiginoso frenesi, que é, por assim dizer, arrebatado de si mesmo, e assim não consegue sentir suas calamidades. A causa atribuída à confiança com que o ímpio próspero se persuade de que nenhuma vicissitude lhe sobrevirá é esta: **ele não experimenta a adversidade**. Isso admite dois sentidos. Ou significa que o ímpio, por ter sido poupado de toda calamidade e miséria durante a parte passada de sua vida, entretém a esperança de uma condição pacífica e feliz no futuro, ou significa que, mediante uma imaginação ilusória, se isenta da comum condição dos homens; assim como em Isaías [28.15] eles dizem: "Fizemos aliança com a morte, e com o inferno fizemos acordo; quando passar o dilúvio de açoite, não chegará a nós, porque pusemos a mentira por nosso refúgio e debaixo da falsidade nos escondemos."

[vv. 7-10]
Sua boca está cheia de maldição, de engano e de malícia; debaixo de sua língua há injúria e iniquidade. Põe-se de emboscada nas aldeias; nos lugares ocultos mata o inocente; seus olhos estão de espreita contra o pobre. Põe-se secretamente como um leão em sua cova; arma cilada para apanhar o pobre; apanha-o, arrastando-o em sua rede. Encurva-se e abaixa-se; e então os aflitos caem por suas forças.[30]

---

28 "Se retirent de bonne heure vers la grace de Dieu pour se mettre a sauvete comme en un lien de refuge et asseurance." – v.f. "Recorrem diligentemente à graça de Deus, pondo-se a salvo como num lugar de refúgio e segurança."

29 "Au bruit des fueilles qui tombent des arbres." – v.f. "Ao ruído de folhas caindo das árvores."

30 "Ou, par ses forts, asçavoir membres." – v.f. "Ou, por seus fortes membros." Isto é, seus dentes ou garras. O adjetivo, *fortes*, no original, está no plural, e não há substantivo com que concorde. Temos exemplos de uma elipse semelhante em outras partes da Escritura. Assim, em 2 Sm 21.16, temos nova, por uma nova espada; e no Sl 73.10, cheio, por um copo cheio; e em Mt 10.42, fria, por água fria. – *Poole's Annotations*.

7. Sua boca está cheia de maldição. O escopo desses quatro versículos é o seguinte: Se Deus pretende socorrer seus servos, então o tempo oportuno de fazê-lo é agora, já que a iniqüidade dos ímpios já jorrou o máximo possível. Em primeiro lugar, Davi se queixa de que a língua deles está saturada de perjúrios e enganos, e que guardam ou ocultam injúrias e injustiças, tornando-se impossível ter algum entendimento com eles, em qualquer assunto, sem perdas e danos. A palavra אלה (alah), que alguns traduzem por *maldição*, significa não execrações que porventura lancem contra outrem, e, sim, as que eles invocam contra suas próprias cabeças; pois não têm qualquer escrúpulo de pronunciar as mais terríveis imprecações contra si mesmos, para que com isso sejam mais bem sucedidos em enganar outrem. Portanto, ela não é impropriamente traduzida por alguns como *perjúrio*, porque essa palavra deve juntar-se a outras duas: *engano* e *malícia*. E assim os perversos são descritos como que amaldiçoando ou jurando falsamente, contanto que isso contribua para promover seus propósitos de enganar e lançar injúrias. Daqui se seguem injúria e injustiça, visto ser impossível que o simplório, sem sofrer dano, escape de suas armadilhas, as quais são entretecidas de fraudes, perjúrios e malícia.

8. Põe-se de emboscada nas aldeias.[31] Tenho propositadamente evitado mudar os verbos do futuro para outro tempo, visto que subentendem um ato contínuo, e também porque o idioma hebraico tem se estendido ainda a outras línguas. Davi, pois, descreve o que os ímpios costumam fazer. E, em primeiro lugar, ele os compara a ladrões de estrada, que se põem de espreita nos pontos estreitos das estradas, e escolhem para si pontos ocultos donde possam cair sobre os transeuntes que passam desapercebidos. Ele diz ainda que **seus olhos**

---

31 Horsley traduz assim o versículo 8: "Assenta-se de tocaia nos vilarejos, em lugares secretos; Assassina o inocente; seus olhos estão sempre de espreita no desamparado." E ele formula a seguinte nota: "Símaco e São Jerônimo naturalmente lêem a frase assim: ישב מארב בחצרים, e ambos traduzem מארב como um particípio. 'Põe-se de espreita perto das fazendas.' É esta que eu considero ser a redação e a tradução genuínas. A imagem é a de um animal de rapina da menor espécie, uma raposa ou um lobo, pondo-se de espreita perto do curral, à noite." Ou, "põe-se de espreita perto do curral."

estão curvados ou **de esgueira**,[32] à guisa de similitude, tomada por empréstimo da prática de atiradores de dardos que miram seu alvo de esgueira ou com os olhos semi-fechados, a fim de acertar a mira com mais segurança. Tampouco fala ele aqui do tipo corriqueiro de ladrões de estrada que ficam nas florestas;[33] senão que dirige sua linguagem contra os grandes ladrões que ocultam sua perversidade sob títulos de honra, pompa e esplendor. A palavra חצרים (*chatserim*), portanto, que traduzimos por *aldeias*, é por alguns traduzida por *palácios*; como se Davi dissesse: converteram suas mansões reais em pontos de assaltos, donde possam cortar as gargantas de sua infelizes vítimas. Uma vez concedido que a palavra contenha tal alusão, considero que ela se refere principalmente à prática de salteadores, à qual se faz referência em todo o versículo, e o explico assim: da forma como os salteadores se põem à espreita nas saídas dos vilarejos, assim também essas pessoas armam suas armadilhas onde quer que estejam.

No próximo versículo, o profeta demonstra a crueldade deles num aspecto ainda mais grave, fazendo uso de outra comparação, dizendo que anseiam por suas presas **como leões em seus covis**. Ora, é um degrau mais acentuado de perversidade usar animais selvagens como ilustração de crueldade do que falar em termos de massacre segundo o método dos salteadores. É digno de nota o fato de Davi sempre juntar fraudes e armadilhas com violência, a fim de melhor ilustrar quão miseráveis os filhos de Deus seriam, caso não fossem cercados do auxílio celestial. Há ainda o acréscimo de outra similitude, a qual expressa mais claramente como a astúcia em apanhar vítimas está associada com a crueldade. **Apanha-o arrastando-o em sua rede.** Com tais palavras ele quer dizer que os ímpios não só tomam de assalto as vítimas, com franca força e violência, mas também que, ao mesmo tempo, espalham suas redes com o fim de enganar [as vítimas].

---

32 O bispo Mant lê: "olhos inquisitivos". "Concernente à palavra", diz ele, "que traduzi por *inquisitivos*, Parkhurst diz que ela é aplicada aos olhos piscando ou semi-fechando a fim de ver mais distintamente. As versões Septuaginta e a Vulgata, que trazem *olhar*, *ver*, dão o sentido geral, mas não a encantadora imagem expressa no hebraico."

33 "Qui sont parmi les bois." – v.f.

Ele reitera uma vez mais tudo isso no versículo 10, fazendo uma descrição muito bela e gráfica da própria aparência ou gesto desses seres perversos, precisamente como se pusesse diante de nossos olhos um retrato deles. **Encurva-se**, diz ele, **e abaixa-se**,[34] para que suas vítimas não tenham como fugir, realçando ainda mais a crueldade [do caçador]. Pois aqueles a quem não podem ferir por causa da distância, os fazem cair em suas redes. E assim vemos como Davi reúne essas duas coisas: primeiro, as armadilhas ou engodos; e então, a violência súbita, tão pronto tenha a presa caído em suas mãos. Pois na segunda cláusula ele quer dizer que, sempre que percebem o simplório caindo em seu poder, lançam-se sobre ele de surpresa com gana selvagem, como faz um leão que, furiosamente, se lança sobre sua presa, rasgando-a em pedaços.[35] A intenção óbvia do salmista é que os ímpios devem ser temidos de todos os lados, visto que dissimulam sua crueldade, até que alcançam os que são apanhados em suas redes, a quem anseiam por devorar. Há nas palavras certa obscuridade, para as quais chamaremos a atenção sucintamente. Na cláusula que traduzimos por *uma multidão de aflitos*, a palavra hebraica, חלכאים (*chelcaim*), *um exército*, na opinião de alguns, é uma palavra de quatro letras.[36] Entretanto, aqueles que ponderam mais acuradamente, crêem que ela é composta, equivalente a duas palavras.[37] Portanto, embora o verbo נפל

---

34 A alusão é à prática do leão que, quando tenciona apoderar-se de sua presa, se agacha ou se deita e se oculta o máximo que pode para apanhar sua presa desprevenida e quando se põe ao seu alcance [Jó 38.39-40].

35 "Comme si un lion sortant de son giste se levoit furieusement pour mettre sa proye par pieces." – v.f. "Como se um leão, arremessando-se de seu covil, furiosamente se ergue sobre sua presa, e a dilacera em pedaços." "Quando o leão", diz Buffon, "salta sobre sua presa, ele dá um salto de dez a quinze pés, cai sobre ela e a segura em suas garras e a rasga com suas presas para então a devorar com seus dentes."

36 Sendo o plural de חלכה, *chelcah*, que ocorre três vezes neste Salmo, isto é, aqui e nos vv. 8 e 14, onde é traduzida por *pobre*.

37 Isto é, חל כאים, *chel caim*. Aqueles que adotam essa redação observam que, de acordo com o outro ponto de vista, o verbo נפל, *naphal*, *que caia*, se junta a um substantivo plural, חלכאים, *chelcaim*, mas que, ao dividir esta última palavra em duas, obtemos um nominativo singular para o verbo. Hammond, contudo, que adota a primeira opinião, observa: "Que é uma elegância, tanto no hebraico quanto no árabe, usar o verbo singular com o plural nominativo, especialmente quando o verbo é colocado primeiro, como sucede aqui"; e, portanto, ele nega a validade dessa objeção levantada contra a tradução ordinária.

(*naphal*), esteja no singular, contudo o profeta, indubitavelmente, usa חֵל כָּאִים (*chel caim*), coletivamente, para denotar um numeroso grupo de pessoas que são afligidas por cada um desses leões. Traduzi עֲצוּמִים (*atsumim*), *suas forças*, como se fosse um substantivo; porque o profeta, indubitavelmente, usando esse termo, tem em mente as garras e dentes do leão, nos quais consiste, primordialmente, a força desse animal. Contudo, como a palavra é propriamente um adjetivo no plural, significando *poderoso*, sem ter qualquer substantivo com que concorde, podemos logicamente supor que, com garras e dentes do leão ele tenciona expressar metaforicamente um poderoso corpo de soldados. Em suma, o significado é este: esses homens perversos ocultam sua força, simulando humildade e comportamento habilmente cortês, e no entanto terão sempre em prontidão um bando bem armado de correligionários, ou garras e dentes, tão logo se lhes apresente a oportunidade de fazer dano.

[vv. 11-13]
Diz ele em seu coração: Deus se esqueceu; ocultou seu rosto para que nunca o veja. Levanta-te, ó Jehovah Deus, ergue tua mão; não te esqueças dos pobres. Por que os perversos desprezam a Deus? Diz ele em seu coração: Tu não reclamarás.

11. Diz ele em seu coração. O salmista novamente põe em realce a fonte da qual procede a presunção dos ímpios. Visto que Deus parece não tomar conhecimento de suas práticas perversas, eles se animam com a esperança de escapar impunemente. Não obstante, visto que não declaram francamente com seus lábios a detestável blasfêmia, dizendo que **Deus se esqueceu de sua conduta e fechou seus olhos para nunca vê-la**, mas que ocultam seus pensamentos nos mais profundos recessos de seus mesmos corações, como o declara Isaías [29.15], o salmista usa a mesma forma de expressão que usara antes, e que repete pela terceira vez um pouco depois, isto é, que os ímpios dizem a si mesmos, em seus corações, que Deus não se preocupa com o que fazem os homens. E deve observar-se que os ímpios, quando tudo lhes acontece segundo seus desejos, formam um juízo tal de sua prosperidade, que se persuadem de que Deus está de certa forma comprometido ou obrigado em relação a eles.[38] Daí sucede que vivem num estado de constante segurança,[39] visto que não ponderam no fato de que, depois de Deus ter demonstrado paciência em relação a eles, terão que enfrentar um solene ajuste de contas, e que sua condenação será a mais terrível possível, mais longa que a longanimidade de Deus.

12. Levanta-te, ó Jehovah Deus. É um mal, sob o qual os homens em geral labutam, imaginar, segundo o juízo da carne, que quando Deus não executa seus juízos é porque ele se acha assentado indolentemente ou deitado em plácido repouso. A esse respeito, contudo, há uma grande diferença entre os fiéis e os réprobos. Os últimos acalentam falsa opinião [acerca de si mesmos], que é ditada pela carne enfermiça, e a fim de acalmar-se e lisonjear-se em seus vícios, se entregam à modorra e tornam sua consciência estúpida,[40] até que, afinal, mediante sua ímpia obstinação, se calejam num grosseiro menosprezo por Deus. Mas os primeiros logo expulsam de suas mentes essa falsa imaginação, punindo a si mesmos, volvendo-se espontaneamente à devida consideração do que seja a verdade sobre este assunto.[41] Disso temos aqui posto diante de nós um exemplo inusitado. Ao falar de Deus segundo a linguagem humana, o profeta declara que o mesmo erro que justamente agora está a condenar os que desprezam a Deus, ele teve que gradualmente extirpar de sua própria mente. Mas ele procede a corrigi-lo imediatamente, e resolutamente luta em seu íntimo e refreia sua mente de formar tais conceitos acerca de Deus, quando os mesmos refletem desonra sobre sua justiça e glória. É, portanto, uma tentação a que todos os homens estão naturalmente pro-

---

38 "Or il faut noter que les meschans voyans que tout leur vient à souchait font tellement estat de leur prosperite, qu'ils se font à croire que Dieu est aucunement obligé a eux." – v.f.

39 "Qu'ils vivent sans crainte ne souci de l'advenir." – v.f. "Que vivem sem qualquer temor ou preocupação quanto ao futuro."

40 "Et prenent plaisir à s'assopir et rendre leur consicence esupide, afin de se flatter en leurs vices." – v.f.

41 "Retournans d'eux mesmes à bien considerer ce qui en est a la verite." – v.f.

pensos, ou seja, começam a pôr dúvida sobre a providência de Deus, visto que sua mão e juízo não são vistos. Entretanto, os santos diferem muitíssimo dos réprobos. Aqueles, por meio da fé, refreiam essa preocupação carnal; enquanto que os últimos dão rédeas à sua imaginação obstinada. E assim Davi, valendo-se do verbo *levantar*, se propõe não tanto a incitar a Deus, mas a despertar a si próprio, ou procura despertar em si a esperança por mais assistência divina do que presentemente experimentava. Conseqüentemente, este versículo contém a proveitosa doutrina de que a maioria dos ímpios se faz empedernida, através de sua indolente ignorância, e tudo fazem para persuadir a si próprios de que Deus não sente preocupação alguma pelos homens e suas atividades, e portanto não punirá a perversidade que cometem, enquanto que a maioria de nós deve fazer tudo para convencer-se do contrário; sim, na verdade sua impiedade deve incitar-nos a repelir vigorosamente aquelas dúvidas que não só admitem, mas também tudo fazem por cultivá-las.

13. Por que os perversos desprezam a Deus? Realmente é supérfluo apresentar argumentos diante de Deus que vise a persuadi-lo a fornecer-nos resposta; mas ainda assim ele nos permite fazer uso deles e expressar-nos em oração, de uma forma tão familiar como falamos a um pai terreno. Deve sempre observar-se que o costume de orar consiste em que Deus seja testemunha de todas as nossas aflições, não que de outra forma estariam escondidas dele, mas quando derramamos nossos corações em sua presença, nossas tensões são sobejamente aliviadas e aumenta nossa confiança de obtermos o que pleiteamos. Por isso Davi, na presente passagem, ao pôr diante de si quão irracional e repulsivo seria que aos ímpios fosse permitido desprezar a Deus a seu bel-prazer, crendo que jamais se lhes pedirá conta,[42] foi levado a acalentar a esperança de receber livramento de suas calamidades.

A palavra que é aqui traduzida por *desprezam* é a mesma que usara antes. Alguns a traduzem por *provocar*, e outros, por *blasfemar*. Mas o significado que tenho preferido com certeza se harmoniza muito mais com o contexto; pois quando as pessoas usurpam de Deus o

---

42 "A leur plaisir n'estimans pas que jamais il les amenast à conte." – v.f.

poder e a função de julgar, tal atitude equivale a ignominiosamente arrancá-lo de seu trono e a degradá-lo, por assim dizer, à condição de um indivíduo usurpado.[43] Além do mais, como Davi, um pouco antes, se queixara de que os ímpios negavam a existência de Deus, ou mesmo o imaginavam como constantemente a dormitar, não se importando um mínimo sequer com o raça humana, também agora se queixa do mesmo intuito deles: *Deus não reclamará*.

[vv. 14, 15]
Tu o viste; porque atentas para os males e vexações,[44] para tomares o problema em tua própria mão; e a ti o pobre será entregue, porque tu serás o ajudador dos órfãos. Quebra tu o braço do perverso e malvado; tu sondarás sua perversidade, até que não a encontres.

14. Tu o viste; porque atentas para os males. Neste ponto Davi, subitamente, se inflama de santo zelo, entra em conflito e, armado com o escudo da fé, corajosamente repele essas opiniões execráveis. Mas, como não obteria vantagem alguma apelando aos homens, então recorre a Deus e se chega a ele. Visto que os ímpios, na esperança de desfrutarem da irrestrita liberdade de cometer todo gênero de perversidade, se afastam o máximo possível de Deus,[45] e pelos ditames de sua mente pervertida acreditam se acharem muito fora de seu alcance; portanto, ao contrário disso, os fiéis devem prudentemente manter-se afastados dessas opiniões selvagens que inundam o mundo, e com suas mentes elevadas ao alto falem com Deus como se estivesse visivelmente presente com eles. Conseqüentemente, Davi, a fim de prevenir-se de ser dominado pelas blasfêmias dos homens, mui oportunamente desvia deles sua atenção.

Acrescenta-se uma razão à confirmação da primeira cláusula do versículo, ou seja, **porque atentas para os males e vexações**. Visto ser da alçada divina tomar conhecimento de todos os males, Davi conclui ser impossível que Deus feche seus olhos quando os perversos,

---

43 "Au rang des hommes." – v.f. "À categoria humana."
44 "Oppression." – v.f.
45 "Se reculent le plus loin de Dieu qu'ils peuvent." – v.f.

perversamente e sem restrição, vivem em plena prática de seus ultrajes. Além do mais, ele desce do geral ao particular, o que precisa ser atentamente observado; pois nada é mais fácil do que reconhecer em termos gerais que Deus toma cuidado do mundo e das atividades humanas. Mas é muito difícil aplicar esta doutrina aos seus vários usos no viver diário. E no entanto, tudo o que a Escritura diz concernente ao poder e justiça de Deus nos será de nenhum valor e, por assim dizer, tão-somente de estéril especulação,[46] a menos que cada um de nós aplique a si essas afirmações, à medida que sua necessidade o requeira. Portanto, aprendamos do exemplo de Davi a ponderar assim: visto que cabe a Deus supervisionar todos os males e injúrias que são infligidos contra os bons e inocentes, ele atenta para nossas lutas e dores ainda quando pareça que, por algum tempo, ele as ignore. O salmista adiciona também que Deus não olha do céu para a conduta humana aqui em baixo como um espectador indiferente e despreocupado, senão que é sua função aplicar juízo sobre ela; porque, **tomar o problema em sua própria mão** nada mais é que atenta e eficazmente examiná-lo e pronunciar sobre ele em seu papel de Juiz.

Entretanto, é nosso o dever de aguardar pacientemente enquanto a vingança está confinada nas mãos divinas, até que Deus estenda seu braço para prestar-nos socorro. Vemos, pois, a razão por que imediatamente se acrescenta: **A ti o pobre será entregue**. Com essas palavras, Davi quer dizer que devemos deixar que a providência divina se manifeste em seu devido tempo. Os santos, ao serem afligidos, confiadamente se lancem no divino seio e descansem em sua proteção. Não devem, contudo, afadigar-se pela concretização de seus desejos; mas, sentindo-se agora perturbados, tomem alento até que Deus manifestamente declare ter chegado o tempo oportuno de interferir em seu favor. O homem, pois, *recorre a Deus* e se lança à sua proteção, e, plenamente convicto da fidelidade divina em guardar o que lhe é confiado, calmamente espera até que chegue o tempo oportuno de seu

---

46 "Sera de nulle utilite et comme un speculation maigre." – v.f.

livramento. Alguns lêem o verbo passivamente: *O pobre se entregará a ti*. A primeira redação, porém, é mais correta e se harmoniza mais com as regras gramaticais; é apenas uma forma defectiva de expressão, ainda que aquilo que o pobre deixa não seja expresso. Mas essa defecção é comum no hebraico; e não existe nenhuma obscuridade na coisa propriamente dita, a saber: quando os justos entregam a Deus, a si e suas preocupações, através da oração, suas súplicas não serão sem efeito; pois essas duas cláusulas se acham em estreita conexão: *A ti o pobre será entregue*, e: **Tu serás o ajudador dos órfãos**. À guisa de metáfora, o profeta denomina de *órfão* a mesma pessoa que, na cláusula anterior, chamou de *pobre*. E o verbo no tempo futuro denota uma ação contínua.

15. Quebra tu o braço do perverso. Essa forma de expressão significa justamente anular o poder dos perversos. E ela não é uma mera oração, mas deve também ser considerada uma profecia. Visto que a fúria descontrolada de nossos inimigos muitas vezes nos leva a perder o ânimo, como se não existisse meio algum pelo qual fosse restringida, Davi, a fim de fortalecer sua fé e preservá-la de fracasso oriundo dos temores ora presentes, põe diante de seus olhos a seguinte ponderação: sempre que é do agrado de Deus alijar o poder dos ímpios, ele transforma em nada tanto a eles quanto a todos os seus esquemas. Para fazer o sentido mais evidente, a frase pode ser assim explicada: Senhor, assim que te parecer bem quebrar o braço dos perversos, então o destruirás num instante e pulverizarás seus poderosos e violentos esforços na ação de causar o mal. Davi de fato roga a Deus que apresse sua assistência e sua vingança; mas, nesse ínterim, enquanto são retraídos, ele se sustenta com a consoladora ponderação de que os ímpios não podem prorromper em violência e malefício exceto até ao ponto em que lhes permita, já que está em seu poder, sempre que toma assento em seu tribunal, destruí-los mesmo com um só olhar. E certamente, como o nascer do sol dissipa as nuvens e os vapores com seu calor e espanta as sombras da atmosfera, assim também Deus, quando estende sua mão em sua função de Juiz, restaura à tranqüilidade e à ordem todas as dificuldades e confusões do mundo. O salmista denomina a pessoa de quem faz referência não só de perversa, mas **o perverso e o homem vil**, e procede assim, a meu ver, com o propósito de estabelecer de forma mais sólida a profundidade da perversidade do caráter que ele descreve. Suas palavras revelam a seguinte intenção: As pessoas perversas podem ser até mesmo frenéticas em sua malícia e impiedade, mas Deus pode pronta e eficientemente remediar esse mal sempre que o queira.

[vv. 16-18]
Jehovah é Rei sempre e eternamente; os gentios perecerão de suas terras. Tu, ó Jehovah, tens ouvido os desejos dos necessitados; tu dirigirás,[47] seus corações e teus ouvidos os ouvirão. Julgarás o órfão e o pobre, a fim de que o homem, que é terreno, não mais lhes infunda terror.

16. Jehovah é Rei sempre e eternamente. Davi agora, como que tendo saciado os anseios de seu coração, expressa seu regozijo e sua gratidão. Ao chamar Deus, *Rei sempre e eternamente*, ele apresenta um emblema de sua confiança e alegria. Com o título, *Rei*, ele reivindica para Deus o ofício de Soberano do mundo, e ao descrevê-lo como *Rei sempre e eternamente*, ele prova quão absurda é a tentativa de confiná-lo dentro dos tacanhos limites do tempo. Visto que o curso da vida humana é curto, mesmo aqueles que empunham o cetro dos maiores impérios, os quais não passam de meros mortais, mui freqüentemente desapontam as expectativas de seus servos,[48] como somos instruídos no Salmo 146.3-4: "Não confieis em príncipes, nem em filho de homem, em quem não há auxílio. Sai-lhe o espírito e ele volta para a terra; naquele mesmo dia perecem os seus pensamentos." Com freqüência o poder de dar assistência a outros lhes falha, e enquanto retardam em dá-la, a oportunidade lhes escapa. Mas devemos cultivar as mais sublimes e honradas concepções acerca de nosso Rei celestial; pois embora não execute ele imediatamente seus juízos, todavia detém

---

47 "Ou, fortifieras. " – versão francesa marginal. "Ou, tu fortalecerás ou estabelecerás."
48 "Bien souvent frustrent leurs serviteurs de leur attente." – v.f.

sempre o pleno e perfeito poder de fazê-lo. Em suma, ele reina, não especificamente em função de si próprio; ele o faz visando a nós e com duração eterna. E sendo essa a duração de seu reinado, segue-se que uma excessiva delonga não pode impedi-lo de estender sua mão no devido tempo e socorrer a seu povo, mesmo que ele esteja, por assim dizer, morto ou em condição tal que, aos olhos, aos sentidos e à razão humanos, pareça sem qualquer esperança. **Os gentios perecerão da terra**. O significado é este: a terra santa, finalmente, foi expurgada das abominações e impurezas com que fora poluída. Constituiu-se numa terrível profanação o fato de a terra que havia sido dada por herança ao povo de Deus, e distribuída com os que o adoravam com pureza, passasse a nutrir os habitantes ímpios e perversos.

Com o termo, *os pagãos*, o profeta não quer dizer estrangeiros e os que não pertenciam à raça de Abraão segundo a carne,[49] mas os hipócritas que falsamente se vangloriavam de pertencer ao povo de Deus, justamente como hoje muitos que são cristãos nominalmente ocupam um espaço no seio da Igreja. Não é nenhuma novidade chamarem os profetas de apóstatas aos que se haviam degenerado das virtudes e vidas santas de seus pais, evocando o título de *pagãos*, bem como comparando-os não só com os incircuncisos, mas também com os próprios cananeus, que eram os mais detestáveis dentre todos os pagãos. "Teu pai foi amonita e tua mãe, hitita" [Ez 16.3]. Muitas outras passagens podem ser cotejadas na Escritura. Davi, portanto, ao aplicar o desonroso título de *pagãos*, aos falsos e bastardos filhos de Abraão, rende graças a Deus por haver ele expulso de sua Igreja uma classe tão corrupta. Com esse exemplo, somos ensinados que não é nenhuma novidade se em nosso próprio tempo virmos a Igreja de Deus poluída pelos homens profanos e irreligiosos. Devemos, contudo, rogar a Deus que purifique imediatamente sua casa, e não deixe seu santo templo exposto à execração de suínos e caninos, como se fosse uma esterqueira.

---

49 "Et des personnes qui ne fussent de la race d'Abraham selon la chair." – v.f.

17. Ó Jehovah, tu tens ouvido os desejos dos necessitados. Nestas palavras o profeta confirma o que acabo de afirmar, ou seja: quando os hipócritas prevalecem na Igreja, ou excedem os fiéis em número, devemos, incessantemente, rogar a Deus que os erradique; porquanto um estado tão confuso e vexatório deve seguramente ser motivo de profunda tristeza para todos os servos de Deus. Com essas palavras, o Espírito Santo também nos assegura que o que Deus desde outrora concedeu aos pais, em resposta de suas orações, nós, nos dias atuais, também receberemos, desde que cultivemos essa profunda solicitude em relação ao livramento da Igreja. A cláusula que se segue: **Tu dirigirás seus corações**, é de forma variada interpretada pelos expositores. Há quem entenda que ela significa o mesmo que: Tu farás que seus desejos se concretizem. Segundo outros, o significado é este: Tu moldarás e santificarás seus corações, pela graça, para que nada peçam em oração senão o que é certo e esteja em harmonia com a divina vontade, como Paulo nos ensina que o Espírito Santo "intercede por nós com gemidos inexprimíveis" [Rm 8.26]. É bem provável que ambas essas explicações sejam um tanto forçadas. Davi, nesta cláusula, magnifica a graça divina em sustentar e confortar a seus servos em meio às suas tribulações e angústias, a fim de que não submergissem em desespero, munindo-os com fortaleza e paciência, inspirando-os com sólida esperança e incitando-os também à oração. Essa é a significação do verbo כין (*Kin*), que denota não só o *dirigir*, mas também o *estabelecer*. É uma bênção singular a que Deus nos confere quando, em meio às tentações, ele nutre nossos corações, não os deixando retroceder dele, nem buscando em outra fonte algum outro apoio e livramento. O significado da cláusula que imediatamente se segue – *e teus ouvidos o ouvirão* – consiste em que não é debalde que Deus dirija os corações de seu povo e o guie em obediência aos seus mandamentos, para que seu povo olhe para ele e o invoque cheio de esperança e paciência – não é vão porque seus ouvidos jamais se fecharão ante os gemidos de seu povo. Portanto, ordena-se aqui a harmonia mútua entre os dois exercícios religiosos. Deus não tolera que a fé de seus servos feneça ou fracasse, nem permite que eles desistam de orar; mas os mantém perto de si, pela fé e pela oração, até que realmente se evidencie que sua esperança não foi nem vã nem ineficaz. A frase pode, com toda propriedade, ser assim traduzida: Tu estabelecerás seu coração, até que teus ouvidos os ouçam.

18. Julgarás o órfão e o pobre. Aqui o salmista aplica a última frase do versículo anterior com um propósito especial, ou seja, prevenir os fiéis, quando forem injustamente oprimidos, a que não duvidem de que Deus por fim tomará vingança de seus inimigos e lhes concederá livramento. Com essas palavras ele nos ensina que devemos suportar com paciência e determinação as cruzes e aflições que nos são impostas, visto que Deus às vezes nega assistência a seus servos até que sejam reduzidos a extremos. Esse é na verdade um dever de difícil execução, porquanto todos nós desejamos muito ser isentos de problemas; e, portanto, se Deus não vem imediatamente em nosso socorro, concluímos que ele é remisso e inativo. Mas se estamos ansiosamente desejosos de obter sua assistência, então devemos subjugar nosso sentimento, restringir nossa impaciência e manter nossas preocupações dentro dos devidos limites, esperando até que nossas aflições alcancem o exercício de sua compaixão e o incite a manifestar sua graça, nos socorrendo.

A fim de que o homem, que é terreno, não mais lhes infunda terror. Davi uma vez mais enaltece o poder divino em destruir os ímpios; e o faz com o seguinte propósito: que em meio aos seus tumultuosos assaltos possamos ter este princípio profundamente arraigado em nossas mentes: Deus, sempre que lhe apraz, transforma seus intentos em nada. Alguns entendem o verbo אָרַץ (*arots*), que traduzimos por *terrificar*, como neutro, e lêem as palavras nesta ordem: *para que o homem mortal não mais seja motivo de medo*. Porém concordo mais que o escopo da passagem seja traduzido transitivamente, como temos feito. E embora os perversos prosperem em sua perversa trajetória, e ergam suas cabeças acima das nuvens, é muito apropriado descrevê-los como *mortais* ou *homens passíveis de muitas calamidades*. O propósito do salmista é indiretamente condenar sua enfatuada presunção, em que, ignorando sua condição, esbravejam ameaças terríveis e cruéis, como se estivesse além do poder do próprio Deus reprimir a violência de sua raiva. A palavra, *terreno*, contém um tácito contraste entre as baixezas deste mundo e as alturas do céu. Porque, donde procede a agressão aos filhos de Deus? Indubitavelmente, da terra, precisamente como se muitos vermes emergissem das cavidades do solo; mas, ao agir assim, atacam o próprio Deus, que promete socorrer seus servos lá do céu.

Salmos 11

Este Salmo consiste de duas partes. Na primeira, Davi recorda os severos assaltos da tentação que ele havia encontrado e o estado de ansiedade angustiante a que havia sido reduzido durante o tempo de perseguição sofrida por parte de Saul. Na segunda, ele se regozija no livramento que Deus lhe concedera, e enaltece a justiça divina que governa o mundo.

Ao mestre de música. Salmo de Davi.

[vv. 1-3]
Em Jehovah ponho minha confiança; como, pois, dizeis à minha alma: Fugi como pássaro para vossa montanha? Seguramente, eis que os ímpios distendem[1] seu arco, põem na corda suas flechas, para atirarem secretamente nos retos de coração. Na verdade, os fundamentos são destruídos; o que[2] o justo poderá fazer?

1. Em Jehovah ponho minha confiança. Quase todos os intérpretes crêem que aqui temos uma queixa de Davi contra seus compatriotas que, enquanto ele buscava em cada lugar um refúgio seguro, não conseguia divisar em parte alguma o menor vestígio de humanidade. E é deveras verdade que em toda a trajetória de sua peregrinação, depois de valer-se da fuga para escapar à crueldade de Saul, ele não pôde encontrar nenhum lugar de asilo, pelo

---

1 "Ont tendu l'arc." – v.f. "Tem distendido seu arco."
2 "Mais que?" – v.f. "Mas, o que?"

menos nenhum onde pudesse prosseguir até ao ponto de não ser perturbado. Portanto, é justo que ele se queixe de seus próprios compatriotas, pois nenhum deles se dignou oferecer-lhe abrigo durante o tempo em que era fugitivo. Creio, porém, que existe nesta história um aspecto mais elevado. Quando todos os homens estavam contendendo, por assim dizer, entre si para compeli-lo ao total desespero, teria ele, segundo as fraquezas da carne, se afligido com profunda e quase irresistível angústia mental; fortificado, porém, pela fé, confiada e prontamente aprendeu das promessas divinas, e foi assim preservado de ceder às tentações a que estivera exposto. Ele está a lembrar esses conflitos espirituais com os quais Deus o exercitava em meio a perigos extremos. Conseqüentemente, como acabei de observar, o Salmo deve ser dividido em duas partes. Antes de o salmista celebrar a justiça divina, a qual Deus exibe na preservação dos santos, enquanto parecia ir ao encontro da própria morte, no entanto, pela fé e retidão de consciência, ele alcançava vitória. Nesse ínterim todos os homens o advertiam a deixar seu país e a retirar-se para algum lugar de exílio, onde pudesse ocultar-se, já que ali não lhe restava qualquer esperança de vida, a menos que renunciasse ao reino que lhe havia sido prometido. No início do Salmo, ele contrasta esse perverso conselho com o escudo de sua confiança em Deus.

Mas antes de penetrar mais no tema, interpretemos as palavras. A palavra נוד (*nud*), a qual traduzimos por *fugir*, está grafada no plural, e no entanto é lida no singular;[3] a meu ver, porém, essa é uma leitura

---

3 O pensamento de Calvino é que, segundo as letras hebraicas, o verbo está no plural, mas que, segundo a pontuação hebraica, a qual regula a leitura, está no singular. Piscator, em seu comentário sobre esta passagem, observa: נודי, *nudi*, segundo a pontuação, é singular e feminina e se refere à alma de Davi; segundo as letras, é plural, נודו, *nudu*, e se refere a Davi e seus companheiros. Essa última leitura parece-me a mais apropriada, seja porque é seguida pelo relativo no plural, ou porque não parece ser um modo de expressão próprio e natural falar de pessoas dirigindo-se à alma de outras." A frase, *para minha alma*, contudo, pode simplesmente significar *para mim*, sentido este freqüentemente usado na Escritura.

adulterada. Visto que Davi nos diz que isso fora dito só a ele, os doutores dentre os judeus, crendo ser o plural inapropriado, passaram a ler a palavra no singular. Alguns deles, desejando reter o sentido literal, como é chamado, ficaram perplexos com a pergunta: por que se diz, *fugi*, em vez de *foge*? E, finalmente, recorreram a uma magra sutileza, como se os que o aconselhavam a valer-se da fuga se dirigissem tanto à sua alma quanto ao seu corpo. No entanto era desnecessário tanto esforço para resolver uma questão que não constitui nenhuma dificuldade; pois é verdade que os que aconselhavam a Davi não diziam que ele fugisse sozinho, mas que fugisse juntamente com todos os seus assistentes, os quais corriam os mesmos riscos que Davi. Portanto, embora se dirigissem especialmente a Davi, contudo incluíam seus companheiros, os quais defendiam a mesma causa e estavam expostos aos mesmos perigos.

Os expositores igualmente diferem em sua interpretação da matéria seguinte. Muitos traduzem *de vossa montanha*, como se fosse מהרכם (*meharkem*); e, segundo eles, há uma mudança de pessoa, visto que os que lhe falaram teriam dito: *foge de **nossa** montanha*. Mas isso é abrupto e forçado. Nem me parece que tivessem alguma outra razão de seu lado, quando dizem que a Judéia é aqui chamada montanha. Outros pensam que devemos ler הר כמו צפור (*har kemo tsippor*),[4] ou seja, *para a montanha como um pássaro*, sem um pronome.[5] Mas se seguirmos o que tenho dito, ela se harmonizará muito bem com o escopo da passagem, que ficará assim: *Fugi para vossa*

---

4 Essa é a redação adotada pelas versões Caldaica, Septuaginta e Vulgata. Hammond observa que "onde o hebraico agora lê, הרכם צפור, *harkem tsippor*, Para vossa montanha um pardal, todos os antigos intérpretes uniformemente lêem: *Para a montanha como um pardal*." Horsley traduz as palavras: "Fugi, pardais, para o vosso monte", e vê a expressão "como proverbial, denotando uma situação de desamparo e perigo, em que não havia nenhuma esperança de salvamento senão na fuga". O substantivo, צפור, *tsippor*, o qual ele traduz por *pardais*, é singular, e é aqui construído com um verbo e um pronome ambos plurais. Mas ele observa que, como essa palavra, à semelhança de muitos nomes de animais no idioma hebraico, significa ou o indivíduo ou as espécies, pode ser aqui usada no singular para muitos indivíduos, e construída com verbos, adjetivos e pronomes plurais.

5 "Sans specifier à qui est ceste montagne." – v.f. "Sem especificar a que montanha se referia."

montanha, pois não vos é permitido habitardes em vosso próprio país. Entretanto, não creio que se haja designado alguma montanha específica, senão que Davi fora despedido para as rochas do deserto aonde o acaso o guiasse. Condenando os que lhe dão tal conselho, declara que ele depende da promessa divina, e não está de forma alguma disposto a fugir para o exílio. Tal, pois, era a condição de Davi que, em sua extrema necessidade, todos os homens o repeliam e o caçavam nos longínquos desertos.

Mas como ele parece insinuar que seria sinal de desconfiança caso sua segurança fosse posta na fuga, pode-se perguntar se lhe seria ou não lícito fugir; sim, sabemos que ele era às vezes forçado a buscar o exílio e escapar de um lugar para outro, e às vezes até a esconder-se em cavernas. Eis minha resposta: é verdade que ele vivia sem domicílio como um pobre e assustado pássaro, a pular de galho em galho,[6] e era compelido a procurar veredas diferentes e a perambular de um lugar a outro com o fim de escapar às armadilhas de seus inimigos; não obstante tudo isso, sua fé ainda continuava tão inabalável que nunca se alienava do povo de Deus. Outros o consideravam um homem perdido e alguém cujas atividades estavam em condição desesperadora, não lhe dando mais valor que a um galho quebrado,[7] embora jamais se separasse do corpo da Igreja. Com certeza essa expressão, *fugi*, só tendia a fazê-lo entrar em parafuso. Mas teria sido errôneo para ele deixar dominar-se completamente por semelhantes temores, e ter-se valido da fuga sem saber qual seria o resultado. Ele, pois, diz expressamente que isso *fora expresso à sua alma*, significando que seu coração estava profundamente trespassado por uma rejeição em extremo ignominiosa, visto perceber (como eu já disse) que o propósito era abalar e enfraquecer sua fé. Em suma, embora vivesse sempre sem culpa, desde que se tornara um servo de Deus, contudo tais homens malignos o

---

6 "Je response que combien qu'il n'ait non plus este arresté qu'un poure oiselet craintif qui saute de branche en branche." – v.f.

7 "Combien que les autres le tenissent pour un homme perdu et duquel les affaires estoyent hors d'espoir et qu'ils n'en feissent non plus de cas que d'un membre pourri." – v.f.

teriam forçado a permanecer para sempre em condição de exilado de seu país natal. Este versículo nos ensina que, por mais que o mundo nos odeie e nos persiga,[8] não obstante devemos continuar firmes em nosso posto, para não nos privarmos do direito de reivindicar as promessas de Deus, ou para que elas não nos escapem; e por mais que e quanto mais somos molestados, devemos continuar sempre sólidos e inabaláveis na fé para a qual fomos chamados por Deus.

2. Eis que os ímpios. Há quem pense que isso é adicionado como uma desculpa apresentada por aqueles que desejavam que Davi se salvasse através da fuga. Segundo outros, Davi censura seus compatriotas que viam a morte ameaçando-o de todos os lados, e mesmo assim negavam-lhe asilo. A meu ver, porém, ele aqui continua seu relato das tentadoras circunstâncias em que se achava exposto. Seu objetivo é não só colocar diante de nossos olhos os perigos com que se via cercado, mas também nos mostrar que ele estava exposto até mesmo à própria morte. Ele, pois, afirma que se escondia onde quer que podia, e que lhe era impossível escapar das mãos de seus inimigos. Ora, a descrição de tão miserável condição ilustra extraordinariamente a graça de Deus no livramento que mais tarde lhe concedeu. Com respeito às palavras: **distendem seu arco, põem na corda suas flechas, *para atirarem secretamente***, ou *nas trevas*, alguns as entendem metaforicamente em relação às tentativas que os inimigos de Davi faziam para surpreendê-lo com astúcia e armadilhas. Eu, contudo, prefiro esta interpretação, como sendo a mais simples – que não havia lugar, por mais oculto que fosse, em que os dardos de seus inimigos não penetrassem, e que, portanto, qualquer caverna de que se valesse para esconder-se, a morte o seguia como sua inseparável assistente.

3. Realmente, os fundamentos são destruídos. Alguns traduzem a palavra, השתות (*hashathoth*), por *redes*, em cujo sentido a Escritura, em outros lugares, usa esta palavra com muita freqüên-

---

8 "Nous deteste et poursuyve." – v.f.

cia; e sua explicação das palavras é que as perversas e enganosas artes que os ímpios praticavam contra Davi eram destruídas. Se admitirmos esta interpretação, o significado do que ele acrescenta imediatamente a seguir – **o que o justo poderá fazer?** – será que seu escape em segurança não se deveu nem a seu próprio empenho, nem a sua própria habilidade, senão que, sem empregar qualquer esforço, e quando, por assim dizer, estava dormindo, então foi, pelo poder de Deus, libertado das redes e armadilhas de seus inimigos. Mas a palavra, *fundamentos*, concorda melhor com o escopo da passagem, pois ele evidentemente prossegue relatando a que dificuldades fora conduzido e ficara exposto, de modo que sua preservação tinha agora toda aparência de desespero. Os intérpretes, contudo, que concordam que *fundamentos* é a tradução correta da palavra não concordam quanto ao sentido da mesma. Alguns a explicam, dizendo que ele não tinha sequer um lugarzinho em que apoiar um pé; outros, que os pactos que deviam ter estabilidade, sendo fielmente cumpridos, haviam sido muitas vezes vergonhosamente violados por Saul. Alguns ainda a entendem alegoricamente, significando que os sacerdotes justos de Deus, que eram as colunas da terra, foram mortos. Mas não tenho dúvida de ser esta uma metáfora extraída das construções que são derrubadas e se transformam em um monte de ruínas quando seus alicerces são solapados; e assim Davi se queixa de que, aos olhos do mundo, ele se achava completamente subjugado, visto que tudo quanto possuía estava completamente destruído. Na última cláusula, ele reitera uma vez mais que era perseguido tão cruelmente, que era muito mais do que merecia: *O que o justo poderá fazer?* E assevera sua própria inocência, em parte para consolar-se em suas calamidades, mediante o testemunho de uma boa consciência, e em parte para encorajar-se na esperança de obter livramento. O que o encorajava a confiar em Deus era o alívio que nutria, ou seja, que, em razão da justiça de sua causa, Deus estava a seu lado e lhe seria favorável.

[vv. 4, 5]
Jehovah está no palácio de sua santidade; Jehovah tem no céu seu trono; seus olhos estão atentos,[9] e suas pálpebras consideram os filhos dos homens. Jehovah aprova o homem justo; mas sua alma odeia o ímpio e aquele que ama a iniqüidade.

4. **Jehovah está no palácio de sua santidade**. No que se segue, o salmista se alegra na certeza do favor divino, do qual já falei. Ao sentir-se destituído do auxílio humano, ele recorre à providência divina. É uma prova visível de fé, como já observei em outra parte, tomarmos e apropriarmo-nos, por assim dizer,[10] da luz celestial para guiar-nos à esperança de salvação, quando nos vemos cercados, neste mundo, de trevas por todo lado. Todos os homens reconhecem que o mundo é governado pela providência divina; mas quando daí surge uma lamentável confusão de coisas a perturbar a tranqüilidade deles e os envolve em dificuldades, poucos são os que conservam em sua mente a inabalável convicção dessa verdade. À luz do exemplo de Davi, porém, devemos levar em conta a providência divina de tal forma como a esperar por um remédio provindo de seu juízo, mesmo quando os transtornos estejam na mais desesperadora condição. Há nas palavras um contraste implícito entre céu e terra; pois se a atenção de Davi estivesse fixada no estado de coisas neste mundo, como eram vistas com os olhos dos sentidos e da razão, ele não teria previsto o livramento de suas perigosas circunstâncias atuais. Mas esse não era o hábito de Davi; ao contrário, quando no mundo toda a justiça é tripudiada e a fidelidade perece, ele pondera que Deus se assenta no céu, perfeito e imutável, da parte de quem convinha ele buscar a restauração para a ordem desse estado de miserável confusão. Ele não diz simplesmente que Deus habita o céu; mas que ele reina lá, por assim dizer, num palácio real e que tem lá seu tribunal. Nem lhe renderemos a

---

9 A Septuaginta faz aqui um acréscimo de Εις τον πενητα, "o aflito." "Seus olhos estão atentos no aflito."

10 "De prendre et par maniere de dire, emprunter lumiere du ciel." – v.f.

honra que lhe é devida, a menos que estejamos plenamente persuadidos de que seu tribunal é um sacro santuário para todos quantos se acham em aflição e são oprimidos injustamente. Quando, pois, a fraude, a astúcia, a traição, a crueldade, a violência e a extorsão reinam no mundo; em suma, quando todas as coisas são arremessadas em total desordem e escuridão, pela injustiça e perversidade, que a fé sirva como uma lâmpada a capacitar-nos para visualizarmos o trono celestial de Deus, e que essa visão nos seja suficiente para fazer-nos esperar pacientemente pela restauração das coisas a um melhor estado. **O templo de sua santidade**, ou **seu santo templo**, que é comumente tomado como sendo *Sião*, indubitavelmente, aqui, significa o céu; e isso é tão claramente demonstrado pela repetição na próxima cláusula: **Jehovah tem seu trono no céu**; pois é óbvio que Davi expressa a mesma coisa duas vezes.

Seu olhos estão atentos. Ele aqui infere, à luz da frase precedente, que nada está oculto de Deus, e que, portanto, os homens serão obrigados a prestar-lhe contas de tudo quanto têm feito. Se Deus reina no céu, e se seu trono está erigido ali, segue-se que ele deve necessariamente atentar para as atividades humanas, a fim de um dia assentar-se em seu tribunal para julgá-los. A Epicuro, e tais como ele, que se persuadem de que Deus é indolente e se entrega ao repouso celestial, pode dizer-se antes que estendem para ele um leito de repouso,[11] do que erigirem para ele um tribunal.

Mas a glória de nossa fé é que Deus, o Criador do mundo, não descarta nem abandona a ordem que ele mesmo no princípio estabelecera. E quando ele suspende seus juízos por algum tempo – convém-nos atentar bem para esta verdade –, seus olhos estão atentos desde o céu, justamente como vemos agora Davi animando-se com essa consoladora ponderação, ou seja, que Deus governa a humanidade e observa o que se passa no mundo, ainda que seu conhecimento, bem como o exercício de sua jurisdição, não sejam

---

11 "Et se repose au ciel, luy font plustost une couche pour dormir." – v.f.

a princípio percebidos claramente. Esta verdade é ainda mais claramente explicada no que imediatamente se acrescenta no quinto versículo, ou seja, que Deus distingue entre o justo e o injusto, e isso de tal forma que deixa em evidência que ele não é um espectador indolente; pois ele é descrito como **a aprovar o justo e a odiar o perverso**. A palavra hebraica, בחן (*bachan*), que traduzimos por *aprovar*, às vezes significa *examinar* ou *pôr à prova*. Nesta passagem, porém, eu a explico simplesmente como significando que Deus assim investiga a causa de cada pessoa a fim de distinguir o justo do perverso. Declara-se ainda mais que Deus odeia os que se põem a lançar injúrias e a praticar malefícios. Visto que ele ordenou que haja comunicação mútua entre as pessoas, portanto ele quer que a mantenhamos inviolável. Portanto, a fim de preservar essa sua própria ordem, sagrada e designada, ele tem de ser inimigo dos perversos, os quais trazem injustiça e transtorno aos demais. Isso é também aqui contrastado com o ódio divino pelos perversos e *o amor que os homens têm pela iniquidade*, para ensinar-nos que aqueles que se deleitam e se gabam de suas práticas nocivas, nada lucram com tais louvores, e apenas enganam a si próprios.

[vv. 6, 7]
Sobre os ímpios ele fará chover laços, fogo e enxofre, e um vendaval; essa é a porção de sua taça. Porque o Jehovah justo ama a justiça;[12] seu semblante aprova os retos.[13]

6. Sobre os ímpios ele fará chover. Davi então, em último lugar, estabelece como uma sólida verdade que, embora Deus, por algum tempo, permaneça quieto e delongue seus juízos, contudo o momento da vingança certamente virá. E assim vemos como ele sobe gradualmente de sua presente aflição à esperança de um feliz resultado, e ele usa seus esforços para atingir isso, ou seja, que a desordem social e moral, que via preva-

---

12 "Car le Seigneur est juste, et aime justice." – v.f. "Porque o Senhor é justo e ama a justiça."
13 "La droiture." – v.f. "Retidão." "Ou, le droiturier." – versão francesa marginal. "Ou, os retos."

lecer ao seu redor, não viesse a enfraquecer sua fé. Visto que o tribunal divino permanece sólido e inabalável, ele, em primeiro lugar, se sustenta e se conforta à luz da consideração de que Deus, lá do alto, atenta para todos os feitos aqui em baixo. Em segundo lugar, ele considera o que a função de juiz requer, à luz do que ele conclui que as ações humanas não podem escapar da inspeção dos olhos oniscientes de Deus, e que, embora não puna seus maus feitos imediatamente, ele odeia a todos os que os praticam. Finalmente, ele acrescenta que, já que Deus se arma com poder, tal ódio não será em vão nem ineficiente.

Portanto, enquanto Deus protela a aplicação do castigo, o conhecimento de sua justiça exercerá uma poderosa influência na manutenção de nossa fé, até que realmente comprove que jamais se apartou de sua torre de vigia, donde ele supervisiona as ações humanas.[14] Davi apropriadamente compara com a chuva os castigos que Deus aplica. Visto que a chuva não é constante, Deus a envia quando lhe apraz; e quando o tempo fica mais calmo e mais ameno, de súbito surge uma tempestade de raios e trovões ou um violento aguaceiro; de forma semelhante, aqui se declara que a vingança a ser aplicada nos perversos virá repentinamente, de modo que, quando estiverem entregues à pândega e intoxicados com seus prazeres, e "quando disserem: Paz e segurança, lhes sobrevirá repentina destruição".[15] Ao mesmo tempo, Davi, neste ponto, evidentemente alude à destruição de Sodoma e Gomorra. Visto que os profetas, quando prometiam a graça divina aos eleitos, lembravam-lhes o livramento do Egito, o qual Deus efetuou em favor de seu antigo povo, assim também, quando ficam alarmados com os perversos, os ameaçam com uma destruição como aquela que caiu sobre Sodoma e Gomorra, e é com boas razões que eles agiam assim; já que Judas, em sua epístola, nos informa que essas cidades "foram postas por exemplo, sofrendo a vingança do fogo eterno" [v. 7].

---

14 "De laquelle il contemple les faits des hommes." – v.f.
15 "Et qu'ils diront paix et asseurance mort soudaine leur adviendra." – v.f.

O salmista, com muita beleza e propriedade, põe laços[16] antes de fogo e enxofre. Vemos que os ímpios, enquanto Deus os poupa, nada temem, mas dão ampla liberdade a seus caprichosos cursos como corcéis soltos[17] na pradaria; e então, se percebem alguma adversidade a tolher-lhes os passos, inventam para si vias de escape. Em suma, estão constantemente a motejar de Deus, como se não pudessem ser alcançados, a menos que antes de tudo sejam bem enredados e solidamente presos pelas malhas divinas. Deus, portanto, começa sua vingança armando laços, fechando contra os perversos todas as vias de escape; e quando os tem enredados e presos, então troveja sobre eles de forma assustadora e terrível, da forma como consumiu Sodoma e as cidades vizinhas, com fogo lançado do céu. A palavra זלעפות (*zilaphoth*), a qual traduzimos por *ventos tempestuosos*, é por alguns traduzida por *acender fogo* ou *incêndios*; e, por outros,

---

16 Horsley lê: "brasas incandescentes". Lowth traduz a palavra por "brasas vivas", e observa que פחים, *pachim*, significa *globos de fogo*, ou simplesmente *relâmpago*. Diz ele: "Isso é certamente mais condizente com o contexto do que *laços*. A raiz é *puach*, que, ainda que às vezes signifique *enlaçar*, contudo mais freqüentemente significa *soprar* ou *emitir*, por exemplo, fogo Ez 21.31: "E derramarei sobre ti minha indignação, assoprarei contra ti o fogo do meu furor." Os amonitas são descritos como a cair na fornalha da ira divina. Compare-se 22.21, onde quase as mesmas palavras ocorrem, exceto o verbo correspondente (e nesse caso sinônimo), *napach*, do qual se faz uso, daí *mapnach*, um fole, Jr 6.29. No mesmo sentido se introduz o verbo *puach*, Pv 29.8: "Os escarnecedores *inflamam* a cidade." À luz dessa explicação da raiz *puach*, a palavra *pach*, uma brasa acesa, é corretamente derivada." – *Sacred Poetry of the Hebrews*, vol. I, pp. 194-195. Lowth também afirma que às vezes os orientais chamam o relâmpago de *redes* ou *correntes*, provavelmente em virtude dos contínuos raios luminosos do relâmpago em sua passagem pelo céu, os quais parecem entrelaçar-se à semelhança de cadeias. Hengstenberg, contudo, se opõe a essa exposição, e adota e defende o que Calvino apresentou. "פחים", diz ele, "aqui, segundo a maioria dos expositores, deve ser considerado como uma figurada designação de *relâmpago*, que é supostamente chamado também pelos árabes, em prosa e poesia, pelo nome de *cadeias*. Mas é uma objeção suficiente a esse significado dizer que פח não significa *corda*, em geral, mas especialmente *armadilha, laço, cilada*. Em prova disso ele cita Salmo 9.15; Jó 18.9; 22.10; Is 24.17-18; Pv 22.5. "A expressão, *ele fará chover*", diz ele, "não pode apresentar nenhuma dificuldade concreta, quando simplesmente indica a plenitude dos juízos retributivos de Deus, já observados por Lutero, quando diz que, pela expressão, 'o profeta indica a grande variedade e volume dos males ameaçados'."

17 "Ainsi que des chevaux desbridez." – v.f.

comoções ou *terrores*.¹⁸ Mas o contexto requer a interpretação que tenho apresentado; pois uma tempestade surge de ventos tempestuosos, e então vêm os trovões e relâmpagos.

Essa é a porção de sua taça. Com tal expressão, ele testifica que os juízos divinos entrarão em vigor, ainda que os ímpios se iludam por lisonjas enganosas. Esta metáfora é freqüentemente encontrada nas Escrituras. Visto que a mente carnal em nada crê com maior dificuldade do que no fato de que as calamidades e misérias, que parecem ser fortuitas, sucedem segundo a justa retribuição de Deus, ele o representa sob o caráter de um chefe de família que distribui a cada membro sua porção ou mesada. Davi, portanto, aqui notifica que certamente haverá recompensa instituída para os ímpios; que será debalde que resistam quando o Senhor apresentar-lhes a taça de sua ira para que bebam; e que a taça preparada para eles não será bebericada gota a gota, mas uma taça cujo pleno conteúdo serão obrigados a sorver, segundo a ameaça do profeta: "Bebê-lo-ás, pois, e esgotá-lo-ás" [Ez 23.34].

7. Porque o Jehovah justo ama a justiça. O salmista esteve justamente ponderando sobre o ofício de Deus como Juiz que punirá os perversos, e agora, à luz da natureza de Deus, conclui que ele será o defensor dos bons e retos. Visto que Deus é justo, Davi mostra que, em conseqüência disso, ele ama a justiça, pois do contrário ele negaria a si mesmo. Além disso, seria uma especulação insípida conceber a justiça

---

18 Dr. Adam Clarke traduz as palavras רוח זלעפות, *ruach zilgaphoth*, "o espírito de terrores", e afirma que "isso pode referir-se ao vento árabe horrivelmente sufocante, chamado *Samum*". O bispo Lowth traduz as palavras assim: "uma tempestade ardente", sobre o que Michaelis observa: "Essa é uma imagem admirável, e é extraída da escola da natureza. O vento *zilgaphoth*, que sopra do oriente, é muito pestilento, e, portanto, quase proverbial entre os orientais ... Muitas e maravilhosas estórias de seus efeitos são relatadas pelos árabes, e seus poetas inventam que os maus, em seu lugar de eterno tormento, têm de respirar esse pestífero vento como seu ar vital." – *Lowth's Sacred Poetry*, vol. I, p. 193. Hengstenberg traduz as palavras por *ventos furiosos*, e os explica como simplesmente significando a ira divina que prorrompe como tempestade; e observa que a veemência da ira denota-se pelo plural. Em oposição à tradução *ventos ardentes* e à opinião de que há uma alusão ao árabe *Samum*, ele declara: "A raiz, זעף, *has*, em hebraico, a significação de *estar irado*, não outra; e aquela de *estar quente*, nem uma vez será encontrada nos dialetos."

como sendo inerente de Deus, a menos que, ao mesmo tempo, chegássemos à conclusão de que Deus graciosamente assume tudo o que é dele e prova isso no governo do mundo. Há quem pense que o termo abstrato, *justiça*, é expresso em lugar de *pessoas justas*. Em minha opinião, porém, o sentido literal é aqui mais adequado, ou seja, que a justiça é muito agradável a Deus, e que, portanto, ele favorece as boas causas. Desse fato o salmista conclui que os íntegros são os objetos e seu prazer: **seu semblante aprova os íntegros**. Ele havia dito um pouco antes, num sentido diferente, que Deus atenta para os filhos dos homens, significando que ele julgará a vida de cada pessoa; mas aqui ele quer dizer que Deus graciosamente exerce um cuidado especial sobre os íntegros e sinceros, os toma sob sua proteção e os guarda em perfeita segurança.

Essa conclusão do Salmo suficientemente mostra que o escopo de todo ele é fazer manifesto que todos os que, dependentes da graça de Deus, sinceramente seguem após a justiça estarão seguros sob sua proteção. O salmista mesmo era um de seu número, e deveras o próprio líder deles. Essa última cláusula, **Seu semblante aprova os íntegros**, é deveras explicada de várias formas; mas o significado genuíno, não tenho dúvida, é que Deus tem especial consideração pelos íntegros, e nunca desvia deles seus olhos. É uma interpretação forçada ver as palavras no sentido em que os íntegros verão a face de Deus. Não me deterei, porém, para refutar as opiniões de outros intérpretes.

Salmos 12

Deplorando a miserável e desesperadora condição de seu povo e a completa subversão da boa ordem, Davi suplica a Deus que lhe dê imediato alívio. A seguir, a fim de confortar tanto a si próprio quanto a todos os santos, depois de ter mencionado a promessa de Deus na assistência a seu povo, ele magnifica sua fidelidade e constância em cumprir suas promessas. Desse fato ele conclui que, afinal, Deus livrará os piedosos, mesmo quando o mundo esteja em estado da mais profunda corrupção.[1]

Ao mestre de música, em oitava. Cântico de Davi.

[vv. 1, 2]
Salva-me, ó Jehovah, porque falta homem misericordioso, e os fiéis definham entre os filhos dos homens. Cada um fala engano [ou falsidade] com seu próximo; falam com lábios de bajulação, com coração doble.[2]

Ao mestre de música, em oitava. Com respeito à palavra *oitava*, há duas opiniões entre os intérpretes. Segundo alguns, ela significa um ins-

---

1 "Voire au temps mesmes qu'il n'y aura foy ni equite au monde." – v.f. "Ainda quando não haja fé nem eqüidade no mundo."

2 As palavras de Calvino literalmente traduzidas são: *com um coração e um coração*, e essa é uma tradução literal demais das palavras hebraicas, בלב ולב, *be-leb va-leb*. Na margem da versão francesa ele tem: "De coeur double", "com um coração doble", o que explica o significado da outra frase. "Com um coração e um coração" é uma forma de expressão que forçosamente descreve o caráter dos homens fraudulentos. "Parecem ter dois corações", diz o Dr. Adam Clarke, "*um* para falar palavras justas e *outro* para inventar malefícios."

trumento musical; enquanto que outros são antes inclinados a crer que ela encerra uma melodia. Mas já que não é de grande importância qual dessas opiniões deva ser adota, não me preocupo em demasia com o assunto. A conjectura de alguns de que ela era o começo de um cântico não me parece ser tão provável quanto à que se refere à melodia, e se destinava a realçar como o Salmo devia ser cantado.³ Logo no início Davi se queixa de que a terra estava tão coberta de homens maus e de pessoas que se irrompiam na prática de todo gênero de perversidade, que a prática da justiça e honestidade havia cessado e que não era possível encontrar alguém que defendesse a causa do bem; em suma, que não mais restava qualquer resquício de humanidade nem de fidelidade.

É provável que o salmista estivesse falando aqui do tempo quando Saul o perseguia, porque então todos, do mais elevado ao mais inferior, conspiravam para destruir um homem inocente e aflito. É algo em extremo desgastante relatar, e contudo perfeitamente verdadeiro, que a justiça estivesse tão completamente conspurcada entre o povo eleito de Deus, que todos eles, com unânime consenso, à luz de sua hostilidade a uma causa boa e justa, irrompiam-se em atos de ultraje e crueldade. Davi, neste ponto, não está a acusar a estranhos e estrangeiros, senão que nos informa que esse dilúvio de iniqüidade prevalecia na Igreja de Deus. Portanto, que os fiéis de nossos dias não se desanimem injustificadamente à vista do estado tão corrompido e confuso do mundo; senão que considerem como é importante que suportem com paciência, visto que sua condição é justamente como aquela de Davi em tempos passados. Deve observar-se que, quando Davi invoca o socorro divino, ele se anima na esperança de obtê-lo, com base no fato de que não havia retidão alguma entre os homens. De modo que de seu exemplo aprendamos a recorrer a Deus quando nada vemos ao nosso redor senão negro desespero. Devemos convencer-nos do seguinte: quanto mais confusas estão as coisas neste mundo,

---

3 "Et que c'est pour exprimer comment se devoit chanter le pseaume." – v.f.

mais pronto está Deus em ajudar e socorrer a seu povo,[4] e que então é esse o tempo oportuno para interferir com sua assistência.

1. **Porque falta homem misericordioso.** Alguns concluem que esta é uma queixa com base no fato de que os justos haviam sido injustamente mortos; como se o salmista quisesse dizer: Saul cruelmente eliminou todos quantos observavam a justiça e a fidelidade. Devemos, porém, entender as palavras num sentido mais simples, ou seja, que não havia mais qualquer beneficência ou verdade prevalecendo entre os homens. Ele expressou nessas palavras em que consiste a verdadeira justiça. Visto que existem dois tipos de injustiça, a saber, a violência e a fraude, assim os homens vivem justamente quando, em seu relacionamento recíproco, conscientemente se abstêm de fazer qualquer tipo de mal ou injúria uns contra os outros, e cultivam a paz e a amizade mútuas; quando não são nem leões nem raposas. Não obstante, quando vemos o mundo num estado tal de desordem como aqui é descrito, e dessa forma são afligidos, devemos revestir-nos de muita prudência para não uivarmos com os lobos nem permitir que sejamos levados pela dissipação e pelo dilúvio de iniqüidade que vemos prevalecer ao nosso redor, mas, ao contrário, sejamos imitadores do exemplo de Davi.

2. **Cada um fala engano.** Davi, neste versículo, demonstra essa parte da injustiça que é contrária à verdade. Ele afirma que não há sinceridade nem integridade na linguagem deles, porque o grande objetivo a que se dedicam inteiramente é enganar. A seguir descreve a maneira como eles enganam, isto é, cada um se esforça por apanhar seu próximo por meio de *lisonja*.[5] Ele também realça a fonte e a causa primeira disso: **Falam com um coração doble.** Essa doblez de coração, como já expus, faz os homens expressarem-se com duplicidade, com linguagem ambígua, para dessa forma dissimularem-se de várias

---

4 "Tant plus Dieu est prest d'aider et secourir les siens." – v.f.

5 Horsley traduz "lábios macios". Diz ele: "Não com lisonjas suaves, mas com *mentiras polidas*, com eloqüência envolvente e argumentos plausíveis em apoio da causa ignóbil que esposam."

formas,[6] ou para tornarem-se aos olhos dos outros diferentes do que realmente são. Conseqüentemente, a palavra hebraica, חלקות (*chalakoth*), que denota lisonja, bajulação, é derivada da palavra que significa *divisão*. Visto que os que resolvem agir fidedignamente em seu relacionamento com seu próximo, franca e ingenuamente expõem todo o seu coração, assim as pessoas traiçoeiras e fraudulentas mantêm parte de seu sentimento oculta em seu íntimo e a encobrem com o verniz da hipocrisia e com honestidade externa; de modo que, à luz de sua linguagem, não conseguimos deduzir coisa alguma definida acerca de suas intenções. Nossa linguagem, portanto, deve ser sincera a fim de que seja semelhante a um espelho, no qual seja contemplada a integridade de nosso coração.

[vv. 3, 4]
Que Jehovah corte todos os lábios lisonjeiros e a língua que fala grandes coisas [ou orgulhosamente]. Eles têm dito: Seremos fortalecidos por nossas línguas; nossos lábios estão em nosso poder; quem é senhor sobre nós?

À sua queixa, no versículo precedente, ele agora junta uma imprecação, desejando que Deus cortasse as línguas dos fraudulentos. Não está claro se ele deseja que os fraudulentos fossem completamente destruídos, ou apenas que seus meios de fazer malefícios fossem tirados deles; mas o escopo da passagem nos leva, antes, a adotar o primeiro sentido e a visualizar Davi como que desejando que Deus, por um meio ou outro, removesse aquela praga do caminho. Já que ele não faz nenhuma menção de malícia, enquanto abomina veementemente suas línguas viperinas, daí concluímos que ele havia sofrido muito mais injúria dos últimos do que dos primeiros; e é indubitável que a falsidade e as calúnias são mais letais do que espadas e todo gênero de armas. À luz da segunda cláusula do terceiro versículo, surge mais claramente que espécie de lisonjas elas eram, das quais se faz menção no versículo precedente: *A língua que fala coisas grandes*

---

6 ? "Pour se disguiser en diverses sortes." – v.f.

ou soberbas. Alguns lisonjeiam de maneira servil e repugnante, declarando que estão prontos a fazer e a enfrentar qualquer coisa que for preciso em nosso benefício. Aqui, porém, Davi fala de outro tipo de lisonjas, a saber, aqueles que, ao lisonjearem, soberbamente se gabam do que realizarão, e associam a vileza impudente e ameaçadora com suas artes fraudulentas. Portanto, Davi não está falando da multidão de pessoas convencidas dentre a ralé que fazem da bajulação um comércio, as quais vivem a expensas de outras pessoas;[7] senão que ele aponta seu dedo contra os grandes caluniadores da corte donde lhe vinham os ataques,[8] que não só se insinuavam com maneiras gentis, mas também se vangloriavam intencionalmente e apresentavam grandes e soberbos discursos para humilharem os pobres e simplórios.[9]

O salmista confirma esse fato de uma forma mais plena no versículo que se segue: **Eles têm dito: seremos fortalecidos por nossas línguas**. Devem ser dominados de grande autoridade os que pensam que, na própria falsidade a que se têm dedicado, encontrarão força suficiente para concretizarem seus propósitos e ainda manterem-se protegidos. Lançar-se alguém com tão desabrida presunção é a altitude máxima da perversidade, tripudiando sem qualquer escrúpulo toda lei e eqüidade com sua linguagem arrogante e vangloriosa; pois, ao procederem assim, é precisamente como se francamente declarassem guerra contra Deus mesmo. Alguns lêem: *fortaleceremos nossas línguas*. Essa redação é admissível, no que tange ao sentido, mas dificilmente concorda com as regras da gramática, visto ser adicionada a letra, ל (*lamed*). Além

---

7 "Il ne parle donc pas d'un tas de faquins du commun peuple, qui font estat de flatter pour avoir la lippee franche." – v.f.

8 "Não se expressa a ocasião em que este Salmo foi composto, mas consiste de uma lamentável queixa contra os métodos corruptos da época (especialmente da corte de Saul, v.3) em que se tornou difícil achar um homem honesto e de boa fé em quem se pudesse confiar. Há quem pense que em parte o alvo era Doegue ou algum outro palaciano, e em parte os zifiteus, pessoas pérfidas do país que, prometendo sua amizade (como Teodoreto o entende), devem tê-lo vilmente traído em favor de Saul, seu inimigo declarado." – *Bishop Patrick's Paraphrase on the Book of Psalms*.

9 "Mais qui mentent à plaisir en se vantans et tenans propos braves et hautains, desquels ils accablent les poures et simples." – v.f.

do mais, o sentido mais coerente é o seguinte: as pessoas perversas que afirmavam estar armadas com suas línguas iam além de todos os limites e acreditavam poder realizar por esse meio tudo quanto lhes agradasse; justamente como os homens deformam tudo com suas calúnias de modo a quase ocultarem o sol com trevas.

[vv. 5, 6]
Por causa do espólio[10] do necessitado, por causa do gemido do pobre, agora me levantarei, diz Jehovah; porei em segurança aquele a quem enredaram.[11] As palavras de Jehovah são palavras puras; como prata refinada num excelente cadinho de terra, purificada sete vezes.

5. Por causa do espólio do necessitado. Davi agora põe diante de seus olhos, como causa de consolação, o fato de que Deus não permitirá que o perverso cause devastação sem fim e sem medida. Para estabelecer com mais eficácia, para si e para os outros, a confiança nesta verdade, ele introduz Deus mesmo falando. A expressão é mais enfática quando Deus é representado como que apresentando-se e declarando com seus próprios lábios que virá pôr em liberdade o pobre e oprimido. Há também forte ênfase no advérbio *agora*, por meio do qual Deus notifica que, embora nossa segurança esteja em suas mãos, e, portanto, em depósito seguro, não obstante seu livramento da aflição não se dá imediatamente; pois suas palavras subentendem que ele esteve até agora, por assim dizer, tranqüilamente a dormitar, até que seja despertado pelas calamidades e clamores de seu povo. Quando, pois, as injúrias, as extorsões e as devastações de nossos inimigos nos deixarem desprovidos de tudo, menos de lágrimas e gemidos, lembremo-nos de que agora chegou o tempo quando Deus pretende erguer-se e executar juízo. Esta doutrina deve também servir para produzir em nós a paciência e impedir-nos de ficarmos enfermos, a fim de sermos

---

10 "Oppression." – v.f.
11 "*Celuy* a qui *le meschant* tend des laqs." – v.f. "Aquele contra quem *os perversos* põem armadilhas." – heb. "Il luy tend des laqs." – versão francesa marginal. "Porei em segurança; ele põe armadilhas para ele."

reconhecidos no número dos pobres e aflitos, cuja causa Deus promete tomar em suas próprias mãos.

Os expositores diferem com respeito ao significado da segunda cláusula do versículo. Segundo alguns, *pôr em segurança* significa o mesmo que *dar* ou *trazer segurança*, como se a letra ב (*beth*), que significa *em*, fosse supérflua. Mas a linguagem contém antes uma promessa de conceder aos que são injustamente oprimidos plena *restituição*. O que temos em seguida é ainda mais difícil. A palavra פוח (*phuach*), que traduzimos, *pôr armadilhas*, às vezes significa *apagar* (luz, fogo) ou *soprar*; em outras vezes significa *enredar* ou *pôr armadilhas para*; às vezes significa também *falar*. Os que pensam que aqui se deve usar o verbo *falar* também diferem entre si com respeito ao significado. Alguns traduzem: *Deus falará a si mesmo*, ou seja, Deus determinará consigo mesmo. Visto, porém, que o salmista já declarou a determinação de Deus, essa seria uma repetição desnecessária e supérflua. Outros apontam para a linguagem dos piedosos, como se Davi os introduzisse falando uns com os outros acerca da fidelidade e estabilidade das promessas de Deus; pois com essa palavra conectam a seguinte frase: *As palavras do Senhor são palavras puras* etc. Mas esse ponto de vista é ainda mais forçado do que o anterior. É mais admissível a opinião daqueles que supõem que a determinação de Deus, de *levantar-se*, acrescenta a linguagem que é dirigida aos piedosos. Não seria suficiente que Deus determinasse consigo mesmo o que faria com nossa segurança, se não nos falasse expressa e nominalmente. Somente quando Deus nos faz entender, por sua própria voz, que será gracioso para conosco é que podemos acalentar a esperança de salvação. É verdade que Deus fala também aos incrédulos, mas sem produzir efeito algum positivo, já que eles são surdos; justamente como fica sem qualquer efeito quando os trata com mansidão e liberalidade, visto que são estúpidos e devoram seus benefícios sem qualquer senso de que os mesmos procedem de Deus. Uma vez, porém, que percebo que sob a palavra יאמר (*yomar*), *direi*, as promessas podem muito bem ser adequada e propriamente compreendidas para evitar-se a repetição da mesma coisa, adoto sem hesitação o sentido da última cláusula, a qual apresentei na tradução, isto é, que Deus declara que se erguerá para restaurar a segurança daqueles que de todos os lados são cercados pelas redes de seus inimigos e até mesmo apanhados nelas. A essência da linguagem é esta: Os ímpios podem manter os pobres e aflitos enredados em suas malhas como uma presa que finalmente conseguiram apanhar; mas os porei em segurança. Se alguém replicar que a redação do hebraico não é para quem, mas para ele, eu observaria que não é nenhuma novidade que sejam usadas as palavras, *ele, para ele*, em vez *de quem* ou *para quem*.[12] Se alguém preferir o sentido *soprar em*, não lhe farei muita oposição. Segundo essa redação, Davi, elegantemente, escarneceria do orgulho dos ímpios que confiadamente imaginavam que podiam fazer qualquer coisa,[13] mesmo com seu hálito, como já vimos no Salmo 10, versículo 5.

6. As palavras de Jehovah. O salmista agora declara que Deus é infalível, fiel e irredutível em suas promessas. Mas a inserção da palavra de Deus por via desta recomendação estaria fora de propósito caso não houvera antes convocado a si mesmo, bem como aos demais crentes, a meditarem nas promessas de Deus, em suas aflições. Conseqüentemente, a ordem do salmista deve ser observada, o seja, depois de contar-nos como Deus comunica a seus servos a esperança de rápido livramento, mesmo em suas angústias mais profundas, ele agora acrescenta, como apoio a sua fé e esperança, que Deus nada promete em vão ou com o propósito de desapontar o homem. Isso, à primeira vista, parece ser de pouca importância; mas se alguém considerar mais estrita e atentamente quão inclinadas são as mentes humanas ao negativismo e dúvidas ímpias, o tal facilmente perceberá quão indispensável é que seja nossa fé sustentada por esta confiança, a saber, que Deus não é fraudulento, que ele não nos iludes nem nos fascina com palavras fúteis, e que não magnifica sem qualquer propósito, quer seu poder quer sua bondade,

---

12 "Et quant à ce qu'on pourroit replicquer qu'il n'y a pas en l'Hebreiu A qui, mais Luy, ce n'est pas chose nouvelle que ces mots Le, Luy se prenent pour Qui et A qui." – v.f.

13 "Qu'ils renverseront tout à souffler seulement." – v.f. "Que a tudo destruirão simplesmente com seu hálito."

senão que tudo quanto promete verbalmente ele cumprirá concretamente. É verdade que não há ninguém que não confesse francamente nutrir a mesma convicção que Davi registra aqui: **que as palavras de Jehovah são puras**; mas aqueles que, enquanto se ocultam nas sombras e vivem comodamente, generosamente enaltecem com seus louvores a verdade da palavra de Deus, quando chegam a lutar com a adversidade absolutamente a sério, ainda que não se aventurem abertamente a derramar blasfêmias contra Deus, com freqüência o culpam por não manter sua palavra. Sempre que ele retarda sua assistência, pomos em dúvida sua fidelidade em relação às suas promessas e murmuramos francamente como se ele nos tivesse enganado. Não há verdade que geralmente seja mais bem recebida entre os homens do que aquela de que Deus é verdadeiro; poucos, porém, são aqueles que francamente lhe dão crédito por esta verdade quando se vêem diante da adversidade. Portanto, é peremptoriamente necessário que cortemos ocasião à nossa desconfiança; e sempre que alguma dúvida sobre a fidelidade das promessas de Deus nos assaltar, devemos empunhar contra ela esta arma: as palavras do Senhor são puras! A similitude da *prata* que o salmista junta realmente se acha muito aquém da dignidade e excelência de um tema tão sublime; contudo é bem adaptada à medida de nosso tacanho e imperfeito entendimento. A prata, se completamente refinada, é avaliada entre nós em alto preço. Mas estamos muito longe de demonstrar pela palavra de Deus, cujo preço é inestimável, um igual valor; e sua pureza é, em nossa avaliação, de menos proveito que o de um metal corruptível. Sim, uma grande quantidade de moedas não passa de mera escória em seu próprio cérebro, apagando ou obscurecendo o brilho que irradia da palavra de Deus. A palavra בעליל (*baälil*), que traduzimos por *cadinho*, muitos a traduzem por *príncipe* ou *senhor*, como se fosse uma palavra simples. Segundo eles, o significado seria que a palavra de Deus é como a mais pura prata, da qual a escória foi completamente removida com a mais perfeita arte e prudência, não para um uso comum, mas para o serviço de um grande senhor ou príncipe de algum país. Entretanto, antes concordo com outros que consideram que בעליל (*baälil*), é uma palavra composta da letra ב (*beth*), que significa *em*, e o substantivo, עָלִיל (*alil*), que significa um vaso ou cadinho limpo ou bem polido.

[vv. 7, 8]
> Tu, ó Jehovah, os guardarás; tu o preservarás desta geração para sempre.
> Os ímpios andam por toda parte; quando são exaltados, há repreensão para os filhos dos homens.

7. Tu, ó Jehovah. Há quem pense que a linguagem do salmista, aqui, consiste na oração reiterada; e, portanto, entendem as palavras como a expressão de um desejo, e as traduzem no modo optativo, assim: *Tu, ó Jehovah, os guardas.*[14] Mas sou, antes, da opinião de que Davi, animado de santa confiança, se gloria na infalível segurança de todos os santos, a quem Deus, que nem pode enganar nem mentir, confessa ser o guardião. Ao mesmo tempo, não desaprovo totalmente aquela interpretação que vê Davi como que renovando suas súplicas diante do trono da graça. Alguns oferecem esta explicação da passagem: *Tu as guardarás*, isto é, *tuas palavras*;[15] mas isso não me parece ajustável.[16] Davi, não tenho dúvida, volta a falar do pobre, de quem havia falado na parte precedente do Salmo. Com respeito à sua mudança de número (porque, primeiro ele diz: *Tu os guardarás*, e a seguir: *Tu o preservarás*[17]), é um procedimento muito comum em hebraico, e o sentido, com isso, não se faz ambíguo. Estas duas frases, portanto, *Tu os guardarás* e *Tu o preservarás*, significam a mesma coisa, a menos que, talvez, possamos dizer que, na segunda, sob a pessoa de um homem, o salmista pretenda realçar o pequeno número

---

14 "Que tu les gardes, Seigneur." – v.f.

15 Este é o ponto de vista adotado por Hammond. Ele se refere a *elas* como sendo *as palavras do Senhor* mencionadas no versículo precedente, e a *ele* como se referindo ao homem piedoso ou justo, e explica o versículo assim: "Tu, ó Senhor, guardarás ou efetuarás aquelas palavras, tu preservarás o homem justo desta geração, para sempre." A versão Caldaica traz: "Tu guardarás o justo." As versões Septuaginta, Vulgata, Árabe e Etiópica trazem: "Tu nos guardarás."

16 "Mais quant à ceux qui disent, Tu les garderas, asçavoir, Tes paroles; l'exposition ne me semble pas propre." – v.f.

17 "Car il dit premierement, *Tu les garderas*; et puis, *Tu le preserveras*." – v.f.

de homens bons. Tal suposição não é destituída de lógica ou de probabilidade; e, segundo esse ponto de vista, a essência de sua linguagem é: Ainda que só um bom homem seja deixado vivo no mundo, não obstante seria ele guardado em perfeita segurança pela graça da proteção divina. Mas como os judeus, ao falarem em termos gerais, às vezes mudam o número, deixo aos meus leitores livres para formarem seu próprio juízo. Isso, na verdade, não pode ser controvertido, ou seja: que pelo termo *geração* ou *raça* denota-se uma grande multidão de pessoas ímpias e quase toda a corporação do povo. Como a palavra hebraica, דור (*dor*), significa tanto os homens que vivem na mesma época, quanto o espaço do mesmo tempo, Davi, neste passo, sem dúvida tenciona dizer que os servos de Deus não podem escapar e continuar a salvos, a menos que Deus os defenda contra a malícia de todo o povo, e os liberte dos homens maus e perversos da época em que vivem. Daí aprendemos que o mundo, naquele tempo, era tão corrupto que Davi, à guisa de reproche, os põe a todos, por assim dizer, num só pacote. Além do mais, é de muita importância uma vez mais relembrar o que já declaramos, ou seja, que aqui ele não está a falar de nações estrangeiras, mas dos israelitas e povo eleito de Deus. É de bom alvitre que se observe esse fato com muita prudência, para que não venhamos a sentir-nos desencorajados pela vasta multidão dos ímpios, se às vezes vemos um imenso monte de feno no celeiro do Senhor, enquanto que uns poucos grãos de trigo se encontram ocultos embaixo. E então, por menor que seja o número dos bons, que esta persuasão esteja profundamente fixada em nossas mentes: que Deus será seu protetor, e isso para sempre. A palavra לעולם (*leolam*), que significa *para sempre*, é adicionada para que aprendamos a estender para o futuro nossa confiança em Deus, visto que ele nos ordena a esperar o socorro que procede dele, não apenas uma vez, ou por um dia, mas em todo o tempo em que a perversidade de nossos inimigos persistir em operação. Somos, contudo, ao mesmo tempo, à luz desta passagem, admoestados que a guerra preparada contra nós não é por um curto período de tempo, senão que diariamente teremos que enfrentar esse conflito. E se a custódia que Deus exerce sobre os fiéis é às vezes velada, e não se manifesta em seus efeitos, esperemos com paciência até que ele se erga; e quanto maior for o dilúvio de calamidades que nos sobrevenha, conservemo-nos muito mais firmes no exercício de piedoso temor e solicitude.

8. Os ímpios andam por toda parte. A palavra hebraica, סביב (*sabib*), que temos traduzido *por toda parte*, significa um *circuito*, ou *dar voltas, rodear*; e, portanto, alguns a explicam alegoricamente, assim: os ímpios se apoderam de todas as gargantas ou partes estreitas das estradas a fim de fechar ou sitiar os bons de todos os lados. E outros a expõem ainda mais engenhosamente, assim: eles estendem redes, usando meios indiretos e invenções cheias de artes e engodos. Mas creio que o significado simples é que tomam posse de toda a terra e se estendem por toda ela; como se o salmista quisesse dizer: Para onde quer que eu volva os olhos, vejo suas tropas por toda parte. Na próxima cláusula ele se queixa de que a humanidade é vergonhosa e humilhantemente oprimida por sua tirania. Esse é o significado, contanto que a cláusula seja lida como por si mesma distinta, separada da precedente, ponto este sobre o qual os intérpretes diferem, embora este conceito pareça aproximar-se mais da intenção do escritor inspirado. Alguns traduzem o versículo em uma só sentença contínua, assim: *Os ímpios esvoaçam por toda parte, quando entre os filhos dos homens as desgraças* (isto é, quando o imprestável e a escória dos homens) *são exaltadas*, explicação esta que não se adequa bem. Comumente sucede que as enfermidades aparecem na cabeça e se propagam nos membros; da mesma forma as corrupções procedem dos príncipes e infeccionam todo o povo. Entretanto, como a primeira explicação é mais geralmente aceita, e a maioria dos gramáticos eruditos nos diz que a palavra hebraica, זלות (*zuluth*), a qual traduzimos por *desgraça*, é um substantivo no singular, tenho adotado a primeira exposição, não que me sinta insatisfeito com a última, mas porque precisamos escolher uma ou outra.

Salmos 13

O tema deste Salmo é quase o mesmo do anterior. Davi, sentindo-se aflito, não só com a mais profunda angústia, mas também sentindo-se, por assim dizer, submerso em um turbilhão de calamidades e uma multiplicidade de aflições, implora o auxílio e o socorro de Deus, o único remédio que lhe restava; e, na conclusão, tomando alento, acalenta a iludível esperança de vida, à luz da promessa de Deus, mesmo em meio aos terrores da morte.

Ao mestre de música. Cântico de Davi.

[vv. 1, 2]
Até quando, ó Jehovah? esquecer-te-ás de mim para sempre? Até quando ocultarás de mim teu rosto? Até quando consultarei minha alma, tendo tristeza em meu coração cada dia? Até quando meu inimigo se exaltará sobre mim?

1. Até quando, ó Jehovah? É plenamente indiscutível que Davi era grandemente odiado pela maioria do povo, em razão das calamidades e más notícias que circulavam contra ele, ao ponto de quase todos os homens julgarem que Deus não nutria menos hostilidade por ele do que Saul[1] e seus outros inimigos. Mas aqui ele fala não tanto segundo a

---

[1] Era a opinião de Teodoreto que este Salmo foi composto por Davi, não durante a perseguição sofrida por Saul, mas quando Absalão conspirou contra ele; e a razão que ele alega em favor dessa opinião é "que a tribulação que Saul lhe suscitou foi antes de seu grande pecado, e por isso ele estava cheio de confiança; mas a de Absalão foi depois dele, o que o levou a clamar de maneira tão dolorosa." – *Bishop Patrick's Paraphrase on the Book of Psalms.*

opinião de outros, mas de acordo com a angústia de sua própria mente, queixando-se de ser negligenciado por Deus. Não que a persuasão da veracidade das promessas de Deus estivesse extinta de seu coração, ou que ele não descansasse em sua graça; mas quando nos vemos por muito tempo sobrecarregados com calamidades, e quando não mais divisamos qualquer sinal do auxílio divino, este pensamento inevitavelmente se nos impõe, ou seja: Deus se esqueceu de mim! Reconhecer em meio às nossas aflições que ele realmente se preocupa conosco não é muito próprio dos homens nem é o que a própria natureza nos induz a fazer; mas é pela fé que tomamos posse de sua providência invisível. Portanto, Davi, aparentemente, até onde possa ser julgado à luz do real estado de suas atividades, estava de fato esquecido por Deus. Ao mesmo tempo, contudo, os olhos de sua mente, guiados pela luz da fé, penetraram até mesmo a graça de Deus, ainda que estivesse ela envolta em trevas. Quando ele disse que nem sequer um único raio de esperança havia em qualquer direção para a qual se voltasse, até onde a razão humana pudesse julgar, constrangido pela tristeza, ele clama, dizendo que Deus não o levara em conta; e no entanto por sua própria queixa ele fornece evidência de que a fé o capacitara a pôr-se em lugar mais alto, e chega à conclusão de que, ao contrário do juízo da carne, seu bem-estar estava seguro nas mãos divinas. Do contrário, como era possível que tivesse dirigido a Deus seus gemidos e orações? Seguindo este exemplo, devemos então contender contra as tentações, protegidos pela certeza de fé, mesmo submersos no mais emaranhado dos conflitos [cotidianos], confessando que as calamidades que nos induzem ao desespero têm de ser vencidas; justamente como vemos que a fraqueza da carne não podia impedir Davi de recorrer a Deus e de encontrar nele seus recursos. E assim ele associa em seus exercícios, com muita beleza, os sentimentos que aparentemente são contraditórios. As palavras, **Até quando, para sempre?**, são uma forma defectiva de expressão; mas são muito mais enfáticas do que se ele houvera posto a pergunta segundo o modo usual de falar: *Por que demoras tanto?* Ao falar assim, ele nos dá a entender que, com o propósito de nutrir sua esperança e encorajar-se no exercício da paciência, ele estendeu sua vista para um horizonte longínquo, e portanto não se queixa de uma calamidade que durava apenas uns poucos dias, como os efeminados e os covardes costumam fazer, os quais só vêem o que está diante de seu nariz, e imediatamente sucumbem ao primeiro assalto. Davi nos ensina, pois, mediante seu exemplo, a estender nossa vista, o máximo possível, para o futuro, a fim de que nossa presente tristeza não consiga privar-nos inteiramente da visão da esperança.

2. Até quando consultarei minha alma? Sabemos que na adversidade os homens se entregam ao descontentamento, volvem seus olhos em torno de si, numa direção, noutra direção, em busca de remédios. Especialmente quando se vêem destituídos de todos os recursos, atormentam-se profundamente e sentem-se confusos ante a confusa multidão de seus pensamentos. E, em meio aos grandes perigos, ansiedade e temor, são compelidos a mudar seus propósitos com muita freqüência, quando não encontram plano algum sobre o qual possam firmar-se com segurança. Davi, portanto, se queixa de que, enquanto pondera sobre os diferentes métodos de obter lenitivo, deliberando consigo mesmo ora de um modo, ora de outro, sente-se exausto sem sequer alcançar um alvo concreto, entre a infinidade de sugestões que percorrem sua mente. E ao juntar a essa queixa a *dor* que sentia diariamente, ele põe em relevo a fonte de sua inquietude. Quanto mais severa é a indisposição que os enfermos sentem e desejam mudar de posição a cada momento, e quanto mais agudas são as dores que os atormentam, mais agitados e nervosos se tornam, procurando reverter a situação. Portanto, quando a dor se apodera dos corações dos homens, suas miseráveis vítimas são violentamente agitadas em seu íntimo, acham mais tolerável atormentar-se sem obter alívio do que suportar suas aflições com serenidade e com mentes tranqüilas. Na verdade o Senhor promete conceder ao fiel "o espírito de conselho" [Is 11.2]; mas nem sempre lhos dá bem no início de um problema em que se acham envolvidos, senão que os deixa por algum tempo embaraçados, deliberadamente, sem chegar a uma determinada decisão,[2] ou os mantém perplexos, como se estivessem emaranhados por espinheiros, sem saber se voltam,[3] ou que rumo tomam. Alguns explicam a palavra יומם (*yomam*), como significando *todos os longos dias*. A meu ver, porém, ela significa, antes, outro tipo de prosseguimento, ou seja, que sua dor se revolvia e se renovava a cada dia. No final do versículo ele deplora outro mal, a saber, que seus adversários triunfam sobre ele de uma forma muito ousada, ao perceberem sua total debilidade e, por assim dizer, consumido por contínuo langor. Ora, esse é um argumento de muito valor em nossas orações; pois não há nada que desgoste mais a Deus, e que ele menos suportará, do que a cruel insolência que nossos inimigos demonstram, quando não só se alegram em nos ver em miséria, mas também se erguem acima de nós e nos ameaçam o mais desdenhosamente possível, à medida que vêem crescer nossa opressão e desespero.

[vv. 3, 4]
Olha para mim e me responde, ó Jehovah meu Deus; ilumina meus olhos para que eu não adormeça na morte; para que meu inimigo não diga: Prevaleci contra ele; e os que me afligem não se alegrem, caso venha eu a cair.

3. Olha para mim e me responde. Visto que, quando Deus não oferece pronta assistência a seus servos, aos olhos de seus sentidos parece que ele não olha para suas necessidades, Davi, por essa razão, pede a Deus em primeiro lugar, que olhe para ele; e, em segundo lugar, que o socorra. Nenhuma dessas coisas, é verdade, é anterior ou posterior em relação a Deus; mas já ficou expresso num Salmo anterior, e haverá ocasião futura de freqüentemente reiterarmos essa afirmação, que o Espírito Santo propositadamente acomoda ao nosso entendimento os modelos de oração registrados na Escritura. Se Davi não se persuadisse de que Deus tinha seus olhos postos nele, não haveria vantagem alguma em ter ele clamado a Deus; mas tal persuasão era o efeito da fé. Nesse ín-

---

2 "Mais permet que pour un temps ils s'entortillent en de longs discours sans venir au poinct." – v.f.
3 "Ne sçachans où se tourner." – v.f.

terim, até que Deus realmente estenda sua mão para oferecer-nos alívio, a razão carnal nos insinua que ele fecha seus olhos e não se apercebe de nós. A forma de expressão aqui empregada equivale o mesmo que se houvera posto a misericórdia divina em primeiro lugar, e então lhe acrescentasse sua assistência, visto que Deus, então, nos ouve quando, tendo compaixão de nós, se move e se induz a socorrer-nos. **Iluminar os olhos**, no idioma hebraico, significa o mesmo que soprar o fôlego de vida, porquanto o vigor da vida transparece principalmente nos olhos. É neste sentido que Salomão diz: "O pobre e o usurário se encontram; o Senhor ilumina os olhos de ambos" [Pv 29.13]. E quando Jônatas desfalecia de fome, a história sacra relata que seus olhos ficaram ofuscados, sem brilho; e assim que provou do mel, seus olhos voltaram a brilhar [1 Sm 14.27]. O verbo *adormecer, dormir*, como usado nesta passagem, é uma metáfora de um tipo semelhante ao usado para morrer. Em suma, Davi confessa que, a não ser que Deus faça a luz da vida brilhar nele, seria imediatamente tragado pelas trevas da morte, e que ele já se assemelha a um homem sem vida, a não ser que Deus sopre nele o hálito de um novo vigor. E indubitavelmente nossa confiança de vida depende disto: que embora o mundo nos ameace com mil mortes, Deus possui infindáveis meios de restaurar-nos à vida.[4]

4. Para que meu inimigo. Davi uma vez mais reitera o que dissera um pouco antes concernente à soberba de seus inimigos, ou seja, quão escabroso seria transformar o caráter de Deus no de alguém que pudesse abandonar seu servo à zombaria dos ímpios. Os inimigos de Davi se põem, por assim dizer, de emboscada, aguardando a hora de sua ruína, para que pudessem ridicularizá-lo quando o vissem cair. E visto que é a função peculiar de Deus reprimir a audácia e insolência dos perversos, tão prontamente se gloriem em sua perversidade, Davi suplica a Deus que os prive da oportunidade de entregarem-se a tal ostentação. Deve, contudo, observar-se que ele tinha em sua consciência um testemunho consistente de sua própria integridade, e que também

---

4 "Toutesfois Dieu ha en main des moyens infinis de nous restablir en vie." – v.f.

confiava na generosidade de sua causa, de modo que teria sido inconveniente e ilógico que fosse ele deixado sem socorro e em perigo de vida, bem como houvesse sido entregue aos seus inimigos. Só podemos, pois, orar por nós mesmos em plena confiança, da mesma forma como Davi, aqui, ora por si mesmo, quando nos refugiamos debaixo da bandeira de Deus e nos tornamos obedientes às suas ordens, de tal sorte que nossos inimigos não obtenham vitória sobre nós sem que impiamente também triunfem sobre Deus mesmo.

[vv. 5, 6]
Mas eu confio em tua bondade; meu coração exultará em tua salvação. Cantarei ao Senhor, porque me tem tratado generosamente.[5]

O salmista não chega a expressar ainda o quanto havia lucrado com a oração; dependendo, porém, da esperança de livramento, a qual a fiel promessa divina o habilitou a nutrir, ele faz uso dessa esperança como um escudo para repelir essas tentações com medo de que pudesse ficar em extremo estressado. Portanto, embora estivesse gravemente aflito, e uma multiplicidade de preocupações o forçasse a desesperar-se, não obstante declara manter sua resolução de prosseguir firme em sua confiança na graça divina e na esperança da salvação. Os piedosos devem ser munidos e sustentados com a mesma confiança, para que perseverem regularmente em oração. Do quê também deduzimos o que anteriormente também adverti, a saber: é pela fé que nos apropriamos da graça de Deus, a qual está oculta e é desconhecida do entendimento carnal. Visto que os verbos que o salmista usa não se acham no mesmo tempo, significados diferentes podem deduzir-se dos tempos diferentes; mas Davi, não

---

5   A Septuaginta, aqui, acrescenta outra linha, ou seja: "Και ψαλω τω ονοματι Κυριου του υψιστου" "E cantarei ao nome de Jeovah, o Altíssimo." Esta linha, que é a mesma que conclui o Salmo 7, provavelmente se perdeu na cópia hebraica. Diz Lowth: "A conclusão do Salmo é manifestamente defectiva; termina com um antigo hemistíquio suprindo seu correspondente. A LXX, felizmente, o preservou ... Que não é uma dupla tradução do único hemistíquio, agora no hebraico, é evidente à luz da diferença do último hemistíquio grego, o qual de forma alguma corresponde às palavras do primeiro." – *Dr. Lowth in Merrick's note on this place.*

tenho dúvida, aqui deseja testificar que ele continuava firme na esperança do livramento a ele prometido, e que continuaria assim até ao fim, não obstante o pesado fardo de tentações que o vergava. Conseqüentemente, o verbo *exaltar* está no tempo futuro, denotando o exercício contínuo da afeição expressa, e que nenhuma aflição jamais removeria de seu coração *a alegria da fé*. Deve observar-se que ele coloca a bondade de Deus em primeiro lugar, como sendo a causa de seu livramento – **Cantarei ao Senhor**. Traduzo esta cláusula no tempo futuro. Davi, é verdade, não havia ainda obtido o que ansiosamente deseja, mas, estando plenamente convicto de que Deus já se achava perto para conceder-lhe o livramento, ele se empenhava em dar-lhe graças por isso. E seguramente nos volvemos a engajar-nos na oração com uma mente muito mais determinada, de sorte que nos sentimos ainda mais dispostos a entoar os louvores de Deus; coisa esta impossível a menos que estejamos plenamente convencidos de que nossas orações não serão ineficazes. É possível que não vivamos totalmente livres de sofrimento, não obstante é necessário que essa fé regozijante se erga acima dele e nossa boca se abra em cântico por conta da alegria que está reservada para nós no futuro, embora ainda não seja experimentada por nós;[6] justamente como aqui vemos Davi preparando-se para celebrar com cânticos a graça de Deus, mesmo antes de perceber os resultados de suas dificuldades. A palavra גמל (*gamal*),[7] que outros

---

6 "Qui ne nous est point encore presente." – v.f.

7 גמל significa "*devolver, retribuir, recompensar*, de qualquer maneira, seja mal por mal, bem por mal, mal por bem ou bem por bem." – *Parkhurst*. Aqueles que defendem, à luz desta passagem, o mérito das boas obras, fazem seu argumento repousar na noção de retribuição vinculada à palavra. Mas ainda que invariavelmente ela significasse *recompensar*, nenhum argumento conclusivo poderia aqui ser extraído desta passagem em apoio a essa doutrina. O que Deus concede a seu povo é às vezes chamado na Escritura *um galardão*; não porque pudessem reivindicá-lo como a eles devido por justiça, mas para expressar a aprovação divina à obediência e a conexão entre obediência e felicidade. Além disso, גמל também significa *tratar benignamente com*, especialmente quando aplicado a Deus. Veja-se Salmo 119.17 e 142.8. A palavra tem esse significado em árabe; e isso é o que deve ser subentendido na passagem que temos diante de nós, e é apoiado pelas versões antigas. A Septuaginta lê εὐεργετήσαντι; e a Vulgata, *bona, tribuit, me tem concedido o bem*. A Árabe e a Etíope adotam a mesma redação.

traduzem por *galardoar*, significa nada mais nada menos que *conceder um benefício proveniente da mera graça*, e tal é o significado em muitas outras passagens da Escritura. Que espécie de ações de graças, chamo sua atenção, seria dizer que Deus recompensou e retribuiu a seu servo com a devida recompensa? Isso é suficiente para refutar o sofisma absurdo e corriqueiro daqueles que forçam esta passagem para provar o mérito oriundo das obras. Em suma, a única coisa que resta observar é que Davi, ao apressar-se com prontidão de alma a cantar os benefícios divinos, mesmo antes que os houvesse recebido, coloca o livramento, que aparentemente estava então distante, imediatamente diante de seus olhos.

Salmos 14

No início, o salmista descreve o perverso menosprezo a Deus em que quase todo o povo havia caído. Para imprimir mais peso à sua queixa, ele representa a Deus mesmo como a falar. Depois ele anima a si e aos demais com a esperança de um remédio, o qual ele mesmo se assegura de que Deus logo providenciará, embora, no ínterim, ele gema e sinta profunda angústia ante a desordem que contempla.[1]

Ao mestre de música, de Davi.

[v. 1]
Disse o néscio em seu coração: Não há Deus. Eles têm corrompido,[2] eles têm realizado obra abominável; ninguém há que faça o bem.

Muitos dentre os judeus são de opinião que neste Salmo se apresenta uma predição concernente à futura opressão feita sobre sua nação; como se Davi, pela revelação do Espírito Santo, lamentasse a aflitiva condição da Igreja de Deus sob a tirania dos gentios. Portanto, eles transformam o que aqui foi expresso [por Davi] como indicativo da condição dispersiva em que os vemos atualmente, como se fossem eles aquela preciosa herança de Deus que as bes-

---

1 "Combien que cependant il gemisse et se sente angoisse du desordre qu'il veoit." – v.f.
2 Calvino fez aqui uma tradução literal das palavras hebraicas: *Têm corrompido*. Alguns supõem que, inerentemente, devem ser entendidas como em Êx 32.7; Outros, em *seus* hábitos, como em Gn 6.12; mas o significado que Calvino deduziu da frase é: Eles têm corrompido ou pervertido toda a boa ordem.

tas selvagens devoram. É bem evidente, porém, que, ao desejarem encobrir a desgraça que sobreveio à sua nação, torçam e apliquem aos gentios, sem o menor fundamento, o que na verdade se aplica aos filhos perversos de Abraão.³

Não podemos, com toda certeza, encontrar um intérprete melhor qualificado do que o Apóstolo Paulo, e ele aplica este Salmo, expressamente, ao povo que vivia sob o regime da lei [Rm 3.19]. Além disso, ainda que não tivéssemos nenhum testemunho da parte desse apóstolo, a estrutura do Salmo clarissimamente revela que Davi tinha em mente os tiranos e inimigos domésticos dos fiéis, e não estrangeiros; ponto este em extremo necessário para nossa ponderação. Sabemos ser uma tentação excessivamente dolorosa vermos a perversidade prorromper e prevalecer no seio da Igreja, os bons e humildes sendo injustamente afligidos, enquanto os perversos cruelmente dominam de acordo com suas aspirações malignas. Esse triste espetáculo quase que nos desencoraja completamente; e, portanto, somos em extremo carentes de receber o alento advindo do exemplo de Davi, o qual ele põe diante de nossos olhos. E assim, em meio às mais profundas desolações que contemplamos no seio da Igreja, é possível sentirmo-nos consolados com esta certeza de que Deus finalmente a libertará delas. Não tenho dúvida de que há aqui descrito o estado desordenado e desolado de Judá, estado este introduzido por Saul quando começou sua franca devastação. Então, como se a lembrança de Deus houvera sido extinta das mentes dos homens, toda a piedade desvanecida, e com respeito à integridade ou retidão entre os homens, havia apenas um resquício dela associada à piedade.

Disse o néscio. Visto que a palavra hebraica, נבל (*nabal*), significa não só *néscio*, mas também pessoa perversa, vil e desprezível, não teria sido impróprio tê-la traduzido assim neste lugar; não obstante, sinto-me satisfeito em seguir a interpretação mais geralmente aceita, ou seja, que todas as pessoas profanas, que têm lançado de si todo o temor de Deus e

---

3 "Ce qui est dit de ceux qui à fausses enseignes serenomment enfans d'Abraham vivans autrement qu'il n'appartient." – v.f. "O que é dito daqueles que, segundo as falsas autenticações, chamam a si mesmos os filhos de Abraão, enquanto vivem uma vida diferente daquela que deviam viver."

se têm entregue à iniqüidade, são persuadidas de loucura. Davi não lança sobre seus inimigos a acusação de comum insensatez, senão que se lança contra a louca e insana audácia daqueles a quem o mundo considera eminentes por sua inteligência. Comumente vemos que aqueles que, na avaliação tanto de si mesmos quanto de terceiros, excedem muitíssimo em sagacidade e inteligência, empregam sua astúcia em armar redes e usam a engenhosidade de suas mentes em desprezar e motejar de Deus. Portanto, é importante que em primeiro lugar saibamos que, por mais que o mundo aplauda esses indivíduos ladinos e zombadores, os quais se permitem entregar-se a toda extensão de perversidade, não obstante o Espírito Santo os condena como sendo insanos; pois não há estupidez mais brutal do que conscientemente ignorar a Deus. Devemos, contudo, ao mesmo tempo, assinalar cuidadosamente a evidência à luz da qual o salmista chega à conclusão de que eles eliminam todo senso de religião, ou seja: subvertem toda a ordem, de modo que não mais fazem distinção alguma entre o certo e o errado, e não têm consideração alguma pela honestidade, e nem sentem amor pela humanidade. Davi, portanto, não fala da afeição secreta do coração do perverso, exceto até onde se encobrem pelo uso de suas ações externas. A essência de sua linguagem é esta: Até onde é possível a esses homens entregarem-se às suas luxúrias, ousada e ultrajantemente, não dando a menor atenção à justiça ou à eqüidade? Em suma, por que loucamente se precipitam a todo gênero de perversidade, senão pelo fato de eliminarem de si todo senso de religião e extinguirem de suas mentes, até onde lhes é possível, toda memória de Deus? Quando o ser humano retém em seu coração algum senso de religião, necessariamente conserva alguma modéstia e em alguma medida se refreia e evita ignorar completamente os ditames de sua consciência. Desse fato segue-se que, quando os ímpios se permitem seguir suas próprias inclinações, de forma tão obstinada e audaciosa como são aqui descritos fazendo, sem qualquer senso de pudor, é uma evidência de que já lançaram de si todo e qualquer temor de Deus.

O salmista diz que eles falam **em seu coração**. É provável que não pronunciassem esta detestável blasfêmia com seus próprios lábios:

Não há Deus! Mas a desenfreada licenciosidade de sua vida em alto som e distintamente declara que em seus corações, que se encontram destituídos de toda e qualquer piedade, suavemente cantam a si próprios este cântico. Não que confessem, delineando argumentos ou silogismos formais, como o chamam, que não existe nenhum Deus (pois para torná-los ainda mais inescusáveis, Deus de tempo em tempo faz até mesmo os mais perversos dos homens sentirem secretas punções em sua consciência, para que sejam compelidos a reconhecer sua majestade e poder soberano); mas qualquer conhecimento certo que Deus instile neles, em parte o abafam com sua malícia lançada contra ele, e em parte o corrompem, até que a religião neles se torne insípida e, por fim, morta. É provável que não neguem a existência de Deus de maneira franca, mas o imaginam como que recluso no céu e destituído de justiça e poder; e esse comportamento equivale a formação de um ídolo no lugar de Deus. Como se nunca chegasse o tempo quando terão de comparecer diante dele para juízo,[4] empenham-se, em todas as transações e preocupações de sua vida, por removê-lo para mais longe possível e apagar de suas mentes toda e qualquer noção de sua majestade.[5] E quando Deus é arrancado de seu trono e destituído de seu caráter de juiz, então a impiedade alcança seu apogeu; e, portanto, devemos concluir que Davi se expressou acertadamente segundo a plena verdade, ao declarar que aqueles que se entregam à liberdade para cometerem todas as modalidades de perversidade, na ilusória esperança de escaparem impunemente, estão a negar em seu coração que Deus de fato existe. Visto que o Salmo 53, com a exceção de umas poucas palavras que são alteradas nele, é apenas uma repetição deste,

---

4 Alguns críticos observam que, como יהוה, *Yehovah*, o nome que denota a essência autoexistente e infinita de Deus, não é a palavra aqui empregada, e, sim, אלהים, um nome que consideram como que referindo-se a Deus como juiz e governante do mundo, o significado do primeiro versículo não é que o néscio negue a existência de Deus, mas somente sua providência e governo do mundo; que ele se persuade de que Deus não se preocupa com as ações dos homens, e que nenhum juízo se estabelecerá; e, portanto, prossegue no pecado, na esperança de escapar impunemente. – Veja-se *Poole's Synopsis Criticorum*. O Targum parafraseia as palavras, "Não há Deus", assim: "Não há nenhum אלהים, *governo*, de Deus na terra."

5 "Et abolir de leurs esprits toute apprehension de sa majeste." – v.f.

demonstrarei no devido lugar, quando chegarmos lá, a diferença que existe entre os dois Salmos. Davi, neste ponto, se queixa de que realizaram *obra abominável*; mas, pela palavra *obra*, o termo ali empregado é *iniqüidade*. Deve observar-se que Davi não fala de uma só obra ou de duas; mas, como havia dito, perverteram ou *corromperam* toda a ordem legal, assim agora afirma que poluíram sua vida inteira, tornando-a abominável, e a prova que ele acrescenta para isso é que não levam em consideração a integridade em seu trato uns com os outros, senão que se esqueceram de todo e qualquer senso de humanidade, bem como de toda beneficência para com as criaturas suas iguais.

[vv. 2, 3]
Jehovah olhou do céu para os filhos dos homens, para ver se havia algum que entendesse e buscasse a Deus. Cada um deles se desviou e juntamente se fizeram pútridos; ninguém há que faça o bem, nem sequer um.

2. Jehovah olhou do céu. Deus mesmo é aqui introduzido como a falar sobre o tema da depravação humana, e isso faz o discurso de Davi ainda mais enfático do que se houvera pessoalmente pronunciado a frase. Quando Deus nos é exibido como que assentado em seu trono a tomar conhecimento [judicial] da conduta humana, a não ser que nos enchamos de profunda estupefação, sua majestade nos estarreceria com terror. O efeito do hábito de pecar consiste em que o homem se torna paulatinamente empedernido em seus pecados e nada discernem, como se estivessem envolvidos por densas trevas. Davi, pois, lhes ensina que nada lucram em gabar-se e em enganar-se como fazem, quando a perversidade reina no mundo impunemente; pois Deus olha do céu e lança seus olhares para todos os lados com o propósito de tomar conhecimento do que sucede entre os homens. Deus, é verdade, não necessita de fazer inquisição ou pesquisa; mas quando se compara a um juiz terreno, ele está se adequando à nossa limitada capacidade e capacitando-nos a gradualmente formar algum discernimento de sua secreta providência, a qual nossa razão não pode absolutamente compreender. Quis Deus que essa forma de falar tivesse o efeito de ensinar-nos a convocarmo-nos a nós mesmos a comparecer diante de seu tribunal; e para que, enquanto o mundo se gaba e os réprobos tentam sepultar seus pecados no esquecimento mediante a conspurcação de seus pensamentos, de sua hipocrisia ou de seu cinismo, e se fazem cegos em sua obstinação, como se estivessem totalmente intoxicados, sejamos nós levados a desfazer toda e qualquer indiferença e estupidez, refletindo sobre esta verdade, ou seja, que Deus, não obstante, olha lá de seu altíssimo trono, no céu, e contempla o que se faz aqui em baixo!

Para ver se havia algum que entendesse. Visto que toda a economia de uma vida boa e justa depende de sermos governados e dirigidos pela luz do entendimento, Davi, com justa razão, nos ensinou no início do Salmo que a insensatez é a raiz de toda perversidade. E nesta cláusula ele também acertadamente declara que o princípio da integridade e retidão de vida consiste em se ter uma mente iluminada e saudável. Mas visto que a maioria aplica mal suas faculdades intelectuais em propósitos que visem ao ludíbrio, Davi imediatamente a seguir define, numa só expressão, qual é o genuíno entendimento, isto é, que ele consiste *em buscar a Deus*; querendo dizer com isso que, a menos que os homens se devotem totalmente a Deus, suas vidas não podem ser bem ordenadas. Alguns entendem a palavra משכיל (*maskil*), que traduzimos por *que entendesse*, em sentido restrito demais; enquanto que Davi declara que os réprobos estão totalmente destituídos de toda razão e são juízo.

Cada um deles tem se desviado. Alguns traduzem a palavra סר, *sar*, que é aqui usada, por *tresandar*,[6] como se a redação fosse: *Cada um deles emite um odor ofensivo*, que pode corresponder em significado ao verbo da próxima cláusula, o qual em hebraico significa *tornar-se*

---

6 Hammond admite que a palavra סר, *sar*, signifique *desviar* ou *declinar*, e que ela é comumente aplicada a um caminho ou vereda, declinando do caminho certo ou se enveredando pelo caminho errado. Mas ele entende que a idéia aqui é diferente, que é extraída do vinho quando aumenta a fermentação, justamente como a palavra é usada neste sentido em Oséias 4.18, סבאם סר, *sar sobim*: "Acabando eles de beber, lançam-se à luxúria." Ele considera este ponto de vista corroborado pela cláusula que vem imediatamente a seguir, נאלחו, *ne-elachu*, *eles se tornam pútridos*, que é derivada de אלח, *ficar estragado* ou *putrefato*, referindo-se propriamente à carne que se deteriora. Diz ele: "Portanto, a proporção é bem conservada entre bebida e comida, no aumento do mostro, quando os outros se deterioram e tresandam, e então não servem para nada senão para serem lançado fora."

pútrido ou estragado. Mas não há necessidade de explicar as duas palavras do mesmo modo, como se a mesma coisa fosse reiterada duas vezes. A interpretação mais apropriada é aquela que pressupõe que os homens são aqui condenados como culpados de uma detestável rebelião, visto que se alienaram de Deus ou lhe viraram as costas; e que a seguir avolumou-se a nauseabunda corrupção ou putrefação de toda a sua vida, como se nada pudesse proceder dos apóstatas senão o que exala o odor da podridão ou infecção. A palavra hebraica, סר (*sar*), é quase universalmente tomada nesse sentido. No Salmo 53, a palavra סג (*sag*), é usada no mesmo sentido. Em suma, Davi declara que todos os homens se deixaram arrebatar de tal forma por suas caprichosas luxúrias, que nada ficou de pureza ou integridade em toda a sua vida. Essa, portanto, é uma apostasia tão completa, que toda a piedade foi extinta. Além disso, aqui Davi não só censura uma porção do povo, mas denuncia a todos eles como estando igualmente envolvidos na mesma condenação. Esse na verdade foi um prodígio bem apropriado para provocar repugnância, a saber: que todos os filhos de Abraão, a quem Deus havia escolhido para serem seu povo peculiar, estavam completamente corrompidos, desde o menor até ao maior deles.

Mas é possível que se formule a seguinte pergunta: como podia Davi não excetuar a ninguém, declarando que não ficara nenhuma pessoa justa – **nem um sequer** –, quando, não obstante, ele nos informa, um pouco mais adiante, que os pobres e aflitos depositaram em Deus sua confiança? Além disso, pode indagar-se se aquele Israel cuja redenção futura ele celebra no final do Salmo era todo ele perverso. Não só isso: visto que ele mesmo era membro do corpo de Israel, por que não excetuou pelo menos a si próprio? Eis minha resposta: É o corpo carnal e degenerado da nação israelita que ele aqui censura. Ele não incluiu entre eles aquele pequeno número que constituía a semente que Deus havia separado para si. Essa é a razão por que Paulo, em sua epístola aos Romanos [3.10], estende esta sentença a todo o gênero humano. É verdade que Davi deplora o estado desordenado e desolado que jazia sob o reinado de Saul. Ao mesmo tempo, entretanto, ele faz indubitável comparação entre os filhos de Deus e todos aqueles que não haviam sido regenerados pelo Espírito Santo, mas que são levados segundo as inclinações de sua carne.[7] Alguns apresentam uma interpretação diferenciada, sustentando que Paulo, ao citar o testemunho de Davi, não o entendeu como significando que os homens são naturalmente depravados e corruptos; e que a verdade que Davi pretendia ensinar é que os governantes e os mais eminentes dentre o povo eram perversos, e que, portanto, não era de estranhar ver a injustiça e a perversidade prevalecendo no mundo de uma forma tão generalizada. Essa resposta está longe de ser satisfatória. O tema que Paulo ali formula não é: qual é o caráter da maioria dos homens? e, sim, qual é o caráter de todos os que são guiados e governados por sua própria natureza corrupta? Portanto, é preciso observar que quando Davi coloca a si próprio e ao pequeno remanescente de piedosos, de um lado, e a corporação do povo em geral, do outro, isso implica que há uma manifesta diferença entre os filhos de Deus que são criados outra vez, pelo Espírito, e toda a posteridade de Adão, em quem a corrupção e a depravação exercem domínio. Daqui segue-se que todos nós, quando nascemos, trazemos conosco, do ventre materno, essa insensatez e essa imundícia que se manifestam em toda a nossa vida, as quais Davi aqui descreve e as quais conservamos até que Deus nos faça novas criaturas mediante sua misteriosa graça.

[v. 4]
Acaso não têm conhecimento todos os obreiros da iniqüidade, aqueles que devoram meu povo como se fosse pão? Eles não invocam o Senhor.[8]

---

7 Davi fala de todo o gênero humano, com exceção do "povo de Deus" e de "a geração dos justos", expresso nos versículos 4 e 5, os quais são opostos ao restante da raça humana.

8 Calvino, aqui, traduz *Dominus*, ainda que a palavra no texto hebraico seja יהוה, *Yehovah*, a qual ele quase invariavelmente retém. Na Septuaginta, יהוה é sempre traduzida por ὁ Κυριος, *o Senhor*, que é equivalente a *Dominus*, que expressa domínio ou propriedade – palavra esta que implica uma idéia diferente do nome Jeová, o qual denota existência independente e eterna. Os tradutores da Septuaginta usaram ὁ Κυριος para יהו, em acomodação aos escrúpulos dos judeus, que colocavam אדני para ser lida sempre que יהוה ocorria.

Esta pergunta é adicionada para imprimir uma ilustração mais ampliada da doutrina precedente. O profeta dissera que Deus observava do céu os feitos dos homens, e via que todos eles haviam se desviado do caminho; e agora ele o introduz exclamando com perplexidade: Que loucura é essa, que os que deviam cuidar de meu povo e fazer-lhe bem com assiduidade, estejam agora oprimindo-o e caindo sobre ele como feras selvagens, sem o mínimo senso de humanidade? Ele atribui a Deus esse modo de falar, não porque possa suceder algo que lhe seja estranho ou inesperado, mas porque esse é o modo mais forte para expressar sua indignação. O profeta Isaías, de um modo semelhante [59.16], ao tratar quase do mesmo tema, diz: "E viu que ninguém havia, e maravilhou-se de que não houvesse um intercessor." É verdade que Deus não pode experimentar pessoal e realmente tais emoções, mas ele se representa como que afetado por elas; mas, para que nutramos maior horror e agastamento por nossos pecados, ele declara que eles são de uma natureza tão monstruosa, que é como se ele se sentisse dominado por comoção à vista deles. E não fôssemos mais embrutecidos que pedras, nosso horror à vista da prevalecente perversidade que domina o mundo faria cair todos os cabelos de nossa cabeça,[9] visto que Deus exibe diante de nós, em sua própria pessoa, um testemunho desse porte de quão detestável é o pecado a seus olhos.

Além do mais, este versículo confirma o que eu já disse logo no início, ou seja, que Davi, neste Salmo, não está se referindo a tiranos estrangeiros, ou a ajuramentados inimigos da Igreja, mas dos governantes e príncipes de seu povo, os quais eram revestidos de poder e honra. Esta descrição não deve aplicar-se aos homens totalmente alheios à vontade revelada de Deus; pois não causaria nenhuma perplexidade ver aqueles que não possuem a lei moral, a regra de vida, se devotando à obra de violência e opressão. Mas a infâmia das condutas condenadas não é agravada apenas de leve à luz dessa cir-

---

9 "Il faut que l'horreur des meschancetez qui regnent au monde nous face dresser les cheveux en la teste." – v.f.

cunstância, a saber, que os próprios pastores, cujo ofício é alimentar e cuidar do rebanho,[10] cruelmente o devoram, não poupando nem mesmo o povo que é a herança de Deus. Há uma queixa semelhante em Miquéias: "Ouvi, peço-vos, ó chefes de Jacó, e vós, ó príncipes da casa de Israel: não é a vós que pertence saber a justiça? A vós que aborreceis o bem, e amais o mal, que arrancais a pele de cima deles, e a carne de cima de seus ossos, os que também comeis a carne de meu povo e lhes arrancais a pele, e lhes esmiuçais os ossos, e os repartis em pedaços como para a panela e como carne dentro do caldeirão" [3.1-3]. Se aqueles que confessam conhecer e servir a Deus fossem exercer tais crueldades para com os babilônios ou egípcios, seria um exemplo de justiça que se poderia admitir sem qualquer escusa; mas quando saciam a si mesmos com o sangue e carne dos santos, como se devorassem pão, tal iniqüidade é tão monstruosa, que é capaz de estremecer com profundo espanto os anjos e os homens. Tivessem tais pessoas um mínimo de bom senso em sua consciência, e se refreariam de uma conduta tão temerariamente despudorada. Indubitavelmente foram completamente cegados pelo diabo e totalmente privados de razão e entendimento, visto que consciente e voluntariamente esbulham e devoram o povo de Deus com tamanha desumanidade.

Esta passagem nos ensina quão ofensivo a Deus e quão abominável lhe é a crueldade que se exerce contra os piedosos por aqueles que pretendem ser seus pastores. No final do versículo, onde Davi diz que **eles não invocam o Senhor**, ele uma vez mais põe em realce a fonte e causa dessa desenfreada perversidade, ou seja, que tais pessoas não sentem a mínima reverência por Deus. A religião é a melhor mestra para ensinar-nos a mutuamente manter a eqüidade e a retidão uns para com outros. E onde a preocupação pela religião é extinta, toda e qualquer consideração pela justiça perece juntamente com ela. Com respeito à frase, *invocam o Senhor*, visto que constitui o principal exercício da piedade, ela inclui, por meio de sinédoque

---

10 "Desquels l'office est de paistre et governer le troupeau." – v.f.

(figura de retórica, por meio da qual uma parte substitui o todo), não só aqui, mas em muitas outras passagens da Escritura, todo o serviço de Deus.

[vv. 5, 6]
Ali tremeram de medo,[11] pois Deus está em [ou com, ou é por[12]] a geração dos justos. Ridicularizais o conselho dos pobres, visto que Jehovah é sua esperança.

5. Ali tremem de medo. O profeta agora anima tanto a si próprio quanto a todos os fiéis com a melhor de todas as consolações, ou seja, que Deus não se esquecerá de seu povo até ao fim; ao contrário, ele por fim se manifestará para ser seu defensor. Alguns explicam o advérbio de lugar, *ali*, como significando que Deus tomará vingança dos perversos na presença dos santos, porquanto praticaram sua tirania contra eles. Mas, quanto a mim, penso que com esta palavra há expressa a certeza de sua punição,[13] como se o salmista apontasse com o dedo.[14] Pode também sugerir-se o que podemos deduzir do Salmo 53, que o castigo divino lhes sobreviria subitamente e quando não estivessem pensando nele; pois ali é acrescentado: *onde nenhum temor existe*, ou: *onde nenhum temor*

---

11 É a opinião geral que este Salmo foi composto durante o alarme e perigo que foram ocasionados pela rebelião de Absalão, e que essa é uma predição do fracasso da conspiração. Mas Calmet e Mudge situam o Salmo no cativeiro babilônico, e o último pressupõe que neste versículo e no precedente há uma alusão ao grande terror em que os pagãos foram lançados, em meio à suas ímpias bebedeiras e algazarras; as quais alguns situam no cenário que ocorreu na festa de Belsazar, quando a mão foi vista escrevendo na parede. Há, contudo, grande incerteza quanto à ocasião em que a maioria dos Salmos foi composta; e os que têm examinado as diferentes opiniões dos intérpretes, sobre o tema, se convencem da dificuldade de se chegar a um consenso.

12 "Avec ou pour." – versão francesa marginal.

13 Embora o castigo não tivesse sido ainda aplicado sobre os opressores do povo de Deus, de quem o salmista falara no versículo precedente, ele fala de seu castigo como se já houveracorrido. A razão desse modo de se expressar concernente às coisas futuras na poesia profética, Horsley explica ser a seguinte: "Que um cenário de caráter futuro é apresentado à imaginação do profeta, e o que ele vê nesse cenário ele fala como se já fosse realizado."

14 "A partícula שם é usada demonstrativamente, em referência ao cenário que é posto ante a imaginação do poeta inspirado. Ele o vê ali!" – Horsley.

existia.¹⁵ Estou consciente de que os expositores diferem em sua interpretação dessas palavras. Alguns completam com a palavra *igual* ou *como*, e lêem: Não há temor igual a ele. Outros tomam essas palavras como se referindo àqueles sobressaltos secretos com que os ímpios se atormentam, mesmo quando não haja motivo para tal apreensão. Deus ameaça os transgressores de sua lei com um tamanho tormento mental que "fugirão quando não há ninguém a persegui-los" [Lv 27.17; Pv 28.1], e que "o ruído de uma folha agitada os porá em fuga" [Lv 26.36], justamente quando vemos que eles mesmos se tornam seus próprios atormentadores e são agitados com ansiedade mental mesmo quando não haja nenhuma causa externa para sua existência. Mas creio que o significado do profeta é diferente, ou seja, quando os negócios deles estão num estado da mais profunda tranqüilidade e prosperidade, Deus subitamente arremessa contra eles os dardos de sua vingança. "Pois quando disserem: Paz e segurança, então lhes sobrevirá repentina destruição" [1 Ts 5.3]. O profeta, pois, encoraja e nutre os fiéis com esta prospectiva, a saber, que os ímpios, quando acreditam estar livres de todo perigo, e se vêem seguramente celebrando seus próprios triunfos, sucumbir-se-ão por repentina destruição.

A razão disso é adicionada na última cláusula do versículo, ou seja, porque Deus está determinado a defender os justos e tomar sua causa em suas próprias mãos: **Porque Deus está na geração dos justos.** Ora, a fim de mantê-los a salvos, ele tem necessariamente, em sua ira, de trovejar do céu contra seus inimigos, os quais injustamente os oprimem e os consomem pela violência e extorsão.¹⁶ Há, contudo, certa ambigüidade na palavra דור (*dor*), a qual traduzimos por *geração*. Como este substantivo, em hebraico, às vezes significa *idade*, ou *o curso da vida humana*, a frase pode ser assim explicada: Embora Deus,

---

15 Na versão Septuaginta, para as palavras, *ali estavam em grande medo*, há acrescentadas as palavras: οὐ οὐκ ἦν ὁ φόξος, *onde não havia temor*, os escribas, provavelmente, transferindo-as de memória do Salmo 53.6, ou os tradutores acrescentaram as palavras à guisa de paráfrase.

16 "Qui les foullent injustement et usent de violence et extorsion." – v.f.

por algum tempo, pareça não levar em conta as injustiças infligidas sobre seus servos, pelas mãos dos perversos, não obstante ele está sempre presente com eles e aplica-lhes sua graça durante toda sua vida. A mim, porém, parece uma exposição mais simples e natural interpretar a cláusula assim: Deus está ao lado dos justos e toma seu partido, como dizemos,[17] de modo que דור (*dor*), terá o mesmo sentido, aqui, que a palavra *natio* [nação] às vezes tem entre os latinos.

No Salmo 53.5, o salmista acrescenta uma frase que não ocorre neste Salmo: *Pois Deus espalhará os ossos daqueles que se acampam contra ti, tu os confundirás; porque Deus os rejeitou*. Com essas palavras, o profeta explica mais claramente como Deus protege os justos, ou seja, livrando-os das guelras da morte, justamente como se alguém pusesse em fuga aqueles que sitiam uma cidade e pusesse em liberdade seus habitantes, os quais antes estavam grandemente isolados e completamente cercados.[18] Daí se segue que devemos pacientemente suportar a opressão, caso queiramos ser protegidos e preservados pela mão de Deus, ao tempo em que enfrentamos os mais graves perigos. O termo, *ossos*, é usado metaforicamente para *força* ou *poder*. O profeta, particularmente, fala de seu poder; pois se os perversos não possuíssem riquezas, munição e tropas, as quais os tornam formidáveis, não transpareceria, com suficiente evidência, que é a mão de Deus que finalmente os esmagará. O salmista em seguida exorta os fiéis a uma santa glorificação e os convida a descansarem confiantes de que uma destruição ignominiosa pende sobre as cabeças dos perversos. A razão é a seguinte: **Deus os rejeitou**; e se ele se lhes opõe, todas as coisas, finalmente, lhes irão mal. Como מאס (*maäs*), que traduzimos por *rejeitar*, às vezes significa *desprezar*, alguns a traduzem assim: *Porque Deus os desprezou*. Segundo penso, isso não se adequa à passagem. Seria mais apropriado ler assim: *Ele os tornou desprezíveis*, ou: *os sujeitou*

---

17 "Et tient leur parte, comme on dit." – v.f.
18 "Ne plus ne moins que si quelqu'un mettoit en fuite ceux qui auroyent dressé le siege devant une ville, et mettoit em liberté les habitans d'icelle qui estoyent auparavant en grande extremité et bien enserrez." – v.f.

à desgraça e ignomínia. Portanto, segue-se que só atraíram sobre si a desonra e infâmia enquanto lutavam para engrandecer-se, por assim dizer, a despeito de Deus.

6. Ridicularizais o conselho dos pobres. Ele denuncia aqueles gigantes que motejavam dos fiéis em razão de sua simplicidade, por esperarem calmamente, em seu infortúnio, que Deus se manifestasse como seu libertador. E de fato nada parece mais ilógico aos sentidos da carne do que lançar-se nas mãos de Deus quando ele nem mesmo percebe nossas calamidades; e a razão é que a carne julga a Deus tão-somente pelo prisma do que ela presencia imediatamente o que provém de sua graça. Portanto, sempre que os incrédulos vêem os filhos de Deus tragados pelas calamidades, eles os invectivam por sua infundada confiança, segundo a impressão que eles têm, e com sarcásticos escárnios se riem da inabalável esperança com que se entregam a Deus, de quem, não obstante, não recebem socorro algum. Davi, portanto, desafia e ridiculariza essa insolência dos perversos, e os ameaça dizendo que seus escárnios dirigidos aos pobres e aos desventurados, bem como sua acusação lançada contra eles, tendo-os como insensatos por confiarem na proteção de Deus, será a causa de sua destruição. Ao mesmo tempo, ele os ensina que não há nenhuma resolução a que podemos chegar, e que é de melhor alvitre, do que aquela de dependermos de Deus; e que repousar em sua salvação e naquela assistência que ele nos prometeu, mesmo que sejamos cercados por variadas calamidades, é a mais sublime sabedoria.

[v. 7]
Quem de Sião propiciará salvação [ou livramento] a Israel? Quando Jehovah tiver trazido de volta os cativos de seu povo, Jacó se regozijará e Israel se alegrará.

Davi, após ter estabelecido a doutrina da consolação, uma vez mais volta às orações e lamentos. Com isso ele nos ensina que, embora Deus nos deixe definhar por tempo sem conta, todavia não devemos enfadar-nos, nem perder a coragem, mas sempre gloriar-

-nos nele; e ainda, enquanto nossos sofrimentos continuarem, o conforto mais eficaz que podemos ter está em nosso constante volver ao exercício da oração. Ao formular a pergunta, **Quem de Sião propiciará salvação?**, isso não implica que ele estivesse olhando ou para a direita ou para a esquerda, ou que desviasse seus olhos de Deus em busca de outro libertador.

Salmos 15

Este Salmo nos ensina em que condição Deus escolheu os judeus para serem seu povo e colocou seu santuário no meio deles. Essa condição consistia em que eles se mostrassem ser um povo santo e peculiar, primando por uma vida justa e íntegra.

Cântico de Davi.

[vv. 1, 2]
Ó Jehovah, quem habitará em teu tabernáculo? Quem descansará no monte de tua santidade? Aquele que anda em integridade e pratica a justiça, e que em seu coração fala a verdade.

1. Ó Jehovah, quem habitará em teu tabernáculo? Como nada no mundo é mais comum do que apropriar-se falsamente do nome de Deus, ou pretender ser seu povo, e visto que a maioria dos homens se permite fazer isso sem qualquer preocupação pelo perigo que os envolve, Davi, sem deixar de falar aos homens, dirige-se a Deus, o que ele considera ser o melhor rumo a tomar; e insinua que, se os homens lançam mão do título, *povo de Deus*, sem o ser de fato e de verdade, nada lucram enganando a si próprios, pois Deus continua sempre imutável e, visto ser ele fiel a si próprio, portanto exige que sejamos também fiéis a ele como nossa resposta. É verdade que ele adotou a Abraão graciosamente, mas, ao mesmo tempo, lhe estipulou que sua vida seria santa e íntegra; e essa é a regra geral do pacto que Deus, desde o princípio, fez com sua Igreja. Eis a suma: os hipócritas, que ocupam um espaço no templo de Deus, debalde pretendem ser seu povo, pois ele não reconhece a ninguém como tal, senão aqueles que seguem após a justiça e a retidão ao longo de todo o curso de sua vida. Davi viu o templo apinhado de uma grande multidão de homens que haviam feito todos a profissão de uma mesma religião, apresentando-se diante de Deus através de um cerimonial externo; e assim, assumindo a pessoa de alguém que se extasia ante um espetáculo, ele dirige seu discurso a Deus que, numa confusão tal e numa miscelânea de personagens, podia facilmente distinguir seu próprio povo por entre os estranhos.

Há uma tríplice aplicação desta doutrina. Em primeiro lugar, se realmente desejamos ser considerados como parte do rol dos filhos de Deus, o Espírito Santo nos ensina que devemos provar o que de fato somos através de uma vida santa e íntegra; pois não basta servir a Deus através de cerimônias externas, a menos que também vivamos com retidão e sem fazer dano a nosso próximo. Em segundo lugar, já que tão amiúde vemos a Igreja de Deus desfigurar-se com variadas impurezas, para evitar que tropecemos no que aparenta ser por demais ofensivo, faz-se uma distinção entre aqueles que são cidadãos permanentes da Igreja e os estranhos que penetram em seu seio por algum tempo.

Essa é indubitavelmente uma advertência em extremo necessária, para que, quando o templo de Deus vier a ser maculado por muitas impurezas, não nos deixemos confranger demasiadamente por tais desgostos e vexações, ao ponto de virarmos-lhe as costas. Por *impurezas* entendo os vícios de uma vida corrompida e poluída. Contanto que a religião continue pura quanto à doutrina e ao culto, não devemos deixar-nos abalar em demasia ante os erros e pecados que os homens cometem, como se com isso a unidade da Igreja fosse dilacerada. Entretanto, a experiência de todas as épocas nos ensina quão perigosa esta tentação se torna quando vemos a Igreja de Deus, que deve prosseguir isenta de toda e qualquer mancha poluente e resplandecer em incorruptível pureza, nutrindo em seu seio um grande número de hipócritas ímpios ou pessoas perversas. Por causa disso é que os cataristas, novacianos e donatistas, em seus primórdios, se aproveitaram para separar-se da comunhão dos santos. Os anabatistas, atualmente, renovaram o mesmo cisma, porque não lhes parecia que uma igreja com tais vícios pudesse ser a verdadeira Igreja. Mas Cristo, em Mateus 25.32, com justa razão alega ser seu, com toda propriedade, o ofício peculiar de separar as ovelhas dos cabritos; e por isso nos admoesta que devemos suportar os maus, e que não está em nosso poder corrigi-los, até que as coisas se tornem amadurecidas e chegue o tempo próprio de purificar a Igreja. Ao mesmo tempo, os fiéis são aqui intimados, cada um em sua própria esfera, a empregar todos os seus esforços para que a Igreja de Deus seja purificada das corrupções que nela ainda persistem.

E essa é a terceira aplicação que devemos fazer desta doutrina. O sagrado celeiro de Deus não estará perfeitamente purificado antes do último dia, quando Cristo, em sua vinda, lançará fora a palha. Mas ele já começou a fazer isso através da doutrina de seu evangelho, que neste relato ele chama *crivo de joeirar*. Não devemos, pois, de forma alguma ser indiferentes acerca desse assunto; ao contrário, devemos antes mostrar-nos absolutamente sérios, para que todos nós que professamos ser cristãos possamos levar uma vida santa e imaculada. Acima de tudo, porém, o que Deus aqui declara com respeito a toda injustiça deve ficar indelevelmente impresso em nossa memória; ou seja, que ele os proíbe de entrar em seu santuário, e condena sua ímpia presunção em irreverentemente intrometer-se na sociedade dos santos. Davi faz menção do *tabernáculo*, porquanto o templo não havia ainda sido construído. O significado desse discurso, para dizê-lo em poucas palavras, é o seguinte: somente aqueles que têm acesso a Deus, e que vivem uma vida santa, é que são seus genuínos servos.

2. Aquele que anda em integridade. É preciso observar aqui que há nas palavras um contraste implícito entre a vanglória daqueles que são o povo de Deus apenas nominalmente, ou que apenas fazem vã profissão de uma fé fictícia, a qual consiste de observâncias externas, e aquela indubitável e genuína comprovação da verdadeira piedade que Deus recomenda. Mas, alguém poderia perguntar: visto que o serviço de Deus tem precedência em relação aos deveres da caridade para com nosso próximo, por que não se faz menção aqui da fé e da oração? Pois com certeza essas são as marcas pelas quais os genuínos filhos de Deus devem ser distinguidos dos hipócritas. A resposta é simples. Davi não pretendia excluir a fé e a oração, bem como outros sacrifícios espirituais; visto, porém, que os hipócritas, a fim de promoverem seus interesses pessoais, não se poupam em sua atenção posta na multiplicidade de observâncias religiosas externas, enquanto sua impiedade, não obstante, se manifesta externamente no viver, porquanto se enchem de orgulho, crueldade, violência e se entregam à fraude e extorsão – o salmista, com o propósito pôr a descoberto e trazer à luz todos os que possuem tal caráter, traça as marcas e evidências da genuína e sincera fé à luz da segunda tábua da lei. Segundo o cuidado que cada pessoa deve tomar na prática da justiça e eqüidade em relação a seu próximo, assim ela mostra que realmente possui o temor de Deus. Davi, pois, não deve aqui ser entendido como a repousar satisfeito com a política ou com a justiça social, como se bastasse devolver aos nossos semelhantes o que lhes pertence, enquanto que podemos licitamente defraudar a Deus de seu direito. Mas ele descreve os servos aprovados de Deus como que distinguidos e conhecidos pelos frutos de justiça que produzem. Em primeiro lugar, ele requer *sinceridade*; noutros termos, que os homens se conduzam em todos os seus afazeres com singeleza de coração e destituídos de astúcia ou artifícios pecaminosos. Em segundo lugar, ele requer *retidão*; equivale dizer que devem esforçar-se por fazer o bem a seu próximo, a ninguém prejudicar e abster-se de todo e qualquer mal. Em terceiro lugar, ele requer *veracidade* em sua conversação, de modo a não falar qualquer falsidade ou duplicidade. **Falar *em* seu coração** é uma forte expressão figurativa, mas ela expressa agudamente a intenção de Davi mais do que se ele dissesse ***de* seu coração**. Ela denota a concordância e harmonia entre o coração e a língua, visto que a linguagem é, por assim dizer, uma vívida representação da afeição oculta ou sentimento interior.

[v. 3]
Aquele que não difama com sua língua, nem faz mal a seu companheiro, nem suscita notícias caluniosas contra seu próximo.

Davi, depois de ter sucintamente exibido as virtudes que devem adornar aos que desejam um lugar na Igreja, agora enumera certos vícios dos quais devem estar isentos. Em primeiro lugar, diz que não devem ser *difamadores* ou *caluniadores*; em segundo lugar, devem refrear-se de fazer alguma coisa prejudicial e injuriosa a seu próximo; e, em terceiro lugar, não devem contribuir com a divulgação de calúnias e falsas notícias. Outros vícios, dos quais os justos devem estar isentos, toparemos com eles à medida que avançarmos. Davi, pois, situa a calúnia e difamação como o primeiro item da injustiça pelas quais nosso próximo é injuriado. Se um bom nome é um tesouro, mais precioso que todas as riquezas do mundo [Pv 22.1], não há maior injúria que alguém poderia sofrer do que ver ferida sua reputação. Entretanto, não é qualquer palavra injuriosa que aqui se condena, mas a moléstia e lascívia da difamação que incita as pessoas maliciosas a espalharem calúnias. Ao mesmo tempo, não se pode pôr em dúvida que o propósito do Espírito Santo era condenar todas as falsas e ímpias acusações. Na cláusula que se segue imediatamente, a doutrina que ensina que os filhos de Deus devem manter-se afastados quanto possível de toda injustiça é declarada de forma muito geral: **Nem faz mal a seu companheiro**. Pelas palavras, *companheiro* e *próximo*, o salmista quer dizer não só aqueles com quem desfrutamos de relacionamento familiar e vivemos em termos de íntima amizade, mas todos os homens a quem estamos ligados por laços de humanidade e natureza comum. Ele emprega esses termos para mostrar mais claramente a odiosidade do que ele condena, e para que os santos nutram a mais intensa repugnância de toda e qualquer conduta negativa, visto que cada pessoa que fere seu próximo viola a lei fundamental da sociedade humana.

Com respeito ao significado da última cláusula, os intérpretes não chegaram a um consenso. Alguns tomam a frase, **suscita notícias caluniosas**, por *inventar*, porque as pessoas maliciosas suscitam calúnias do nada; e assim ela não passa de uma repetição da afirmação contida na primeira cláusula do versículo, ou seja, que as pessoas boas não devem permitir que elas cedam à difamação. Mas creio estar também aqui repreendido o vício da credulidade desmedida, a qual, quando alguma má notícia é divulgada contra nosso próximo, nos leva ou a avidamente dar-lhe crédito, ou pelo menos a recebemos sem razão plausível. Enquanto deveríamos, ao contrário, usar de todos os meios para eliminá-la e destruí-la sob nossos pés.[1] Quando alguém é o condutor de falsidades inventadas, os que as rejeitam as lançam, por assim dizer, no chão; enquanto que, ao contrário, os que as propagam e as publicam, de um ouvido a outro, através de uma forma expressiva de linguagem, levam a fama de suscitá-las.

[v. 4]
Aquele a cujos olhos o réprobo[2] é desprezado; mas que honra os que temem ao Senhor; quando ele jura para seu próprio dano, não muda.

A primeira parte deste versículo é explicada de diferentes formas. Alguns extraem dele o seguinte significado: os verdadeiros servos de Deus são desprezíveis e indignos em sua própria estima. Se adotarmos essa interpretação, a conjunção *e*, a qual Davi não expressa, deve ser grafada, fazendo a leitura assim: *Aquele que é vil e desprezível a seus próprios olhos*. Mas, além do fato de que, se tal fosse o sentido, as palavras provavelmente teriam sido mantidas juntas pela conjunção *e*, tenho outro motivo que me leva a pensar que Davi tinha uma razão distinta. Ele compara concomitantemente duas coisas opostas, ou seja, desprezar os elementos perversos e indignos, e honrar os justos e aqueles que temem a Deus. A fim de que essas duas cláusulas se correspondam reciprocamente, o único sentido que me leva a entender o que está expresso aqui sobre *ser desprezado* é este: que os filhos de Deus desprezam os ímpios, e fazem aquela vil e desprezível avaliação deles segundo merece seu caráter. Os piedosos, é verdade, embora vivendo uma vida condigna e virtuosa, não se enchem de presunção, mas, ao contrário, vivem satisfeitos consigo mesmos, porque sentem quão longe se encontram daquela perfeição que lhes é requerida. Entretanto, quando considero o que o escopo desta passagem demanda, não creio

---

1 "Et mettre sous le pied." – v.f.
2 "Meschant, ou vilein et abominable." – versão francesa marginal. "O perverso, ou o vil e abominável."

que devemos ser aqui vistos pelo salmista a recomendar-nos humildade ou modéstia, mas, antes, um espontâneo e íntegro caráter humano, pelo qual os perversos, em contrapartida, não são poupados, enquanto que a virtude, por outro lado, recebe a honra que lhe pertence; pois a bajulação, que nutre os vícios encobrindo-os, é um mal não menos pernicioso que comum. Deveras admito que, se os perversos são revestidos de autoridade, não devemos externar nosso desprezo por eles em medida tal ao ponto de recusar-nos a obedecê-los até onde nosso dever o exige. Ao mesmo tempo, porém, devemos precaver-nos da bajulação e de acomodarmo-nos a eles, ao ponto de nos envolvermos na mesma condenação destinada a eles. Aquele que não só parece encarar suas perversas ações com indiferença, mas também as honra, mostra que aprova nelas o máximo que pode. Paulo, pois, nos ensina [Ef 5.11] que, quando não reprovamos os maus, essa é uma espécie de comunhão com as obras infrutíferas das trevas. É certamente um modo de agir muito perverso quando certas pessoas, buscando alcançar o favor humano, indiretamente desdenham de Deus; e todos são coniventes em fazer com que seus negócios sejam do agrado dos perversos. Davi, contudo, sente deferência, não tanto pela pessoa do perverso, mas pelas suas obras. O homem que vê o perverso sendo honrado, e pelos aplausos do mundo se torna ainda mais obstinado em sua perversidade, e que de bom grado dá seu consentimento ou aprovação, com isso não estará enaltecendo o vício, em vez da autoridade, e o envolvendo de soberano poder? Mas o profeta Isaías diz: "Ai dos que ao mal chamam bem, e ao bem, mal; que põem as trevas por luz, e a luz por trevas; e o amargo por doce, e o doce por amargo" [5.20].

Nem se deve considerar como sendo um rude ou violento modo de se expressar, ao chamar Davi *vis e perversas* as pessoas *réprobas*, ainda que sejam colocadas numa condição privilegiada e honrosa. Se (como afirma Cícero em seu livro intitulado *Haruspicum Responsis*) os inspetores das entranhas dos sacrifícios, e outros adivinhos pagãos, aplicavam aos elementos indignos e desprezíveis o termo, *rejeitado*, embora excedessem em dignidade e riquezas, por que não seria permitido a um profeta de Deus aplicar o título de *párias desgraçados* a todos quantos são rejeitados por Deus? O significado do salmista, para expressá-lo em poucas palavras, é que os filhos de Deus espontaneamente julgam os próprios feitos dos homens, e com o propósito de obter o favor humano não se inclinam para as vis bajulações para com isso encorajar os perversos em sua perversidade.

O que vem imediatamente a seguir, a saber, *honra* os justos e *aos que temem a Deus*, não é de forma alguma virtude. Visto que às vezes, por assim dizer, o lixo e a escória de todas as coisas, segundo a avaliação do mundo, sucede com muita freqüência que os que lhes mostram favor e simpatia atraem contra si mesmos, de toda parte, o ódio do mundo. A maior parte da humanidade, pois, recusa a amizade dos homens bons, e deixa que sejam eles menosprezados, o que não pode ser feito sem graves e infames injúrias a Deus. Aprendamos, pois, a não avaliar uma pessoa pelo prisma de seu estado ou seu dinheiro, nem pelo prisma de suas honras transitórias, mas avaliá-la pelo prisma de sua piedade ou de seu temor a Deus. E certamente que ninguém jamais aplicará verdadeiramente seu intelecto ao estudo da piedade que, ao mesmo tempo, também não reverencie os servos de Deus; da mesma forma, por outro lado, o amor que nutrimos por eles nos incita a imitá-los em sua santidade de vida.

Quando ele jura com dano próprio. A tradução da LXX concordaria muito bem com o escopo da passagem, não fosse o fato de que os pontos que estão sob as palavras no texto hebraico não apoiam tal sentido.[3] Aliás, o fato de que ela não concorde com os pontos não é de forma alguma prova da inerrância de sua tradução; pois, embora os judeus tenham sempre usado os pontos na leitura, é provável que

---

3 "A LXX, em vez de להרע [*lehara*], *ferir*, parece ter lido להרע [*leharea*], *a seu companheiro*, pois traduziu: τῷ πλησίον αὐτοῦ, *a seu próximo*, e assim a Siríaca, a Latina, a Árabe e a Etíope." – Hammond. Essa tradução concorda muito bem com o escopo do Salmo, o qual relaciona nossa conduta precisamente com nossos companheiros; e ele representa o homem bom como escrupulosamente cumprindo o juramento promissório que faz a seu próximo. Mas a redação ordinária, *Ele promete à sua própria dor e não muda*, estabelece a integridade moral do homem bom numa luz ainda mais extraordinária, descrevendo-o como que cumprindo seu juramento em face das maiores tentações de quebrá-lo, quando o cumprimento dele pode ser em detrimento de seus próprios interesses; e isso de forma alguma prova a virtude de um homem.

nem sempre os tenham expresso na escrita. Eu, contudo, prefiro seguir a redação comumente aceita. E o significado consiste em que os fiéis preferirão antes sofrer perda do que quebrar seu palavra. Quando um homem mantém suas promessas, até onde ele percebe ser para sua própria vantagem, não há nisso nenhum argumento que prove sua integridade e fidelidade. Mas quando os homens fazem uma promessa uns aos outros, nada é mais comum do que, à luz de alguma perda insignificante que o seu cumprimento dê ocasião, envidarem eles todo esforço por encontrar um pretexto qualquer para quebrarem seus compromissos. Cada um pondera consigo mesmo sobre o que é para seu próprio proveito, e se o cumprimento das promessas lhe produz alguma inconveniência ou lhe traz algum problema, ele é bastante engenhoso para ponderar sobre o que lhe ocorrerá com a vinda de uma maior perda do que por qualquer outra razão. Aliás, parece ser uma justificativa plausível quando um homem se queixa de que, se não desfizer seu compromisso, então sofrerá grande perda. É por isso que geralmente vemos tanta infidelidade entre os homens, ou seja, não se consideram obrigados a cumprir as promessas que têm feito, exceto até ao ponto em que promovam seu interesse pessoal. Davi, pois, condenando tal inconstância, requer que os filhos de Deus exibam a maior firmeza possível no cumprimento de suas promessas.

Aqui se pode formular a pergunta se uma pessoa, tendo caído nas mãos de um assaltante, lhe promete uma soma de dinheiro para salvar sua vida, e se, em decorrência disso, se vê livre, teria ela que cumprir sua promessa. Além disso, se alguém é vilmente enganado, consumando um contrato, é lícito que ele quebre o juramento que tiver feito em tal circunstância? No tocante ao assaltante, aquele que lhe entrega dinheiro cai em outro erro, pois estará apoiando a suas próprias expensas um comum inimigo do gênero humano em detrimento do bem-estar público. Davi não impõe aos fiéis alternativas como essas, senão que lhes ordena a mostrarem mais respeito por suas próprias promessas do que pelos seus próprios interesses pessoais, e a fazer isso principalmente quando suas promessas forem confirmadas por um juramento.

Quanto ao outro caso, a saber, quando uma pessoa tiver jurado, e for enganada e lhe for imposto um artifício fraudulento, com toda certeza terá que honrar o nome de Deus com tal veneração, que suporte pacientemente a perda do que violar ela seu juramento. Não obstante, é-lhe perfeitamente lícito descobrir e denunciar a fraude que foi praticada contra ela, contanto que não seja levada a agir assim em consideração a seu próprio interesse pessoal. Além disso, nada a impede de pacificamente envidar esforço por entrar em acordo com seu adversário. Muitos dos expositores judeus restringem esta passagem a votos, como se Davi exortasse os fiéis a cumprirem seus votos quando haviam prometido humilhar-se e afligir-se por meio de jejuns. Nisso, porém, estão equivocados. Nada está tão distante de seu significado do que isso, pois ele discursa aqui somente em relação à segunda tábua da lei e à luz da retidão mútua que os homens devem manter em sua conduta recíproca.

[v. 5]
Ele não empresta seu dinheiro com usura, nem aceita suborno contra o inocente. Aquele que pratica essas coisas não será abalado para sempre.

Neste versículo Davi prescreve aos santos a não oprimirem seu próximo com usura, nem a forçá-lo a aceitar suborno em favor de causas injustas. Com respeito à primeira cláusula, como Davi parece condenar todo e qualquer gênero de usura, em geral e sem exceção, o próprio nome tem sido por toda parte detestado. Os homens astutos, porém, têm inventado nomes ilusórios sob os quais ocultam os vícios; e, acreditando poderem escapar com tais artifícios, têm despojado com maior excesso do que se tivessem emprestado com usura franca e declaradamente. Deus, contudo, não se deixará enganar nem permitirá qualquer imposição das pretensões sofísticas e falsas. Ele julga o fato pelo prisma da realidade. Não há pior espécie de usura do que aquele modo injusto de fazer barganhas, quando a eqüidade é desrespeitada de ambos os lados. Lembremo-nos, pois, de que toda e qualquer barganha em que uma parte injustamente se empenha por angariar lucro pelo prejuízo da outra parte, seja que nome lhe damos, é aqui condenada. Pode perguntar-se: toda e qualquer espécie de usura deve ser enquadrada nesta denúncia e considerada como igualmente ilícita? Se condenarmos tudo sem qualquer distinção, há o risco de que muitos, por se encontrarem em tal circunstância, achando que o pecado deve ser exposto, para onde quer que se volvam, não sejam entregues a extremo desespero e se lancem de ponta cabeça a todo gênero de usura, sem escolha ou discriminação. Por outro lado, sempre que concordamos que alguma coisa se pode licitamente fazer nesta área, muitos vão viver a rédeas soltas, crendo que lhes foi concedido a liberdade de praticar a usura sem qualquer controle ou moderação. Em primeiro lugar, pois, acima de tudo aconselharia a meus leitores a se precaverem de engenhosamente inventar pretextos, pelos quais tirem proveito de seus semelhantes, e para que não imaginem que qualquer coisa pode ser-lhes lícita, quando para outros é grave e prejudicial.

Com respeito à usura, é raríssimo encontrar no mundo um usurário que não seja ao mesmo tempo um extorquidor e viciado ao lucro ilícito e desonroso. Conseqüentemente, Cato[4] desde outrora corretamente colocava a prática da usura e o homicídio na mesma categoria de criminalidade, pois o objetivo dessa classe de pessoas é sugar o sangue de outras pessoas. É também algo muito estranho e deprimente que, enquanto todos os demais homens obtêm sua subsistência por meio do trabalho, enquanto os cônjuges se fatigam em suas ocupações diárias e os operários servem à comunidade com o suor de sua fronte, e os mercadores não só se empenham em variados labores, mas também se expõem a muitas inconveniências e perigos – os agiotas se deixam levar por vida fácil sem fazer coisa alguma, recebendo tributo do labor de todas as outras pessoas. Além disso, sabemos que, geralmente, não são os ricos que são empobrecidos por sua usura,[5] e, sim, os pobres, precisamente quem deveria ser aliviado. Portanto, não é

---

4 "C'estoit un personnage Romain de grande reputation." – versão francesa marginal. "Este foi um personagem romano de grande reputação." – Veja-se *Cicero de Officiis*, Lib. li. Cap. xxv.

5 "Ce ne sont pas les riches lesquels on mange d'usures." – v.f. "Não são os ricos que são devorados pela usura."

sem razão que Deus, em Levítico 25.35,36, proibiu a usura, adicionando o motivo: "Também, se teu irmão empobrecer ao teu lado, e lhe enfraquecerem as mãos, sustentá-lo-ás; como estrangeiro e peregrino viverá contigo. Não tomarás dele juros, nem ganho, mas temerás a teu Deus, para que teu irmão viva contigo." Vemos que o propósito pelo qual a lei foi elaborada consistia em que os homens não oprimissem cruelmente os pobres, os quais devem, antes, receber simpatia e compaixão.[6] Essa foi, na verdade, uma parte da lei judicial que Deus destinara aos judeus em particular; mas ela é um princípio comum de justiça que se estende a todas as nações e a todas as épocas, para que sejamos guardados de despojar e devorar os pobres que estão em aflição e necessidade. Desse fato segue-se que o lucro que obtém alguém que empresta seu dinheiro no interesse lícito, sem fazer injúria a quem quer que seja, não está incluído sob o epíteto de usura ilícita. A palavra hebraica, נשך (*neshek*), a qual Davi emprega aqui, derivando-se de outra palavra que significa *morder*, revela suficientemente que a usura é condenada até onde ela envolve ou leva o agiota à liberdade de roubar e despojar nossos semelhantes.

Aliás, Ezequiel [18.17 e 22.12] parece condenar o tirar alguém algum proveito no empréstimo de dinheiro; mas indubitavelmente ele tem um olho nas artes injustas e capciosas do lucro fácil, por meio das quais os ricos devoravam os pobres. Em suma, uma vez que tenhamos gravada em nossos corações a regra de eqüidade que Cristo prescreve em Mateus: "Portanto, tudo quanto quereis que os homens vos façam, fazei-lhes também o mesmo" [7.12], não será necessário entrar em longa controvérsia em torno da usura.

---

6 "Os judeus foram proibidos pela lei de valer-se da usura ou nutrir interesse pelo dinheiro, ao emprestar a seus irmãos, mas não ao emprestar aos estranhos; isto é, estranhos de outros países [Dt 23.20]. O manifesto propósito dessa proibição era o de promover sentimentos humanitários e fraternos, uns para com os outros, no seio dos israelitas. Um propósito mais remoto parece também ter sido almejado no sentido de refrear a formação de um caráter comercial entre os judeus e confiná-los o máximo possível à agricultura e ocupações privativas, as quais os excluíam da inter-relação com as nações cricunvizinhas, visto não ser muito provável que uma prática desse gênero fosse muito difundida entre estrangeiros, as quais eram proibidas em casa." – *Walford's New Translation of the Book of Psalms*.

O que se segue no texto aplica-se propriamente aos juízes que, sendo corrompidos por presentes e recompensas, pervertem toda a lei e a justiça. Não obstante, pode estender-se ainda mais, visto que às vezes sucede que mesmo pessoas individualmente são corrompidas pelos subornos a fim de defenderem e promoverem causas iníquas. Davi, portanto, compreende em geral todas aquelas corrupções pelas quais somos desviados da verdade e eqüidade. Há quem pense que o que aqui é tencionado é a capacidade dos juízes de extorquirem dinheiro dos inocentes que são acusados, como prêmio de seu livramento, quando deveriam, ao contrário, protegê-los e assisti-los gratuitamente. À luz das passagens semelhantes em Ezequiel, porém, às quais já fiz menção, tudo indica que o sentido é diferente.

Aquele que pratica essas coisas. Essa conclusão nos adverte uma vez mais que todos quantos se introduzem no santuário de Deus são cidadãos permanentes de "a santa Jerusalém que é lá de cima";[7] mas que os hipócritas e todos quantos falsamente se apropriam do título *santos*, finalmente serão 'expulsos' com Ismael a quem tanto se assemelham. O que no Salmo 46 se atribui a toda a Igreja, aqui Davi aplica a cada um dos fiéis: **não será abalado para sempre.** A razão do que aí vai expresso é porque Deus habita no meio de Jerusalém. Em contrapartida, sabemos que ele se põe longe dos pérfidos e dos perversos, os quais se aproximam somente com sua boca e com lábios fingidos.

---

7 "De la saincte Jerusalem celeste." – v.f.

Salmos 16

No início Davi se recomenda à proteção divina. Então medita sobre os benefícios que recebia de Deus, e por isso se sente impulsionado a dar graças. Através de seu serviço, é verdade, ele não podia de forma alguma ser proveitoso a Deus, não obstante se rende e se devota inteiramente a ele, protestando que nada tinha a ver com as superstições. Também declara a razão de proceder assim, ou seja, que a plena e substancial felicidade consiste em repousar exclusivamente em Deus, o qual jamais permite que seu próprio povo sofra necessidade de alguma coisa proveitosa.

Mictam de Davi

Quanto ao significado da palavra *mictam*, os expositores judeus não endossam a mesma opinião. Alguns a derivam de כתם (*catham*),[1] como se fosse um penacho ou diadema de ouro. Outros pensam que ela marca o início de um cântico, o qual naquele tempo era muito popular. Para outros, ela parece ser antes alguma espécie de melodia, e sinto-me inclinado a adotar esta opinião.

[v. 1]
Guarda-me,[2] ó Deus, porque em ti confio.[3]

Eis aqui uma oração em que Davi se confia à proteção divina. Entretanto, aqui ele não implora o auxílio divino, em alguma emergência específica, como freqüentemente faz em outros Salmos, mas simplesmente roga-lhe que se manifeste na qualidade de protetor durante todo o curso de sua vida. Na verdade nossa segurança toda, tanto na vida quanto na morte, depende inteiramente de estarmos sob a proteção divina. O que se segue concernente a *confiar* significa o mesmo que se o Espírito Santo nos assegurasse pelos lábios de Davi que Deus está pronto a socorrer a todos nós, contanto que confiemos nele com uma fé definida e estável; e que não toma sob sua proteção a ninguém

---

1 A palavra significa *ouro, o mais fino ouro*, e os que a entendem nesse sentido aqui pensam que o Salmo recebe esse título para denotar que ele merece ser escrito em letras douradas; e alguns conjecturam que os Salmos distinguidos por esse título foram, numa ou noutra ocasião, assim escritos e expostos no santuário. Outros são de opinião que a palavra *mictam* é derivada de כתם, *catham*, que significa *marcar, gravar*, para denotar que o Salmo é apropriado para ser gravado numa coluna preciosa e durável, a fim de ser preservado em perene memória. Esse é o significado ligado à palavra pela Septuaginta, a qual a traduz por στηλογραφία, uma inscrição numa coluna ou monumento. Em ambos esses pontos de vista o título não pode ser senão considerado como peculiarmente apropriado a este poema sacro. Observa o Bispo Mant: "Como uma *inscrição sepulcral*, ele pode ter sido escrito no túmulo de nosso Redentor; como um *monumento triunfal*, ele pode ter sido cantado por ele na região dos espíritos desencarnados. E em ambos, ou em qualquer outro sentido, ele pode muito bem ser considerado como uma composição de *ouro, como maçãs de ouro em bandeja de prata*, inestimável em sua composição, muitíssimo amável em sua estrutura." Calvino, não obstante, considera o título como uma referência à melodia, e nisso ele é apoiado por Aben Ezra, cuja opinião é que esta e outras palavras estranhas, as quais ocorrem nos títulos dos Salmos, são os nomes de antigas melodias.

2 "*Guarda me*. A palavra hebraica expressa as ações daqueles que vigiam a segurança de outros, como os guardas a serviço de seu rei ou um pastor guardando seu rebanho." – *Horsley*.

3 "A palavra hebraica, חסיתי, *chasithi*, de חסה, *chasah*, denota valer-se alguém do refúgio de outro, sob cuja proteção ele se sente seguro, como pintaínhos sob as asas da galinha." – *Buxtorff*.

senão aqueles que se confiam a ele de todo o seu coração. Ao mesmo tempo, devemos ter em mente que Davi, guarnecido por essa confiança, continuou firme e inamovível em meio a todas as tormentas de adversidades com que era ele atingido.

[vv. 2, 3]
Dirás a Jehovah: Tu és o meu Senhor; minha beneficência não te alcança. Quanto aos santos que estão na terra, e os excelentes, neles está todo o meu deleite.

2. Dirás a Jehovah. Davi começa afirmando que ele não pode dar nada a Deus, não só porque Deus não tem necessidade de coisa alguma, mas também porque o homem mortal não pode merecer o favor divino por algum serviço que porventura venha a realizar para Deus. Ao mesmo tempo, contudo, ele toma alento e, visto que Deus aceita nossa devoção e o serviço que a ele dedicamos, Davi protesta que será um de seus servos. A fim de reanimar-se o mais eficazmente possível para o exercício desse dever, ele fala à sua própria alma; pois a palavra hebraica que se traduz por *dirás* é do gênero feminino, a qual pode referir-se somente à alma.[4] Talvez alguns prefiram ler a palavra no pretérito: *Tu disseste*, o que acho perfeito, pois o salmista está falando de um sentimento que tinha sido acalentado continuamente em sua alma. Estou deveras convencido em meu coração de que a substância de sua linguagem é que Deus não pode extrair proveito ou tirar vantagem de mim; não obstante isso, unir-me-ei em comunhão com os santos, para que de comum acordo adoremos a Deus por meio de sacrifícios de louvor.

Duas coisas são distintamente estabelecidas neste versículo. A primeiro é que Deus tem o direito de requerer de nós o que lhe apraz, visto que estamos totalmente ligados a ele como nosso legítimo Proprietário e Senhor. Davi, ao atribuir-lhe o poder e o domínio de *Senhor*,

---

4 A palavra נפשי, *naphshi*, supõe-se comumente ser subentendida como sendo: *Tu, minha alma, dirás*, ou *tens dito*. Mas todas as versões antigas, exceto a Caldaica, lêem na primeira pessoa: *Tenho dito*, e essa é a tradução em muitos manuscritos. As palavras, contudo, "Tu, minha alma, tens dito", são equivalentes a "Tenho dito".

declara que tanto ele mesmo quanto tudo o que ele possuía são propriedades de Deus. O outro particular contido neste versículo é o reconhecimento que o salmista tinha de sua própria indigência. **Minha beneficência não te alcança.** Os intérpretes explicam essa última cláusula de duas maneiras. Visto que עליך (*aleyka*), pode ser traduzida, *a ti*, alguns extraem dela este sentido, a saber: que Deus sob nenhuma obrigação, ou, no mínimo grau, não nos deve algo pelos feitos bons que praticamos para ele; e entendem o termo *beneficência* num sentido passivo, como se Davi afirmasse que toda bondade que ele recebia de Deus não procedia de alguma obrigação que ele impusesse a Deus, nem de algum mérito que porventura possuísse. Creio, porém, que a frase tem um significado mais extenso, ou seja, por mais que os homens se esforcem por sempre depender de Deus, não obstante isso não lhe proporcionam nenhuma vantagem. Nossa beneficência não chega a ele, não só porque, possuindo toda auto-suficiência, ele não necessita de coisa alguma,[5] mas também porque somos vazios e destituídos de todo bem e nada temos como demonstrar-lhe nossa liberalidade para com ele. À luz dessa doutrina, contudo, o outro ponto sobre o qual toquei antes se seguirá, ou seja, que é impossível para os homens, por quaisquer méritos propriamente seus, fazerem Deus obrigar-se em relação a eles, de modo a torná-lo seu devedor. A suma do discurso é que, quando chegamos diante de Deus, devemos desvencilhar-nos de toda e qualquer presunção. Quando imaginamos haver algum bem em nós, não carecemos de ficar surpresos se ele nos rejeitar, como se, com isso, estivéssemos esbulhando-o da parte principal da honra que lhe é devida. Mas, ao contrário, se reconhecermos que todos os serviços que podemos prestar-lhe em si mesmos nada são, e são indignos de qualquer recompensa, essa humildade é como um aroma de suave cheiro, que granjeará para si aceitação diante de Deus.

3. Aos santos que estão na terra. Quase todos concordam em tomar esse lugar como se Davi, depois da frase que estivemos justamente

---

5 A Septuaginta lê: "Τῶν ἀγαθῶν μου οὐ χρείαν ἔχεις" "Tu não tens necessidade de minha bondade [ou de coisas boas]." A redação da Bíblia de Tyndale é: "Meus bens nada são para ti."

considerando, acrescentasse: A única forma de servir a Deus corretamente é pressurosamente fazendo o bem a seus santos servos. E a verdade é que Deus, já que nossas boas ações não chegam a ele, coloca os santos em seu lugar, em favor de quem devemos exercer nossa caridade. Quando os homens, pois, mutuamente se esforçam em fazer o bem uns aos outros, isso equivale a dedicar a Deus um serviço justo e aceitável. Sem dúvida, devemos estender nossa caridade mesmo aos que dela são indignos, precisamente como nosso Pai celestial "faz seu sol nascer sobre os maus e os bons" [Mt 5.45]. Davi, porém, com razão prefere os santos a quaisquer outros, e os coloca numa categoria mais proeminente. Essa, pois, como me expressei no início, é a opinião comum de quase todos os intérpretes.[6] Mas ainda que eu não negue que esta doutrina esta compreendida nas palavras de Davi, creio que eu avanço um tanto mais, e afirmo que ele se unirá com os devotos adoradores de Deus, os quais são seus associados e companheiros, ainda quando todos os filhos de Deus devam estar unidos pelos laços da união fraternal, a fim de que todos sejam qualificados a servir e a invocar a seu Pai comum com a mesma afeição e zelo.[7] E assim vemos que Davi, depois de ter confessado que não podia encontrar nada em si para oferecer a Deus, visto estar endividado para com ele por tudo quanto possuía, deposita sua afeição nos santos, porquanto é a vontade de Deus que, neste mundo, seja ele magnificado e exaltado na assembléia dos justos, aos quais ele adotou em sua família com esse propósito, ou seja, para que vivam unidos em comum acordo sob sua autoridade e sob as diretrizes do Espírito Santo.

Esta passagem, pois, nos ensina que não há sacrifício mais aceitável a Deus do que quando sincera e honestamente nos unimos à sociedade dos justos e nos entrelaçamos pelos sagrados laços da piedade, cultivando e mantendo com eles a boa vontade fraternal. Nisso consiste a comunhão dos santos, a qual os separa das degradantes poluições do mundo, a fim de que sejam o povo santo e peculiar de Deus. Ele expressamente fala de

---

6 "Voyla donc (ainsi que j'ay commencé à dire) l'opinion commune, quasi de tous." – v.f.
7 "D'un accord, et d'une mesme affection." – v.f. "De pleno acordo e com a mesma afeição."

os santos que estão na terra, visto que é a vontade de Deus que, mesmo neste mundo, haja aquelas claras marcas – como se fossem brasões visíveis[8] – de sua glória, as quais sirvam para conduzir-nos a ele. Os fiéis, pois, levam sua imagem para que, mediante seu exemplo, sejam incitados à meditação sobre a vida celestial. Pela mesma razão, o salmista os chama, *excelentes*, ou nobres, porquanto não deve haver nada mais precioso para nós do que a justiça e a santidade, nas quais resplandece a glória do Espírito de Deus; precisamente como somos concitados no Salmo anterior a dar valor e prestigiar aos que temem a Deus.

Devemos, pois, valorizar e apreciar de forma sublime os genuínos e devotados servos de Deus, e não considerar nada mais importante do que nossa participação de sua sociedade. E isso realmente faremos se sabiamente refletirmos sobre em que consiste a genuína excelência e dignidade e não permitir que o vão esplendor do mundo e suas pompas ilusórias ofusquem nossos olhos.

[v. 4]
Terão suas dores multiplicadas os que fazem oferendas a estranhos;[9] não provarei[10] suas libações[11] nem tomarei seus nomes em meus lábios.

O salmista agora descreve a forma genuína de manter a harmonia fraternal com os santos, declarando que nada terá a ver com os incrédulos e supersticiosos. Não poderemos viver unidos no único corpo da Igreja, sujeitos a Deus, se não quebrarmos todos os laços da impiedade, separando-nos dos idólatras e conservando-

---

8 "Et comme armoiries apparentes." – v.f.

9 "A un Dieu estrange, et autre que le vray Dieu." – versão francesa marginal. "Isto é, a um deus estranho, e não ao Deus verdadeiro."

10 Na versão Latina, a palavra é 'libabo', que significa ou *provar* ou *derramar em oferenda*; na versão Francesa é 'gousteray', que significa simplesmente *provar*. Diz Poole: "Os gentios costumavam (como diversos eruditos têm observado) oferecer e às vezes beber parte do sangue de seus sacrifícios, quer de animais quer de seres humanos, quando algum deles era sacrificado." – *Annotations*.

11 Na versão Francesa, a palavra é 'sacrifícios', acerca da qual Calvino insere a seguinte nota à margem: "Le mot signifie proprement bruvages accoustumez en sacrifices." – "A palavra propriamente dita aponta para o costume de beber nos sacrifícios."

-nos puros e longe de todas as poluições que corrompem e viciam o santo serviço devido a Deus. Esse é certamente o fio do discurso de Davi. Quanto às palavras, porém, há uma infinidade de opiniões entre os expositores. Alguns traduzem a primeira palavra do versículo, עצבות (atsboth), por *ídolos*,[12] e segundo essa tradução o significado seria que, uma vez os homens, em sua estultícia, tenham começado a fabricar para si falsos deuses, sua loucura prorrompe sem medida, até que acumulem uma infindável multidão de divindades. Como, porém, esta palavra é expressa aqui no gênero feminino, prefiro traduzi-la por *dores* ou *aflições*, embora tenha ela diversos significados. Alguns crêem que ela denota uma imprecação, e a lêem assim: *que suas dores se multipliquem!* Como se Davi, inflamado de santo zelo, denunciasse a justa vingança de Deus contra os supersticiosos. Outros, cujas opiniões prefiro mais, não mudam o tempo do verbo, que no hebraico é futuro: *suas dores se multiplicarão*. Para mim, porém, não parecem expressar, com suficiente clareza, que gênero de dores Davi tinha em mente. De fato dizem que os idólatras desprezíveis estão perpetuamente aumentando suas novas invenções, com as quais se atormentam miseravelmente. Minha opinião, porém, é que, com essa palavra, ao mesmo tempo denota-se o fim e o resultado das dores que levam sobre si. Ela põe em relevo que eles não só se lançam aos tormentos sem qualquer proveito ou vantagem plausível, mas também se atormentam miseravelmente e se ocupam em concretizar sua própria destruição. Quando um estímulo o leva a retrair-se mais ainda da companhia deles, ele toma esse fato como um princípio indisputável, ou seja, longe de extrair

---

12 A versão Caldaica traz "seus ídolos". A Septuaginta traz ἀσθειαι αὐτων, "suas debilidades" ou "aflições"; e a Siríaca e Árabe usam uma palavra de sentido semelhante. O bispo Patrick parafraseia o versículo assim: "Multiplicam os ídolos (1 Sm 26.19) e são zelosos no serviço de outro deus. Mas nunca me esquecerei de ti, participando com eles de seus abomináveis sacrifícios (nos quais se oferece sangue de seres humanos), nem jurando pelo nome de algum de seus deuses falsos." "Dathe observa que עצבות nunca significa ídolos, sendo a palavra própria עצבים. Veja-se Gesenius e 1 Sm 31.9; 2 Sm 5.21; Os 4.17. As outras versões da Polyglott apoiam a interpretação comum, que é também aprovada por Dathe, Horsley, Berlin e De Rossi." – *Roger's Book of Psalms, in Hebrew, Metrically Arranged*, vol. li. P. 172.

alguma vantagem de suas superstições, eles, através de seus extremados esforços em praticá-las, se envolvem em maiores misérias e desgraças. Pois, qual será o resultado com referência a esses homens miseráveis que voluntariamente se rendem ao diabo como seus escravos, senão para serem decepcionados em sua esperança? Não foi essa a queixa de Jeremias? – "Porque meu povo fez duas maldades: a mim me deixaram, o manancial de águas vivas, e cavaram para si cisternas, cisternas rotas, que não retêm a água" [2.13].

Na cláusula seguinte há também certa ambigüidade. A palavra hebraica, מהר (*mahar*), a qual traduzimos por *oferecer*, na conjugação *kal* significa *doar* ou *dar*. Mas como, na conjugação *hiphil*, ela é mais freqüentemente tomada como *correr*, ou *apressar*,[13] muitos têm preferido esse último significado, e interpretam a cláusula assim: as pessoas supersticiosas ansiosamente se precipitam para seus deuses estranhos. E de fato vemo-los entrando de roldão em suas idolatrias com toda a impetuosidade e temeridade dos desvairados que correm pelos campos;[14] e os profetas amiúde os censura por esse irrefletido frenesi com que se afogueiam. Portanto, eu estaria muito disposto a adotar esse sentido, fosse o mesmo apoiado pelo uso comum da linguagem; visto, porém, que os filólogos observam que não é possível encontrar outra passagem semelhante na Escritura, tenho seguido, em minha tradução, a primeira opinião. Em suma, a síntese do que o salmista diz é isto: Os incrédulos, que dissipam e desperdiçam sua subsistência com seus ídolos, não só perdem todas as dádivas e oferendas que lhes apresentam, mas também vivem perenemente amontoando cada vez

---

13 Walford traduz o versículo assim:
"Eles multiplicam suas dores que impacientemente recusam;
Suas libações de sangue não oferecei;
Nem tomarei seus nomes em meus lábios."
E o sentido que ele impõe à passagem é que Davi, tendo no versículo anterior declarado seu prazer nos justos, aqui declara que os que apostatam de Deus e de sua verdade aumentam seu próprio sofrimento; e afirma ser sua firme resolução não manter nenhum tipo de comunhão com eles, em suas atividades religiosas, as quais eram imundas e detestáveis, nem qualquer relacionamento de amizade, nem mesmo fazer menção de seus nomes.

14 "Et de faict, nous voyons de quelle impetuosite ils se jettent en leurs idolatries sans regarder à rien, tellement qu'il semble que ce soyent gens forcenez, qui courent à travers champs." – v.f.

mais suas misérias. É provável também que o profeta esteja fazendo uma alusão à doutrina comum da Escritura, a saber: que os idólatras violam a promessa do consórcio espiritual firmado com o verdadeiro Deus, firmando convênio com os ídolos.[15] Ezequiel [16.33] com justa razão censura os judeus, dizendo que, enquanto o costume é para o amante cativar a meretriz com presentes, eles, ao contrário, ofereciam presentes aos ídolos, com os quais se prostituíam e aos quais se entregavam. Mas o significado que apresentamos supra realça o espírito da passagem, isto é, que os incrédulos, que honram a seus falsos deuses oferendo-lhes dádivas, não só perdem o que gastaram, mas também amontoam para si dores sobre dores, visto que, enfim, o resultado lhes será miséria e ruína.

Não provarei suas libações de sangue. Por *libações de sangue* alguns entendem a existência de uma referência a sacrifícios feitos de coisas obtidas por meio de homicídios e assaltos. Entretanto, visto que o profeta, aqui, não está invectivando os homens cruéis e sanguinários, mas simplesmente condena, em termos gerais, todo e qualquer culto religioso falso e corrupto; e, além disso, como ele diretamente não dá o nome de *sacrifícios*, mas expressamente evoca a cerimônia de tomar o cálice e provar um pouco dele, que era uma observância na esfera dos sacrifícios,[16] não tenho dúvida de que a essa cerimônia, segundo era observada de acordo com a lei de Deus, ele aqui tacitamente contrapõe o ato de beber sangue nos sacrifícios pagãos. Sabemos que Deus, a fim de ensinar a seu antigo povo a sentir profunda repugnância pelo homicídio e por todo gênero de crueldade, vedou-lhes comer ou beber sangue, quer em sua alimentação comum, quer em seus sacrifícios. Ao contrário disso, as histórias das nações pagãs testificam que o costume de provar o sangue em seus sacrifícios prevalecia entre elas. Davi, pois, protesta dizendo

---

15 Horsley traduz: "Multiplicarão suas dores quando se casam com outro. Isto é, prostituem-se com outros deuses."

16 "Mais touche nommément la ceremonie qu'on observoit es sacrifices asçavoir de prendre la coupe et en gouster un peu." – v.f. Na margem da versão francesa há uma referência aos comentários de Calvino sobre Mateus 26.26 e Gênesis 9.4.

que não só se manteria incontaminado das opiniões corruptas e falsas pelas quais os idólatras são seduzidos, mas que também tomaria cuidado para não demonstrar externamente qualquer sinal de anuência ou aprovação delas.

No mesmo sentido devemos entender o que se segue imediatamente: **Não tomarei seus nomes em meus lábios**. Isso implica que ele nutriria um tamanho ódio e aversão por eles, que se precaveria de nem mesmo mencionar seus nomes, visto que tal ato seria uma execrável traição contra a majestade do céu. Não que fosse ilícito pronunciar seus nomes, os quais amiúde encontramos nos escritos dos profetas, mas Davi sentia que não tinha outra forma de expressar com mais veemência o supremo horror e aversão com que os fiéis devem considerar os falsos deuses. Isso também se demonstra pela forma de expressão que ele emprega, usando simplesmente o relativo, *seus nomes*, embora não tenha declarado expressamente antes que está falando de ídolos. E assim, mediante seu exemplo, ele ordena que os crentes sejam não só precavidos em relação às opiniões erradas e perversas, mas também a abster-se de toda e qualquer aparência de dar-lhes seu consentimento. Evidentemente ele fala de cerimônias externas, as quais indicam ou a verdadeira religião ou alguma superstição ímpia. Se, pois, é ilícito para os fiéis demonstrarem algum sinal de consentimento ou aquiescência em relação às superstições dos idólatras, os Nicodemos (aqueles que falsamente se denominam com esse nome[17]) não devem buscar refúgio sob frívolos pretextos de que não têm renunciado a fé, mas que a conservam escondida em seus corações, quando eles aderem à observância das superstições profanas dos papistas. Alguns entendem as palavras *estranhos* e *seus nomes* como que denotando os adoradores de falsos deuses. Em meu juízo, porém, Davi, ao contrário, tem em mente os falsos deuses mesmos. Eis o escopo de seu discurso: a terra transborda de um imenso acúmulo de superstições[18] com todas as variedades possíveis, e os idólatras ornamentam seus

---

17 "Qui se nomment ainsi à tort." – v.f.
18 "Quoy que la terre soit pleine d'un grand amas d'infinite de superstitions." – v.f.

ídolos com grande profusão, além de todos os limites. Mas os bons e os santos sempre haverão de considerar suas invenções supersticiosas com profunda aversão.

[vv. 5, 6]
Jehovah é a porção de minha herança e de meu cálice; tu sustentas minha sorte. As linhas me caíram em lugares amenos; sim, eu tenho uma linda herança.

5. **Jehovah é a porção de minha herança.** Aqui o salmista explica seus sentimentos com mais clareza. Ele apresenta a razão por que se distingue dos idólatras, e decide prosseguir na igreja de Deus, por que se afasta, com profunda aversão, de toda e qualquer participação de seus vícios e adere ao culto divino em sua pureza; ou seja, porque ele repousa no Deus único e verdadeiro como sua porção. A desditosa inquietação dos idólatras cegos,[19] a quem vemos correndo sem rumo, de um a outro lado, como que assustados e impelidos pela demência, é indubitavelmente traçada pela total destituição do conhecimento de Deus. Todos quantos não têm seu fundamento e confiança postos em Deus devem necessariamente viver em constante estado de irresolução e incerteza. E aqueles que não confessam a fé genuína, de tal forma que não se vêem guiados e governados por ela, esses serão constantemente arrastados pelos dilúvios de erros que prevalecem no mundo.[20]

Esta passagem nos ensina que ninguém é corretamente instruído na genuína piedade senão aqueles que reconhecem a Deus só como sendo suficiente para sua felicidade. Davi, ao chamar a Deus, *a porção de minha sorte*, e, *minha herança*, e, *meu cálice*, protesta que ele se sente tão plenamente satisfeito unicamente com Deus, que nada mais cobiça além dele, de tal sorte que não se deixa excitar por quaisquer desejos depravados. Aprendamos, pois, quando Deus se nos oferecer, a abraçá-lo de todo o coração e a buscar nele só todos os ingredientes e toda a

---

19 "De ces aveugles d'idolatres." – v.f.
20 "Transportez par les desbordemens impetueux des erreurs qui regnent au monde." – v.f.

plenitude de nossa felicidade. Todas as superstições que sempre prevaleceram no mundo têm indubitavelmente procedido da seguinte fonte: que as pessoas supersticiosas nunca estão satisfeitas em possuir somente a Deus. Mas de fato jamais o possuiremos, a menos que "ele seja a porção de nossa herança"; noutros termos, a menos que lhe sejamos totalmente devotados, de modo que jamais alimentemos qualquer desleal desejo de nos apartarmos dele. Por essa razão Deus, ao reprovar os judeus que haviam se desviado dele como apóstatas,[21] precipitando-se para os ídolos, se dirige a eles assim: "Que eles sejam tua herança e tua porção." Com essas palavras ele demonstra que, se não o reconhecermos como nossa porção todo-suficiente, e se não evitarmos ter os ídolos em pé de igualdade com ele,[22] então cederá seu lugar inteiramente a eles e permitirá que os mesmos tenham plena posse de nossos corações. Neste ponto Davi emprega três metáforas: primeiramente compara Deus a uma *herança*; em segundo lugar, a um *cálice*; e, em terceiro lugar, ele o representa como alguém que o defende e o guarda como *possessão* de sua herança. Com a primeira metáfora ele faz alusão às heranças da terra de Canaã, sabendo nós que foram divididas entre os judeus por determinação divina, e a lei promulgada em favor de cada um continha a porção que caía para ele. Pela palavra *cálice* denota-se ou a renda como produto de sua própria herança, ou, mediante sinédoque, o sustento ordinário pelo qual a vida é sustentada, visto que a bebida é uma parte de nossa nutrição.[23] É como se Davi houvera dito: Deus é meu tanto no aspecto de propriedade quanto no de desfruto. Tampouco a terceira comparação é supérflua. Amiúde sucede que os legítimos proprietários são destituídos de sua possessão por não haver alguém que os defenda. Mas enquanto Deus nos dá a ele mesmo em herança, ele se compromete a exercer seu poder em sustentar-nos no seguro usufruto de um bem inconcebivelmente grande. Ser-nos-ia de pouca vantagem tê-lo uma vez obtido como nosso, se porventura ele não nos assegurasse nossa posse dele contra os assaltos que Satanás diaria-

---

21 "Qui s'estoyent destournez de lui comme apostats." – v.f.
22 "Ains que no'vueillions avoir avec lui les idoles." – v.f.
23 "D'autant que le bruvage est une partie de nostre nourriture." – v.f.

mente nos faz. Alguns explicam a terceira cláusula como se ele houvera dito: *Tu és meu solo sobre o qual minha porção está situada*. Mas esse sentido parece-me insípido e insatisfatório.

6. As linhas[24] me caíram em lugares amenos. O salmista confirma mais plenamente o que dissera no versículo anterior com respeito ao seu descanso, com uma mente disposta e tranqüila, exclusivamente em Deus; ou, melhor, ele assim se gloria em Deus enquanto despreza tudo quanto o mundo imagina ser excelente e desejável sem ele [Deus]. Ao magnificar a Deus com melodias tão nobres e sublimes, Davi nos dá a entender que ele não deseja nada mais além de sua porção e felicidade. Esta doutrina pode ser-nos proveitosa de várias maneiras. Ela deve não só desviar-nos de todas as invenções e superstições perversas, mas também de todas as seduções da carne e do mundo. Portanto, sempre que essas coisas se nos deparam com o fim de afastar-nos do único descanso que se encontra só em Deus, lancemos mão desse sentimento como um antídoto contra elas, para que tenhamos motivo suficiente de viver contentes, visto que aquele que possui em si uma absoluta plenitude de todo bem nos deu a si próprio para que dele desfrutemos. Fazendo assim, experimentaremos aquela condição de vida sempre feliz e confortante; pois aquele que tem Deus como sua porção não vive destituído de algum requisito que constitua a vida feliz.

[v. 7]
Magnificarei a Jehovah que me aconselha; até de noite meus rins me ins-

---

24 O hebraico tem *linhas métricas*. Há aqui uma alusão à antiga divisão da terra de Canaã entre o povo eleito de Deus. Isso foi feito por porções, e segundo o comprimento e largura da porção de cada tribo eram averiguados por cordas ou linhas métricas. Daí elas chegaram a significar a terra então medida.

truem.²⁵

Por fim, Davi confessa que, para que viesse a possuir tão grande bem, ele estava inteiramente de posse da graça plenária de Deus, e que tinha sido feito participante dela pela fé. Ser-nos-ia de nenhum proveito se Deus se nos oferecesse livre e graciosamente, e não o recebêssemos pela fé, visto que ele convida a si, em geral, tanto os réprobos quanto os eleitos; mas os primeiros, mediante sua ingratidão, defraudam a si próprios dessa inestimável bênção. Portanto, saibamos nós que ambas essas coisas procedem da graciosa liberalidade de Deus; primeiro, em ser ele nossa herança; e, segundo, em tomarmos posse dele pela fé. O *conselho* do qual Davi faz menção é aquela iluminação interior do Espírito Santo, pela qual somos impedidos de rejeitar a salvação à qual ele nos chama, o que de outra forma certamente não faríamos, considerando a cegueira de nossa carne.²⁶ Daqui deduzimos que, os que atribuem ao livre-arbítrio humano a decisão de aceitar ou rejeitar a graça divina, vilmente mutilam essa graça e revelam tanto ignorância quanto impiedade. Que esse discurso de Davi não deve ser entendido à luz de ensinamento externo, surge claramente das palavras, pois ele nos diz que **era instruído de noite**, quando se via afastado da vista comunitária. Além disso, quando expressa isso como que sendo feito *em seus rins*, indubitavelmente ele fala de inspirações secretas.²⁷ Além do mais, deve observar-se cuidadosamente que, ao falar do tempo quan-

---

25 "Meus rins" é a tradução literal do texto hebraico, e denotam a operação dos pensamentos e afeições da alma. "Como a experiência comum", diz Parkhurst, "mostra que as operações da mente, particularmente os sentimentos de alegria, de tristeza e de medo têm um efeito mui notável sobre os *rins*, portanto de sua situação recuada no corpo e do fato de serem *ocultos*, às vezes são usados na Escritura para denotar a operação mais *secreta* da alma e das afeições." "Os rins", diz Walford, numa nota sobre esta passagem, "são usados para significar as faculdades interiores; e os oradores sacros observam que, em tempos de solidão, seus pensamentos foram instintivamente empregados em contemplar as descobertas celestiais que lhes eram comunicadas." Na Bíblia Tyndale, a tradução da última cláusula é "Meus rins também *me têm disciplinado* no meio da noite". E Fry observa que a palavra, "יסר", significa não tanto instruir imediatamente, mas *punir*, *corrigir* ou disciplinar".
26 "Ce qu'autrement nous ferions, veu l'aveuglement de nostre chair." – v.f.
27 Calvino quer dizer que Deus instruía Davi por inspirações secretas.

do era instruído, ele usa o plural, dizendo que tal era feito durante as *noites*. Com esse modo de expressar-se, Davi não só atribui a Deus o princípio da fé, mas também reconhece que ele está constantemente fazendo progresso sob sua instrução; e deveras é necessário que Deus, durante todo o curso de nossa vida, continue a corrigir a vaidade de nossas mentes, acendendo a luz da fé numa chama mui resplandecente, e por todos os meios elevar-nos o mais alto possível na obtenção da sabedoria espiritual.

[vv. 8, 9]
Tenho posto Jehovah continuamente diante de mim; visto que ele está à minha mão direita, não serei abalado. Portanto, meu coração[28] está alegre e minha língua se regozija; minha carne também repousa em confiança [ou em segurança].

8. Tenho posto Jehovah continuamente diante de mim. O salmista uma vez mais põe em realce a firmeza e estabilidade de sua fé. Pôr Deus diante de nós nada mais é do que conservar todos os nossos sentidos restringidos e cativos, a fim de que não escapem e se desviem após algum outro objetivo. Devemos contemplá-lo com outros olhos além daqueles da carne, pois raramente seremos capazes de percebê-lo, a menos que elevemos nossas mentes acima do mundo; e a fé nos previne de volver nossas costas para ele. O significado, pois, é que Davi mantinha sua mente tão intensamente fixada na providência de Deus, de tal modo a estar profundamente persuadida, que sempre que alguma dificuldade ou angústia lhe sobreviesse, Deus estaria também sempre perto para assisti-lo.

Ainda adiciona, *continuamente*, para mostrar-nos como ele constantemente dependia da assistência divina, de sorte que, em meio aos vários conflitos com que era agitado, nenhum receio do perigo poderia fazê-lo volver seus olhos para qualquer outra direção, senão para Deus em busca de socorro. E assim devemos nós também depender de Deus, bem como continuar sendo plenamente persuadidos de que ele

---

28 "כבוד, *kabod*, é o fígado, o qual, tal qual o coração, os rins etc., é usado em lugar da mente, de modo que o sentido é: regozijar-me-ei em mim mesmo." – *Walford*.

está perto de nós, mesmo quando pareça estar a uma grande distância de nós. Quando tivermos assim volvido nossos olhos para ele, as máscaras e as vãs ilusões deste mundo não mais nos enganarão.

Visto que ele está à minha mão direita. Leio esta segunda cláusula como uma frase distinta da precedente. Conectá-las, como alguns fazem, assim: *Tenho posto o Senhor continuamente diante de mim, visto que ele está à minha mão direita*, daria um parco significado às palavras, e extinguiria muito da verdade que nelas é ensinada, como também faria Davi dizer que ele media a presença de Deus segundo a experiência que tinha dela; modo este de falar que de forma alguma seria adequado. Considero, pois, as palavras, *Tenho posto o Senhor continuamente diante de mim,* como uma frase completa, e Davi põe o Senhor diante de si com o propósito de constantemente refugiar-se nele em todos os perigos. Para sentir-se mais reanimado na bendita esperança, ele põe diante de si a assistência divina e o cuidado paterno de Deus, significando que ele mantém firme e seguro seu próprio povo com quem está presente. Davi, pois, sente-se seguro contra todos os perigos, e promete a si mesmo uma segurança definida, porque, com os olhos da fé, vê Deus presente com ele. À luz desta passagem, somos munidos de um argumento que vence a invenção dos mestres da Sorbonne,[29] ou seja: *que os fiéis nutrem dúvida com respeito à sua perseverança final*. Pois Davi, em termos muito claros, estende sua confiança na graça de Deus para o tempo por vir. E, certamente, seria uma condição muitíssimo miserável viver tremente em meio à incerteza, a todo instante, sem sentir qualquer segurança na continuidade da graça de Deus em nosso favor.

9. Portanto, meu coração está alegre. Neste versículo, o salmista enaltece o inestimável fruto da fé, do qual a Escritura por toda parte faz menção, em que, ao colocar-nos sob a proteção de Deus, ela nos faz não só vivermos no desfruto da tranquilidade mental, mas, o que é melhor, a vivermos uma vida de paz e triunfante regozijo. A parte prin-

---

29 Os doutores da Sorbonne, universidade de Paris.

cipal e essencial de uma vida feliz, como bem sabemos, consiste em possuirmos tranqüilidade de consciência e de mente; enquanto que, ao contrário, não há maior infelicidade do que ser agitado em meio a uma infinidade de preocupações e temores. Mas os ímpios, por mais intoxicados estejam com o espírito de precipitação e estupidez, jamais experimentam genuína alegria ou serena paz mental; ao contrário, sentem terrível agitação interior, que os surpreende e os atribula, tanto que os constrange a acordarem de sua letargia. Em suma, o sereno regozijo não é a porção de nenhum outro, senão daquele que aprendeu a pôr sua confiança unicamente em Deus, bem como a confiar sua vida e sua segurança à proteção dele. Quando, pois, nos virmos cercados de todos os lados por inumeráveis dificuldades, sintamo-nos persuadidos de que o único remédio é dirigirmos nossos olhos para Deus; e se agirmos assim, a fé não só tranqüilizará nossas mentes, mas também as encherá da plenitude de alegria. E não é sem motivo, porque os verdadeiros crentes não só possuem essa alegria espiritual na afeição secreta de seu coração, mas também ela se manifesta através da língua, visto que se gloriam em Deus como Aquele que os protege e lhes assegura a salvação.

A palavra כבוד (*kabod*), propriamente significa glória e excelência. Não obstante, não tenho dúvida de ser ela aqui tomada como sendo *a língua*,[30] como em Gênesis 49.6; pois do contrário a divisão que é obviamente feita neste versículo, da pessoa em três partes, não é distinta e evidente. Além do mais, embora o corpo não esteja livre de inconveniências e sofrimentos, todavia, visto que Deus defende e mantém não só nossas almas, mas também nossos corpos, Davi não fala despropositadamente quando representa a bênção de habitar em segurança como se estendendo à sua carne em comum com sua alma.

[v. 10]

---

30 A tradução da Septuaginta é "γλωσσα μου", "minha língua". Esse é inquestionavelmente o sentido. Davi usa a palavra *glória* para o órgão pelo qual Deus é glorificado ou louvado. O Apóstolo Pedro, ao citar esta passagem [At 2.26], lê "minha língua". Veja-se também o Salmo 36.12.

Pois não deixarás minha alma no túmulo, nem permitirás que teu Santo veja a sepultura.[31]

O salmista prossegue explicando ainda mais plenamente a doutrina precedente, declarando que, visto não temer a morte, não há nada faltando que seja requerido para a completação de sua alegria. Segue-se daí que ninguém realmente confia em Deus senão aquele que de tal forma se assenhoreia da salvação que Deus lhe prometeu, que chega ao ponto de desdenhar da morte. Além do mais, deve observar-se que a linguagem de Davi não se limita a alguma espécie particular de livramento, como no Salmo 49.15, onde ele diz: "Deus redimiu minha alma do poder da sepultura", e noutras passagens semelhantes; mas ele se nutre da inconfundível certeza da salvação eterna, a qual o libertava de toda ansiedade e temor. É como se ele dissesse: Haverá sempre pronta para mim uma via de escape do túmulo, para que eu não permaneça na corrupção. Deus, ao livrar seu povo de algum perigo, prolonga sua vida por um curto período; mas quão escassa e quão vazia consolação seria obter-se algum breve repouso e tomar fôlego por um breve tempo, até que a morte, por fim chegando, poria termo ao curso de nossa vida,[32] nos tragando sem qualquer esperança de livramento! Daí parecer que, quando Davi se expressa dessa forma, ele elevava sua mente acima da sorte comum da humanidade. Visto que a sentença tem sido pronunciada contra todos os filhos de Adão: "Tu és pó, e ao pó voltarás" [Gn 3.19], a mesma condição neste aspecto aguarda a todos eles, sem exceção. Se, pois, Cristo, que é as primícias

---

31 "A palavra hebraica, *shachath*", diz Poole, "ainda que às vezes, por metonímia, signifique a sepultura ou lugar de deterioração, contudo própria e geralmente significa corrupção ou perdição. E é assim que ela deve ser entendida aqui, embora alguns judeus, para evitarem a força desse argumento, traduzem-na por sepultura. Nesse sentido, porém, ela não é válida, pois se ela é assim para Davi, como dizem, ou para Cristo, confessa-se que ambos eles viram a sepultura, isto é, foram postos no túmulo." Daqui ele conclui que *corrupção* é a tradução própria da palavra original. A frase, contudo, *ver a sepultura*, não pode significar pôr na sepultura, mas continuar nela por certa extensão de tempo. O sentido que Calvino junta à palavra sepultura é substancialmente aquele que nossos tradutores ingleses deduziram da palavra original que traduziram por *corrupção*. Hengstenberg adota e defende a tradução de Calvino.

32 "Jusqu'à ce que la mort finalement venant, rompist le cours de nos jours." – v.f.

dos que ressuscitam, não sai do túmulo, então eles permanecerão perenemente sob a escravidão da corrupção. Desse fato Pedro com razão conclui [At 2.30] que Davi não poderia ter se gloriado dessa forma, senão pelo espírito de profecia; e a menos que ele tivesse tido um respeito especial pelo Autor da vida, o qual lhe fora prometido, o qual foi o único honrado com este privilégio em seu sentido mais pleno. Isso, contudo, não impedia a Davi de assegurar-se por direito da isenção do domínio da morte, visto que Cristo, por sua ressurreição dentre mortos, obteve a imortalidade não só para si, individualmente, mas também para todos nós. Quanto a este ponto, o qual Pedro [At 2.30] e Paulo [13.33] disputam, ou seja, que esta profecia se cumpriu exclusivamente na pessoa de Cristo,[33] o sentido no qual devemos entendê-los é este: que ele estava tão plena e perfeitamente isento da corrupção [decomposição] do túmulo, que podia convocar seus membros à sua comunhão e fazê-los participantes desta bênção,[34] embora em diferentes graus e cada um segundo sua medida. Como o corpo de Davi, depois da morte, foi, no decurso do tempo, reduzido a pó, os apóstolos com justa razão concluem que ele não fora isento de corrupção.

É o mesmo com respeito a todos os fiéis; nenhum deles se torna participante da vida incorruptível sem primeiro sujeitar-se à corrupção. Desse fato segue-se que a plenitude de vida que reside somente na Cabeça, ou seja, em Cristo, só penetra nos membros em gotas, ou em pequenas porções. Pode, contudo, formular-se a seguinte pergunta: como poderia Cristo descer ao túmulo se não estivesse também sujeito à corrupção? A resposta é simples. A etimologia ou derivação das duas palavras aqui usadas para expressar o túmulo deve receber cuidadosa atenção. O túmulo é chamado שאול (*sheol*), assemelhando-se a um abismo insaciável que devora e consome todas as coisas; e o poço é chamada שחת (*shachath*), que significa *corrupção*. Essas palavras, pois, aqui denotam não tanto o lugar

---

33 E assim temos a autoridade de dois apóstolos para entendermos a parte conclusiva desse Salmo como uma profecia da ressurreição de Cristo dentre os mortos.
34 "Et les faire venir a la participation de ce bien." – v.f

quanto a qualidade e condição do lugar, como se ele houvera dito: A vida de Cristo será isenta do domínio do túmulo, visto que seu corpo, mesmo quando morto, não estará sujeito à corrupção. Além disso, sabemos que o túmulo de Cristo estava cheio e, por assim dizer, embalsamado com o perfume vivificante do Espírito, o qual podia ser para ele a porta para a glória imortal. Tanto os pais gregos quanto os latinos, confesso, torceram essas palavras para um significado totalmente diferente, referindo-as ao retorno da alma de Cristo do inferno. Mas é melhor aderir à simplicidade natural da interpretação que tenho apresentado, a fim de não cairmos no ridículo dos judeus; e, além do mais, para que aquela sutileza, engendrando muitas outras, não nos envolvesse num labirinto. Na segunda cláusula, sem dúvida, a menção é ao corpo; e sabemos ser um modo de falar muito comum em Davi, intencionalmente a fim de repetir a mesma coisa duas vezes, fazendo uma leve variação com as palavras. É verdade que traduzimos נפש (*nephesh*), por *alma*, mas no hebraico ela simplesmente significa o *sopro vital*, ou a *própria vida*.

> [v. 11]
> Tu me farás conhecer a vereda da vida; em teu semblante há plenitude de alegria; à tua mão direita há prazeres perpetuamente.

O salmista confirma a afirmação feita no versículo precedente, e explica o modo como Deus o isentará da escravidão da morte, ou seja, conduzindo-o e trazendo-o finalmente a salvo à posse da vida eterna. Desse fato uma vez mais aprendemos o que já observei, ou seja, que esta passagem toca na diferença que há entre os verdadeiros crentes e os forasteiros ou réprobos, com respeito ao seu estado eterno. É uma mera cavilação dizer que, quando Davi, aqui, fala de **a vereda da vida** lhe sendo mostrada, significa o prolongamento de sua vida natural. Aliás, falar de Deus como guia de seu povo na vereda da vida apenas por uns poucos anos neste mundo é uma forma muito pobre de avaliar sua graça. Nesse caso, eles não difeririam em nada dos réprobos, os quais desfrutam da luz do sol da mesmíssima forma que eles [os santos]. Se, pois, é a graça especial de Deus não comunicar o conhecimento da vereda da vida, da qual ele fala, a ninguém mais, senão a seus próprios filhos, a quem Davi aqui magnifica e exalta, então indubitavelmente ela deve ser vista como que se estendendo também à bendita imortalidade; e de fato só conhece a vereda da vida aquele que está unido a Deus e que vive em Deus, e não pode viver sem ele.

A seguir Davi acrescenta que, quando Deus se reconcilia conosco, temos todas as coisas que nos são necessárias para a perfeita felicidade. A frase, **o semblante de Deus**, pode ser entendida ou de sermos vistos por ele ou de ele ser visto por nós. Quanto a mim, porém, considero ambas as idéias como inclusas reciprocamente, pois seu favor paternal, o qual ele exibe olhando para nós com um semblante sereno, precede essa alegria, e é a causa primeira dela, e no entanto isso ainda não nos alegra, de nossa parte, até que o vejamos resplandecente sobre nós. Com essa cláusula Davi pretendia também distintamente expressar a quem tais *prazeres* pertencem, dos quais Deus tem em sua mão uma plena e superabundante plenitude. Visto que com Deus há prazeres suficientes para reabastecer e satisfazer o mundo inteiro, donde procede toda a escuridão sinistra e mortal que envolve a maior parte da humanidade, senão porque Deus não olha para todos os homens igualmente com seu semblante amigo e paterno, nem abre os olhos de todos os homens para que busquem a essência de sua alegria nele, e em nenhum outro?

Plenitude de alegria é contrastada com fascinações e prazeres evanescentes deste mundo transitório, o qual, depois de ter divertido seus miseráveis adeptos por algum tempo, por fim os deixa insatisfeitos, famélicos e decepcionados. Podem intoxicar-se e empanturrar-se de prazeres até à máxima saciedade, mas, em vez de se sentirem satisfeitos, ao contrário se tornam cansados deles com profunda repugnância. Além disso, os prazeres deste mundo se desvanecem como sonhos. Davi, pois, testifica que a verdadeira e sólida alegria, na qual as mentes dos homens podem repousar, jamais será encontrada em alguma outra parte senão em Deus. Portanto, ninguém mais além dos fiéis, que vivem contentes só com a graça divina, podem viver real e perfeitamente felizes.

Salmos 17

Este Salmo contém um triste lamento contra o cruel orgulho dos inimigos de Davi. Ele protesta que não merecia ser perseguido com tal desumanidade, porquanto não lhes dera nenhum motivo de exercerem contra ele sua crueldade. Ao mesmo tempo, ele roga a Deus, como seu protetor, a manifestar seu poder para seu livramento. A inscrição do Salmo não indica algum tempo específico, mas é provável que Davi esteja se queixando de Saul e de seus associados.[1]

Oração de Davi.

[vv. 1, 2]
Ouve minha integridade,[2] ó Jehovah, atende meu clamor; dá ouvidos à minha oração, a qual não procede de lábios enganosos. Que meu juízo [ou o juízo em meu favor] venha da presença de teu rosto;[3] que teus olhos busquem minha retidão.

---

1 Essa é a opinião geral quanto à ocasião da composição deste Salmo. Supõe-se que Davi, ao apresentar sua inocência em relação às coisas de que era acusado, refere-se às acusações assacadas contra ele, ou seja: que traiçoeiramente aspirava o reino e buscava tirar a vida a Saul [1 Sm 29.9]; e que, portanto, os perseguidores e caluniadores, de quem roga a Deus que o libertasse, eram Saul e seus cortesãos.

2 As versões Vulgata, Etiópica e Arábica trazem "minha integridade", ou "meu direito", como aqui, e em nossa versão inglesa [e as brasileiras] significa sua justa causa. A Septuaginta, "Κυριε της δικαιοσυνης μου", "Ó Senhor de minha justiça." Jerônimo traz: "Audi, Deus, justum", "Ouve, ó Deus, o que é justo", tradução esta que Horsley se inclina a adotar, vendo o Messias como quem fala neste Salmo. Na versão Siríaca a redação é: "Ouve, ó justo Senhor"; e isso é seguido pelo Bispo Horne, Dr. Adam Clarke e Dr. Boothroyd.

3 Que minha sentença emane de tua presença; isto é, sê tu pessoalmente, ó Jehovah, meu juiz." – *Horsley*.

1. Ouve minha integridade, ó Jehovah. O salmista começa o Salmo estabelecendo a excelência de sua causa. Ele procede assim porque Deus havia prometido que não suportaria que o inocente fosse oprimido, senão que por fim haveria de sempre socorrê-lo. Alguns explicam a palavra *integridade* como que denotando *oração íntegra*, interpretação esta que não me parece satisfatória. O significado, antes, é que Davi, confiando em sua própria integridade, interpõe Deus como Juiz entre ele e seus inimigos, para analisar e interferir em sua causa. Já vimos no Salmo anterior que, quando temos de tratar com os homens perversos, podemos justificadamente protestar nossa inocência diante de Deus. Entretanto, visto não ser bastante para os fiéis terem o testemunho aprovador de uma boa consciência, Davi acrescenta a seu protesto uma ardente oração. Mesmo as pessoas sem religião são às vezes capazes de atestar com razão ter uma boa causa; visto, porém, que não reconhecem que o mundo é governado pela providência de Deus, se contentam em desfrutar da aprovação de sua própria consciência, segundo seu modo de expressar-se, e, mordendo o freio, suportam as injúrias que lhes são feitas, mais por obstinação do que por imperturbabilidade, visto que não buscam consolação alguma na fé e oração. Os fiéis, porém, dependem não só da excelência de sua causa, mas também confiam a Deus a defesa e sustento da mesma. E sempre que alguma adversidade lhes sobrevem, recorrem a ele para que os socorra. Esse, pois, é o significado da passagem: é uma oração para que Deus, que bem conhecia a Davi como aquele que agia corretamente e cumpria seus deveres sem dar ocasião a alguma acusação contra si,[4] e, portanto, de ser injustamente molestado por seus inimigos, graciosamente olha para ele. E isso ele faria de uma forma especial, já que, confiando em seu auxílio, nutre boa esperança e, ao mesmo tempo, ora a Deus com coração sincero. Com os verbos *clamar* e *orar* ele quer dizer a mesma coisa; mas o verbo *clamar*, e a

---

4 "Que David se soit porté justement et fait son devoir sans donner à aucun occasion de le blasmer." – v.f.

repetição do que ele denota, com uma expressão diferente, serve para mostrar sua veemência, sua intensa ansiedade de alma. Além do mais, visto que os hipócritas falam suavemente em sua própria recomendação e para mostrar aos outros um sinal da grande confiança que têm em Deus, dão expressão aos seus clamores, Davi protesta acerca de si mesmo, dizendo que não fala *fraudulentamente*. Noutros termos, ele não faz uso de seu clamor e oração como pretexto para encobrir seus pecados, senão que entra na presença de Deus com sinceridade de coração. Através dessa forma de oração o Espírito Santo nos ensina que devemos diligentemente empenhar-nos por viver uma vida de retidão e inocência, de modo que, se porventura existe alguém a nos causar problema, temos como gloriar-nos de sermos acusados e perseguidos injustamente.[5] Além disso, sempre que os perversos nos assaltam, o mesmo Espírito nos chama para que recorramos à oração. E se alguém, confiando no testemunho de uma boa consciência de que desfruta, negligencia o exercício da oração, o mesmo defrauda a Deus da honra que lhe pertence, não entregando-lhe sua causa nem deixando-o julgá-la e decidi-la. Aprendamos, também, que quando nos apresentarmos diante de Deus em oração, não devemos fazer isso com os ornamentos e os artifícios da eloqüência, pois a retórica mais excelente e a graça mais atraente que porventura possuamos diante dele consistem na mais pura simplicidade.

2. Da presença de teu rosto. Literalmente é: *de diante de tua face*, ou: *diante de tua face*. Com essas palavras Davi declara que, se Deus não se erguer como defensor de sua causa, ele soçobrará pelas calúnias, ainda que inocente, e será procurado como culpado e condenado. O conhecimento que Deus tomará de sua causa é tacitamente posto em oposição às tenebrosas maquinações que foram divulgadas contra ele.[6] Sua linguagem equivale a isto: não me dirijo a nenhum ou-

---

5 "Que nous sommes blasmez et persecutez a tort." – v.f.
6 "Car la cognoissance que Dieu prendra de sa cause est tacitement mise à l'opposite des tenebres des mensonges qu'on semoit contre luy." – v.f.

tro juiz senão a Deus somente, nem me retrocedo de seu tribunal,[7] uma vez que trago comigo tanto um coração puro quanto uma boa causa. O que ele imediatamente acrescenta no tocante a Deus *olhar para sua integridade* é de semelhante importância. Ele não quer dizer que Deus seja cego, mas simplesmente roga-lhe que realmente mostre que ele não é conivente com a perversidade dos homens, e que não lhe é uma questão sem importância olhar para aqueles que não possuem meios de se defender[8] quando recebem maus tratos imerecidamente. Alguns tomam a palavra *juízo* num sentido extremamente restrito, significando o direito ao reino que fora prometido a Davi, como se ele requeresse assentar-se, pelo poder de Deus, no trono real, já que fora escolhido por ele para ser rei, e fora também, em seu nome e por sua autoridade, ungido para esse ofício, por mão de Samuel. O significado que deduzo da linguagem de Davi é simplesmente a seguinte: que sendo oprimido com muitos e variados males, ele se entrega à proteção e defesa de Deus.

[vv. 3, 4]
Tens provado meu coração; o tens visitado de noite; o tens examinado, e nada encontraste; meus pensamentos não irão além de minha boca.[9] Quanto às obras dos homens, pela palavra de teus lábios tenho me precavido [ou guardado] dos caminhos do destruidor.[10]

---

7 "Et qu'il ne refuse point de respondre devant le siege judicial d'iceluy." – v.f. "Nem me recuso a responder diante de seu tribunal."
8 "Qui n'ont pas moyen de se defendre." – v.f.
9 Grande diferença de opinião tem prevalecido entre os críticos quanto à tradução e interpretação deste versículo e do seguinte. O terceiro versículo é traduzido assim, na Bíblia de Tyndale: "Tens provado e visitado meu coração nos momentos noturnos, tens me provado no fogo e não encontraste em mim perversidade alguma; pois propus terminantemente que minha boca não ofenderia." Geddes lê a terceira cláusula do versículo assim: "Tens me fundido, e não encontraste nenhuma escória." Observe-se que *fundir* é "uma metáfora tomada da fundição de metais para purificá-los de matérias estranhas." – *Geddes' New Translation of the Book of Psalms, with Notes.* A última cláusula do terceiro versículo é acrescentada à primeira cláusula do quarto versículo, nas versões Septuaginta, Vulgata, Siríaca e Arábica, e a redação fica assim: "Minha boca não transgrediu quanto aos maus desígnios dos demais homens"; isto é, não os tenho favorecido nem aprovado por meio de palavra.
10 "Du violent." – v.f. "Do violento."

3. Tens provado meu coração. Alguns são de opinião que nos três primeiros verbos o pretérito é expresso no futuro. Outros, mais corretamente, e mais claramente, analisam as palavras assim: Se tu provas meu coração, e o visitas de noite, e o examinas profundamente, não será encontrado nele engano algum. Mas, sem fazer alguma mudança nas palavras, poderão muito bem ser explicadas assim: Tu, Senhor, que entendes todos os sentimentos e pensamentos secretos de meu coração, mesmo sendo tua a peculiar prerrogativa de testar os homens, sabes muito bem que não sou um homem doble, e não acalento no íntimo engano algum. O que Davi pretendia expressar é sem dúvida muito óbvio. Visto que ele era injusta e falsamente acusado de crime, e não podia obter nem justiça nem humanidade da parte dos homens, então apela para Deus, solicitando que ele se tornasse o juiz nessa matéria.[11] Para não agir precipitadamente, porém, ele se sujeita a um exame imparcial, visto que Deus, cuja prerrogativa é sondar os recessos mais secretos do coração, não pode ser enganado pela aparência externa. Foi durante *a noite* que ele declara ter Deus o visitado, porque, quando uma pessoa se afasta da presença de seus semelhantes é que ela percebe mais claramente seus pecados, os quais, de outra forma, permaneceriam ocultos de sua percepção. Precisamente como, ao contrário, a presença dos homens nos desperta vergonha, e essa presença é, por assim dizer, um véu diante de nossos olhos, o qual nos impede de claramente auscultar nossas faltas. Portanto, é como se Davi dissesse: Ó Senhor, quando as trevas da noite desvendam a consciência com mais nitidez, todo véu sendo então removido, e quando, nesse momento, as afeições, quer boas quer ruins, segundo as inclinações humanas, se manifestam mais livremente, então ninguém se acha presente para testificar e pronunciar juízo sobre elas. Se tu, pois, me examinas, não encontrarás em meu coração nem disfarce nem fingimento.[12] Donde concluímos quão imensa era a integridade de

---

11 "Le requerant d'en vouloir estre le juge." – v.f.
12 "Il ne sera trouve desguisement ne fraude quelconque en mon coeur." – v.f.

Davi, visto que, quando propositada e lentamente toma consciência de seus pensamentos mais secretos, ele se apresenta francamente para ser testado pelo juízo divino. E não só se declara inocente de crimes externos, mas também isento de toda malícia secreta. Quanto a nutrir desígnios maliciosos, encobrindo-os com pretensões de honestidade, como seus inimigos alegavam, ele protesta que suas palavras eram uma franca e transparente representação do que estava se passando em seu coração: **Meus pensamentos não irão além de minha boca**. Diz-se que nosso pensamento vai além de nossa boca quando, com o propósito de enganar, a mente pensa diferentemente do que a língua expressa.[13] A palavra זמה (*zimmah*), a qual traduzimos simplesmente por *pensamento*, pode também ser tomada num mau sentido, ou seja: projetos enganosos e maliciosos.

4. **Quanto às obras dos homens, pela palavra de teus lábios**. Os intérpretes explicam este versículo em sentidos diversos. Alguns, imaginando que a letra ב (*beth*), que comumente significa *em* ou *por*, é tomada para *contra*, traduzem-na assim: Quanto às obras dos homens que praticam contra tua palavra. Eu, porém, inclino-me, antes, para a opinião de outros que consideram que há aqui em primeiro plano um reto juízo das ações humanas que é formado segundo a norma da palavra de Deus. Entretanto, o que, todavia, temos dito não nos dá plenamente o sentido da passagem. Devemos ainda considerar o que o salmista quis dizer quando fala de **os caminhos do destruidor**.[14] Alguns acreditam que se refere aos homens de sua própria companhia, os quais, se não os tivera refreado, ter-se-iam lançado constantemente à pilhagem e à depredação. Visto que, sendo reduzidos às mais intensos angústias, e não vendo qualquer prospectiva de alteração para

---

13 Esse é o sentido expresso nesta última cláusula pelo erudito Castellio, que a traduz assim: "Non deprehendes me aliud in pectore, aliud in ore habere." "Tu não me acharás tendo uma coisa em meu coração e outra em minha boca."

14 Ou, *as veredas do violento*. Literalmente, daquele que, por meios violentos, faz uma brecha em, ou derruba um muro ou cerca, a palavra פריץ, *pharits*, sendo derivada de פרץ, *pharats*, *derrubar*, ou *romper*. Ela é referida por Calvino à conduta violenta e perversa de seus inimigos para com ele.

melhor em suas atividades, foram se tornando atrevidos, movidos pelo desespero. Pois sabemos quão afiado um aguilhão precisa estar para ferroar os homens e empurrá-los em seu curso. Esta exposição, porém, parece-me muito forçada, e portanto prefiro fazer as palavras referirem-se a seus inimigos. Além do mais, há uma diversidade de opinião entre os intérpretes com respeito ao significado da palavra *velar* ou *observar*. Muitos a entendem neste sentido: Davi cumprira seu dever opondo-se exaustivamente aos ultrajes dos homens e daqueles que estavam perversamente envolvidos na obra de perturbar o repouso e tranqüilidade de seus semelhantes.[15] Outros a entendem assim: que ele fora tão cuidadoso em distinguir entre o bem e o mal, ou o certo e o errado, que não podia corromper-se pelos maus exemplos,[16] senão que os evita e, ao contrário, pratica aquelas coisas que, segundo via, estariam em concordância com a palavra de Deus.

Davi, porém, não tenho dúvida, tinha em mente algo diferente, e sua intenção era declarar que, embora os ímpios e maliciosos o instigassem à prática do mal, ele havia sido, não obstante, sempre refreado pela palavra de Deus, de modo que se guardou de exercer violência e infligir injúrias, ou de revidar mal com mal.[17] Ele, pois, nos diz que, quaisquer que tivessem sido as obras dos homens, ele estivera tão devotado à palavra de Deus e ela tão afeiçoada, por assim dizer, à sua boca, que ele não podia imaginar, nem mesmo tolerar, ao ser provocado pelas injúrias que seus inimigos infligiam contra ele, a agir em relação a eles da mesma forma como agiam em relação a ele. Sabemos quão grave é uma tentação e quão difícil de superar, ignorar a maneira como os homens se portam em relação a nós e considerar somente o que Deus nos proíbe ou nos manda. Mesmo aqueles que são naturalmente inclinados à gentileza e atitude humana,[18] que desejam fazer o bem a todos os homens e a ninguém desejam prejudicar,

---

15 "De troubler le repos et la tranquillite des autres." – v.f.
16 "Afin de n'estre point corrompu par mauvais exemples." – v.f.
17 "*Eu me tenho guardado das veredas* ou *observado as veredas*, no sentido de evitá-las." – *Poole's Annotations*.
18 Car mesme ceux qui sont de nature enclins à debonnairete." – v.f.

sempre que são provados, explodem em seu ânimo vingativo e se deixam arrebatar por cega impetuosidade; especialmente quando vemos todos os direitos e eqüidade subvertidos, a confusão nos cega de tal forma que começamos a uivar à semelhança dos lobos. Se, pois, tivermos uma boa norma para governar-nos, quando nossos inimigos, através de suas ações nocivas, nos provocam a tratá-los de modo semelhante, aprendamos, à luz do exemplo de Davi, a meditar na palavra de Deus e a manter nossos olhos fixos nela. Com isso nossas mentes serão preservadas de perene cegueira, e evitaremos sempre as veredas da perversidade, visto que Deus não só manterá nossos sentimentos restringidos por seus mandamentos, mas também exercitará nossa paciência frente às suas promessas. Ele nos impede de fazer o mal a nosso próximo,[19] não só nos proibindo, mas também declarando, ao mesmo tempo, que tomará em sua própria mão a execução da vingança sobre aqueles que nos injuriam;[20] nos admoesta a "dar lugar à ira" [Rm 12.19].

[vv. 5, 6]
Firmo meus passos em tuas veredas, para que as plantas de meus pés não resvalem. Tenho te invocado, ó Deus, com certeza me ouvirás; inclina para mim teus ouvidos, e ouve minhas palavras.

5. Firmo meus passos em tuas veredas. Se tomarmos *veredas de Deus* pelos preceitos de sua lei, o sentido será evidente, isto é: embora Davi houvera falado segundo a verdade, gloriando-se de ter, em meio às mais graves tentações que o assaltavam, praticado constantemente a justiça com um coração isento de maldade, não obstante, cônscio de sua própria debilidade, entrega-se a Deus para ser governado por ele, e ora para que a graça o capacite a perseverar. Sua linguagem equivale ao seguinte: Visto que até aqui, sob tua orientação, tenho prosseguido na vereda certa, rogo-te que da mesma maneira guardes meus passos de se resvalarem em relação ao futuro. E, indubitavelmente, quanto mais

---

19 "De mal faire à nos prochains." – v.f.
20 "Qu'il prendra en main la vengence contre ceux qui nous outragent." – v.f.

exceda alguém em graça,²¹ mais deve ele temer a queda; pois a política costumeira de Satanás é empenhar-se, mesmo à luz da virtude e força com que Deus nos revestiu,²² por produzir em nós aquela confiança carnal que nos induz à negligência. Não rejeito sumariamente esse sentido, mas creio ser mais provável que Davi, aqui, estivesse a rogar a Deus para que levasse suas atividades a um resultado feliz, por mais obscuros os aspectos dos problemas fossem no momento. A essência de sua linguagem é a seguinte: Senhor, já que tu vês que eu ando em integridade e sinceridade de coração, governa-me de tal maneira que todos os homens vejam que tu és meu protetor e guardião e não me deixes ser entregue à vontade de meus inimigos. Conseqüentemente, por *as veredas do Senhor* ele quer dizer, não a doutrina pela qual nossa vida é regulada, mas o poder pelo qual Deus nos sustenta, bem como a proteção pela qual ele nos preserva. E ele se dirige a Deus nesses termos, não só porque todos os eventos estejam em suas mãos, mas porque, ao cuidar de nós, todas as coisas que nos pertencem prosseguem prosperamente. Ao acrescentar, **para que as plantas de meus pés não resvalem**, ele se refere aos muitos e adversos eventos que nos ameaçam a cada instante e ao perigo que corremos de soçobrar, não fôssemos sustentados pela mão divina.

6. Tenho te invocado. Essa construção verbal denota um ato contínuo; e, portanto, ela inclui a idéia de presente do indicativo. A palavra hebraica, כִּי (*ki*), que traduzimos por *seguramente*, equivale a *porque*, e se for assim entendida nesta passagem, o significado será que Davi se revestiu de coragem para orar, porque, dependendo da promessa de Deus, ele esperava que suas orações não seriam em vão. Mas é provável que seja preferível mudar o tempo do verbo, como fazem alguns, para produzir este significado: Orarei, porque tenho até aqui experimentado que tens ouvido²³ minhas orações. Entretanto,

---

21 "Et de faict, selon qu'un chacun a receu plus de graces." – v.f. "E, indubitavelmente, por mais graça que alguém tenha recebido."
22 "De la vertu et force que Dieu nous aura donnee." – v.f.
23 A Septuaginta traduz o verbo no pretérito: "Ἐπήκουσας μου": "Tu me tens ouvido." A Siríaca e a Vulgata apresentam uma tradução similar. O verbo, no hebraico, está no futuro; mas é muito comum em hebraico usar o futuro em lugar do pretérito.

optei pela exposição que me parece a mais simples. Davi, em minha opinião, aqui se encoraja e se anima a invocar a Deus, com base na confiante esperança de ser ouvido, como se dissesse: Visto que te invoco, ó Deus, com confiança, tu não desprezarás minhas orações. Imediatamente a seguir ele roga a Deus que lhe conceda as bênçãos das quais ele nos disse se assegurava e nutria toda esperança.

> [vv. 7-9]
> Faz maravilhosas tuas misericórdias, ó preservador dos que confiam [em ti[24]], daqueles que se exaltam contra tua destra. Guarda-me como à menina, filha de teus olhos;[25] esconde-me às sombras de tuas asas. Da face dos ímpios, que avançam para destruir-me; e de meus inimigos, que sitiam [ou cercam] minha alma.

7. Faz maravilhosas tuas misericórdias. Visto que a palavra הפלה (*haphleh*), às vezes significa *fazer maravilhoso* ou *notável*, e às vezes *separar* e *pôr à parte*, ambos esses sentidos serão muito próprios a esta passagem. No Salmo 31.19, a 'bondade' de Deus se diz ser 'guardada' em depósito como um tesouro peculiar "àqueles que o temem", para que o mesmo seja exibido em tempo oportuno, mesmo quando são levados a extremo tal, e quando todas as coisas parecem ser sem esperança.

Se pois a tradução, *separa e põe à parte tua misericórdia*, for preferível, as palavras são uma oração para que Deus manifeste em relação a seu servo Davi uma graça especial, a qual ele não comunica a nenhum outro senão aos seus escolhidos. Enquanto Deus envolve tanto o bom quanto o mau no perigo, indiscriminadamente, ele por fim mostra, por meio dos diferentes resultados dos fatos, em consideração às duas classes, que ele não mistura confusamente a palha e o trigo, visto que ele reúne seu próprio povo, para si, numa só comunhão [Mt 3.12 e 25.32]. Eu, contudo, prefiro seguir outra exposição.

---

24 Essas palavras são suplementares.
25 [25] "*A menina [ou pupila], a filha de teus olhos* é a tradução literal das palavras do hebraico, e assim elas mui poderosamente exibe a bela imagem contida neles. A alusão que se faz aqui é ao extremo cuidado requerido para a preservação de tão delicado órgão que são os olhos. Compare-se Pv 7.2." – *French and Skinner's Translation of the Book of Psalms.*

Davi, em minha opinião, percebendo que só poderia ser libertado das perigosas circunstâncias em que fora posto por meios singulares e extraordinários, se vale do maravilhoso e miraculoso poder de Deus. Os que crêem que ele desejava que Deus negasse sua graça a seus perseguidores, fazem mui abrupta violência ao escopo da passagem. Mediante essa circunstância, há expresso o extremo perigo a que Davi estava exposto; pois, do contrário, teria sido bastante para ele ter sido socorrido de uma forma comum e ordinária, na qual Deus costuma diariamente favorecer e ajudar a seu próprio povo. A gravidade de sua angústia, portanto, o constrangeu a rogar a Deus que operasse miraculosamente para seu livramento.

O título com que ele aqui honra a Deus – **ó preservador daqueles que confiam [em ti]** – serviu para confirmá-lo na inabalável esperança de obter o que solicitara. Visto que Deus toma sobre si a responsabilidade de salvar a todos os que confiam nele, sendo Davi um dentre eles, então ele podia com boas razões assegurar-se da segurança e livramento. Portanto, sempre que nos aproximarmos de Deus, que o primeiro pensamento impresso indelevelmente em nossa mente seja que, visto não ser em vão que ele é chamado o preservador daqueles que nele confiam, não temos motivo algum para temer que ele não estará disposto a socorrer-nos, contanto que nossa fé continue a confiar inabalavelmente em sua graça. E se toda via de livramento for fechada, lembremo-nos também, ao mesmo tempo, que ele possui maravilhosos e inconcebíveis meios de socorrer-nos, os quais servem para mais conspicuamente magnificar e manifestar seu poder. Mas como o gerúndio, confiando ou esperando, está expresso sem qualquer termo adicional, expressando o objeto dessa confiança ou esperança,[26] alguns intérpretes o conectam com as últimas palavras do versículo, *tua destra*, como se a ordem das palavras fosse invertida. Eles, pois, as redigem assim: *Ó preservador daqueles que confiam em tua destra, daqueles que se erguem contra eles*. Como essa construção, contudo, é abrupta e forçada, e a exposição que tenho apresentado é mais

---

26 Poole observa que a frase hebraica para "aqueles que confiam" pode ser propriamente traduzida sem qualquer suplemento, 'crentes'.

natural e mais geralmente aceita,[27] é prudente segui-la. Portanto, para expressar o significado numa só frase, o salmista atribui a Deus o ofício de defensor e preservador de seu próprio povo contra todos os ímpios que se erguem para assaltá-lo, e que, se estivesse em seu poder, o destruiriam. E os ímpios são aqui caracterizados como quem **se exalta contra a mão de Deus**, porque, ao molestarem os fiéis a quem Deus tomou sob sua proteção, declaram franca guerra contra ele. É em extremo proveitosa a doutrina contida nessas palavras, ou seja, que quando somos molestados, um ultraje se pratica contra Deus em nossa pessoa. Pois uma vez tendo ele declarado ser o guardião e protetor de nosso bem-estar, sempre que formos injustamente assaltados, ele estende sua mão diante de nós como um escudo de defesa.

As duas similitudes que Davi juntou no próximo versículo, acerca de **a menina dos olhos** e os pequenos pássaros que a mãe **esconde debaixo de suas asas**,[28] são introduzidas para ilustrar o mesmo tema. Deus, para expressar o grande cuidado que tem de seu próprio povo, se compara à galinha e outras aves domésticas, que estendem suas asas para carinhosamente cobrir seus pintaínhos, e lhes declara que não são menos queridos para ele do que a menina do olho, a qual é a parte mais delicada do corpo humano. Segue-se, pois, que, sempre que os homens se ergam para molestar ou injuriar os justos, deflagra-se guerra contra Deus mesmo. Visto que essa forma de oração foi posta, pelo Espírito Santo, nos lábios de Davi, ela deve ser considerada como que contendo uma promessa. Temos aqui apresentada, para nossa contemplação, uma singular e espantosa prova da munificência divina, humilhando-se a esse ponto e, por assim dizer, transformando-se, a fim de soerguer nossa fé acima das concepções carnais.

9. Da face dos ímpios. O salmista, ao ser novamente acusado por seus inimigos, intenta demonstrar sua própria inocência, como um argumento para obter o favor divino. Ao mesmo tempo, ele se queixa da crueldade deles, com o fim de fazer com que Deus se visse mais inclina-

---

27 A tradução de Calvino corresponde às versões Septuaginta, Vulgata e Siríaca.
28 "Et des petis oiseaux que la mere tient *sous ses ailes*." – v.f.

do a auxiliá-lo. Primeiramente, diz que eles ardiam com um enfurecido desejo de arrasá-lo e de destruí-lo. Em segundo lugar, acrescenta que eles **o sitiaram em sua alma**, significando que jamais descansariam satisfeitos enquanto não vissem concretizada sua morte. Quanto maior, pois, for o terror com que formos abalados pela crueldade de nossos inimigos, mais vivamente devemos reavivar nosso ardor em oração. Deus, aliás, não precisa receber de nós alguma informação ou ser incitado por nós; mas a prática e o propósito da oração consiste em que os fiéis, ao exporem francamente diante de Deus as calamidades e sofrimentos com que se vêem oprimidos, e ao descarregá-los, por assim dizer, em seu seio, se asseguram, acima de toda e qualquer dúvida, de que ele olha com interesse para suas necessidades.

[vv. 10-12]
Eles se encerraram em sua própria gordura,[29] têm falado soberbamente com sua boca. Agora andam em torno de mim, cercando nossos passos; têm fixos seus olhos para lançarem ao chão. Parecem-se com o leão que deseja rasgar em pedaços, e como o leãozinho que espreita em lugares secretos.

10. Eles se encerraram em sua própria gordura. Se a tradução apresentada por outros for considerada preferível – *Eles encerraram sua própria gordura* –, o significado será plenamente o mesmo. Alguns intérpretes judeus explicam as palavras assim: estando empanturrados de gordura, e sua garganta estando, por assim dizer, a engasgar-se com ela, ficam impossibilitados de falar livremente. Mas tal exposição é pobre e insatisfatória. Com a palavra *gordura*, creio eu, denota-se o orgulho com que viviam recheados e intumescidos, por assim dizer, de tanta obesidade. É uma metáfora muito apropriada e expressiva a representá-los tendo seus corações empanturrados de orgulho, da mesma forma como as pessoas corpulentas são afetadas pela gordura

---

29 Houbigant e Kennicott lêem עלי חבלמו סגרו, "Eles têm fechado sua rede sobre mim." Horsley e Fry adotam esta redação. "Mas", diz Rogers, "ela não recebe nenhum apoio das versões ou MSS antigos."

em seu interior.[30] Davi se queixava de que eram intumescidos por sua saúde e seus prazeres, e conseqüentemente vemos os ímpios, quanto mais luxuriosamente se vêem empanzinados, mais se conduzem ultrajante e soberbamente. Creio, porém, que há descrito aqui, pela palavra *gordura*, um vício interior, ou seja, em se cercarem eles de todos os lados pela arrogância e presunção, e em se fazerem completamente estranhos a todo senso de humanidade.[31] O salmista a seguir declara que isso é abundantemente manifesto em sua linguagem. Em suma, sua intenção é que, interiormente, se empanturram de orgulho, e nem mesmo se preocupam em ocultá-lo, como se faz evidente à luz das palavras bombásticas com que se extravasam. Quando se diz, **Têm falado soberbamente com sua boca**, a palavra *boca* não é um pleonasmo, como comumente sucede em outros lugares; pois Davi quer dizer que, com as bocas amplamente abertas, derramam linguagem repassada de escárnio e desdém, a qual testifica da soberba que neles habita.

11. Eles agora andam em torno de mim, cercando nossos passos. O salmista confirma o que havia dito antes acerca da furiosa raiva com que seus inimigos se inflamaram para lançar-lhe injúrias. Ele diz que estavam tão determinados a concretizar sua destruição, que para onde quer que ele dirigisse ou alterasse seu curso, não cessavam de comprimi-lo. Ao dizer, **nossos passos**, indubitavelmente compreende seus próprios companheiros, embora imediatamente a seguir passe a falar somente de si; a não ser, talvez, seja preferível outra redação, pois algumas cópias têm סבבונו (*sebabunu*), *Eles nos cercaram*, no plural. Isso, porém, não consti-

---

30 "Comme les gens replets se trouvent saisis de leur graisse au dedans." – v.f. "Os escritores sacros empregam esse termo [gordura] para significar um corpo empanzinado como expressão de luxúria e auto-indulgência [Sl 73.7; 119.70; Jó 15.27." – *French and Skinner's Translation of the Book of Psalms*. Não pode haver dúvida de que temos aqui uma referência à aparência pessoal e indulgência sensual dos inimigos de Davi. Mas algo mais está implícito. "Sabemos que na linguagem figurada da Escritura gordura denota soberba. Essa conexão de idéias é ainda mantida no Oriente, onde, quando se pretende indicar uma pessoa orgulhosa, diz-se que ela é gorda, ou parece gorda, se esse é ou não o caso." – *Illustrated Commentary upon the Bible*.

31 Dr. Geddes traduz a cláusula: "Seus corações têm eles endurecido." "Literalmente", diz ele, "fecharam seu diafrágma – fecharam toda a compaixão de seus corações." O termo hebraico que é traduzido por gordura é explicado por Gesenius, quando usado figuradamente, como denotando obesidade, ou seja, um coração insensível.

tui uma matéria de grande importância. Davi simplesmente se queixa de que, a menos que Deus estendesse do céu sua mão para livrá-lo, não lhe restaria então nenhuma via de escape, visto que seus inimigos, sempre que agiliza seus pés para fugir à sua sanha, imediatamente o perseguem e vigiam todos os seus passos. Pelo uso do advérbio *agora* ele notifica não só que está presentemente em grande risco de vida, mas também que naquele exato momento seus inimigos, em qualquer direção que ele se volvesse, o perseguem e o acossam severamente.

Na última cláusula, **Eles fixaram seus olhos para lançar por terra**, há quem considere como se Davi estivesse comparando seus inimigos a caçadores que, com os olhos fixos no chão, estão silenciosamente olhando mui atentamente para sua presa. Portanto, acreditam que com a expressão, *olhos fixos no chão*, denota-se os gestos ou atitude dos adversários de Davi, e é certo que os astuciosos e maliciosos têm seus rostos constantemente voltados para o chão. Segundo outros, cuja opinião se aproxima mais do espírito desta passagem, essa forma de expressão significa o ardor contínuo e incansável com que os ímpios se vêem impelidos a virar todas as coisas de ponta cabeça. *Fixar seus olhos*, portanto, nada é senão aplicar toda a sua engenhosidade e empregar todos os seus esforços.

O que se segue, **lançar no chão**, significa o mesmo que *derrotar*. Os ímpios, mesmo que inevitavelmente viessem a cair, contanto que o mundo continue de pé, desejam que toda a humanidade seja subvertida ou destruída, e, portanto, empregam o máximo de seu empenho para lançar por terra e arruinar a todos os homens. Isso é explicado mais plenamente pela ilustração figurativa introduzida no próximo versículo, onde são expressos como sendo semelhantes a **leões e filhotes de leões**.[32] Mas é mister que conservemos sempre em nossa mente esta verdade, ou seja, que por mais arrogantemente os perversos exerçam sua crueldade contra nós, a mão de Deus está bem perto

---

32 Na versão francesa é 'lionceaux', 'leõezinhos'. French e Skinner lêem "como um leão" e "como um leãozinho"; e observam: "A palavra traduzida por 'leãozinho' significa um leão no vigor da juventude e plenamente capaz de perseguir sua presa."

de nós para opor-se à sua fúria selvagem; pois tão somente a ele pertence a prerrogativa de subjugar e restringir tais bestas selvagens que se deleitam em derramar sangue. Davi fala de *covis*, ou *esconderijos secretos*, porque seus inimigos eram profundamente habilidosos em criar ardilosos estratagemas, e possuíam variados métodos de fazer dano, enquanto que tinham também em mãos o poder e os meios de executá-los, de modo tal que se tornava difícil resisti-los.

[vv. 13, 14]
Levanta-te, ó Jehovah, impede [ou vai adiante de] sua face, lança-o prostrado em terra;[33] livra, com tua espada, minha alma do homem ímpio; dos homens, com tua mão, ó Jehovah, dos homens de longa duração [ou de uma época[34]] cuja porção é esta vida, cujo ventre tu enches com teus bens secretos; seus filhos estão empanturrados deles e deixam o resto a seus pequeninos.

13. Levanta-te, ó Jehovah. Quanto mais furiosamente era Davi perseguido por seus inimigos, mais ardentemente ele roga a Deus que lhe propiciasse socorro imediato; pois ele usa a palavra *face* para denotar a viva impetuosidade de seus adversários, para conter a qual requeria-se a mais urgente diligência. Com tais palavras o Espírito Santo nos ensina que, quando a morte se mostra perto demais, Deus está munido com remédios perfeitamente preparados, com os quais ele pode efetuar nosso livramento em um instante. O salmista não só atribui a Deus a função de libertar seu povo; ele, ao mesmo tempo, o arma com poder para esmagar e fazer em pedaços os perversos. Seu desejo, entretanto, é que fossem humilhados o máximo possível, para que cessassem com sua conduta ultrajante e injuriosa em relação a ele, o que podemos

---

33 "A LXX felizmente expressou a essência exata da palavra hebraica: 'Υπος κελισον αὐτους' 'Faze-o cair sobre seus joelhos'". – *Horsley*. Street lê: "Faze-os curvarem-se." Cocceius o traduz assim: "Incurva illum", "Encurva-o", e explica a frase assim: "Fac, ut se demittat" etc.; isto é, "Faze-o cair por si mesmo, curva sua estatura, que é ereta e inflexível como o aço; equivale dizer, retira dele o poder e a inclinação de fazer dano."

34 "A seculo." (Latim). "Dés un monde, ou un siecle." – versão francesa marginal. "De um mundo, ou uma época."

deduzir da próxima cláusula, onde novamente roga a Deus que *libertasse sua alma*. Davi se contentaria em vê-los continuarem na posse de seu bem-estar e prosperidade externos, não houvessem eles abusado de seu poder na prática da injustiça e crueldade. Saibamos, pois, que Deus suscita o bem de seu povo quando subjuga os ímpios e quebranta sua resistência; quando faz isso, seu propósito é libertar da destruição os pobres inocentes que são molestados por tais homens miseráveis.[35] Alguns expositores lêem a passagem assim: *Do ímpio que é tua espada*,[36] e também, *Dos homens que são tua mão*; mas essa não me parece ser uma tradução adequada. Admito que, sejam quais forem nossas aflições, é a mão de Deus que nos alenta, e que os ímpios não passam de azorragues que ele emprega com esse propósito; e mais ainda, que tal consideração é muitíssimo oportuna para guiar-nos ao exercício da piedade. Mas, visto que esse modo de falar seria aqui um tanto rude, e, ao mesmo tempo, não muito compatível com a oração, prefiro adotar a exposição que apresenta as palavras de Davi como uma oração para que Deus o libertasse pelo manejo de sua espada e golpeasse com sua mão os que, por tanto tempo, viveram de posse do poder e prosperidade. Ele contrasta a espada de Deus com os socorros e recursos humanos de alívio; e a suma de suas palavras é: Se Deus mesmo não se manifesta para vingar-se e desembainhar sua espada, então não me resta esperança alguma de livramento.

14. Dos homens, com tua mão, ó Jehovah, dos homens que são

---

35 "Qui sont molestez par ces malheureux." – v.f.
36 "Pode questionar-se se Davi, nesta ou na cláusula seguinte, pretendia representar os homens perversos como espada na mão de Deus; isto é, como instrumentos que ele empregava para corrigir seus servos; ou se sua intenção era orar para que Deus interpusesse sua própria mão e espada para defendê-lo e punir seus inimigos. O último sentido é adotado por alguns intérpretes; mas, como o primeiro expressa um sentimento perfeitamente bíblico, e não exige nenhuma elipse, parece-me ser mais adequado ao que se pretende. Veja-se Isaías 10.5." – *Walford*. Muitos dos críticos mais eminentes, contudo, adotam a tradução que Calvino apresenta, tais como Hammond, Houbigant, Ainsworth, o Bispo Lowth, Horsley, Horne e Hare, Dr. Boothroyd, Dr. Adam Clarke, Dathe e Benema. A redação na versão da Bíblia de Tyndale é: "Livra minha alma com a espada dos ímpios."

de uma época. Conecto essas palavras assim: Ó Senhor, livra-me dos homens com tua mão ou com o socorro celestial; digo dos homens cuja tirania tem prevalecido por tempo sem conta e a quem tens tolerado ver chafurdados por tanto tempo na imundícia e nas fezes de sua prosperidade. Essa reiteração é muito enfática. A voz de Davi é abafada, por assim dizer, pela indignação que sentiu ao ver tal vilania prosseguir por um período demasiadamente longo; ele pára de súbito após pronunciar a primeira palavra, sem avançar mais na frase que pretendia formular; então, assim que recobra seu fôlego, ele verbaliza o que tão profundamente o angustiava. No versículo precedente ele se expressara no singular; mas agora nos dá a entender que não tinha apenas um inimigo, mas muitos, e que aqueles que se puseram contra ele eram fortes e poderosos, de tal sorte que não se lhe divisava nenhum esperança de livramento, exceto no socorro divino.

As palavras, *do mundo* ou *época* (pois essa é a tradução exatamente literal[37]), são explicadas de diferentes formas. Alguns as entendem como significando *homens que têm seu tempo*, como se Davi pretendesse dizer que sua condição de prosperidade não teria uma longa duração. Mas a mim tal explicação não parece ser adequada. Outros supõem que sua intenção, ao usar essa expressão, era falar daqueles que se devotam totalmente ao mundo e cuja atenção e pensamentos são totalmente absorvidos pelas coisas terrenas. E, segundo essa opinião, Davi compara seus inimigos a feras brutas.

No mesmo sentido, explicam o que vem imediatamente a seguir: **Sua porção está nesta vida**, linguagem que consideram como que aplicável a eles, porque, sendo inteiramente destituídos do Espírito, e inclinando totalmente seus corações para as coisas transitórias, não pensam em nada melhor além deste mundo. Pois aquilo em que cada um põe sua felicidade é denominado *sua porção*. Entretanto, visto que a palavra hebraica, חלד (*cheled*), significa *uma geração*, ou *o curso da vida de uma pessoa*, Davi, não tenho dúvida, se queixa de que seus inimigos viviam e desfrutavam de prosperidade por mais tempo do que o termo ordinário permitido à

---

37 "Ou siecle car il y a ainsi mot à mot." – v.f.

vida humana. A audácia e os ultrajes[38] cometidos pelos homens perversos deveriam ser suportados por um tempo muito breve, mas quando se tornam libertinos contra Deus, é deveras muito estranho vê-los continuar estáveis em sua condição próspera. Que esse é o sentido faz-se evidente à luz da preposição מן (*min*), a qual traduzi *de*, pela qual Davi expressa que eles não haviam surgido apenas por uns poucos dias antes ou recentemente, mas que sua prosperidade, a qual deveria desvanecer-se num instante, tinha permanecido por um longo tempo. Tal, pois, é o significado do salmista, a menos que, talvez, o entendamos como que denominando-os *do mundo* ou *geração*, porque ostentam a principal autoridade entre os homens e são exaltados em honras e riquezas, como se este mundo houvera sido feito só para eles.

Ao dizer: **Sua porção está nesta vida**, o significado que vejo é que são poupados de todas as dificuldades e se lançam a todo gênero de prazeres; em suma, eles não experimentam a comum condição dos demais homens; ao contrário, assemelham-se a alguém que é oprimido pelas adversidades, de quem se diz que sua porção é a morte. Davi, pois, notifica que não é uma coisa razoável que aos ímpios se permita alegrar-se com intenso regozijo e estridente folia sem qualquer temor da morte, bem como reivindicar para si, como se fosse um direito hereditário, uma vida pacífica e feliz.

O que ele adiciona imediatamente a seguir – **Cujo ventre tu enches com teus bens secretos** – é da mesma importância. Não só vemos tais pessoas desfrutando, em comum com os demais homens, de luz, repouso e alimento, bem como de todas as demais comodidades da vida, mas vemos também Deus com freqüência tratando-as com mais delicadeza e mais liberalidade do que trata os demais, como se ele os alimentasse em seu regaço, ninando-os ternamente como a nenens, e mimando-os mais do que faz a todo o restante da humanidade.[39] Conseqüentemente, por *os bens secretos de Deus* devemos, aqui, entender

---

38 "L'audace et les outrages." – v.f.
39 "Comme s'il les nourissoit en son giron, les tenant tendrement et mignardant plus que tout le reste." – v.f.

as raras e inusitadas iguarias que ele lhes concede. Ora, essa é uma tentação muito grave, ou seja, avaliar alguém o amor e o favor divinos segundo a medida da prosperidade terrena que ele alcança. Portanto, não deve surpreender que Davi se visse afligido de tal forma ao contemplar a condição próspera dos ímpios. Lembremo-nos, porém, que ele expressa essa santa queixa para consolar-se e para mitigar seu abatimento, não com o fim de murmurar contra Deus e resistir sua vontade. Lembremo-nos ainda, repito, que, à luz de seu exemplo, podemos aprender também a enviar ao céu nossos gemidos.

Alguns fazem uma exposição mais sutil daquilo que aqui é denominado *bens secretos de Deus*, vendo-o no sentido de as coisas boas de Deus que os ímpios devoram sem ponderar ou considerar que é ele o autor delas; ou supõem que as coisas boas de Deus devam ser chamadas *secretas* porque não é evidente a razão por que Deus as derrama de forma tão profusa sobre os perversos. Mas a explicação que tenho apresentado, que é tão simples quanto natural, portanto por si mesma suficientemente elimina as outras. O último ponto nesta descrição é que, por contínua sucessão, tais pessoas transmitem suas riquezas a seus filhos e a seus netos. Como não são parte do número dos filhos de Deus, a quem esta bênção é prometida, segue-se que, quando então se vêem gordos, é para o dia da matança que foram destinados. Portanto, o objetivo que Davi tem em vista ao expressar-se nesta queixa é para que Deus se apresse em executar sua vingança, a fim de que não mais abusem da liberalidade divina e do bondoso tratamento de Deus.

[v. 15]
Quanto a mim, porém, em retidão verei tua face; quando acordar, eu me satisfarei com tua imagem [ou semelhança].

Havendo com angústia de coração declarado diante de Deus as dificuldades que o afligiam e o atormentavam, para que não sucumbisse sob a carga das tentações que o oprimiam, ele agora toma, por assim dizer, as asas da fé e voa para uma região de imperturbável tranqüilidade, donde pudesse visualizar todas as coisas dispostas e dirigidas na devida ordem.

Em primeiro lugar, há aqui uma tácita comparação entre o estado de coisas bem reguladas que será visto quando Deus, através de seu juízo, restaurar a ordem daquelas coisas que agora são embaralhas e confusas, e as trevas profundas e angustiantes que envolvem o mundo, quando Deus se mantém silencioso e esconde seu rosto. Em meio a tais aflições que ele relata, o salmista aparentemente se vê precipitado nas trevas das quais ele jamais alcançaria escape.[40] Ao vermos os ímpios desfrutando de prosperidade, coroados de honras e cumulados de riquezas, à primeira vista eles são ricamente favorecidos por Deus. Davi, porém, triunfa sobre o orgulho e a presunçosa vanglória deles; e embora, aos olhos dos sentidos e da razão, Deus o houvera rejeitado e afastado para longe dele, todavia se assegurava de que um dia desfrutará do privilégio de contemplá-lo de forma familiar. O pronome *eu* é enfático, como se quisesse dizer: As calamidades e humilhações por que passo agora não me impedirão de experimentar uma vez mais a plenitude de alegria provinda do amor paternal de Deus manifestada a mim. Devemos observar cuidadosamente que Davi, a fim de desfrutar da suprema felicidade, nada deseja além de ter sempre a prova e a experiência dessa grande bênção, ou seja, que Deus está reconciliado com ele. As pessoas perversas podem imaginar-se felizes, mas enquanto Deus se lhes opuser, enganam a si mesmas nutrindo tal imaginação.

Contemplar a face de Deus nada mais é do que ter o senso de seu favor paternal, com que agora não só nos causa alegria ante a remoção de nossas tristezas, mas também nos transporta até aos céus. Com a palavra *retidão* Davi quer dizer que não será desapontado com a recompensa de uma boa consciência. Enquanto Deus humilha a seu povo com variadas aflições, o mundo insolentemente desdenha de sua simplicidade, como se estivesse enganando a si próprio e aliviasse suas dores

---

40 "Desquelles il n'y eust issue aucune." – v.f.

devotando-se ao cultivo e à prática da pureza e inocência.[41] É contra tal gênero de motejo e irrisão que Davi está aqui lutando, e em oposição a esse estado de coisas ele se assegura de que há uma recompensa estipulada para sua piedade e retidão, contanto que ele continue a perseverar em sua obediência à santa lei de Deus. Da mesma forma que Isaías exorta os fiéis a suportarem tudo por esta razão: "Dizei aos justos que bem lhes irá; porque comerão do fruto de suas obras" [3.10]. Não obstante, não devemos concluir que, à luz desse fato, ele apresenta as obras como a causa de sua salvação. Não é seu propósito tratar do que constitui o fundamento meritório sobre o qual deveria ele ser recebido no favor de Deus. Ele apenas estabelece como princípio o fato de que aqueles que servem a Deus não desperdiçam seu labor, pois embora oculte deles seu rosto por algum tempo, ele lhes propicia uma vez mais, no tempo certo, a olharem para seu sorridente semblante[42] e seus olhos compassivos e radiantes que pousam sobre eles.

Eu me satisfarei com tua imagem. Alguns intérpretes, mais com o uso de sutileza do que com propriedade, restringem essa idéia à ressurreição no último dia, como se Davi não esperasse experimentar em seu coração aquela bendita alegria[43] senão na vida por vir, e adiou todo anelante desejo para quando alcançasse aquela vida. De bom grado admito que essa satisfação da qual ele fala não será perfeita em todos os aspectos antes da última vinda de Cristo; visto, porém, que os santos, quando Deus faz que alguns raios do conhecimento de seu amor entrem em seus corações, encontram grande aprazimento na luz assim comunicada, Davi com razão chama essa paz ou alegria do Espírito Santo de *satisfação*. Os ímpios podem viver vida tranqüila e possuir abundância de boas coisas, até à saciedade, mas, como seu desejo é insaciável, ou como se nutrem de vento, em outras palavras, de coisas terrenas, sem provar as coisas celestiais, nas quais

---

41 "Comme s'ils s'abusoyent et perdoyent leurs peines en s'adonnant à pureté et innocence." – v.f.
42 "Il lui fait tousjours derechef contempler finalment son clair visage et son oeil debonnaire." – v.f.
43 "Comme si David remettoit à la vie à venir l'esperance de sentir en com coeur une joye heureuse." – v.f.

há substância,⁴⁴ ou viver tão estupefatos pelo lancinante remorso da consciência com que se atormentam, não conseguindo desfrutar das boas coisas que possuem, nunca têm mentes serenas e tranqüilas, mas são mantidos infelizes pelas paixões íntimas com que vivem perplexos e agitados. Portanto, é só a graça de Deus que pode dar-nos contentamento,⁴⁵ a qual nos impede de vivermos distraídos pelos desejos irregulares. Davi, pois, não tenho dúvida, faz aqui uma alusão às vãs alegrias do mundo, as quais definham a alma, enquanto aguçam e aumentam o apetite ainda mais,⁴⁶ a fim de realçar os que são participantes da verdadeira e substancial felicidade, que buscam seu bem-estar tão-somente no aprazimento de Deus. Visto que a tradução literal das palavras hebraicas – *eu ficarei satisfeito com o reavivar de tua face*, ou *em reavivar tua face* –, alguns, preferindo a primeira exposição, entendem pelo reavivar da face de Deus a irrupção ou manifestação da luz de sua graça, a qual antes estava, por assim dizer, coberta por nuvens. Quanto a mim, porém, parece mais próprio fazer a palavra *avivar* [*despertar*] referir-se a Davi,⁴⁷ e averiguar que significa o mesmo que obter descanso de seu sofrimento. Na verdade Davi esteve totalmente dominado pelo estupor, mas depois de um prolongado período de fadiga oriunda da perseguição de seus inimigos, ele parecia ter caído num profundo estado de torpor. Não fossem os santos sustentados e não repelissem eles, corajosamente, todos os assaltos que lhes são feitos, bem como, em virtude da fraqueza de sua carne, não sentissem desfalecimento e debilidade por algum tempo, e seriam terrificados como se estivessem envoltos por trevas. Davi compara essa perturbação mental ao sono. Mas quando o favor divino tiver uma vez mais

---

44 "C'est à dire de choses terriennes, sans gouster les choses espirituelles esquelles il y a fermete." – v.f.

45 "Qui nous puisse donner contentement." – v.f.

46 "Lesquelles ne font qu'affamer et augmenter tousjours tout plus l'appetit." – v.f.

47 A versão Caldaica a aplica a Davi, e lê: "Quando acordar, ficarei satisfeito com a glória de teu semblante." Mas as versões Septuaginta, Vulgata e Etíope aplicam o verbo: *despertar para tua glória*. "'Εν τῳ ὀφθηναι την δοξαν σου", "No surgir de tua glória", diz a Septuaginta. "Cum apparuerit gloria tua", "Quando tua glória aparecer", diz a Vulgata.

surgido e se mostrar resplandecente sobre ele, então declara que recobrará a energia espiritual e desfrutará de tranqüilidade mental. Aliás, é verdade, como o declara Paulo, que enquanto continuarmos nesse estado de peregrinação terrena, "andamos por fé, não pela vista"; mas como nós, não obstante, contemplamos a imagem de Deus não só pelo espelho do evangelho, mas também nas numerosas evidências de sua graça que diariamente nos exibe, que cada um de nós se desperte de sua letargia, para que possamos agora sentir-nos satisfeitos com felicidade espiritual, até que Deus, no devido tempo, nos conduza à sua própria e imediata presença e nos faça desfrutá-lo face a face.

Salmos 18

Todos nós sabemos por quais dificuldades e por obstáculos quase intransponíveis Davi assumiu o reino. Ainda ao tempo da morte de Saul ele era um fugitivo e, por assim dizer, fora-da-lei, e exaustivamente passou sua vida em temor e em meio a infindas ameaças e perigos de morte. Depois de Deus o ter, com sua própria mão, colocado no trono real, ele foi imediatamente acossado por tumultos e insurreições por parte de seus próprios súditos; e ante as facções hostis, sendo superiores a ele em poder, às vezes chegava ao ponto de sentir-se completamente sucumbido. Inimigos externos, em contrapartida, o tentaram severamente até à sua velhice. A tais calamidades jamais teria subrepujado não fora ele sempre socorrido pelo poder de Deus. Havendo, pois, obtido muitas e notáveis vitórias, ele não canta, como os homens sem religião costumam fazer, um cântico em sua própria honra, mas exalta e magnifica a Deus como o Autor dessas vitórias, fazendo uso de um encadeamento de termos notáveis e apropriados, e num estilo de inexcedível grandeza e sublimidade. Este Salmo, pois, é o primeiro dentre aqueles em que Davi celebra, em suaves melodias, a imensurável graça que Deus sempre demonstrou para com ele, tanto ao introduzi-lo na posse do reino quanto a partir daí a sustentá-lo em sua possessão. Ele também mostra que seu reinado era uma imagem e tipo do reino de Cristo, com o fim de ensinar e assegurar aos fiéis que Cristo, a despeito de todo o mundo e de toda a resistência que este sempre lhe faz, ele seria, pelo tremendo e incompreensível poder do Pai, sempre vitorioso.

Ao mestre de música, de Davi, servo de Jehovah, aquele que cantou a Jehovah as palavras deste cântico no dia em que Jehovah o libertou da mão de seus inimigos e da mão de Saul.

Temos que determinar cuidadosamente o tempo específico em que este Salmo foi composto, como ele nos mostra que Davi, quando seus negócios foram conduzidos ao estado de paz e prosperidade, não se deixou intoxicar com extravagante regozijo como se dá com os homens sem religião que, quando obtêm o livramento de suas calamidades, descartam de suas mentes a lembrança dos benefícios divinos e se precipitam em grosseiros e degradantes prazeres, ou erigem sua torre e obscurecem a glória de Deus com sua soberba e vanglória desprovidas de conteúdo. Davi, segundo o relato da história sagrada [2 Sm 22], cantou este cântico ao Senhor quando já se achava desgastado pela idade, e quando, ao ser libertado de todas as suas tribulações, desfrutava de tranqüilidade. A inscrição aqui concorda com esse relato e, à luz do que está declarado ali, concluímos que ela não foi imprópria e incorretamente prefixada para este Salmo. Davi põe em relevo o tempo quando ele era cantado, isto é, *depois de Deus o ter libertado de todos os seus inimigos*, para nos mostrar que ele estava, então, em perfeita e pacífica posse de seu reino, e que Deus o assistira não apenas uma vez, nem contra apenas um gênero de inimigos; visto que seus conflitos eram de tempo em tempo renovados, e o fim de uma guerra era o começo de outra; sim, muitos exércitos amiúde insurgiam-se contra ele a um só tempo. Desde a criação do mundo, dificilmente encontraremos nele outro indivíduo a quem Deus haja provado com tantas e com tão variadas aflições. Visto que Saul o havia perseguido com mais crueldade e com maior ferocidade e determinação do que todos os demais, seu nome, por essa conta, é aqui expressamente mencionado, ainda que, na cláusula precedente, o salmista haja falado, em termos gerais, de todos os seus inimigos. Saul não é expresso por último como se houvera sido um de seus últimos inimigos,¹ pois sua morte se dera cerca de trinta anos antes desse tempo; e desde esse evento, Davi desbaratara muitos inimigos estrangeiros, e também reprimira a rebelião de seu próprio filho Absalão. Mas, persuadido de que era uma singular manifestação da graça de Deus em seu favor, e eminentemente digno de ser lembrado o fato de que ele havia por tantos anos escapado de incontáveis mortes, ou, melhor, que ao longo dos dias em que ele vivera sob o reinado de Saul, Deus havia operado, por assim dizer, tantos milagres em seu livramento, então ele com razão menciona e celebra em particular seu livramento das mãos desse implacável inimigo.

Ao denominar-se de *servo de Deus*, ele indubitavelmente pretendia testificar de sua vocação ao ofício de rei, como se quisesse dizer: Não usurpei o reino temerariamente, fazendo valer minha própria autoridade, mas simplesmente agi em obediência ao oráculo celestial. Aliás, em meio às tantas tormentas que iria enfrentar, era um apoio muitíssimo necessário estar bem certo em sua própria mente de nada ter empreendido além do que Deus havia designado; ou, melhor, isso foi para ele um céu pacífico e um refúgio seguro em meio a tantos tumultos e estranhas calamidades.² Não há nada mais miserável do que uma pessoa, em adversidade, que entra em desespero por agir segundo o mero impulso de sua própria mente e não em obediência à vocação divina. Davi, pois, tinha sobejas razões para desejar que se fizesse notório que não foi movido de ambição que veio a tomar parte naqueles renhidos combates, os quais lhe foram tão dolorosos e difíceis de suportar, e que não havia intentado nada ilícito, nem usara de meios perversos, mas que sempre estivera em prontidão diante

---

1 "Car il ne faut pas penser qu'il soit mis en dernier lieu, comme celuy dont il fust plus fresche memoire, que de tous les autres." – v.f. "Não é necessário supor que Saul fosse posto por último, como aquele de quem ele retinha uma lembrança mais fresca do que a de todos os seus demais inimigos."
2 "Ou plustost ce luy avoit este un bon port et retraite seure au milieu de tant d'esclandres et calamitez estranges." – v.f.

da vontade de Deus, a qual lhe serviu de luz a guiá-lo em sua vereda. Este é o ponto que nos é muitíssimo proveito sabermos, a fim de não esperarmos viver totalmente isentos de dificuldade, ao seguirmos o chamado divino; ao contrário, preparemo-nos para aquele doloroso e desagradável estado de luta em nossa carne. Portanto, a designação, *servo*, nesta passagem, bem como em muitas outras, se relaciona com seu ofício público; justamente como, quando os profetas e apóstolos se denominam de *servos de Deus*, temos uma referência ao seu caráter oficial. É como se tivesse dito: Não sou rei por minha própria iniciativa, senão que fui escolhido por Deus para ocupar essa posição por demais elevada. Ao mesmo tempo, devemos notar particularmente a humildade de Davi, o qual, embora distinguido por tantas vitórias e sendo o conquistador de tantas nações e possuidor de tão imensa dignidade e riquezas, não atribui a si nenhuma outra honra senão a de *Servo de Deus!* Como se pretendesse demonstrar que considerava mais dignificante ter realizado fielmente os deveres do ofício com o qual Deus o investira do que possuir todas as honras e excelências do mundo.

[vv. 1, 2]
E disse: Afetuosamente te amarei,[3] ó Jehovah, minha força. Jehovah é minha rocha,[4] minha fortaleza e meu libertador; meu Deus, minha rocha, em quem confio; meu escudo e o chifre[5] de minha salvação, meu refúgio.

---

3 Essa é a tradução da versão francesa. A palavra no texto hebraico, רחם, *racham*, é muito expressiva. "רחם", diz Cocceius, "est intime ac medullitus cum motu omnium viscerum diligere"; – "é amar com as mais profundas e veementes afeições do coração, com a comoção de todas as entranhas." Ainsworth lê: "Eu te amarei com ternura"; Street: "Eu te amarei excessivamente"; o Bispo Horne: "Eu te amarei com todos os anelos do afeto, ó Jehovah"; e o Dr. Adam Clarke: "Eu te amarei nos recessos de minhas entranhas, ó Jehovah". A palavra, portanto, denota a ternura e intensidade das emoções de Davi.

4 A palavra hebraica significa literalmente *penhasco* ou *rochedo*; e é um termo diferente daquele que é traduzido por *rocha* na parte seguinte deste versículo. "A palavra סלע, *sela*", diz o Dr. Clarke, "significa aqueles precipícios íngremes que oferecem refúgio a homens e animais; onde as abelhas fazem suas colmeias e donde o mel era coletado em grande profusão. 'E o fez chupar mel da rocha' [Dt 32.13]." O *chifre* é o emblema de força e poder. A metáfora é tomada do touro e de outros animais fortes, os quais exibem sua força principalmente pelo uso de seus chifres.

5 O *chifre* é o emblema de força e poder. A metáfora é tomada do touro e de outros animais fortes, os quais exibem sua força principalmente pelo uso de seus chifres.

1. E disse etc. Não me deterei a examinar as sílabas ou as palavras com excessiva minudência, nas quais este Salmo difere do cântico que se encontra registrado no capítulo 22 do segundo livro de Samuel. Entretanto, quando nos depararmos com alguma diferença importante, chamaremos a atenção do leitor no devido lugar; e nos defrontamos com uma delas na notável frase que marca o início deste Salmo: **Afetuosamente te amarei, ó Jehovah, minha força**, a qual é omitida no cântico em 2 Samuel 22. Visto que a Escritura não usa o verbo רחם, *racham*, para *amar*, exceto na conjugação *pihel*, e visto que ele aqui é posto na conjugação *kal*, alguns dentre os expositores judeus o explicam como que significando, aqui, *solicitar mercê*, como se Davi houvera dito: Senhor, visto que tenho amiúde experimentado que tu és um Deus misericordioso, [por isso] confiarei e repousarei em tuas misericórdias para sempre. E é indubitável que essa explicação não seria imprópria, mas sinto-me indisposto a abrir mão da outra, a qual é mais geralmente aceita. Deve observar-se que amar a Deus é aqui estabelecido como que constituindo a parte primordial da genuína piedade; pois não há melhor maneira de servir a Deus que amando-o. Não há dúvida de que o culto que lhe devemos prestar é melhor expresso pelo termo *reverência*, para que sua majestade se manifeste proeminentemente diante de nós em sua infinita grandeza. Visto, porém, que ele nada requer tão expressamente quanto possuir todas as afeições de nosso coração e que lhas expressemos, portanto não há sacrifício que ele valorize tanto que o de nos prendermos a ele pelos elos de um amor livre e espontâneo; e, em contrapartida, não há nada em que sua glória brilhe mais conspicuamente do que em sua livre e soberana benevolência. Moisés, portanto, quando quis apresentar um sumário da lei, disse: "Agora, pois, ó Israel, que é que o Senhor teu Deus requer de ti, senão que ... o ames?" [Dt 10.12]. Ao falar assim, Davi, ao mesmo tempo, pretendia mostrar que seus pensamentos e afeições não estavam tão atentamente fixos nos benefícios de Deus quanto em ser-lhe agradecido por ser o Autor deles, pecado este que se tornou tão comum em todos os tempos. Ainda hoje vemos como a maior parte da humanidade se deleita plenamente em desfrutar dos dons divinos sem demonstrar qualquer consideração por Deus mesmo; ou, se afinal pensam nele, é somente para menosprezá-lo. Davi, procurando poupar-se de cair em tal ingratidão, faz nessas palavras como que um juramento solene: Senhor, já que és minha força, continuarei unido e devotado a ti pelos laços de um amor sincero.

2. Jehovah é minha rocha etc. Davi, pois, ao amontoar tantos títulos pelos quais pudesse honrar a Deus, tal acúmulo de palavras não é nem inútil nem dispensável. Sabemos quão difícil é para os homens conservar suas mentes e corações firmados em Deus. Igualmente ponderam que não é suficiente tê-lo como seu Deus, e conseqüentemente estão sempre buscando apoio e socorro em outra parte; ou, ante a primeira tentação que os assalte, aquela confiança que puseram nele se desvanece. Davi, pois, atribuindo a Deus vários métodos de salvar seu povo, confessa que, visto ter Deus por seu protetor e defensor, ele se sente eficazmente fortificado contra todo e qualquer perigo e assalto; como se quisesse dizer: Aqueles a quem Deus tenciona socorrer e defender são não apenas salvos de um tipo de perigo, mas são, por assim dizer, cercados de todos os lados por trincheiras inexpugnáveis, de tal modo que, ainda que milhares de mortes se lhes interponham o caminho, não devem temer nem mesmo o seu mais formidável cortejo![6] Vemos, pois, que o propósito de Davi, aqui, não é apenas celebrar os louvores de Deus, em sinal de gratidão, mas também visava a fortificar nossas mentes com uma fé estável e imperturbável, de modo que, sejam quais forem as aflições que nos sobrevenham, podemos sempre contar com os recursos divinos e estar sempre persuadidos de que ele tem virtude e poder para assistir-nos de diferentes formas, segundo os diferentes métodos que os ímpios engendram para fazer-nos dano.

---

6 "Comme environnez de bons rempars de tous costez, tellement que mille morts, quand autant il s'en presenteroit à eux, ne leur doyvent point faire peur." – v.f.

Davi, como já observei, tampouco insiste demasiadamente sobre este ponto, nem expressa a mesma coisa em termos diferentes sem motivo. Deus pode socorrer-nos de alguma outra forma, e no entanto, sempre que uma nova tempestade surge no horizonte, somos imediatamente assustados com terrores, como se jamais houvéssemos experimentado qualquer vestígio de seu auxílio. E aqueles que, envolvidos em alguma dificuldade, esperam proteção e socorro da parte dele, mas que, subseqüentemente, restringem seu poder, considerando-o limitado em outros aspectos, agem como alguém que, para travar batalha, se considera tão seguro quanto o seu próprio coração, visto possuir um peitoral e um escudo para defendê-lo, e no entanto teme por sua própria cabeça, por estar sem o capacete. Davi, pois, aqui supre os fiéis com uma armadura[7] completa, para que possam sentir que não correm nenhum risco de ser feridos, uma vez estejam protegidos pelo poder de Deus.

Que esse é o objetivo que ele tem em vista faz-se evidente à luz da declaração que ele faz de sua confiança em Deus: **confiarei em ti**. Portanto, aprendamos de seu exemplo a aplicar ao nosso próprio uso esses títulos que são aqui atribuídos a Deus, bem como a aplicá--los como um antídoto contra todas as perplexidades e angústias que porventura nos assaltem; ou, melhor, que eles sejam profundamente impressos em nossa memória, para que sejamos capazes de finalmente repelir para longe todo e qualquer temor que porventura Satanás insinue à nossa mente. Faço essa exortação, não só porque tremamos ante as calamidades que porventura no momento nos assaltam, mas também porque infundadamente conjuramos em nossa própria mente as perigosas imaginações como algo do futuro, e assim, desnecessariamente, nos inquietamos com as meras criações quiméricas. No cântico, como registrado em 2 Samuel 22.3, em vez das palavras: *Meu Deus, minha rocha*, temos: *Deus de minha rocha*. E depois da palavra

---

7 "Et pourtant David equippe yci les fideles de pied en cap comme on dit." – v.f. "Davi, pois, aqui equipa os fiéis da cabeça aos pés, como costumamos dizer."

refúgio, temos: *minha fortaleza, meu salvador, tu me preservarás da violência*; palavras que fazem a oração mais completa, o significado, porém, permanecendo o mesmo.

[vv. 3-6]
Invocarei a Jehovah louvado, e serei salvo de meus inimigos. Cordas[8] de morte me têm cercado; e torrentes de perversidade[9] me puseram em sobressalto. Cordas da sepultura[10] me têm cercado; laços de morte me têm circundado. Em minha angústia invoquei a Jehovah, e clamei ao meu Deus; de seu templo ele ouviu minha voz, e meu clamor chegou à sua presença, sim, aos seus ouvidos.

3. Invocarei a Jehovah louvado. Invocar a Deus, como vimos em outro lugar, freqüentemente compreende seu culto como um todo; mas quanto ao efeito ou fruto de oração que é particularmente mencionado no que se segue, esta frase da passagem que ora temos diante de nós, não tenho dúvida de que significa recorrer a Deus em busca de proteção e solicitar seu livramento. Tendo Davi dito no segundo versículo que confiava em Deus, ele agora junta isto como evidência de sua confiança; pois todo aquele que confia em Deus rogará energicamente por seu auxílio nos transes de extrema necessidade. Ele, pois, declara que *será salvo* e será vitorioso sobre *todos os seus inimigos*, porque recorrerá ao auxílio divino. Ele chama Deus o *Jehovah louvado*, não só para notificar que ele é digno de ser louvado, como quase todos os intérpretes o explicam, mas também para realçar que, quando ele se achegasse ao trono da graça, suas orações seriam misturadas com e entretecidas de louvores.[11]

---

8 "Ou brisemens." – versão francesa marginal. "Ou contrições."
9 "Heb. de Belial." – versão francesa marginal. "Heb. de Belial."
10 "Ou de corruption." – versão francesa marginal. "Ou de corrupção."
11 A palavra no texto hebraico, מהלל, *mehullal*, literalmente significa *louvado*. As versões antigas viam a palavra não como denotando que Deus é digno de ser louvado, que é o significado atribuído a ela em nossa versão inglesa, mas como uma referência à resolução do salmista de louvar a Deus. A Septuaginta lê: Αινων επικαλεσομαι Κυριον: "Louvando eu invocarei ao Senhor." A redação da Vulgata é a mesma: "Laudans invocabo." A Caldaica lê: "Num cântico ou hino derramo orações ao Senhor"; e a Arábica: "Louvarei ao Senhor e o invocarei." Esse é precisamente o sentido em que Calvino entende a palavra: "Invocarei Jehovah louvado."

O escopo da passagem parece requerer que a mesma seja entendida no seguinte sentido: ao render graças a Deus pelos benefícios que dele recebera em tempos passados, ele pediria sua assistência com súplicas renovadas. E com certeza ninguém jamais invocará a Deus em oração, espontânea e francamente, a menos que se anime e se encoraja ante a lembrança da graça de Deus. Por isso Paulo, em Filipenses 4.6, exorta os fiéis: "Não andeis ansiosos por coisa alguma; antes em tudo sejam vossos pedidos conhecidos diante de Deus pela oração e súplica com ações de graças", a deporem seus cuidados, por assim dizer, em seu seio. Todos quantos, cujas orações não são seguidas dos louvores de Deus, são culpados de bradar e se queixar contra ele, quando se engajam nesse solene exercício.

4. Laços[12] de morte me têm circundado. Davi, então, começa a relatar as provas incontestáveis e ilustrativas pelas quais experimentara que a mão de Deus é suficientemente forte e poderosa para repelir todos os perigos e calamidades com que porventura somos assaltados. E nem carece que nos maravilhemos daquelas coisas que poderiam ter sido descritas com mais simplicidade e num estilo sem muito adorno, revestidas de formas poéticas de expressão e enunciadas com toda elegância e ornamentos de linguagem. O Espírito Santo, com o fim de combater e fazer impressão sobre as disposições ímpias e perversas dos homens, comunicou aqui a Davi uma eloqüência revestida de majestade, energia e maravilhoso poder, visando a despertar a humanidade a considerar os benefícios divinos. Raramente há alguma assistência que Deus dispense, por mais evidente e palpável seja ela aos nossos sentidos, que nossa indiferença ou desdenhosa soberba não obscureça. Davi, pois, com o fim de penetrar nossas mentes o mais eficazmente possível, diz que o livramento e o socorro que Deus lhe concedera haviam sido conspícuos em toda a estrutura do mundo. É preciso que atentemos bem para essa sua intenção, para que

---

12 "Morte é aqui personificada sob o semblante de um poderoso conquistador, que amarram seus inimigos vencidos com fortes correias." – *Walford*.

não imaginemos que ele vai além dos devidos limites, expressando-se num estilo tão notavelmente sublime. A suma de tudo é que, quando em suas angústias fora reduzido a extremos, ele recorrera a Deus em busca de auxílio e fora miraculosamente preservado.

Neste ponto faremos umas poucas observações com respeito às palavras. A palavra hebraica, חבלי (*chebley*), significa *cordas* ou *tristezas*, ou qualquer mal mortífero[13] que consome a saúde e as energias de uma pessoa, e que tende para sua destruição. Para que o Salmo corresponda ao cântico registrado em 2 Samuel, como já ficou demonstrado, não discordo se esta palavra é tomada, aqui, no sentido de *contrição*, visto que a frase ali empregada é משברי מות (*mishberey*) (*maveth*),[14] e o substantivo, משברי (*mishberey*), é derivado de um verbo que significa *quebrar*. Mas como a metáfora tomada de cordas ou laços concorda melhor com o verbo *circundar*, a essência consiste em que Davi se viu cercado de todos os lados e enredado nos perigos de morte, estou disposto a adotar essa interpretação. O que se segue concernente a *torrentes* implica que ele havia quase que sucumbido pela violência e pela impetuosidade de seus inimigos contra ele, assim como alguém que se vê envolto em vagalhões se sente perdido. Ele as chama de *as torrentes de Belial*, visto que eram homens perversos e ímpios os que haviam conspirado contra ele. A palavra hebraica, *Belial*, contém um sentido amplo. Com respeito à sua etimologia, há diferentes opiniões entre os expositores. Por que Jerônimo a traduziu,

---

13 "חבל., *chebel*", diz Hammond, "significa duas coisas: uma corda e a dor aguda e repentina do parto, e que o significado deve ser resolvido pelo contexto. Aqui, onde ela é associada a *circundar*, é mais adequadamente subtendida no primeiro sentido, visto que laços ou cordas são próprias para esse envolver, como que para segurar e deter quando são apertadas." A versão Caldaica entende a palavra em outro sentido, e parafraseia a cláusula assim: "A angústia me cercou como a uma mulher que sofre as dores de parto e não tem força para dar à luz e corre risco de vida." A Septuaginta adota a mesma visão, lendo: "ὠδῖνες θανάτου", "as dores de morte".

14 Cocceius traduz estas palavras, "as ondas de morte", e observa que a palavra 'ondas' explica o verbo "me circundou". A morte desferiu seus dardos ferinos, um após outro, como o mar impele suas ondas, com tal violência que Davi estava para ser submerso. A palavra משברי, *mishberey*, aplica-se tanto ao irromper-se a criancinha no nascimento [Is 37.3; Os 13.13] quanto às ondas do mar [Sl 42.7]. – Ainsworth. Horsley traduz assim a frase: "Os vagalhões da morte." "A metáfora", diz ele, "é tomada daquelas ondas perigosas que nossos marinheiros chamam *vagalhões brancos*."

sem jugo,[15] não sei dizer. A opinião mais geralmente aceita é que ela é composta de duas palavras, בלי (*beli*), *não*, e יעל (*yaäl*),[16] para denotar que os perversos não progridem, noutros termos, enfim nada lucram e não levam nenhuma vantagem em seu enfatuado avanço. Os judeus certamente empregavam esta palavra para designar todo e qualquer gênero de perversidade detestável, e à luz desse fato é bem provável que Davi, ao fazer uso dela, quisesse descrever seus inimigos, os quais vil e perversamente tramavam sua destruição.[17] Não obstante, se alguém preferir traduzir a frase por *torrentes mortais*, não me oponho a tal tradução. Nos versículos seguintes ele repete uma vez mais: *que as corrupções* ou *cordas da sepultura me têm cercado*. Visto que a palavra hebraica é a mesma que ele empregou no versículo anterior, concluí ser próprio traduzi-la por *cordas* aqui, como o fiz ali, não só porque ele use o verbo que significa *sitiar, fechar* ou *circundar*, mas também porque ele acrescenta imediatamente a seguir, *laços de morte*, que, em minha opinião, deve ser entendido no mesmo sentido. Essa, pois, é a descrição das perigosas circunstâncias em que ele se envolvera, e ela realça e magnifica tanto mais a glória de seu livramento. Visto que Davi fora reduzido a uma condição tão desesperadora, de sorte que não via nenhuma esperança de alívio ou livramento dela, é indiscutível que ele fora libertado pela mão divina, e que de forma alguma poderia ter sido efetuado pelo poder humano.

5. Em minha angústia etc. A fé de Davi provou ser evidentemente incomum quando, sendo quase que precipitado no abismo da morte, ele ergueu seu coração ao céu em oração. Aprendamos, pois, que um exemplo tal é posto diante de nossos olhos para que nenhuma calamidade, por maior e mais opressiva seja ela, não nos impeça de orar, tampouco crie em nós alguma aversão à oração. Foi a oração que trouxe a Davi os frutos

---

15 Jerônimo indubitavelmente derivou a palavra de בלי, *beli, não* ou *sem*, e עול, *ol, jugo*, e assim o termo *Belial* significa aqueles que lançam de si toda e qualquer restrição.

16 Significando aproveitar ou tirar vantagem em algum aspecto.

17 "Belial é um termo composto, produto de vileza e indignidade. As "torrentes de Belial" indicam grandes contingentes de homens que prorrompem como torrentes impetuosas a tragar e destruir tudo quanto se lhes opõe." – *Walford*.

ou os maravilhosos resultados de que ele fala um pouco adiante, e desse fato se torna ainda mais evidente que seu livramento foi efetuado pelo poder de Deus. Ao dizer, *clamei*, sua intenção, como observamos em outra parte, era expressar o ardor e solicitude que ele demonstrava quando orava. Além disso, ao chamar Deus, *meu Deus*, ele se distingue da massa dos desdenhadores de Deus, ou hipócritas que, quando impelidos pela necessidade, invocam a Divina Majestade com modos confusos e tumultuosos, mas que não se chegam a Deus de forma familiar e com coração puro, visto que nada sabem de seu favor e munificência paternais. Quando, pois, nos aproximarmos de Deus, que a fé vá adiante para iluminar o caminho, gerando em nós plena persuasão de que ele é o nosso Pai, então os portões se abrirão e nos poremos a conversar francamente com ele e ele conosco. Davi, ao chamar Deus, *meu Deus*, e ao pôr-se ao lado dele, também notifica que Deus opunha-se aos seus inimigos; e isso serve para demonstrar que ele fora impulsionado pela genuína piedade e temor de Deus. Pela palavra *templo*, aqui, não devemos entender o santuário como em muitos outros lugares, mas o céu; pois a descrição que imediatamente se segue não se pode aplicar ao santuário. Conseqüentemente, o sentido é este: quando Davi se viu esquecido e abandonado no mundo, e todos os homens fecharam seus ouvidos ao seu clamor por auxílio, Deus lhe estendeu do céu sua mão para salvá-lo.

> [vv. 7-11]
> Então a terra se abalou e tremeu; os fundamentos dos montes se moveram e se abalaram, porquanto ele se indignou. Subiu fumaça por [ou de] suas narinas, e fogo devorador procedeu de sua boca; e dela saíram brasas vivas. Ele baixou os céus e desceu; trevas espessas havia debaixo de seus pés. Também montou num querubim e voou; e foi levado nas asas do vento. Fez das trevas seu lugar secreto [ou oculto]; seu pavilhão [ou tenda] que o cercava era a escuridão das águas e as nuvens dos céus.

7. Então a terra se abalou e tremeu. Davi, convencido de que o auxílio divino, que já havia experimentado, era de um caráter tal, que lhe era impossível enaltecê-lo suficientemente e como merecia, projeta uma imagem dele no céu e na terra, como se quisesse dizer:

Ele me tem sido tão visível quanto as mudanças que produzem os diferentes aspectos no céu e na terra. Se as coisas naturais sempre fluíssem num curso regular e invariável, o poder de Deus não seria tão perceptível. Mas quando ele muda a feição do céu com chuvas súbitas, ou com fortes trovões, ou com tempestades assustadoras, os que antes estavam, por assim dizer, adormecidos e insensíveis, terão de necessariamente despertar-se e sentir-se assustados e cônscios da existência de um Deus que preside.[18] Tais súbitas e imprevisíveis mudanças manifestam mais nitidamente a presença do grande Autor da natureza. Indubitavelmente, quando o céu está sem nuvem e sereno, vemos nele suficientes evidências da majestade de Deus, mas como os homens não terão suas mentes despertadas para refletir sobre essa majestade, a não ser que a mesma se chegue para mais perto deles, Davi, procurando afetar-nos mais poderosamente, relata as súbitas mudanças pelas quais geralmente somos movidos e espantados, e introduz Deus ora vestido com uma nuvem escura, ora agitando o ar em tempestades, ora rasgando-o pela impetuosa violência dos ventos, ora faiscando seus raios e ora lançando granizos misturados com relâmpagos e trovões. Em suma, o objetivo do salmista era mostrar que o Deus que, como bem lhe apraz, faz todos os quadrantes do mundo tremerem pelo exercício de seu poder, quando tencionava manifestar-se como o libertador de Davi fosse ele conhecido abertamente e por meio de sinais, de forma tão evidente como se ele tivesse exibido seu poder em todas as criaturas, quer em cima, quer embaixo.

Em primeiro lugar, ele diz: *A terra se abalou* – e nada é mais pavoroso do que um terremoto. Em vez das palavras, *os fundamentos dos montes*, está no cântico, como registrado em 2 Samuel, *os fundamentos dos céus*; o significado é o mesmo, isto é, não houve nada no mundo tão bem estabelecido e firme que não tremesse e que não fosse movido de seu lugar. Davi, contudo, como já observei no início, não relata

---

18 "Il faut necessairement que les gens qui auparavant estoyent comme endormis et stupides se resueillent et apprehendent qu'il y a un Dieu." – v.f.

isso como uma peça da história, ou como o que realmente houvera acontecido, mas emprega essas similitudes com o propósito de remover toda e qualquer dúvida e para maior confirmação da fé no tocante ao poder e providência de Deus. Porquanto os homens, devido à fragilidade de seu entendimento, não podem apreender a Deus exceto por meio de sinais externos. Há quem pense que esses milagres realmente se operaram, e se deram exatamente como são aqui relatados. Mas é um tanto difícil crer que foi assim, visto que o Espírito Santo, na narrativa feita da vida de Davi, não faz qualquer menção dessas poderosas exibições do poder divino em seu favor. Não podemos, contudo, censurar com justiça, ou encontrar falha nessa maneira hiperbólica de expressar-se, ao considerarmos nossa deficiência de apreensão, bem como também nossa depravação, fato este para o qual tenho chamado a atenção dos leitores. Davi, que era muito mais perspicaz e vivaz de entendimento do que o comum dos homens, crendo não ser suficientemente bem sucedido em impressionar e favorecer as pessoas de entendimento moroso e débil, pelo uso de uma maneira simples de expressar-se, descreve sob figuras externas o poder de Deus, as quais ele descobrira por meio da fé e da revelação do Espírito Santo. Por isso, indubitavelmente ele apreendia e conhecia mais distintamente a onipresente majestade divina do que a cega maioria das pessoas comuns percebe a mão de Deus nos terremotos, nas tempestades, nos trovões, na ameaçadora escuridão dos céus e nos ventos procelosos. Ao mesmo tempo, é preciso considerar que, embora Deus tenha, de uma forma prodigiosa, exibido sua graça defendendo e sustentando a Davi, muitos, não obstante, chegaram à conclusão de que fora por sua própria habilidade, ou pela fortuna, ou por outros meios naturais que todas as suas atividades chegaram a um resultado próspero. E a estupidez e depravação que ele viu nos homens de sua própria época eram de tal vulto, que o constrangeram a fazer menção e a convocar todos os setores da criação como testemunhas de Deus. Há também quem considere, legítima e judiciosamente, que, em toda esta descrição, Davi faz alusão ao livramento que Deus efetuara a seu povo eleito tirando-o do Egito. Visto que Deus, então, designou e estabeleceu que tal evento deveria ser um memorial perpétuo, do qual os fiéis pudessem aprender que ele era o guardião e protetor de seu bem-estar, assim todos os benefícios que daquele período ele concedera a seu povo, quer como uma corporação pública, quer como indivíduos em particular, eram, por assim dizer, apêndices daquele primeiro livramento.

Conseqüentemente Davi, tanto aqui como em outros lugares, com vistas a enaltecer o socorro que Deus concedera a seu povo, realça esse mui memorável exemplo da benignidade de Deus para com os filhos de Israel, como se o mesmo fosse um arquétipo ou cópia original da graça de Deus. E, seguramente, enquanto muitos, vendo-o como exilado de seu próprio país, conservavam-no em desprezo como alguém expulso da família de Deus, e muitos murmuravam contra ele, violenta e injustamente, dizendo que usurpara o reino – ele tinha boas razões para incluir, sob o livramento que era tão comum a todo o povo, a proteção e segurança que Deus lhe providenciava; como se quisesse dizer: Tenho sido injustamente expulso como um estranho e estrangeiro, visto que Deus tem suficientemente demonstrado, no livramento que operou em meu favor, que à vista dele eu sou pertencente à igreja, e reconhecidamente um distinto e valioso membro dela. Vemos como os profetas, sempre que devessem alentar o povo com a esperança de salvação, evocavam seus pensamentos de volta à contemplação daquele primeiro pacto que fora confirmado por aqueles milagres outrora operados no Egito, na passagem do Mar Vermelho e no Monte Sinai. Ao dizer: **A terra tremeu, porquanto ele estava indignado**, isso deve ser subentendido como uma referência aos ímpios. É uma forma de expressão que Deus freqüentemente emprega para dizer que, estando inflamado de indignação, ele se arma para manter a salvo seu povo contra seus perseguidores.

8. Subiu fumaça por [ou **de**] **suas narinas** etc. A palavra hebraica, אף, *aph*, propriamente significa *o nariz* ou *as narinas*. Mas como às vezes é tomada metaforicamente para *ira*, alguns a traduzem assim: *Subiu fumaça em sua ira*, o que, em minha opinião, não é de todo apropriado. Davi compara o misto de vapores que escurecem o ar à densa fumarada que uma pessoa parece expelir de suas narinas quando está zangada. E quando Deus, com seu próprio resfolegar, cobre o céu de nuvens, e nos priva do brilho do sol e de todos os astros, nos mergulha em densas trevas, com isso somos mui impressivamente instruídos quão terrível é sua ira. Com a tradução que tenho apresentado, a figura aqui se harmoniza notavelmente com aquela da cláusula que imediatamente se segue, ou seja: **e fogo consumidor procedeu de sua boca**. O salmista quer dizer que Deus, sem grande labor ou esforço, tão logo expila hálito ou rajada de suas narinas e abra sua boca, acenderá um fogaréu cuja fumaça enegrecerá o mundo inteiro e seu intenso calor o devorará. O que ele acrescenta – **e dela saíram brasas vivas** – serve para distinguir esse terrível fogo das chamas que ardem por um momento para então extinguir-se. **Ele baixou os céus e desceu** denota aquele tempo em que os céus se cobrem e escurem com grossas nuvens. Quando densos vapores tomam conta do ar, as nuvens nos parecem descer e pousar sobre nossas cabeças. E não só isso, mas também a majestade de Deus então se acerca, por assim dizer, de nós, nos estremece com terrível pavor e nos angustia profundamente, embora antes, quando o céu estava belo, agradável e sereno, tínhamos ampla visão e nos alegrávamos com intensa euforia. Lembremo-nos uma vez mais que a Escritura, sob essas descrições de um céu anuviado e escuro, nos retrata a ira de Deus. Quando o céu está claro e sem nuvem, assemelha-se ao prazenteiro e benigno semblante de Deus brilhando sobre nós e trazendo-nos alegria; enquanto que, em contrapartida, quando a atmosfera está turbada, sentimos aquela profunda depressão do espírito animal que nos constrange a vermos tudo de modo triste, como se víssemos Deus vindo ao nosso encontro com aspecto ameaçador. Ao mesmo tempo somos instruídos de que nenhuma mudança sucede, quer na atmosfera, quer na terra, sem que nos testifique da presença de Deus.

10. Também montou um querubim e voou. O salmista, nos havendo exibido um sinal da ira divina nas nuvens e nas trevas do ar, representando-o como que expelindo fumaça[19] de suas narinas e descendo com um semblante ameaçador, visando a afligir os homens com o terrível peso de seu poder; e havendo também representado relâmpados e trovões como fogo chamejante procedente de sua boca, ele agora o introduz como que cavalgando sobre os ventos e tempestades, para ter uma visão do mundo inteiro com incrível velocidade, ou, melhor, com a ligeireza do vôo. Encontramos uma descrição similar no Salmo 104.3, onde se diz que Deus "andas sobre as asas dos ventos", e os envia em todas as direções como seus velozes mensageiros. Entretanto, Davi representa a Deus não simplesmente como o administrador dos ventos, que os dirige com seu poder para onde quer que lhe apraz; ele ao mesmo tempo também nos ensina que Deus cavalga um *querubim*, visando a comunicar-nos que a própria violência dos ventos é governada pelos anjos segundo a ordenação divina. Sabemos que os anjos eram representados sob a figura de querubins. Davi, pois, não tenho dúvida, tencionava, aqui, fazer alusão à arca do concerto. Ao propor para nossa consideração o poder de Deus como manifestado nas maravilhas da natureza, ele o faz de tal maneira como se em todo tempo tivesse um olho no templo, donde sabia que Deus se fizera conhecido de uma maneira peculiar aos filhos de Abraão. Ele, pois, celebra a Deus não só como o Criador do mundo, mas também como Aquele que entrou em pacto com Israel e escolheu para si uma santa habitação no seio de seu povo. Davi poderia ter chamado os anjos por seu nome comum, mas expressamente fez uso de um termo que tem uma referência ao símbolo visível da arca, para que os crentes genuínos, ao cantarem este Salmo, pudessem sempre ter suas mentes voltadas para o culto divino que era realizado no templo.

O que se segue com respeito ao *pavilhão* ou *tenda escura* de Deus é uma repetição da frase precedente em termos diferentes, ou seja, que quando Deus cobre o ar com nuvens escuras, é como se ele estendesse um espesso véu entre ele e os homens, com o intuito de privá-los

---

19 "Tout ainsi que s'il jettoit une fureur par les narines." – v.f. "como se lançasse fúria de suas narinas."

da visão de seu rosto,[20] justamente como um rei, inflamado contra seus súditos, se retira para sua câmara secreta e se oculta deles. Equivocam-se os que tomam este versículo e o apresentam para provar, em termos gerais, o caráter oculto e misterioso da glória de Deus, como se Davi, com o intuito de refrear a presunção da curiosidade humana, dissesse que Deus está oculto nas trevas em relação aos homens. É verdade que está registrado que Deus "habita em luz inacessível", fora do alcance humano [1 Tm 6.16]; mas a forma de expressão que Davi emprega aqui, não tenho dúvida, deve restringir-se, segundo o escopo da passagem, ao sentido que tenho apresentado.

> [vv. 12-19]
> Suas nuvens fugiram do resplendor que estava diante dele; havia saraiva e brasas de fogo. Jehovah trovejou nos céus e o Altíssimo levantou sua voz; havia saraiva e brasas de fogo. Enviou suas setas e as espalhou [ou as pôs em fuga]; multiplicou relâmpagos[21] e os pôs em confusão. Viram-se as fontes das águas, e descobriram-se os fundamentos do mundo à tua repreensão, ó Jehovah, ao resfolegar de tuas narinas.[22] Deu ordens do alto e me tomou e me tirou das muitas águas. Libertou-me de meu inimigo forte e de meu adversário; pois eram fortes demais para mim. Surpreenderam-me no dia de minha calamidade; mas Jehovah era o meu apoio. Trouxe-me para um lugar espaçoso; livrou-me, porque tinha boa vontade para comigo [ou porque me amava].

12. Suas nuvens fugiram do resplendor que estava diante dele. O salmista uma vez mais volve aos relâmpagos que, ao dividirem e, por assim dizer, fenderem as nuvens, põem o céu a descoberto; e, portanto, ele diz que as nuvens de Deus (isto é, aquelas que ele expediu adiante em sinal de sua ira, com o propósito de privar os homens do desfruto

---

20 "C'est comme s'il tendoit un voile espes entre luy et les hommes, afin de leur oster le regard de sa face." – v.f.

21 Em nossa versão inglesa temos: *Ele lançou relâmpagos*. A palavra hebraica, רבב, *rabab*, significa tanto *multiplicar* quanto *lançar*. Visto que o lançamento de setas é mencionado na primeira cláusula do versículo, pode presumir-se que é o lançamento de relâmpagos que se entende na segunda cláusula, sendo contrastados setas e relâmpagos. A redação das versões Septuaginta, Caldaica, Siríaca, Arábica e Etiópica, contudo, é a mesma de Calvino – *Ele multiplicou relâmpagos*.

22 "Ou de ton ire." – versão francesa marginal. "Ou, em tua ira."

da luz de seu rosto) *fugiram do resplendor que estava diante dele*. Essas súbitas mudanças nos afetam com um senso muito mais agudo do poder e agência de Deus do que se os fenômenos naturais se movessem numa só trajetória invariável. Ele acrescenta que se seguiram **saraiva e brasas de fogo**; pois quando o trovão separa e lacera as nuvens, ou irrompe-se em relâmpagos, ou as nuvens se decompõem em raios.

13. Jehovah trovejou. Davi, neste ponto, repete a mesma coisa em diferentes termos, declarando que Deus trovejou do céu; e chama o trovão de **a voz de Deus**, para que não presumamos que o mesmo seja produzido meramente ao acaso ou pelas causas naturais, independentemente do desígnio e vontade de Deus. Os filósofos, é verdade, estão bem familiarizados com as causas intermédias e secundárias, das quais o trovão procede, isto é, que quando os vapores frios e úmidos obstruem as exalações secas e quentes em seu curso externo, uma colisão tem lugar, e por isso, ao tempo em que os ruídos das nuvens, precipitando umas contra as outras, produz-se o ribombar ensurdecedor do trovão.[23] Davi, porém, ao descrever o fenômeno atmosférico, sobe, sob as diretrizes do Espírito Santo, acima dos meros fenômenos propriamente ditos, e nos representa Deus como o supremo governante de tudo, o qual, por sua vontade, penetra os canais ocultos da terra e daí extrai essas exalações; então, dividindo-as em diferentes processos, as dispersas pelo ar; também associa os vapores e os põe em conflito com os calores tênues e secos, de modo que o trovão que se segue parece produzir um ribombo repicado e altissonante procedente de sua própria boca.

O cântico de 2 Samuel também contém a repetição à qual nos referimos no início de nossas observações sobre este versículo; mas o sentido deste versículo e do precedente, bem como dos versículos correspondentes em Samuel, são inteiramente semelhantes. Devemos lembrar o que eu já disse antes, ou seja, que Davi, sob essas figuras, nos descreve o terrível poder de Deus, para melhor enaltecer e magnificar a graça divina, a qual se manifestara em seu livramento. Ele declara um

---

23 "De ce combat et aussi du bruit des nuees allans l'une contre l'autre, se fait un son." – v.f.

pouco depois que tal fora sua intenção; pois, ao falar de seus inimigos, diz [v. 14] que foram **dispersos** ou **postos em fuga pelas setas de Deus**. Como se quisesse dizer: Eles foram desbaratados, não pelas mãos ou espadas dos homens, mas por Deus, que visivelmente lançou seus trovões contra eles. Não que ele quisesse afirmar que isso tenha literalmente acontecido, senão que se expressa em linguagem metafórica, para que aqueles que eram incultos e humildes reconhecessem o poder de Deus,[24] pudessem assim perceber que Deus era o Autor do livramento de seu servo Davi. A suma dessas palavras é: Quem quer que não reconheça que fui preservado pela mão divina, que também negue que é Deus quem troveja do céu, e ignore seu poder que se manifesta em toda a ordem da natureza, especialmente naquelas prodigiosas mudanças que vemos suceder na atmosfera. Visto que Deus lança relâmpagos como se fossem setas, o salmista, em primeiro lugar, emprega esta metáfora; e então expressa a coisa pelo seu próprio nome.

15. E viram-se as fontes das águas. Neste versículo, Davi indubitavelmente alude ao milagre que se operou quando as tribos eleitas atravessaram o Mar Vermelho. Declarei anteriormente o propósito pelo qual ele fez isso. Como todos os benefícios que Deus outrora conferiu a alguns dos filhos de Abraão como indivíduos foram uns tantos testemunhos pelos quais ele despertou sua memória para o pacto que uma vez fizera com todo o povo, para assegurar-lhes que ele sempre manteria sua graça em favor deles, e que um só livramento lhes fosse um emblema ou penhor de sua perpétua segurança e da proteção divina, Davi oportunamente associa com aquele antigo livramento da Igreja a assistência que Deus enviou-lhe do céu de forma particular. Visto declarar que a graça que Deus demonstrara em seu favor não podia ser separada daquele primeiro livramento, visto ser ela, por assim dizer, uma parte e um apêndice dele, ele visualiza, como que num relance ou num momento, tanto o antigo milagre de secar o Mar Vermelho quanto a assistência que Deus lhe concedeu. Em suma, Deus, que uma vez abriu a seu povo um caminho através do Mar Vermelho,

---

24 "Et tardifs à recognoistre la vertu de Dieu." – v.f.

e então lhe provou ser seu protetor nesta condição, para que se assegurassem de que seriam sempre mantidos e preservados sob sua guarda, agora novamente exibe seu portentoso poder na defesa e preservação de um só homem, com o fim de renovar a lembrança daquela antiga história. Deste fato evidencia-se mui claramente que Davi, ao fazer uso dessas hipérboles aparentemente estranhas e por demais exageradas, não nos recita meras criações românticas para nutrir as fantasias, segundo os costumes dos poetas pagãos,[25] mas observa o estilo e método que Deus havia, por assim dizer, prescrito para seu povo. Ao mesmo tempo, é preciso frisar cuidadosamente a razão já apresentada, que o constrangeu a magnificar a graça de Deus num estilo de imagens esplêndidas, isto é, porque a maioria do povo nunca fez da graça de Deus o tema de sérias considerações, senão que, quer movidos de perversidade ou de estupidez, a descartaram fechando-lhes seus olhos. A palavra hebraica, אפיקים (*aphikim*), a qual traduzi por *fontes*, propriamente significa *os canais dos rios*. Davi, porém, nesta passagem, evidentemente quer dizer que os próprios mananciais ou fontes das águas foram abertas, e que assim ficasse discernido donde procede a grande e inexaurível abundância de águas que supre os rios, e pelas quais sempre prosseguem fluindo em sua trajetória.

16. Deu ordens do alto. Aqui se demonstra em termos breves o fio da sublime e magnificente narrativa que ora passa diante de nossos olhos, ou seja, transmitindo-nos que Davi por fim emergiu dos profundos abismos de suas tribulações, não através de sua própria habilidade, nem através do socorro humano, mas que ele foi trazido para fora pela mão de Deus. Quando Deus nos defende e nos preserva por meios portentosos e extraordinários, diz-se na linguagem da Escritura que ele nos envia de cima seu socorro; e esse *enviar* é posto em confronto com os socorros humanos e terrenos, nos quais geralmente depositamos uma confiança equivocada e indevida. Não desaprovo a opinião daqueles que consideram isto como uma referência aos an-

---

25 "En usant de ces hyperboles et similitudes qui semblent estranges et excessives ne nous recite pas des fables et contes faits à plaisir à la façon des Poëtes profanes." – v.f.

jos, eu, porém, o entendo num sentido mais geral; pois por quaisquer meios que formos preservados, é Deus que, havendo suas criaturas se prontificado em seu assentimento fazer a vontade dele, as designa para tomar conta de nós e as reveste ou as prepara para que nos auxiliem. Mas, embora todo gênero de auxílio proceda do céu, Davi com boas razões afirma que Deus estendeu sua mão do alto a fim de livrá-lo. Ao expressar-se assim, ele pretendia colocar o espantoso benefício referido, à guisa de distinção, acima dos demais tipos mais comuns; e, além disso, há nesta expressão uma tácita comparação entre o exercício incomum do poder de Deus aqui celebrado e os meios comuns e ordinários pelos quais ele socorre a seu povo.

Ao dizer, **Deus retirou-me das muitas águas**, ele usa uma forma metafórica de expressão. Ao comparar a crueldade de seus inimigos a torrentes impetuosas, pelas quais poderia ter sido tragado centenas de vezes, ele expressa mais claramente a agudeza do perigo; como se quisesse dizer: Tenho, ao contrário da expectativa humana, escapado e me libertado de um profundo abismo, pelo qual estava sendo tragado. No próximo versículo ele expressa a coisa simples e sem figura, declarando que ele havia sido libertado de um *inimigo forte*,[26] o qual mortalmente o odiava e o perseguia. Quanto mais exalta e magnifica o poder de Deus, mais ele dirige nossa atenção para esta circunstância, ou seja, que nenhuma força ou poder humano é capaz de impedir a Deus de salvá-lo, ainda quando estivesse reduzido à mais extrema depressão. Visto que no final do versículo há a partícula hebraica, כִּי (*ki*), que geralmente denota a causa do que é pregado, quase todos os intérpretes concordam em explicar este versículo assim: Deus me socorreu do alto, porque meus inimigos eram tão numerosos e tão fortes que nenhum lenitivo se poderia esperar por parte do socorro humano. Daqui deduzimos uma doutrina

---

26 O Bispo Patrick parafraseia o versículo assim: "Ele me livrou primeiro daquele poderoso gigante, Golias, e então de Saul, cujo poder não era capaz de suplantar; e mais tarde dos filisteus e sírios, bem como de muitas outras nações, cujas forças eram muito superiores às minhas, e cujo ódio as instigava a tudo fazer para destruir-me."

muitíssimo proveitosa, ou seja, que o tempo mais razoável para Deus socorrer a seu povo é quando este se sente incapaz de suportar os assaltos de seus inimigos, ou, melhor ainda, quando, quebrantado e aflito, se vê submerso em sua violência, como um homem miserável que, em naufrágio, perdendo toda a esperança de poder nadar até à margem, mergulha com grande rapidez para o seio do abismo. A partícula כִּי (*ki*), contudo, pode também ser explicada pela partícula adversativa, *embora, ainda que*, desta forma: Embora os inimigos de Davi fossem superiores a ele em número e poder, ele, não obstante, estava a salvo.

18. Surpreenderam-me no dia de minha calamidade.[27] O salmista, aqui, confirma em diferentes termos a cláusula anterior, ou seja, que ele havia sido sustentado pelo auxílio divino, quando não havia para ele no poder humano nenhuma via de escape. Ele nos conta como fora sitiado de todos os lados, não por algum assédio ordinário, visto que seus inimigos, ao persegui-lo, sempre o molestaram, fazendo uso dos meios mais perversos, no tempo de sua calamidade. À luz desta circunstância, era mui evidente que não obtivera engrandecimento por nenhum outro meio senão pela mão de Deus. Donde procedeu tão súbita restauração da morte para a vida, senão de Deus que pretendia mostrar que ele tinha em suas mãos, bem como sob seu absoluto controle, os meios de escapar à morte?

Em suma, o salmista atribui seu livramento não a alguma outra causa além do mero beneplácito de Deus, para que todo e qualquer louvor fosse direcionado única e exclusivamente para ele: **Ele me livrou, porque me amava**, ou **tinha boa vontade para comigo**. Ao mencionar o beneplácito divino, Davi demonstra um respeito especial por sua própria vocação para o reinado. O ponto sobre o qual ele principalmente insiste consiste em que os assaltos que lhe sobrevieram, bem como os conflitos que tivera que enfrentar, não foram lançados contra ele por qualquer outra razão

---

27 "Fixaram seus rostos contra mim no dia de minha calamidade." – *Walford*.

senão por haver ele obedecido ao chamado divino e seguido humilde e obedientemente a revelação de seu oráculo. Os homens ambiciosos e turbulentos, que são postos de ponta cabeça por suas obstinadas concupiscências, inconsideradamente tentam alguma coisa, e por sua temeridade se envolvem em altos riscos, podem às vezes realizar seus empreendimentos com vigorosos e resolutos esforços, mas por fim sucede o reverso, e se vêem impedidos de sucesso em sua carreira, porquanto são indignos de ser sustentados por Deus e de desfrutar de prosperidade, visto que, sem haver qualquer direito ou fundamento para o que eles fazem em sua vocação, eles erguem suas insanas estruturas até ao céu e conturbam tudo quanto se acha ao seu redor. Em suma, Davi testifica, por meio desta expressão, que a assistência divina jamais falhou em relação a ele, porque jamais se precipitou em seu ofício de rei de moto próprio, senão que, quando estava satisfeito com sua humilde condição, e voluntariamente teria vivido na obscuridade, em seus apriscos ou na choupana de seu pai, subitamente foi ungido pela mão de Samuel, que era o símbolo de sua soberana eleição procedente de Deus para ocupar o trono.

[vv. 20-24]
Jehovah me recompensou conforme minha justiça; retribuiu-me segundo a pureza de minhas mãos. Pois tenho guardado os caminhos de Jehovah, e não me apartei perversamente de meu Deus. Pois todos os seus juízos estavam diante de mim, e nunca afastei de mim seus estatutos [ou ordenanças]. Também fui irrepreensível diante dele[28], e me guardei de minha iniqüidade. Por isso Jehovah me recompensou segundo minha justiça, segundo a pureza de minhas mãos, perante seus olhos.

20. Jehovah me recompensou. Davi, à primeira vista, parece contradizer-se; pois enquanto um pouco antes declarara que todas as bênçãos que possuía eram procedentes do beneplácito divino, ele agora se gloria no fato de que Deus lhe conferira uma justa recompensa. Mas se lembrarmos com que propósito ele conecta esses enaltecimentos de

---

28 "Envers ou devant luy." – versão francesa marginal. "Para com ou diante dele."

sua própria integridade com o beneplácito divino, será fácil de conciliar essas afirmações aparentemente conflitantes. Ele declarara antes que Deus era o Autor e Fonte da esperança da vinda do reino que ele aspirava, e que ainda não havia sido elevado a ele pelo sufrágio dos homens, nem se precipitara para ele pelo mero impulso de sua própria mente, mas o aceitara porque essa era a vontade de Deus. Agora ele acrescenta, em segundo lugar, que devotara fiel obediência a Deus, e que jamais se desvencilhara de sua vontade. Ambas essas coisas eram necessárias; primeiro, que Deus antecipadamente mostraria seu gracioso favor; em contrapartida receberia, com espírito obediente e consciência pura, o reino que Deus soberanamente lhe confiara; e, ainda mais, que tudo quanto os perversos viessem intentar, com o propósito de subverter ou abalar sua fé, ele, não obstante, continuaria aferrado à direta trajetória de sua vocação. E assim, pois, vemos que essas duas afirmações, longe de discordarem uma da outra, admiravelmente se harmonizam. Davi, neste ponto, representa a Deus como se fosse o presidente[29] de um combate, sob cuja autoridade e conduta ele havia sido criado para engajar-se nos combates. Ora, isso dependia de eleição, noutros termos, dependia disto: que Deus, o havendo abraçado com sua graça, fizera dele um rei. Nos versículos que imediatamente se seguem ele acrescenta que fielmente se desincumbira dos deveres do cargo e ofício a ele confiados, até mesmo aos extremos. Portanto, não é de admirar que Deus sustentasse e protegesse a Davi, e mesmo mostrasse, através de milagres manifestos, que era o defensor de seu próprio campeão,[30] a quem ele havia, de sua própria e livre escolha, admitido ao combate, e que ele vira realizado seu dever com toda fidelidade. Não devemos, contudo, imaginar que Davi, com o intuito de granjear o louvor humano, tenha aqui propositadamente usado a linguagem de vanglória; devemos, sim, divisar o Espírito Santo tencionando, pela boca de Davi, ensinar-nos a proveitosa doutrina de que o auxílio divino jamais falhará em relação a

---

29 *Agonotheta*. Calvino alude aos jogos e combates antigos da Grécia, cujos presidentes eram chamados *Agonothetae*.
30 *Athleta*. Os que se exercitavam com vistas a porfiar pelos prêmios nos jogos e combates gregos eram chamados *Athletae*.

nós, contanto que sigamos nossa vocação, nos conservemos dentro dos limites que ela prescreve e nada efetuemos senão pelo mandamento ou autorização divina. Ao mesmo tempo, que esta verdade esteja profundamente gravada em nossas mentes, ou seja, que só podemos começar um reto curso da vida quando Deus, de seu beneplácito, nos adota em sua família, e que, ao chamar-nos eficazmente, nos antecipa com sua graça, sem a qual nem nós nem qualquer outra criatura o propiciaria a conceder-nos esta bênção.[31]

Entretanto, resta ainda uma pergunta. Se Deus conferiu a Davi uma recompensa justa, pode-se dizer, não parece que ele, ao mostrar-se liberal para com seu povo, o fez assim na proporção que cada um merecia? Respondo: Quando a Escritura usa o termo *retribuição* ou *recompensa*, ela não está indicando que Deus nos deve alguma coisa, e é, portanto, uma conclusão infundada e falsa inferir disto que haja algum mérito ou dignidade nas obras. Deus, como justo Juiz, recompensa a cada pessoa segundo suas obras, mas o faz de tal maneira como se quisesse mostrar que todos os homens estão em dívida para com ele, enquanto que ele mesmo não está obrigado a ninguém. A razão não é só aquela que Santo Agostinho assinalou, ou seja, que Deus não encontra em nós nenhuma justiça que recompensar, exceto o que ele próprio gratuitamente nos concedeu, mas também porque, perdoando as mazelas e imperfeições inerentes às nossas obras, ele nos imputa a justiça para que com justiça possa rejeitar. Se pois nenhuma de nossas obras agrada a Deus, a menos que o pecado com a qual se associa seja perdoado, segue-se que a recompensa que ele concede por conta delas procede não de nosso mérito, mas de sua livre e imerecida graça. Devemos, contudo, atentar para a razão especial por que Davi, neste ponto, fala de Deus retribuindo-lhe segundo sua justiça. Ele não se lança presunçosamente na presença de Deus, confiando ou dependendo de sua própria obediência à lei como base de sua justificação; mas sabendo que Deus aprovara a afeição de seu coração, e desejando defender-se e inocentar-se das falsas e ímpias

---

31 "Sans que nous ne creature quelconque luy en donnions occasion." – v.f.

calúnias de seus inimigos, ele toma a Deus como o Juiz de sua causa. Sabemos quão injusta e vergonhosamente fora ele cumulado de falsas acusações, e no entanto essas calúnias atingiam não tanto a honra e nome de Davi, mas sobretudo o bem-estar e estado de toda a Igreja. Era na verdade a simples malvadeza pessoal que incitava Saul e o fazia explodir em fúria contra Davi; e era para agradar ao rei que todos os demais homens se revelavam tão rancorosos contra um indivíduo inocente, e prorrompiam contra ele de forma tão ultrajante. Satanás, porém, não há dúvida, tinha como função primordial incitar esses formidáveis assaltos contra o reino de Davi, e por meio deles diligenciava a consumação de sua ruína, visto que na pessoa desse único homem [Saul] Deus colocara e, por assim dizer, bloqueara a esperança de salvação de todo o povo. Eis a razão por que Davi labuta tão criteriosa e solicitamente a fim de demonstrar e manter a justiça de sua causa. Quando ele se apresenta e se defende ante o tribunal divino, contra seus inimigos, a questão não é concernente a todo o curso de sua vida, mas somente no que respeita a uma certa causa, ou a um ponto em particular. Devemos, pois, atentar para o tema preciso de seu discurso e o que ele aqui debate. O estado da matéria é este: seus adversários o acusavam de muitos crimes: primeiro, de rebelião e traição, acusando-o de ter se revoltado contra o rei, seu sogro. Em segundo lugar, de pilhagem e roubo, como se, à semelhança de um ladrão, houvera tomado posse do reino. Em terceiro lugar, de sedição, como se houvera lançado o reino em confusão, quando o mesmo desfrutava de tranqüilidade. E, finalmente, de crueldade e de muitas ações hediondas, como se houvera sido a causa de homicídios e houvera executado sua conspiração através de muitos meios arriscados e artifícios ilegais. Davi, em oposição a tais acusações, com o propósito de manter sua inocência diante de Deus, protesta e afirma que havia agido justa e sinceramente nesta matéria, nada intentando sem a ordem e autoridade divinas; e a despeito de todas as tentativas hostis que seus inimigos promoviam contra ele, não obstante sempre se mantivera dentro dos limites prescritos pela lei divina. Seria absurdo extrair disto a inferência de que Deus é misericordioso para com os homens em consonância com o que ele julga serem eles dignos de seu favor. Aqui, o objetivo em vista é apenas mostrar a pureza de uma causa particular, bem como mantê-la em oposição aos caluniadores perversos, e não para promover um exame de toda a vida de um homem, para que o mesmo pudesse obter favor e ser pronunciado justo diante de Deus. Em suma, Davi conclui, à luz do efeito e dos resultados, não que uma vitória seja sempre e necessariamente o sinal de uma boa causa, mas porque Deus, por meio de evidentes sinais de sua assistência, demonstrou estar ele do lado de Davi.

21. Pois tenho guardado os caminhos de Jehovah. Ele falara no versículo precedente da pureza de suas mãos, descobrindo, porém, que os homens o julgavam de uma forma perversa e eram dinâmicos em divulgar más notícias concernentes a ele,[32] então afirma que guardara os caminhos do Senhor, o que equivale dizer que apelava para o tribunal de Deus. Os hipócritas, é verdade, costumam confiadamente apelar para Deus da mesma forma; sim, não há nada que estejam mais dispostos a fazer do que brincar com o nome de Deus e fazer dele um véu para ocultar sua hipocrisia. Davi, porém, nada alega que os homens não soubessem ser a plena verdade, caso houvesse entre eles algum respeito para com a justiça. Portanto, à luz desse exemplo, sejamos acima de tudo diligentes no cultivo de uma sã consciência. E, em segundo lugar, sejamos magnânimos quando desprezarmos os falsos juízos humanos, e ergamos nossos olhos para o céu e olhemos para o defensor de nosso caráter e causa.

Ele acrescenta: **e não me apartei perversamente de meu Deus.** Isso implica que ele sempre almejou aprsentar a prova de sua vocação, ainda que os ímpios tentassem muitas coisas para destruir sua fé. O verbo [*apartar*] que ele usa não denota apenas uma queda, mas aquela apostasia que totalmente remove e aliena o homem de Deus. Davi, é verdade, às vezes caía em pecado movido pela fragilidade da carne, mas jamais desistiu de cultivar a piedade, nem abandonou o serviço para o qual Deus o chamara.

---

32 "Et que bien legerement on semoit de luy de mauvais bruits." – v.f.

22. Pois todos os seus juízos estavam diante de mim. Ele agora mostra como chegou a possuir essa austera retidão de caráter, pela qual fora capaz de agir com retidão em meio a tantas e tão graves tentações, ou seja, aplicando sempre sua mente ao estudo da lei de Deus. Visto que Satanás está diariamente fazendo novos assaltos contra nós, é necessário que recorramos às armas, e é mediante a lei divina que somos munidos com a armadura que nos capacita a resistir. Portanto, quem quer que deseje perseverar em retidão e integridade de vida, então que aprenda a exercitar-se diariamente no estudo da Palavra de Deus; pois, sempre que alguém desprezar ou negligencie a instrução, o mesmo cai facilmente em displicência e estupidez, e todo o temor de Deus se desvanece em sua mente. Não pretendo aqui fazer alguma distinção sutil entre essas duas palavras: *juízos* e *ordenanças*. Contudo, se alguém sentir-se inclinado a fazer alguma distinção entre elas, então a melhor distinção consiste em ter *juízos* como uma referência à segunda tábua da lei, enquanto que *ordenanças* ou *estatutos*, que em hebraico se denominam חוסות (*chukoth*), indicam os deveres da piedade e os exercícios imediatamente conectados ao culto divino.

23. Também fui irrepreensível diante dele. Todos os verbos neste versículo são expressos por Davi no futuro: *Serei irrepreensível* etc., porquanto ele não se gloria de apenas um ato, ou de uma boa obra praticada, por conveniência ou impulso, mas da inabalável perseverança numa trajetória reta. O que eu disse antes, ou seja, que Davi toma Deus por seu Juiz, quando viu que era errônea e injustamente condenado pelos homens, parece ainda mais claramente à luz do que ele diz aqui: "Tenho sido irrepreensível para contigo." As Escrituras, deveras, às vezes se expressa em termos semelhantes acerca dos santos, para distingui-los dos hipócritas, que se contentam em usar a máscara externa das observâncias religiosas; mas era com o intuito de reprovar as falsas notícias que se divulgavam contra ele que Davi assim confiadamente apela para Deus com respeito a eles [hipócritas]. Isso é ainda mais plenamente confirmado pela repetição da mesma coisa, feita um pouco depois: **Segundo a pureza de minhas mãos, perante seus olhos.** Nessas palavras há evidentemente visível contraste entre os olhos de Deus e os olhos cegos e malignos do mundo; como se quisesse dizer: Desconsidero as calúnias falsas e perversas, visto que sou puro e íntegro aos olhos de Deus, cujo juízo jamais poderá ser pervertido pela malevolência ou outros vícios e sentimentos perversos. Além do mais, a integridade que ele atribui a si próprio não é *perfeição*, e, sim, *sinceridade*, a qual se opõe a dissimulação e hipocrisia. Isso se pode deduzir da última cláusula do versículo 23, onde ele diz: **e me guardei de minha iniqüidade**. Ao expressar-se nesses termos, ele tacitamente reconhece que não era tão puro e isento de sentimentos pecaminosos ao ponto de a malignidade de seus inimigos não excitar freqüentemente sua indignação íntima e mortificar seu coração. Ele tinha, pois, que lutar em sua própria mente contra muitas tentações, pois, visto ser homem, certamente sentia na carne, em diversas ocasiões, os aguilhões do vexame e da ira. Mas esta era a prova de sua virtude, a saber: que ele impôs a si um freio, e se refreou de tudo quanto sabia ser contrário à Palavra de Deus. Uma pessoa jamais perseverará na prática da retidão e da piedade, a menos que cuidadosamente se guarde de sua própria iniqüidade.

[vv. 25-27]
Ao misericordioso, tu tratarás com misericórdia;[33] ao homem íntegro, tu te mostrarás íntegro. Para com o puro,[34] tu serás puro; e para com o perverso, tu te mostrarás perverso. Porque salvarás o povo aflito,[35] e os olhos altivos abaterás.[36]

25. Ao misericordioso, tratarás com misericórdia. Davi, neste ponto, dá continuidade ao mesmo tema. Ao considerar a graça de Deus, pela qual fora libertado, ele a apresenta como prova de sua integridade, e assim triunfa sobre as infundadas e desditosas calúnias de seus inimigos. Os hipócritas, concordo, costumam também agir da

---

33 "Tu te monstreras debonnaire envers le debonnaire." – v.f. "Para com o misericordioso, tu te mostrarás misericordioso."
34 "Envers." – versão francesa marginal. "Isto é, para com."
35 Alguns lêem: *o povo humilde*, supondo-se que, visto que o contraste é entre eles e *os olhos altivos*, subentende-se *humildade* em vez de *sofrimento*.
36 Essa é a tradução literal do texto hebraico. "O significado, obviamente, é que quem se exalta será humilhado, por mais confiante venha a ser." – *French e Skinner*.

mesma maneira; pois a prosperidade e o sucesso de seus negócios os ensoberbecem de tal forma que não se sentem envergonhados de arrogantemente jactar-se, não só contra os homens, mas também contra Deus. Entretanto, visto que tais pessoas publicamente motejam de Deus quando, por sua longanimidade, os atrai ao arrependimento, sua perversa e desditosa presunção em nada se assemelha à exaltação pela qual vemos Davi, aqui, encorajar-se. Ele não abusa da tolerância e misericórdia de Deus, paliando ou espalhando um verniz especial sobre suas iniquidades só porque Deus as suporta; mas havendo, pelos multiformes auxílios que recebera de Deus, experimentado, além de toda e qualquer dúvida, que Deus era misericordioso para com ele, logicamente os via como evidente testemunho do divino favor para com ele. E ainda devemos realçar bem essa diferença entre os ímpios e os pios, a saber, que os primeiros, intoxicados com a prosperidade, descaradamente se vangloriam de ser aceitáveis a Deus, enquanto que eles mesmos o desconsideram e, antes, sacrificam à Fortuna e fazem dela seu deus;[37] enquanto que os últimos, em sua prosperidade, magnificam a graça de Deus, à luz do profundo senso de sua graça com que suas consciências são afetadas. Por isso Davi, aqui, se gloria no fato de que Deus o socorrera movido pela justiça de sua causa. Pois, em primeiro lugar, devemos adaptar as palavras ao escopo do discurso como um todo e vê-las como que significando que Deus, repetidas vezes livrando da morte um homem inocente, quando esta se lhe avizinhava, mostrava realmente que é misericordioso para com o misericordioso e puro para com o puro. Em segundo lugar, devemos visualizar as palavras como que ensinando a doutrina geral de que Deus jamais desaponta seus servos, mas que, por fim, sempre trata graciosamente com eles, contanto que esperem por seu auxílio com mansidão e paciência. Foi com esse propósito que Jacó disse: "Deus fará com que minha justiça volte para mim" [Gn 30.33]. O escopo do discurso consiste em que o povo de Deus nutriria boa esperança e se animaria à prática da retidão e integridade, já que todo homem colhe-

---

37 "Ils sacrifient plustost à Fortune, et en font leur Dieu." – v.f.

rá o fruto de sua própria justiça.

A última cláusula do versículo 26, onde se lê: **Para com o perverso, tu te mostrarás perverso**, parece comunicar um significado algo um tanto estranho, mas que não implica nenhum absurdo. Ao contrário, não é sem boas razões que o Espírito Santo usa essa forma de expressão; pois seu propósito, com isso, era despertar os hipócritas e os vulgares desdenhadores de Deus, os quais se embalam a dormitar em seus vícios sem qualquer apreensão de perigo.[38] Vemos como tais pessoas, quando a Escritura proclama os severos e terríveis juízos de Deus e quando também o próprio Deus anuncia terrível vingança, ignoram todas essas coisas sem demonstrar qualquer preocupação com elas. Conseqüentemente, essa bestial e, por assim dizer, monstruosa estupidez que divisamos nos homens compele a Deus a lançar mão de novas formas de expressão e, por assim dizer, a vestir-se de um caráter diferente. Há uma frase semelhante em Levítico 26.21-24, onde Deus diz: "Ora, se andardes contrariamente [ou perversamente] para comigo ... eu também andarei contrariamente [ou perversamente] para convosco." Como se quisesse dizer que sua obstinação e contumácia fariam com que, de sua parte, esquecesse sua costumeira tolerância e brandura, e se lançasse precipitada e impetuosamente contra eles.[39]

Vemos, pois, que a obstinação por fim produz seu endurecimento. E é assim que Deus se endurece ainda mais para fazê-los em pedaços; e se eles são de pedra, Deus os fará sentir que ele tem a dureza do aço. Outra razão que podemos aduzir para essa forma de expressão consiste em que o Espírito Santo, ao dirigir seu discurso aos perversos, comumente fala de acordo com a compreensão deles. Quando Deus troveja absolutamente sério sobre eles, então os transforma, através dos cegos erros que se apoderam deles, num caráter diferente daquele que é propriamente o seu, visto que nada conce-

---

38 "Qui s'endorment en leurs vices sans rien craindre." – v.f.
39 "Comme s'il disoit que leur obstination et opiniastrete sera cause que luy de son costé oubliant sa moderation et douceur accoustumee, se iettera à tors et à travers contre eux." – v.f.

bem como inerente ao caráter divino senão barbárie, crueldade e ferocidade. E assim vemos a razão por que Davi não atribui simplesmente a Deus o nome e o ofício de juiz, mas também o introduz como que armado com impetuosa violência, para resistir e subjugar os perversos, segundo os termos do provérbio popular: Um nódulo duro requer uma cunha forte.

27. Porque salvarás o povo aflito. Este versículo contém a correção de um equívoco no qual somos por demais apressados a cair. Como a experiência mostra que os misericordiosos são com freqüência severamente afligidos, e os sinceros envolvidos em preocupações de uma forma por demais aflitiva, para evitar que alguém considerasse falsa a afirmação de que Deus trata com misericórdia àquele que é misericordioso, Davi nos admoesta, dizendo que devemos esperar o fim; pois embora Deus não se apresse imediatamente a socorrer os bons, todavia, depois de haver exercitado sua paciência por algum tempo, ele os ergue do pó em que jaziam prostrados, e lhes comunica lenitivo eficaz, ainda quando estejam em profundo desespero. Disso deduz-se que só devemos julgar mediante o resultado de quão misericordioso Deus se mostra para com os misericordiosos, e quão puro para com os puros. Caso ele não conservasse seu povo em suspenso e aguardando pelo livramento da aflição, não se poderia dizer que é prerrogativa sua salvar os aflitos. E não é um consolo de somenos importância, em meio às nossas adversidades, sabermos que Deus propositadamente delonga comunicar-nos sua assistência, a qual, por outro lado, é absolutamente preparada para que experimentemos sua benevolência em salvar-nos depois de termos sido afligidos e derrubados.[40] Tampouco devemos computar os erros que nos são infligidos de forma tão amarga, já que eles incitam a Deus a demonstrar-nos aquele seu favor que traz salvação.

Quanto à segunda cláusula deste versículo, a redação é um pouco diferente no cântico registrado em 2 Samuel, onde as palavras são:

---

40 "Afin de nous faire emprouver comment il sauve les affligez." – v.f.

Mas teus olhos são contra os altivos, e tu os abaterás [22.28]. Essa diferença, todavia, não produz alteração quanto ao significado, exceto que o Espírito Santo, aí, ameaça de forma mais franca os altivos de que, como Deus se encontra em vigilância para derrubá-los, é impossível que escapem da destruição. A essência de ambas as passagens é esta: quanto mais os ímpios se entregam à satisfação de suas próprias inclinações, sem qualquer medo do perigo, e quanto mais altaneiramente desprezam os pobres e aflitos que se acham sob seus pés, mais próximos da destruição se encontram. Portanto, sempre que se irromperem contra nós com escárnio e desdém, saibamos que não há nada que impeça a Deus de repelir sua violenta pertinácia, senão que seu orgulho ainda não chegou ao seu auge.

[vv. 28-32]
Pois tu acenderás minha lâmpada, ó Jehovah; meu Deus alumiará minhas trevas. Pois por ti[41] eu rompo a cunha[42] de uma tropa, e por meu Deus eu saltarei por sobre um muro. O caminho de Deus é perfeito; a palavra de Jehovah é refinada [ou purificada]; ele é um escudo para todos quantos nele confiam. Pois quem é Deus além de Jehovah? e quem é forte senão nosso Deus? É Deus quem me cingiu de força e fez perfeito meu caminho.

28. Pois tu acenderás minha lâmpada, ó Jehovah. No cântico em 2 Samuel, a forma de expressão é um tanto mais precisa; pois ali se diz não que Deus acende nossa lâmpada, mas que ele mesmo é nossa lâmpada. O significado, contudo, vem a ser o mesmo, ou seja, que foi pela graça de Deus que Davi, que havia sido precipitado nas trevas, foi trazido de volta para a luz. Davi rende graças a Deus não simplesmente por haver ele acendido uma lâmpada diante dele, mas também por haver convertido suas trevas em luz. Ele, pois, reconhece que havia sido reduzido a tal extremo de angústia, que se transformara em alguém cuja condição era miserável e sem esperança; pois ele compara o estado confuso e perplexivo de suas

---

41 "Par ta vertu." – versão francesa marginal. "Isto é, por meio de teu poder."
42 *Cuneum*. Um batalhão ou companhia de infantaria alinhada na forma de uma cunha, para melhor romper as fileiras dos inimigos.

atividades a trevas. Isso, deveras, pela transferência de coisas materiais para coisas espirituais, pode aplicar-se à iluminação do entendimento; ao mesmo tempo, porém, devemos atentar para o tema do qual Davi está a tratar, para que não nos afastemos do significado genuíno e próprio. Ora, visto reconhecer que havia sido restaurado à prosperidade, pelo favor divino, o qual era para ele, por assim dizer, uma luz vivificante, seguindo nós seu exemplo, consideremos como fato que jamais teremos o conforto de ver nossas adversidades levadas a bom termo, a menos que Deus disperse as trevas que porventura nos envolvam e nos restaure a luz da alegria. Contudo, que não nos seja penoso andar nas trevas, desde que Deus se agrade de usar-nos como lâmpadas. No versículo seguinte, Davi atribui a Deus suas vitórias, declarando que, de acordo com sua conduta, ele *havia rompido as* **cunhas** ou **falanges** de seus inimigos, e havia tomado de assalto suas cidades fortificadas[43] como uma tempestade. E assim vemos que, embora fosse valente guerreiro, e habilidoso no manejo das armas, nada arroga para si. Quanto aos tempos dos verbos, precisamos informar a nossos leitores de uma vez por todas que neste Salmo Davi usa o passado e o futuro, indiferentemente, não só porque ele apresente a si mesmo as coisas das quais fala como se fossem ainda acontecer diante de seus olhos, e, ao mesmo tempo, descreve um curso contínuo da graça de Deus em seu favor.

30. O caminho de Deus é perfeito. A frase, *O caminho de Deus*, não é aqui tomada no sentido de sua vontade revelada, mas de seu método de tratar com seu povo. O significado, pois, consiste em que Deus jamais desaponta ou engana a seus servos, nem os esquece em tempos de necessidade (como pode ser o caso com as pessoas que não ajudam seus dependentes, exceto até onde isso contribua para sua vantagem

---

43 A última cláusula, *Por meu Deus tenho saltado por sobre muros*, é traduzida pela versão Caldaica: "Subjugarei as torres fortificadas." Hammond a traduz assim: "Por meu Deus tenho tomado um forte." Em apoio a esse ponto de vista, ele observa que a palavra שׁוּר, *shur*, de שׁוּר, *shor*, *observar*, significa tanto *um muro* do qual se observa a aproximação do inimigo, quanto *uma torre de vigia* e *forte*. Se tomarmos שׁוּר, *shur*, no sentido de um muro, o verbo דלג, *dalag*, será corretamente traduzido por *saltar*; mas se שׁוּר, *shur*, significa um forte, então o verbo significará apoderar-se dele repentinamente, e portanto será melhor traduzido por *tomá-lo*.

pessoal), mas fielmente defende e sustenta aqueles a quem uma vez tomou sob sua proteção. Nós, porém, jamais sentiremos qualquer solicitude por Deus, a menos que ele primeiro se aproxime de nós através de sua palavra; e, por essa razão, Davi, depois de haver asseverado que Deus auxilia a seu povo com absoluta seriedade, acrescenta, ao mesmo tempo, que **a palavra de Jehovah é purificada**. Portanto, descansemos seguros de que Deus realmente se mostrará íntegro para conosco, visto que ele prometeu ser o guardião e defensor de nosso bem-estar, e sua promessa é verazmente definida e infalível. Que por *a palavra* devemos entender não os mandamentos, mas as promessas de Deus, é facilmente deduzido da cláusula seguinte, onde se diz: **Ele é escudo para todos quantos nele confiam**. De fato, aparentemente é uma recomendação comum dizer que a palavra de Deus é pura e sem qualquer misto de fraude e mentira, à semelhança da prata que é bem refinada e purificada de todos os seus resíduos. Mas nossa incredulidade é a razão por que Deus, ao nos falar, se vê obrigado a usar tais similitudes, com o propósito de recomendar suas promessas e levar-nos a formar elevadas concepções da solidez e infalibilidade das mesmas; pois sempre que os resultados não correspondam nossa expectativa, não há nada a que somos mais inclinados do que, incontinenti, começar a nutrir pensamentos profanos e suspeitosos acerca da palavra de Deus. Para uma explicação mais ampla dessas palavras, remetemos nossos leitores às nossas observações sobre o versículo 6 do Salmo 12.

31. Pois quem é Deus além de Jehovah? Neste ponto Davi, escarnecendo das loucas invenções humanas que, conforme suas próprias fantasias, fazem para si mesmos deuses tutelares,[44] confirma o que já disse antes, a saber, que ele jamais empreendia alguma atividade que não fosse pela autoridade e comando de Deus. Se houvera passado além dos limites de sua vocação, não poderia ter dito com tal confiança que Deus estava do seu lado. Além dis-

---

44 "Qui se forgent à leur fantasie des dieux Qui soyent leurs protecteurs et patrons." – v.f. "Que, segundo suas próprias fantasias, fazem para si deuses para que sejam seus protetores e patronos."

so, embora nessas palavras ele contraponha ao verdadeiro Deus todos os falsos deuses inventados pelos homens, seu propósito, ao mesmo tempo, é destruir todas as vãs esperanças às quais o mundo se devota e pelas quais o mesmo é desviado e impedido de descansar em Deus. A questão da qual Davi aqui trata não é o mero título e nome, *Deus*, mas declara que toda e qualquer assistência de que carecemos devemos buscá-la em Deus, e de nenhuma outra parte, visto só ele possuir real poder: **Quem é forte, senão nosso Deus?** Contudo, devemos atentar para o propósito de Davi, para o qual chamo sua atenção, ou seja, ao confiadamente contrapor Deus a todos os seus inimigos e como o Líder sob cuja bandeira havia valentemente lutado contra eles, ele tenciona afirmar que nada tentara com base em suas próprias fantasias nem com sua consciência a acusá-lo.

32. É Deus quem me tem cingido. Essa é uma metáfora extraída ou do cinturão ou cinto de um guerreiro, ou dos rins, nos quais a Escritura às vezes coloca o vigor ou força de uma pessoa. Portanto, é como se ele dissesse: Eu, que de outra forma teria sido frágil e acovardado, pelo poder de Deus me tornei forte e corajoso. Mais adiante ele fala do sucesso com o qual Deus o favorecera; pois não seria bastante que alguém tivesse coragem inspirada e dinâmica, nem mesmo para exceder em força, se seus empreendimentos não fossem ao mesmo tempo coroados de prosperidade. As pessoas irreligiosas imaginam que isso procede de sua própria prudência ou da fortuna; Davi, porém, o atribui a Deus somente: **Deus é quem fez meu caminho perfeito.** A palavra *caminho*, aqui, deve subentender o curso de nossas ações, e a linguagem implica que, tudo quanto Davi empreendia, Deus, por meio de sua bênção, o conduzia a um feliz resultado.

[vv. 33-36]

Fazendo meus pés como os das corças,[45] e me puseste em meus lugares al-

---

45 "Faisant, ascavoir, me donnant legerete de pieds." – versão francesa marginal. "Fazendo, isto é, dando-me a ligireza dos pés."

tos. Adestrando minhas mãos para a guerra, e um arco de aço[46] será arqueado por meus braços. Também me tens dado o escudo de tua salvação; e tua mão direita me tem sustentado, e tua clemência me tem fortalecido. Tu tens alargado meus passos debaixo de mim, e meus pés não têm vacilado.

Havendo Davi tomado muitas fortalezas, as quais, devido ao acesso íngreme e difícil, desfrutavam da fama de serem inexpugnáveis, ele exalta a graça de Deus nesse particular. Ao dizer que Deus lhe dera **pés como os das corças**, sua intenção era que Deus lhe havia dado uma ligeireza tal que a mesma geralmente não era comum aos homens. O sentido, pois, é que havia sido auxiliado por Deus de uma forma inusitada, de sorte que, à semelhança de uma cabra montês, ele subia com espantosa rapidez as rochas mais inacessíveis. Ele chama de *fortalezas* porque, como conquistador, havia conquistado por direito de guerra **seus lugares altos**; pois com razão podia gloriar-se de que não tomara posse de nada que porventura pertencesse a outrem, visto estar ciente de que fora *por Deus* que havia sido chamado para ocupar essas fortalezas. Ao dizer que *suas mãos* foram adestradas e armadas para a guerra, ele confessa que não havia adquirido por sua própria habilidade a destreza para a luta, tampouco fora pelo exercício e experiência, mas a obtivera mercê de um dom, pela singular munificência divina. Em geral é verdade que a habilidade e a força para a guerra procediam tão-somente de uma secreta virtude comunicada por Deus; mas Davi, imediatamente a seguir, mostra que fora provido de maior força para a execução de suas guerras do que a que os

---

46 Seria bronze, e não *aço*. "Um arco de aço", diz o Dr. Adam Clarke, "está fora de questão. Nos dias de Davi, não é provável que o método de produzir *aço* fosse conhecido. O método de produzir *bronze* do *cobre* era conhecido mesmo nos primórdios do mundo; e os antigos possuíam a arte de temperá-lo, de modo a produzir dele as mais eficientes espadas." Horsley redige: "Tu fizeste de meus braços como um arco de bronze." Essa é também a redação da Septuaginta, da Vulgata, de Jerônimo e de todas as versões. A redação de Calvino, porém, a qual é a mesma de nossa versão inglesa, parece preferível, e é mais expressiva. Arquear um forte arco era antigamente considerado prova de grande força, muito mais para comprimi-lo do que para quebrá-lo. Arquear um arco de bronze é ainda mais expressivo, e ainda mais fazê-lo com os braços sem exigir a participação do pé, que era então geralmente empregado para fazer aquele esforço.

homens comumente possuem, já que seus braços eram suficientemente fortes **para fazerem em pedaços mesmo os arcos de bronze**. É verdade que ele possuía, por natureza, uma vigorosa e poderosa constituição física; mas a Escritura o descreve como sendo um homem de baixa estatura, e a própria similitude que ele aqui usa subentende algo que excedia a força natural do homem.

No versículo seguinte, ele declara que fora tão-somente pela graça de Deus de Deus que havia escapado e fora mantido em perfeita segurança: **Também me tens dado o escudo de tua salvação**. Pela frase, *o escudo da salvação divina*, ele notifica que, se Deus não o houvera preservado prodigiosamente, teria sido desprotegidamente exposto a inúmeras feridas mortais; e assim o escudo da salvação divina é tacitamente oposto a todos os vestuários e armaduras com que fora provido. Uma vez mais atribui sua segurança à graciosa benevolência de Deus, como sendo a causa da qual ele diz *ter sido fortalecido*, ou mais e mais fora conduzido ao caminho da honra e sucesso; pois, pelo termo, *fortalecer*, ele quer dizer um aumento paulatino e ininterrupto, e sempre crescente, dos sinais do favor divino para com ele.

Pela expressão, **alargado meus passos debaixo de mim**, ele notifica que Deus lhe havia aberto uma senda reta e favorável por lugares que outrora não eram de livre acesso; pois há nas palavras um contraste implícito entre um lugar amplo e espaçoso e um espaço estreito, do qual uma pessoa não tinha como mover um pé. O significado consiste em que, quando Davi se via reduzido a profundo abatimento, e não via qualquer via de escape, Deus graciosamente o tirava de suas aperturas e dificuldades. Eis aqui uma lição que pode ser muitíssimo proveitosa para corrigir nossa desconfiança. A menos que vejamos diante de nós uma planície bela e prazenteira, em que a carne livremente se deleite, tremermos como se a terra fosse abrir-se debaixo de nossos pés. Portanto, lembremo-nos de que pertence a Deus a função de alargar nossas veredas e fazê-las planas, e que isso é aqui, com toda justiça, atribuído exclusivamente a ele. Em suma, o salmista acrescenta o efeito dessa insistência da graça de Deus para com ele, ou seja, que **meus pés não têm vacilado,** ou *escorregado*; noutros termos, nenhuma resistência, nenhuma adversidade ou calamidade, que porventura lhe sobreviesse, seria capaz de privá-lo de coragem ou de lançá-lo ao desespero.

> [vv. 37-40]
> Perseguirei meus inimigos e os alcançarei; não voltarei sem antes consumi-los. Tenho-os afligido [ou esmagado], de tal sorte que não podem erguer-se; eles têm caído debaixo de meus pés. Tu me tens cingido com força[47] para a guerra; tu tens prostrado meus inimigos diante de mim. E me tens dado o pescoço de meus inimigos, e os que me têm odiado eu os destruí.[48]

O ponto sobre o qual Davi insiste tanto consiste em demonstrar, à luz do efeito ou resultado, que todas as suas vitórias realçavam o favor divino. E, à luz desse fato, segue-se que sua causa era boa e justa. Deus, sem dúvida, às vezes concede sucesso até mesmo ao ímpio e perverso; mas ele, enfim, mostra pelo resultado que em todo tempo era contrário a eles, e que era seu inimigo. É tão-somente seus servos que experimentam os sinais de seu favor, como demonstrara para com Davi, e Deus pretende com isso testificar que eles são aprovados e aceitos por ele. É possível imaginarmos que aqui Davi está a falar demais pelo prisma de um soldado, declarando que não cessará a obra de matar até que tenha destruído a todos os seus inimigos. Ou, melhor, que ele esquecera a delicadeza e mansidão que devem caracterizar a todos os verdadeiros crentes e com as quais se assemelham ao Pai celestial. Como, porém, nada intentara sem a ordem divina, e como seus sentimentos eram governados e regulados pelo Espírito Santo, podemos assegurar-nos de que essas não são as palavras de um homem cruel e que se aprazia em derramar sangue, mas de um

---

47 "Nos idiomas grego e latim, tanto quanto no hebraico, *estar bem cingido* era *estar bem armado.*" – *Dr. Geddles.*
48 Na versão francesa, temos: "Tu les as destruits." – "Tu os tens destruído."

homem que fielmente executava o juízo que lhe fora confiado pessoalmente por Deus. Aliás, sabemos muito bem que ele era tão distinguido pela delicadeza de disposição que abominava derramar mesmo que fosse uma gota de sangue, exceto até onde o dever e a necessidade de seu ofício o requeriam. Devemos, pois, levar em consideração a vocação de Davi, bem como seu zelo puro, os quais eram livres de toda e qualquer perturbação da carne. Além do mais, deve atentar-se particularmente para o fato de que o salmista, aqui, os chama, **meus inimigos**, cuja indomável e enfatuada obstinação merecia e evocava tal vingança por parte de Deus. Visto que representava a pessoa de Cristo, ele infligia o castigo de morte somente sobre aqueles que eram tão inflexíveis que se tornava impossível que fossem conduzidos à ordem pelo exercício de uma autoridade moderada e humana. E isso por si só revela que não havia nada em que mais o deleitava que o perdoar os que se arrependiam e se transformavam. Ele assim lembrava Cristo, que carinhosamente atraía todas as pessoas ao arrependimento, mas que também quebrava em pedaços, com sua vara, aos que obstinadamente o resistissem até ao fim.

A suma destes versículos consiste em que Davi, visto estar lutando sob a autoridade de Deus, sendo por ele escolhido rei, e visto não achar-se engajado em nenhum empreendimento sem sua devida autorização, fora assistido por ele e resistiu invencível a todos os assaltos de todos os seus inimigos, e foi ainda capaz de desbaratar mesmo seus numerosos e mui poderosos exércitos. Além do mais, tenhamos em mente que, sob esse tipo, há prefigurado o invencível caráter e condição do reino de Cristo que, escudado e sustentado pelo poder de Deus, subjuga e destrói seus inimigos – que, em muitos combates, invariavelmente sai vitorioso –, e que continua Rei a despeito de toda a resistência que o mundo faz à sua autoridade e poder. E como as vitórias a ele garantidas envolvem a segurança de vitórias semelhantes em relação a nós, segue-se que temos aqui prometida uma inexpugnável defesa contra todos os esforços de Satanás, contra todas as maquinações do pecado e contra todas as tentações da carne. Portanto, embora Cristo só pode obter um reino tranqüilo mediante luta, não levemos em conta quando somos atribulados, senão que fiquemos satisfeitos que a mão divina esteja sempre pronta a estender-se para nossa preservação. Davi, por algum tempo, foi um fugitivo, de tal sorte que lhe era difícil manter sua vida a salvo, buscando abrigo nas covas das bestas selvagens. Deus, porém, enfim, fez seus inimigos virarem as costas, não só pondo-os em fuga, mas também mantendo-os em suas mãos, de modo que os perseguiu e os desbaratou totalmente. De maneira semelhante, nossos inimigos, por algum tempo, podem ter, por assim dizer, o poder de manter sua faca em nossa garganta[49] para nos destruir, mas Deus, por fim, os fará não só fugirem diante de nós, mas também perecerem em nossa presença, segundo merecem. Ao mesmo tempo, lembremo-nos do tipo de guerra para o qual Deus nos está chamando, contra que tipo de pessoas ele tem para contender conosco e com que tipo de armadura ele nos fornece e nos é suficiente para termos o diabo, a carne e o pecado dominados e colocados debaixo da planta de nossos pés, através de seu poder espiritual.

Com respeito àqueles a quem ele deu o poder da espada, também os defenderá e não permitirá que sejam injustamente resistidos, contanto que reinem sujeitos a Cristo e o reconheçam como seu Cabeça. Quanto às palavras, os intérpretes quase que unanemente traduzem o começo do versículo 40 assim: *Meus inimigos voltaram as costas*, frase esta contendo a mesma substância que: *Eles se puseram em fuga*; mas como o termo hebraico, ערף (*oreph*), propriamente significa *cabeça* ou *pescoço*, podemos, adequadamente, considerar as palavras no sentido em que Deus dera a Davi o pescoço de seus inimigos, visto que os entregara em suas mão para que fossem mortos.

[vv. 41-45]

Clamarão, mas nenhum salvador haverá para eles; até mesmo a Jehovah, mas ele não lhes responderá. E os esmiuçarei [ou triturarei] como o pó que

---

49 "Comme tous prests à nous mettre le cousteau sur la gorge." – v.f.

é lançado ao vento;[50] como a lama das ruas, os pisarei sob meu pé. Tu me livrarás das contendas do povo e me farás a cabeça das nações; um povo a quem não conheci me servirá. Ao ouvirem com atenção,[51] eles me obedecerão; os filhos dos estranhos[52] se porão diante de mim.[53] Os filhos dos estranhos perderão sua coragem e, tremendo, sairão de seus esconderijos.

41. Clamarão, mas nenhum salvador haverá para eles. A mudança do tempo verbal, do passado para o futuro, não quebra a seqüência ou continuidade da narrativa; e então as palavras podem ser explicadas assim: embora clamassem a Deus, não obstante suas orações foram rejeitadas por ele. Davi prossegue com o mesmo tema que propusera ilustrar antes, isto é, que era finalmente manifesto, à luz dos resultados, que seus inimigos falsamente se gloriavam de contar com o apoio e simpatia de Deus, os quais demonstravam que ele se afastara deles. É verdade que, quando suas atividades continuavam de vento em popa, às vezes recebiam por isso aplausos e enaltecimentos, porque comumente se cria que Deus lhes era favorável, enquanto que, ao mesmo tempo, ele parecia opor-se a Davi, o qual, embora clamasse noite e dia a ele, isso de nada lhe valia. Mas depois de Deus haver testado suficientemente a paciência de seu servo, ele os lança por terra e dissipa suas vãs esperanças; ao contrário, ele nem se digna em ouvir suas orações. Agora percebemos o desígnio de Davi nessas palavras. Visto que os ímpios desde sempre perversamente usaram mal o nome de Deus, pretendendo que ele favorecia seu injusto procedimento, o salmista escarnece de sua vanglória, ante o fato de que eram completamente frustrados. Deve observar-se que ele aqui fala dos hipócritas, os quais nunca invocam a Deus sincera e verdadeiramente. Porquanto esta promessa jamais falhará: "Perto está o Senhor de todos os que o

---

50 "Qui est jette par le vent." – v.f.
51 "Si tost que le bruit de mon nom viendra à leurs aureilles." – versão francesa marginal. "Isto é, assim que a fama de meu nome chegar aos seus ouvidos."
52 "Les peuples estranges." – versão francesa marginal. "Isto é, pessoas estranhas ou nações estrangeiras."
53 "Feront semblant d'estre des miens s'humilians de crainte." – versão francesa marginal. "Isto é, fingirão ser meus servos [ou se submeterão a mim], humilhando-se com medo."

invocam, de todos os que o invocam em verdade" [Sl 145.18]. Portanto, Davi não diz que seus inimigos eram repelidos quando recorriam a Deus com sinceridade de coração, mas só quando, com sua costumeira insolência, pensavam que Deus era, por assim dizer, obrigado a conduzir e levar a bom termo suas perversas empresas. Quando os ímpios, no extremo de suas aflições, derramam suas orações, e quando, consternados pelo medo, e tremendo de pavor ante os males pendentes, demonstram certa aparência de humildade, não obstante não demonstram qualquer mudança em seus propósitos com o fim de verdadeiramente arrepender-se e emendar o mal de seus caminhos. Além disso, em vez de se deixarem influenciar pela fé, são impulsionados pela presunção e dureza de coração, ou derramam suas queixas e dúvidas, antes com o propósito de murmurar contra Deus do que familiar e confiadamente pôr sua confiança nele.

À luz desta passagem podemos deduzir uma proveitosa advertência, isto é, que todo aquele que trata o pobre aflito com cruel desdém, e que soberbamente repele aqueles que vêm a ele como humildes suplicantes, terá a dolorosa experiência de Deus fazer-se surdo às suas orações. Somos, ademais, instruídos pelo próximo versículo que, depois de Deus ter rejeitado os ímpios, ele os deixa ser tratados com todo gênero de indignidade e os entrega para que sejam tripudiados sob a planta dos pés, **como a lama das ruas**. Ele não só declara que, quando o soberbo e cruel clama a ele em sua aflição, ele fecha seus ouvidos ao seu clamor, mas também os ameaça, dizendo que, no curso de sua providência retributiva, serão tratados da mesma maneira como trataram a seus semelhantes.

43. Tu me livrarás das contenções do povo. Davi declara, em poucas palavras, que ele havia experimentado a assistência divina em todas as variadas formas. Ele vivia diante do grande perigo dos tumultos que às vezes surgiam entre seus próprios súditos, se Deus não houvera maravilhosamente apaziguado e subjugado a ferocidade do povo. Sucedeu ainda que, contrariando a expectativa geral, Davi, como afirmara na segunda cláusula do versículo, foi vitorioso em toda parte e subjugou as nações circunvizinhas que um pouco antes haviam destroçado a Israel com suas forças bélicas. Era uma espantosa renovação de coisas, quando ele não só subitamente restaurou o povo de Israel ao seu estado anterior, o qual fora grandemente reduzido pelas derrotas e morticínios, mas também fez das nações vizinhas seus tributários, com quem antes, devido à sua hostilidade à nação de Israel, era impossível viver em paz. Deveria ser muito chocante ver o reino, depois de haver suportado tão graves calamidades, ainda sobreviver e, depois de haver reunido novas forças, recobrar seu estado anterior. Deus, porém, contrariando toda e qualquer expectativa, conferiu ao povo de Israel mais que isso: ele o capacitou inclusive a subjugar os que antes haviam sido seus algozes conquistadores. Davi faz menção de ambos esses fatos; diz-nos em primeiro lugar que, quando o povo sublevou-se contra ele, não foi nenhum outro senão Deus mesmo quem apaziguou as insurreições que se formaram dentro do reino; e, em segundo lugar, que foi sob a autoridade e pela conduta e poder de Deus que as poderosas nações lhe ficaram sujeitas, e que os limites do reino que, nos dias de Saul haviam sido enfraquecidos e meio rompidos, foram grandemente alargados. Daí, evidentemente, Davi ser assistido por Deus, não menos com respeito aos seus afazeres domésticos, ou seja, dentro de seu próprio reino, do que contra inimigos estrangeiros. Visto que o reino de Davi era um tipo sob o qual o Espírito Santo pretendia prefigurar-nos o reino de Cristo, lembremo-nos de que, tanto em erigi-lo quanto em preservá-lo, é necessário que Deus não só estenda seu braço e lute contra os inimigos ajuramentados, que do lado de fora se levantavam contra ele, mas também reprima os tumultos e contendas que porventura surgissem dentro da Igreja. Isso foi claramente demonstrado na pessoa de Cristo desde o princípio. Em primeiro lugar, ele se deparou com muita oposição por parte da enfatuada obstinação dos de sua própria nação. Em segundo lugar, a experiência de todos os tempos mostra que as dissensões e contendas com que os hipócritas laceram e destroçam a Igreja não são menos danosas em minar o reino de Cristo (se Deus não interpuser sua mão para impedir seus injuriosos efeitos) do que os violentos esforços de seus inimigos. Conseqüentemente Deus, ao fomentar e manter o reino de seu próprio Filho, não destrói diante dele os inimigos externos, mas também o livra das contenções internas, ou seja, daqueles que são de dentro de seu reino, que é a Igreja.[54]

No cântico de 2 Samuel, em vez dessas palavras: **Tu me fizeste a cabeça das nações**, a palavra empregada é תשמרני (*tishmereni*), que significa: *proteger* ou *guardar*, e portanto deve ser entendida neste sentido: que Davi estará em segurança, e por um longo período se manterá na posse do reino. Ele sabia quão difícil seria manter sob disciplina e sujeição os que não estão habituados ao jugo; e, conseqüentemente, nenhuma ocorrência é mais freqüente do que reinos que foram recentemente adquiridos por conquista serem abalados por novas agitações. Davi, porém, no cântico de Samuel, declara que Deus, havendo-o elevado a um grau tal de poder ao ponto de fazê-lo cabeça das nações, o manteria na posse da soberania que lhe aprouvera conferir-lhe.

Um povo que não conhecia me servirá. A totalidade desta passagem fortemente confirma o que tenho justamente referido neste ponto, ou seja, que as afirmações aqui feitas não devem restringir-se à pessoa de Davi, senão que contém uma profecia relativa ao futuro reino de Cristo. Davi, é verdade, podia com razão gloriar-se de que essas nações, com cujos métodos e disposições ele tinha uma familiaridade muito superficial, lhe estavam sujeitas; mas, é não obstante correto que nenhuma das nações que ele havia conquistado era-lhe totalmente desconhecida, tampouco era-lhe tão afastada que lhe tornasse difícil adquirir algum conhecimento dela. A conquista de Davi, portanto, e a sujeição dos povos a ele, eram apenas uma obscura figura na qual Deus nos exibia alguma tênue representação do ilimitado domínio de seu próprio Filho, cujo reino se estende "desde o nascente do sol até ao poente, é grande entre as nações o meu nome" [Ml 1.11],

---

54 "C'est à dire au dedans de son royaume Qui est l'Eglise." – v.f.

e pervade o mundo inteiro.

44. À simples fama de meu nome me obedecerão. Isso contém a mesma essência da última cláusula do versículo anterior. Embora Davi, por meio de suas vitórias, houvera adquirido tal reputação e renome, que muitos depuseram suas armas e vieram voluntariamente render-se-lhe; todavia, como também haviam sido subjugados pelo pavor do poder de seu exército, que haviam assistido seus vizinhos experimentarem sua ferocidade, não se pode dizer, propriamente, que à simples fama do nome de Davi viriam sujeitar-se-lhe. Isso aplica-se mais legitimamente à pessoa de Cristo que, por meio de sua palavra, submete a si o mundo, e, ao simples ouvir de seu nome, faz obedientes a si àqueles que antes haviam se rebelado contra ele. Visto que Davi se destinava ser tipo de Cristo, Deus sujeitou à sua autoridade as nações longínquas, e tal como antes haviam sido desconhecidas de Israel no que concernia às relações familiares. Mas isso era apenas um prelúdio e, por assim dizer, uma ação preparatória para o domínio prometido a Cristo, cujos limites devem estender-se até aos confins mais remotos da terra.

De maneira semelhante, Davi havia adquirido para si um nome tão famoso, pelo uso das armas e proezas marciais, que muitos de seus inimigos, dominados pelo medo, se lhe sujeitaram. E nisso Deus exibia um tipo da conquista que Cristo faria em relação aos gentios, os quais, só pela proclamação do evangelho, foram dominados e levados a voluntariamente submeter-se ao seu domínio; pois a obediência de fé na qual o domínio de Cristo está fundado "vem pelo ouvir" [Rm 10.17].

Os filhos dos estranhos se porão diante de mim. Aqui se acha descrito o que comumente sucede nos novos domínios adquiridos por conquistas, ou seja, aqueles que são conquistados prestam homenagem com profunda reverência a seu conquistador; mas isso se dá por meio de fingida e forçada humildade. Obedecem como escravos, e não voluntária e prazerosamente. Esse é evidentemente o sentido. Alguns intérpretes, é verdade, apresentam uma explicação distinta do termo *pôr-se*, vendo Davi como tencionando dizer com isso que seus inimigos tinham, ou sido frustrados em sua expectativa, ou que, com o fim de escaparem à punição que temiam pudesse ser-lhes aplicada, se puseram a declarar que jamais planejaram alguma coisa hostil contra ele. Parece-me, porém, que isso não expressa suficientemente o que Davi tencionava. Em minha opinião, pois, a expressão, *pôr-se*, aqui, deve ser entendida geralmente como em outros lugares, ou seja, *humilhar-se de acordo com o procedimento dos escravos*. A palavra hebraica, כחש (*cachash*), aqui usada, que significa *pôr-se*, é às vezes subentendida metaforicamente, ou seja, *humilhar-se, submeter-se, tomar alguém o jugo da sujeição*;[55] mas ainda de uma maneira fingida e servil. Aqueles a quem ele chama **filhos dos estranhos** ou **dos estrangeiros** são as nações que não pertencem ao povo de Israel, mas que, sendo em breve conquistadas por ele, formariam por si mesmas uma comunidade distinta e independente. Isso também vemos cumprido em Cristo, a quem muitos virão com aparente humildade; não, contudo, com real afeto, mas com um coração doble e falso, os quais, por esse motivo, o Espírito Santo com razão chama *estranhos*. Na verdade penetraram no seio do povo eleito, mas não lograram real união com o mesmo corpo [a Igreja] mediante fé genuína. Portanto, não devem ser contados no número dos filhos da Igreja. É legítimo dizer que todos os gentios, logo no início quando foram chamados ao seio da Igreja, eram estranhos; mas quando começaram a nutrir novos sentimentos e novos afetos para com Cristo, os que antes eram estranhos, "não sois mais estrangeiros, nem forasteiros, antes sois concidadãos dos santos e membros da família de Deus" [Ef 2.19].

O que se adiciona imediatamente a seguir [v. 45], **Os filhos dos**

---

55 A versão Siríaca tem a redação: "Submeter-se-ão a mim." Significando uma sujeição forçada, fingida e hipócrita.

estranhos perderão sua coragem e, tremendo,[56] sairão de seus esconderijos,** serve para pôr numa luminosidade ainda mais notável a grande fama e o formidável nome que Davi, como já dissemos, havia granjeado. Não é um sinal ordinário de reverência quando os que se sentem protegidos em seus esconderijos, e se encerram em suas fortificações inacessíveis, se sentem tão abalados de terror que saem espontaneamente e se rendem. Visto que o medo fez que os inimigos de Davi saíssem de seus esconderijos, para encontrá-lo submissamente, assim o evangelho estremece os incrédulos com um temor tal, que os compele a render obediência a Cristo. Tal é o poder da profecia que, por assim dizer, a proclamação da palavra, como o testifica Paulo em 1 Coríntios 14.24, convencendo as consciências dos homens, e fazendo manifestos os segredos de seus corações, leva os que antes eram rebeldes a prostrarem-se cheios de temor e a darem glória a Deus.

> [vv. 46-50]
> Que viva Jehovah[57] e seja bendita minha força;[58] e que seja exaltado o Deus de minha salvação; o Deus que me dá vingança e sujeita os povos [ou nações] debaixo de mim. Meu libertador de meus inimigos; sim, tu me tens exaltado sobre aqueles que se têm insurgido contra mim; tu me tens livrado do homem violento. Portanto, eu te louvarei, ó Jehovah, entre os gentios, e cantarei ao teu nome. Ele opera grande livramento em favor de seu rei, e usa de misericórdia para com Davi, seu ungido, e para com sua posteridade, para sempre.

46. Que viva Jehovah. Se porventura essa redação for adotada, a qual está no modo optativo, expressando o desejo de *que Deus vives-*

---

56 A palavra hebraica, חרג, *charag*, significa tanto *comover-se* quanto *tremer*, e combina ambas as idéias: *comover-se de medo*. O último parece ter sido o conceito que Calvino associa à palavra. "O temor os levará a ter medo, e sairão de suas covas secretas em busca de perdão." – *Note, bassandyne's Bible*.
Walford traduz:
"Os filhos dos estranhos perdem sua força;
Alarmados, abandonam suas fortalezas."
Street traduz:
"As nações estrangeiras estão confusas e estremecem em suas fortalezas."
57 "Ou, le Seigneur vit." – versão francesa marginal. "Ou, Jehovah vive."
58 "Celuy qui me donne force." – versão francesa marginal. "Isto é, aquele que me dá força."

se, a forma de expressão pode parecer um tanto estranha. No entanto pode-se alegar em defesa dela o fato de que ela consiste de uma metáfora tomada de empréstimo do costume humano, ou seja, que não só se usa essa forma de falar quando se deseja o bem a alguém, mas também pronunciá-la com aclamação em alto e ovante som, quando se pretende receber a um príncipe com a devida honra. Segundo este ponto de vista, seria uma expressão na qual o louvor é atribuído a Deus e em harmonia com um cântico triunfal.[59] Pode, contudo, ser muito apropriado considerá-la como simples afirmação, na qual Davi declara que *Deus vive*, noutros termos, que ele se reveste de soberano poder. Além do mais, a vida que Davi atribui a Deus não se deve restringir ao ser ou essência de Deus, mas, antes, subentende-se a evidência dela deduzida de suas obras, as quais nos manifestam o fato de que ele vive. Sempre que ele se retrai de manifestar seu poder diante de nossos olhos, o senso e percepção da verdade, 'Deus vive', também se desvanece de nossas mentes. Diz-se, pois, que ele *vive*, porquanto mostra, por evidentes provas de seu poder, que é ele quem preserva e sustenta o mundo. E como Davi havia conhecido, de experiência própria, essa vida divina, ele a celebra com louvores e ações de graças. Se lermos a primeira cláusula no presente do indicativo, *O Senhor vive*, a conjunção *e*, que se segue, exerce a função de uma inferência; e, conseqüentemente, as palavras seriam combinadas assim: *Jehovah vive, e, portanto, bendita é minha força*. O título, *minha força*, e aquele outro que ocorre no versículo 48, *meu libertador*, confirmam o que eu já declarei, ou seja, que Deus vive não simplesmente em si e em seu lugar secreto, mas exibe sua energia vital no governo do mundo inteiro. A palavra hebraica, צוּרִי (*tsuri*), que traduzimos por *minha força*, deve ser subentendida, aqui, num sentido transitivo para *Aquele* que concede força.

47. O Deus que me dá vingança. O salmista uma vez mais atribui a Deus as vitórias que havia alcançado. Visto que ele jamais poderia

---

59 "Ainsi ce seroit un mot tendant à louër Dieu et convenable à un cantique de triomphe." – v.f.

esperar obtê-las, a menos que nutrisse a confiança de que receberia o auxílio divino, ele, portanto, agora reconhece ser Deus o Autor delas. Para que não parecesse displicente em atribuir-lhe, por assim dizer, superficialmente, apenas um pouquinho do louvor de suas vitórias, ele reitera, em termos expressivos, que ele nada possuía senão o que Deus lhe dera. Em primeiro lugar, ele reconhece que o poder que recebera veio do alto, capacitando-o para aplicar em seus inimigos o castigo que mereciam. Pode parecer, à primeira vista, estranho que Deus armasse a seu próprio povo para executar vingança; mas, como demonstrei previamente, devemos ter sempre em mente a vocação de Davi. Ele não era uma pessoa particular, mas sendo investido de poder e autoridade em seu papel de rei, o juízo que executava lhe fora imposto por Deus. Se um homem, ao ser injuriado, se põe a vingar a si próprio, ele usurpa o ofício de Deus; e, portanto, é irrefletido e ímpio em retaliar, movido por motivos pessoais, as injúrias que lhe foram aplicadas. Com respeito aos reis e magistrados, Deus, que declara que a vingança lhe pertence, ao armá-los com a espada, os constitui ministros e executores de sua vingança. Davi, pois, usou a palavra *vingança* para os justos castigos que lhe eram lícitos aplicar mediante o mandamento de Deus, desde que fosse ele guiado pela influência de um zelo devidamente regulado pelo Espírito Santo, e não pela influência da impetuosidade da carne. A menos que tal moderação seja exemplificada na realização dos deveres de sua vocação, será debalde que os reis se vangloriem de que Deus lhes tenha confiado o encargo de aplicar a vingança. Visto não ser menos imperdoável a um homem usar mal, segundo suas próprias fantasias e concupiscências da carne, a espada que lhe é permitido usar, do que apoderar-se dela sem a autoridade divina.

A Igreja militante, que se acha sob a bandeira de Cristo, não tem permissão de executar vingança, exceto contra aqueles que obstinadamente se recusam a ser corrigidos. Recebemos a ordem de empenhar-nos na conquista de nossos inimigos pela prática do bem e pela oração para que sejam alcançados pela salvação. Esta, portanto, nos leva, ao mesmo tempo, a desejar que eles sejam conduzidos ao arrependimento e a um correto estado mental, até que se comprove, além de toda e qualquer dúvida, que são irrecuperáveis e desesperançosamente depravados. Entrementes, com respeito à vingança, deve ela ser deixada com Deus, para que não sejamos, à revelia, levados a executá-la antes do tempo. Davi, a seguir, conclui, à luz dos perigos e das angústias em que foi envolvido, que, se não fora preservado pela mão divina, não poderia, de outra forma, ter escapado em segurança: **Meu libertador de meus inimigos; sim, tu me tens exaltado sobre aqueles que se têm insurgido contra mim.** O sentido como devemos entender o termo, *insurgir*, do qual fala aqui, consiste em que ele fora tão maravilhosamente elevado tão acima do poder e da malícia de seus inimigos, que não poderia sucumbir diante de sua violência, e que eles não poderiam ser vitoriosos sobre ele.

49. Portanto, eu te louvarei, ó Jehovah! Neste versículo, ele nos ensina que as bênçãos que Deus lhe havia conferido, das quais falara, são dignas de ser celebradas com extraordinários e inusitados louvores, para que a fama delas pudesse alcançar até mesmo os pagãos. Há nas palavras um contraste implícito entre o culto ordinário de Deus que os fiéis costumavam realizar no templo e as ações de graças das quais fala Davi, as quais não poderiam ser confinadas dentro de tacanhos limites. O significado, pois, é este: Ó Senhor, não só te darei graças na assembléia de teu povo, segundo o ritual que tu designaste em tua lei, mas teus louvores se estenderão a uma distância muito mais ampla, uma vez que tua graça para comigo é digna de ser anunciada ao mundo inteiro. Além do mais, à luz dessas palavras concluímos que esta passagem contém uma profecia concernente ao futuro reino de Cristo. A menos que os pagãos fossem atraídos à comunhão do povo eleito, e unido num só corpo com ele, louvar a Deus entre eles teria sido o mesmo que cantar seus louvores entre surdos, o que seria estultícia e perda de tempo. Conseqüentemente, Paulo mui apropriada e oportunamente prova, à luz deste texto, que a vocação dos gentios foi algo que ocorreu, não ao acaso, nem a esmo [Rm 15.9]. Veremos mais adiante, em muitos lugares, que a Igreja está destinada a ser uma sacra habitação para a manifestação dos louvores de Deus. E, portanto, o nome de Deus não poderia ter sido correta e proveitosamente celebrado em outra parte senão na Judéia, até que os ouvidos dos gentios fossem abertos, o que ocorreu quando Deus os adotou e os chamou a si por meio do evangelho.

50. Ele opera grande livramento. Este versículo conclusivo claramente revela por que Deus exerceu tal bondade e liberalidade para com Davi, ou seja, porque ele foi ungido para ser rei. Ao chamar a si mesmo de *rei de Deus*, Davi testifica que ele não se lançara precipitadamente a esse ofício, nem tomara posse dele pelo instrumento de conspirações e intrigas, mas, ao contrário, reinava por direito legítimo, visto ter sido pela vontade divina que se fizera rei. Isso ele prova pela cerimônia de unção; pois Deus, ao ungi-lo pela mão de Samuel, vindica seu direito de reinar, não menos se ele tivesse estendido sua mão do céu para pô-lo e estabelecê-lo no trono real. Essa eleição, diz ele, foi confirmada por uma série contínua de grandes livramentos; e desse fato segue-se que todo aquele que toma alguma iniciativa, sem ter sido chamado por Deus, é culpado de declaradamente fazer guerra contra ele. Ao mesmo tempo, ele atribui esses livramentos à benevolência divina, como sua causa, com o fim de ensinar-nos que esse reino foi fundado pura e simplesmente sobre o beneplácito divino. Além do mais, à luz da frase final do Salmo parece, como eu disse antes, que Davi, aqui, não relata tanto por via da história os exemplos singulares e variados da graça de Deus que pessoalmente experimentara, quando prediz a eterna duração de seu reino. E deve observar-se que, pela palavra *posteridade* não devemos entender todos os seus descendentes, indiscriminadamente; senão que temos de considerá-la particularmente como uma referência àquele sucessor de Davi de quem Deus fala em 2 Samuel 7.12, prometendo que ele seria um pai para ele. Como fora predito que seu reino continuaria enquanto o sol e a lua brilhassem no céu, a profecia necessariamente deve ser vista como a apontar para Aquele que seria Rei, não por algum tempo, mas para sempre.

Salmos 19

Davi, com o intuito de encorajar os fiéis a contemplarem a glória de Deus, põe diante deles, em primeiro plano, um espelho dela na textura dos céus e na admirável ordem de sua estrutura, para que a visualizemos; e, em segundo plano, ele direciona nossos pensamentos para a lei, na qual Deus se fez mais familiarmente conhecido de seu povo eleito. Aproveitando-se dessa ocasião, ele continua a discorrer em considerável extensão sobre essa peculiar dádiva do céu, recomendando e enaltecendo a aplicação da lei. Finalmente, ele conclui o Salmo com uma oração.

Ao mestre de música. Cântico de Davi.

[vv. 1-6]
Os céus declaram a glória de Deus, e a expansão[1] proclama as obras de suas mãos. Dia a dia pronuncia palavra, e noite a noite publica conhecimento.[2] Não há linguagem e nem palavra [onde] sua voz não é ouvida. Sua composição se estende por toda a terra, e suas palavras até ao confim do mundo; neles pôs um tabernáculo para o sol. E ele sai como um noivo de

---

1 "L'entour du ciel et de l'air." – versão francesa marginal. "Isto é, a abóbada celeste ou firmamento do céu e do ar." O Bispo Mant traduz também por expansão, tradução que ele considera mais correta que *firmamento*. "A última palavra", diz ele, "é adotada da versão grega; mas a palavra hebraica é derivada de um verbo, significando *difundir, estender, espalhar, expandir*. A tradução própria, portanto, é 'expansão', concordando com outras passagens da Escritura que falam do Criador como que 'estendendo os céus como uma cortina, e armando-os como uma tenda para nela habitar'. (Vejam-se Sl 114.2; Is 40.22.) 'A expansão do céu' é uma frase freqüentemente usada por Milton e outros poetas."

2 "Un jour desgorge propos à *l'autre* jour, et la nuict declare science à l'autre nuict." – v.f. "Um dia pronuncia palavra a *outro* dia, e a noite declara conhecimento a outra noite."

seu aposento, se regozija como um homem forte a correr sua corrida. Sua saída é desde a extremidade dos céus, e seu circuito até aos confins de seus limites, e nada se esconde de seu calor.

1. Os céus declaram a glória de Deus.[3] Já disse que este Salmo consiste de duas partes: na primeira delas Davi celebra a glória de Deus como manifesta em suas obras; e, na outra, ele exalta e magnifica o conhecimento de Deus que refulge mais claramente em sua palavra [escrita]. Ele só faz menção dos céus; mas, apensa a esta parte da criação, que é a mais nobre, e a excelência da qual é mais conspícua, ele indubitavelmente inclui, à guisa de sinédoque, toda a estrutura do mundo. Certamente que nada há que seja por demais obscuro e desprezível, mesmo nos cantos mais abscônditos da terra, nos quais algumas marcas do poder e sabedoria de Deus não podem ser distinguidas. Todavia, visto que uma imagem mais distinta dele está impressa nos céus, Davi particularmente os selecionou para contemplação, para que seu esplendor nos servisse de guia para contemplarmos todas as partes do mundo. Quando uma pessoa, mediante sua visão e contemplação dos céus, é conduzida ao conhecimento de Deus, ela aprenderá também a refletir sobre e a admirar sua sabedoria e poder como exibidos na face da terra, não só de forma geral, mas mesmo nas plantas mais minúsculas. No primeiro versículo, o salmista reitera uma coisa duas vezes, segundo seu método usual. Ele introduz os céus como testemunhas e anunciadores da glória de Deus, atribuindo à criatura muda a qualidade que, estritamente falando, não lhe pertence, a fim de mais severamente chamar a atenção dos homens para sua ingratidão, caso ignorem tão nítido testemunho fazendo ouvidos moucos. Esse modo de falar nos move e afeta mais poderosamente do que se ele dissesse: Os céus *mostram* ou *revelam* a glória de Deus. É realmente muito importante que no esplendor dos céus esteja apresentada à nossa vista a vívida imagem de Deus; mas, visto que a voz audível tem

---

3   O Dr. Geddes tem observado, em referência a este Salmo, que "nenhum poema jamais conteve um argumento mais excelente contra o ateísmo, nenhum que se expresse melhor."

maior efeito em excitar nossa atenção, ou pelo menos nos ensina mais seguramente e com maior proveito do que a simples visão, à qual não se acrescenta nenhuma instrução oral, temos que realçar a força da figura que o salmista usa quando diz que os céus, com sua pregação, declara a glória de Deus.

A repetição que ele faz na segunda cláusula é uma mera explicação da primeira. Davi demonstra como é que os céus nos proclamam a glória de Deus, isto é, pelo público testemunho de que não foram postos em harmonia pelo acaso, senão que foram maravilhosamente criados pelo supremo Arquiteto. Quando miramos os céus, não podemos senão ser arrebatados, pela contemplação dos mesmos, para Aquele que é seu grande Criador; e a bela ordem e maravilhosa variedade que distinguem os cursos e estações dos corpos celestes, juntamente com a beleza e esplendor que se manifestam neles, não podem senão fornecer-nos uma evidente prova de sua providência. A Escritura, aliás, nos faz conhecer o tempo e o modo da criação; mas os céus propriamente ditos, ainda que Deus não houvera dito nada sobre o assunto, proclamam em alto e bom som e mui distintamente que foram moldados pelas mãos divinas; e isso por si só é abundantemente suficiente para testificar aos homens a glória divina. À medida que reconhecemos que Deus é o supremo Arquiteto, o qual erigiu a linda estrutura do universo, nossas mentes, necessariamente, se sentirão arrebatadas, com espanto repassado de êxtase, por sua infinita benevolência, sabedoria e poder.

2. **Dia a dia pronuncia palavra**. Os filósofos, que têm mais penetração nessas questões que outros, entendem como as estrelas são dispostas numa ordem tão bela, que, não obstante seu imenso número, não existe a mínima confusão; mas, ao ignorante e iletrado, a contínua sucessão de dias é uma prova mais que indubitável da providência de Deus. Davi, pois, havendo falado dos céus, ele não desce, aqui, deles para outras partes do mundo; senão que, à luz de um efeito mais sensível e mais aproximado à nossa compreensão, ele afirma justamente aquilo de que estava falando, isto é, que a glória de Deus não só resplandece, mas também ressoa nos céus.

As palavras podem ser expostas de forma variada, mas as diferentes exposições que têm sido dadas delas fazem pouca diferença quanto ao sentido. Alguns as explicam assim: não passa um dia sequer sem que Deus mostre alguma clara evidência de seu poder. Outros são de opinião que elas denotam as argumentações de instrução e conhecimento – que cada dia sucessivo contribui com algo novo em comprovação da existência e perfeições de Deus. Outros as vêem como que significando os dias e noites falando reciprocamente e arrazoando acerca da glória de seu Criador. Mas tal interpretação é um tanto forçada. Davi, não tenho dúvida, ensina, aqui, à luz das alternações estabelecidas de dias e noites, que o curso e evoluções do sol, da lua e das estrelas são regulados pela prodigiosa sabedoria divina. Se traduzirmos as palavras, *Dia após dia*, ou *um dia a outro dia*, a conseqüência é mínima. Pois toda a intenção de Davi visa ao lindo arranjo de tempo que a sucessão de dias e noites efetua. Aliás, se fôssemos tão atentos quanto deveríamos ser, mesmo um só dia seria suficiente para testificar-nos a glória de Deus, e mesmo uma só noite seria suficiente para exercer-nos o mesmo ofício. Mas quando vemos o sol e a lua fazendo suas evoluções diárias – o sol durante o dia surgindo acima de nossas cabeças, e a lua procedendo em seu turno; o sol, subindo gradativamente, enquanto que, ao mesmo tempo, se chega para mais perto de nós; e subseqüentemente segue declinando seu curso, de modo a afastar-se de nós paulatinamente –, e quando vemos que, com isso, a extensão dos dias e noites é regulada, e que a variação de sua extensão é ordenada em consonância com uma lei tão invariável, que invariavelmente recorre aos mesmos pontos de tempo em cada ano sucessivo, temos nisso um testemunho muito esplendente da glória de Deus.

Davi, portanto, com a mais plena razão, declara que, embora Deus não fale ao homens uma só palavra, todavia a ordeira e útil sucessão de dias e noites eloqüentemente proclama a glória de Deus, e que assim não deixou aos homens qualquer pretexto de ignorância; porque, visto que os dias e noites exercem em relação a nós, tão bem e tão cuidadosamente, o ofício de mestres, podemos adquirir, se de fato somos devidamente atentos, uma suficiente porção de conhecimento sob sua instrução.

3. Não há linguagem e nem palavra [onde] sua voz não é ouvida. Este versículo recebe duas interpretações quase que contrárias, cada uma delas, contudo, possuindo uma aparente probabilidade. Visto que as palavras, quando traduzidas literalmente, são lidas assim: *Nenhuma linguagem, e nenhuma palavra, sua voz não é ouvida*, alguns juntam o terceiro e o quarto versículos, como se essa frase fosse incompleta sem a cláusula que se segue no início do quarto versículo: *Sua composição se estende por toda a terra* etc. Segundo eles, o significado é este: Os céus, é verdade, são mudos e não são dotados com a faculdade de falar; mas, mesmo assim eles proclamam a glória de Deus com uma voz suficientemente audível e distinta. Mas se essa era a intenção de Davi, que necessidade havia de se repetir três vezes que eles não pronunciam palavra? Certamente seria estúpido e supérfluo insistir tanto sobre uma coisa tão universalmente notória. A outra explicação, portanto, visto ser mais geralmente aceita, parece ser também mais adequada. Na língua hebraica, que é concisa, às vezes é necessário suprir a lacuna com alguma palavra; e é particularmente comum nessa língua o relativo ser omitido, ou seja, as palavras *que, em que* etc., como aqui: *Não há linguagem, não há palavra [onde*[4]*] sua voz não é ouvida.*[5] Além disso, a terceira negação, בלי (beli*),*[6] antes denota uma exceção ao que está afirmado nos membros precedentes da frase, como se ele dissesse: A diferença e variedade de linguagens não impedem a proclamação dos céus, e sua linguagem de ser ouvida e entendida em cada canto do mundo. A diferença de linguagens é uma barreira que impede diferentes nações de manter relação mútua, e faz com que aquele que em seu próprio país é distinguido por sua eloquência, quando entra num país estrangeiro seja tido por mudo ou, se tenta falar, por bárbaro. E mes-

---

4 Tanto Calvino quanto os tradutores de nossa versão inglesa parecem ter seguido as versões Septuaginta e Vulgata, inserindo a palavra *onde*, que não se encontra no texto hebraico.

5 "C'est as avoir ces mots, Lequel, Laquelle, etc., comme yci Il n'y a langage, il n'y a paroles esquelles la voix de ceux ne soit ouye."

6 בלי, *beli*, comumente significa *não*; mas é também usada para toda sorte de partículas exclusivas, *sem, além de, a menos que*. Daí Grotius traduzi-la, aqui, *sem*. Como בל, *bal*, significa em árabe, *mas*, e como o árabe é apenas um dialeto do hebraico, Hammond conclui que esse pode ter sido seu significado entre os judeus; e, portanto, propõe traduzir o versículo assim: "sem linguagem, sem palavras, mas, não obstante [בלי, *beli*], sua voz é, ou tem sido, ouvida."

mo que alguém viesse a falar todas as línguas, o mesmo não poderia ao mesmo tempo falar aos gregos e aos romanos; pois assim que começasse a pronunciar seu discurso a um grupo, o outro deixaria de entendê-lo. Davi, pois, ao traçar uma tácita comparação, acentua a eficácia do testemunho que os céus dão de seu Criador. A essência de sua linguagem é: as diferentes nações diferem umas das outras quanto à linguagem; mas os céus têm uma linguagem comum a ensinar a todos os homens sem distinção, nem há ali alguma coisa além de sua própria displicência a impedir mesmo aqueles que são estranhos uns aos outros, e que vivem nas mais distantes partes do mundo, de beneficiar-se, por assim dizer, da boca do mesmo mestre.

4. Sua composição se estende por toda a terra. Aqui, o escritor inspirado declara como os céus anunciam a todas as nações, indiscriminadamente, isto é, para que os homens, em todos os países e em todas as partes da terra, entendam que os céus são postos diante de seus olhos como testemunhas a testificarem a glória de Deus. Visto que a palavra hebraica, קו *(kav)*, às vezes significa *uma linha*, e às vezes *um edifício*, alguns deduzem dela este significado, a saber, que a composição dos céus sendo ideada de uma maneira regular e, por assim dizer, por um desígnio, proclama a glória de Deus a todas as partes do mundo. Mas visto que Davi, aqui, metaforicamente introduz o esplendor e magnificência dos corpos celestes, como que proclamando a glória de Deus como um mestre num seminário de aprendizagem, seria uma deficiente e inadequada maneira de expressar, dizer que a linha dos céus prossegue até aos confins da terra. Além disso, ele imediatamente adiciona, na cláusula seguinte: que *suas palavras* são por toda parte ouvidas; mas que relação há entre palavras e a beleza de um edifício? Se, contudo, traduzirmos קו *(kav)*, por *composição, escrita*, essas duas coisas se harmonizarão muito bem, primeiro porque a glória de Deus está escrita e impressa nos céus, como num volume aberto no qual todos os homens lêem; e, segundo, porque, ao mesmo tempo, eles emitem uma voz audível e distinta, a qual alcança os ouvidos de todos os homens e se faz ouvir por toda parte.[7] Assim somos ensinados que a linguagem da qual se fez menção antes é, como posso chamá-la, uma linguagem visível, noutros termos, linguagem que se dirige à visão; pois é aos olhos humanos que os céus falam, não aos seus ouvidos; e assim Davi com razão compara a bela ordem e arranjo, pelos quais os corpos celestes se distinguem, a uma escrita. Que a palavra hebraica, קו (*kav*), significa uma linha escrita,[8] é suficientemente evidente à luz de Isaías 28.10, onde Deus, comparando os judeus a filhos que ainda não atingiram a idade suficiente para fazer grande proficiência, se expressa assim: "Porque é preceito sobre preceito, preceito sobre preceito; regra sobre regra, regra sobre regra; um pouco aqui, um pouco ali." Em minha opinião, portanto, o significado é que a glória de Deus não está escrita em letras pequenas e obscuras, mas gravada ricamente em caracteres grandes e luminosos, de modo que todas as pessoas podem lê-los, e lê-los com muita facilidade.

Até aqui me pus a explicar o significado genuíno e próprio do escritor inspirado. Alguns têm torcido esta parte do Salmo, imprimindo-lhe uma interpretação alegórica; meus leitores, porém, facilmente perceberão que tal procedimento é destituído de razão. Desde o início demonstrei, e é também evidente à luz do escopo de todo o discurso, que Davi, antes de apresentar a lei, põe diante de nós a estrutura do mundo, a fim de que possamos visualizar a glória de Deus. Ora, se entendermos os céus como que significando apóstolos, e o sol, Cristo, não mais haverá lugar para a divisão sobre a qual temos falado; e, além disso, seria uma ordem imprópria colocar o evangelho em primeiro plano, para depois colocar a lei. É muitíssimo evidente que o poeta inspirado, aqui, está a tratar do conhecimento de Deus, o qual é naturalmente apresentado a todos os homens deste mundo como num espelho. Portanto, eu me abstenho de continuar discursando sobre este ponto.

---

7 "Et se fait ouir en tous endroits." – v.f.
8 A redação na Bíblia de Genebra em inglês é: "Sua linha avança através de toda a terra, e suas palavras até aos confins do mundo." A nota marginal, explicando isso, é: "Os céus são como uma composição de grandes letras maiúsculas para mostrar-nos a glória de Deus."

Entretanto, visto como esses intérpretes alegóricos têm apoiado seus conceitos nas palavras de Paulo, tal dificuldade pode ser removida. Paulo, ao discorrer sobre a vocação dos gentios, delineia isto como um princípio estabelecido, ou seja: "Todo aquele que invocar o nome do Senhor será salvo." E então acrescenta que é impossível alguém invocá-lo até que o conheça mediante a pregação do evangelho. Visto, porém, que aos judeus parecia que Paulo cometia certo gênero de sacrilégio ao publicar a promessa de salvação aos gentios, ele pergunta se os gentios mesmos não tinham ouvido. E responde, citando esta passagem, de que havia uma escola aberta e acessível a eles, na qual pudessem aprender a temer a Deus e a servi-lo, visto que "a escrita[9] dos céus *avança por toda a terra*, e suas palavras até aos confins do mundo" [Rm 10.18]. Paulo, porém, não podia ainda dizer que realmente a voz do evangelho foi ouvida pelo mundo inteiro pelos lábios dos apóstolos, uma vez que ele havia até então alcançado apenas uns poucos países. A pregação dos demais apóstolos certamente não havia então se estendido para além das partes mais distantes do mundo, senão que estava confinada dentro das fronteiras da Judéia.

Não é difícil de se compreender o propósito do apóstolo. Ele tencionava dizer que Deus, desde os tempos antigos, manifestara sua glória aos gentios, e que tal fato era o prelúdio àquela instrução mais ampla que um dia lhes seria publicada. E embora o povo eleito de Deus, por algum tempo, estivera numa condição distinta e separada da dos gentios, não se deve achar estranho que Deus por fim se fizesse conhecido indiscriminadamente a ambos, visto que até então ele os unira a si por certos meios que eram comuns a ambos. Como Paulo diz em outra passagem: quando Deus "nos tempos passados permitiu que todas as nações andassem em seus próprios caminhos" [At 14.16]. Donde concluímos que, os que têm imaginado que Paulo apartou-se do sentido genuíno e próprio das palavras de Davi estão grosseiramente equivocados. O leitor entenderá esse fato ainda mais claramente,

---

9 Paulo usa "seu som", citando a Septuaginta, versão do Velho Testamento então primordialmente em uso, e emprega aqui a palavra φθόγγος.

lendo meus comentários sobre a passagem de Paulo, supra.
Neles pôs um tabernáculo [ou pavilhão] para o sol. Visto que Davi, de toda a estrutura do mundo, escolheu os céus, nos quais pudesse exibir à nossa vista uma imagem de Deus, já que ali ela é mais distintamente percebida, precisamente como uma pessoa é melhor vista quando se põe num ponto elevado, assim agora ele nos mostra o sol como que colocado numa posição mais elevada, para que em sua maravilhosa resplandecência a majestade de Deus se exiba mais magnificentemente do que em todo o resto. Os demais planetas, é verdade, têm também seus movimentos, e como foram designados os circuitos dentro dos quais prosseguissem sua trajetória,[10] e o firmamento, seguindo sua própria evolução, retrata consigo todas as estrelas fixas, mas teria sido perda de tempo para Davi haver ensinado os segredos da astronomia ao rude e iletrado; e, portanto, ele reputou ser suficiente falar num estilo familiar, para que pudesse acusar o mundo inteiro de ingratidão caso, ante a visão do sol, não aprendesse o temor e o conhecimento de Deus. Eis, pois, a razão por que ele diz que foi erigida uma tenda ou um pavilhão para o sol, bem como por que ele diz que o sol sai de uma extremidade dos céus e célere passa para a outra extremidade oposta. Ele não discorre aqui em termos científicos (como entre os filósofos se diz que ele o fez) concernente à completa evolução que o sol executa; mas, acomodando-se aos mais rudes e mais obtusos, ele se limita às aparências ordinárias que se apresentam aos olhos; e, por essa razão, ele não fala da outra metade do curso do sol, a qual não aparece em nosso hemisfério. Ele nos propõe três coisas a serem consideradas no sol: o esplendor e a excelência de sua forma; a velocidade com que ele percorre sua trajetória; e o espantoso poder de seu calor. Com o intuito de mais energicamente expressar e magnificar sua inexcedível beleza e, por assim dizer, seu magnificente vestuário, ele emprega a similitude de um noivo. E então adiciona outra similitude, a saber, um herói que participa da lista de corredores

---

10 "Quasi stadia." – versão latina. "Comme des lices ordonnees dedans les quelles elles font leurs courses." – v.f.

que buscam alcançar o prêmio do concurso. A rapidez daqueles que, nos tempos antigos, pelejavam no estádio, quer em carruagens, quer a pé, era fenomenal. E ainda que ela nada era em comparação com a velocidade como que o sol se move em sua órbita, todavia Davi, entre tudo quanto observara das habilidades ordinárias dos homens, não encontrara nada que mais se assemelhasse a ele [o sol].

Há quem pense que a terceira cláusula, onde fala do calor do sol, deve ser entendida em relação ao seu calor vegetativo, segundo é chamado; noutros termos, pelo qual os corpos vegetativos que estão na terra extraem seu vigor, sustento e crescimento.[11] Todavia não creio que esse sentido se adeqüe à passagem. É realmente uma obra maravilhosa de Deus e uma proeminente evidência de sua benevolência que a poderosa influência do sol, penetrando na terra, a torne frutífera. Visto, porém, que o salmista diz que *ninguém ou nada se esconde de seu calor*, sinto-me, antes, inclinado a entendê-lo como sendo o violento calor que queima os homens e outras criaturas vivas, tanto quanto as plantas e árvores. No tocante ao vivificante calor do sol, pelo qual nos sentimos revigorados, ninguém deseja privar-se dele.

[vv. 7-9]
A lei do Senhor[12] é perfeita, restaurando a alma; o testemunho de Jehovah é fiel [ou verdadeiro], instruindo os nenens[13] em sabedoria. Os estatutos de Jehovah são retos, regozijando o coração; o mandamento do Senhor[14] é puro, iluminando os olhos. O temor de Jehovah é límpido, permanecendo eternamente; os juízos de Jehovah são verdadeiros e juntamente justificados.

7. A lei do Senhor. Aqui tem início a segunda parte do Salmo. Depois de haver mostrado que as criaturas, ainda que não falem, não obstante servem como instrutoras a todo o gênero humano, e ensinam

---

11 "Aucuns l'entendent de sa chaleur vegetative, qu'on appelle, c'est à dire par laquelle ces choses basses ont vigueur, sont maintenues, et pronent accroissement." – v.f.
12 Aqui nosso autor usa Dominus, mas no texto hebraico temos יהוה, *Yehovah* [*Jeová*].
13 Na Bíblia de Tyndale a redação é: "E dá sabedoria aos nenens." *Nenens* é a palavra empregada na maioria das versões.
14 No texto hebraico temos יהוה, *Yehovah*.

a todos os homens tão claramente que existe um Deus, que os deixam inescusáveis, o salmista agora se volve para os judeus, a quem Deus havia comunicado um conhecimento mais pleno de si mesmo por meio de sua palavra. Enquanto os céus dão testemunho acerca de Deus, seu testemunho não guia os homens ao ponto de, por meio deles, aprenderem a temê-lo realmente e adquirirem um sólido conhecimento dele. Tal testemunho só serve para deixá-los indesculpáveis. É realmente verdade que, se não fôssemos tão obtusos e estúpidos, as assinaturas e provas da Deidade que se encontram no teatro do mundo são suficientemente abundantes para incitar-nos ao reconhecimento e reverência de Deus; mas visto que, embora circundados com uma luz tão vívida, somos, não obstante, cegos, essa esplêndida representação da glória de Deus, sem o auxílio da palavra, de nada nos aproveitaria, ainda que ela seja para nós uma audível e distinta proclamação a soar em nossos ouvidos. Conseqüentemente, Deus se digna conceder graça especial àqueles a quem determinou chamar para a salvação, justamente como nos tempos antigos, enquanto concedia a todos os homens, sem exceção, evidências de sua existência, em suas obras, ele comunicava sua lei exclusivamente aos filhos de Abraão, para, por esse meio, dotá-los de um conhecimento mais definido e íntimo de sua majestade. Donde se segue que os judeus estão atados a uma dupla obrigação de servir a Deus. Visto que os gentios, a quem Deus falou somente pelas mudas criaturas, não têm justificativa de sua ignorância, quanto menos tolerável será a negligência de quem ouve a voz que procede de seus próprios lábios sacros! O propósito, pois, que Davi, aqui, tem em vista consiste em incitar os judeus, a quem Deus uniu a si por um laço muito mais sagrado, a prestar-lhe obediência com uma afeição muito mais espontânea e alegre. Além do mais, sob o termo *lei* ele não só significa a regra de um viver íntegro, ou os Dez Mandamentos, mas também compreende o pacto pelo qual Deus distinguira aquele povo do resto do mundo, bem como toda a doutrina de Moisés as partes que subseqüentemente enumera sob os termos *testemunhos, estatutos* e outros títulos. Esses títulos e recomendações, pelos quais ele enaltece a dignidade e excelência da Lei, não se coadunariam só com os Dez Mandamentos, a menos que houvesse, ao mesmo tempo, associadas a eles a gratuita adoção e as promessas das quais ela depende; e, em suma, todo o corpo de doutrina do qual a verdadeira religião e a autêntica piedade consistem. Quanto às palavras hebraicas que são aqui usadas, não dependerei de muito tempo em procurar imprimir-lhes com exatidão o significado particular de cada uma delas, visto que ele é tão facilmente deduzível de outras passagens, que as mesmas são às vezes confundidas ou usadas indiferentemente. עדות (*eduth*), a qual traduzimos por *testemunho*, é geralmente tomada por *pacto*, no qual Deus, de um lado, prometeu aos filhos de Abraão que seria seu Deus, e, do outro, requeria fé e obediência da parte deles. Ela, portanto, denota pacto mútuo feito entre Deus e seu antigo povo. A palavra פקודים (*pikkudim*), em cuja tradução, *estatutos*, tenho seguido outros, é restringida por alguns a cerimônias; em minha opinião, porém, indevidamente. Pois descubro que em muitos lugares ela é geralmente tomada por ordenanças e editos. A palavra מצוה (*mitsvah*), que vem imediatamente a seguir, e a qual traduzimos por *mandamento*, tem quase o mesmo significado. Quanto às demais palavras, considerá-las-emos em seus respectivos lugares.

A primeira recomendação da lei de Deus consiste em que ela é *perfeita*. Com essa palavra Davi quer dizer que, se uma pessoa é devidamente instruída na lei de Deus, ela não carece de nada que seja indispensável à perfeita sabedoria. Não há dúvida de que nos escritos dos autores pagãos se encontrarão algumas frases verdadeiras e úteis espalhadas aqui e ali; e é igualmente verdade que Deus tem posto nas mentes humanas algum conhecimento de justiça e retidão; em conseqüência, porém, devido à corrupção de nossa natureza, a genuína luz da verdade não será encontrada entre os homens em quem a revelação não é desfrutada, mas apenas certos princípios mutilados que se encontram envolvidos por muita obscuridade e dúvida. Davi, pois, com razão reivindica esse louvor para a lei de Deus, ou seja, que nela há perfeita e absoluta sabedoria.

Quanto *a conversão da alma*, de que ele fala imediatamente a seguir, que sem dúvida subentende sua *restauração*, não sinto qualquer dificuldade em assim traduzi-la. Há alguns que arrazoam com demasiada sutileza sobre esta expressão, explicando-a como se referindo ao arrependimento e regeneração do homem. Admito que a alma não pode ser restaurada pela lei de Deus, sem ser ao mesmo tempo renovada para a justiça; mas devemos considerar qual o significado próprio de Davi, que é o seguinte: visto que a alma transmite vigor e energia ao corpo, assim a lei semelhantemente é a vida da alma. Ao dizer que a alma é restaurada, ele faz alusão ao miserável estado em que todos nós nascemos. Indubitavelmente, ainda sobrevivem em nós alguns resquícios da primeira criação; visto, porém, que nenhuma parte de nossa constituição está isenta de contaminação e impureza, a condição da alma, assim corrompida e depravada, difere muito da morte e se inclina totalmente para a morte. Portanto, necessário se faz que Deus empregue a lei como antídoto para restaurar-nos à pureza. Não que a letra da lei possa por si só fazer isso, como será subseqüentemente demonstrado mais extensamente, mas porque Deus emprega sua palavra como instrumento para a restauração de nossas almas.

Quando o salmista declara: **O testemunho de Jehovah é fiel**, é uma repetição da frase precedente, de modo que *a integridade* ou *perfeição da lei e a fé plenária* ou *verdade de seu testemunho*, significam a mesma coisa; isto é, que quando nos entregamos para sermos guiados e governados pela palavra de Deus, não corremos nenhum risco de desviar-nos, visto que esta é a vereda pela qual ele seguramente guia seu próprio povo à salvação. *Instrução em sabedoria* parece, aqui, ser adicionada como o princípio da restauração da alma. O entendimento é o dote mui excelente da alma; e Davi nos ensina que ele se deriva da lei, pois somos naturalmente destituídos dele. Pela palavra *nenens*, ele não deve ser interpretado como a indicar alguma classe particular de pessoas, como se outros fossem suficientemente e por si mesmos sábios; mas com isso ele nos ensina, em primeiro lugar, que ninguém é dotado com o reto entendimento enquanto não fizer progresso no estudo da lei. Em segundo lugar, ele mostra com isso que gênero de estudantes Deus requer, a saber, aqueles que consideram a si próprios como estultos [1 Co 3.18] e que descem à categoria de criancinhas, para que a indolência de seu próprio entendimento não os impeça de dedicar-se, com um espírito de total docilidade, ao estudo da palavra de Deus.

8. Os estatutos de Jehovah são retos. À primeira vista pode parecer que o salmista está a pronunciar um sentimento meramente trivial, ao chamar os estatutos do Senhor de *retos*. Se, contudo, considerarmos mais atentamente o contraste que, sem dúvida, ele faz entre a retidão da lei e as formas fraudulentas com que os homens se enleiam quando seguem seu próprio entendimento, seremos convencidos de que esta recomendação implica muito mais do que à primeira vista pode parecer. Sabemos o quanto cada um é devotado a si próprio e quão difícil é erradicar de nossa mente a vã confiança em nossa própria sabedoria. Portanto, é de grande importância estar bem convicto desta verdade de que a vida de um homem não pode ser corretamente ordenada a menos que ela seja moldada segundo a lei de Deus, e que sem isso ele não pode fazer outra coisa senão vaguear por labirintos e por trilhos tortuosos.

Davi acrescenta, em segundo lugar, que **os estatutos de Deus alegram o coração**. Isso implica que não há outra alegria que seja verdadeira e sólida senão aquela que procede de uma boa consciência; e desta nos tornamos partícipes quando somos profundamente persuadidos de que nossa vida é agradável e aceitável a Deus. Sem dúvida, a fonte da qual a genuína paz de consciência flui é aquela fé que graciosamente nos reconcilia com Deus. Mas, para os santos que servem a Deus com verdadeiro afeto de coração, aí nasce também uma inaudita alegria, à luz do conhecimento de que não laboram em vão em seu serviço, ou sem a esperança de recompensa, visto que têm a Deus como o juiz e aprovador de sua vida. Em suma, esta alegria é posta em oposição a todas as fascinações e prazeres do mundo, os quais são um engodo letal, atraindo as desditosas almas à sua perdição eterna. A conseqüência da linguagem do salmista é a seguinte: Aqueles que se deleitam em cometer pecado atraem sobre si fartos meios de sofrimento; mas a observância da lei de Deus, ao contrário, produz no homem perene e genuína alegria.

No final do versículo, o salmista nos ensina que **o mandamento de Deus é puro, iluminando os olhos**. Por isso ele nos leva a tacitamente entender que é tão-somente nos mandamentos de Deus que encontramos estabelecida a diferença entre o bem e o mal, e que é debalde buscá-la em outra parte, visto que tudo quanto o homem engendra para si não passa de mera imundícia e refugo, corrompendo a pureza da vida. Ele enfatiza ainda mais que os homens, com toda a sua astúcia, são cegos, sempre vagueando nas trevas, até que volvam seus olhos para a luz da doutrina celestial. Daqui se segue que ninguém é verdadeiramente sábio senão aqueles que fazem de Deus seu condutor e guia, seguindo a vereda que ele lhes designou, e que vivem diligentemente cultivando aquela paz que se lhes oferece e se lhes apresenta em sua palavra.

Aqui, porém, suscita-se uma pergunta um tanto difícil, porquanto Paulo parece destruir inteiramente essas recomendações da lei, as quais Davi aqui recita. Como é possível que haja harmonia entre estes fatos: que a lei restaura as almas dos homens, enquanto que, por outro lado, ela é uma letra morta e mortífera? Que alegra o coração dos homens, e no entanto, ao gerar o espírito de escravidão, os estremece com terror? Que ilumina os olhos, e no entanto, ao estender um véu diante de nossas mentes, exclui a luz que deveria penetrá-las? Em primeiro lugar, porém, devemos lembrar o que já demonstrei ao leitor no início, ou seja, que Davi não fala simplesmente dos preceitos da Lei Moral, mas compreende o pacto como um todo, pelo qual Deus adotou os descendentes de Abraão para que fossem seu povo peculiar; e, portanto, à Lei Moral – a regra do bom viver – ele junta as graciosas promessas de salvação, ou, melhor ainda, Cristo mesmo, em quem e sobre quem esta adoção se fundamenta. Paulo, porém, ao tratar com pessoas que haviam pervertido e abusado da lei, e a separaram da graça e do Espírito de Cristo, faz referência ao ministério de

Moisés visto meramente em si mesmo e segundo a letra. É certo que, se o Espírito de Cristo não vivificar a lei, ela não só será sem proveito algum, mas também letal a seus discípulos. Sem Cristo nada há na lei senão inexorável rigor, a qual denuncia a todo gênero humano como digno da ira e maldição de Deus. E, além do mais, sem Cristo, cá dentro de nós permanece a rebelião da carne, a qual acende em nossos corações o ódio por Deus e por sua lei, e disso procede aquela angustiante escravidão e pavoroso terror de que fala o apóstolo. Esses diferentes prismas pelos quais a lei pode ser vista facilmente nos revelam o método de conciliar essas passagens de Paulo e Davi, as quais à primeira vista parecem ser contraditórias. O propósito de Paulo era mostrar o que a lei pode fazer por nós, considerada intrinsecamente; ou seja, o que ela pode fazer por nós quando, sem a promessa da graça, ela estrita e rigorosamente exige de nós o dever que devemos a Deus; Davi, porém, ao enaltecê-la, como faz aqui, fala de toda a doutrina da lei, a qual inclui também o evangelho; e, portanto, sob a lei ele compreende a Cristo.

9. O temor de Jehovah é límpido. Pela expressão, *temor de Deus*, devemos compreender, aqui, o modo no qual Deus deve ser servido; e portanto é tomada em um sentido ativo para a doutrina que nos prescreve o modo como devemos temer a Deus. A forma na qual geralmente os homens manifestam seu temor a Deus consiste em inventar falsas religiões e um culto pervertido; e ao proceder assim, eles ainda mais provocam sua ira. Aqui, portanto, Davi indiretamente condena essas corruptas invenções sobre as quais os ímpios se atormentam em vão,[15] e as quais com freqüência sancionam a impureza; e em oposição a elas ele com razão afirma que na observância da lei há uma isenção da própria coisa que se corrompe. Ele acrescenta que *ela dura para sempre*; como se quisesse dizer: Eis o tesouro da felicidade eterna. Vemos como o gênero humano, sem pensar bem no que está fazendo, persegue, com impetuosos e ardentes afetos, as coisas transitórias

---

15 "Apres lesquelles les hommes se tormentent em vain." – v.f.

deste mundo. Mas, ao agarrarem-se à sombra vazia de uma vida feliz, perdem a genuína felicidade. Na segunda cláusula, ao qualificar os mandamentos de Deus de *verdade*, Davi mostra que tudo quanto os homens empreendem fazer, seguindo a mera sugestão de suas próprias mentes, sem sentir qualquer consideração pela lei de Deus, como uma regra, é errado e falso. E, de fato, ele não poderia ter-nos instigado mais eficazmente a amar e a zelosamente viver segundo a lei do que nos ministrando esta advertência, ou seja, que todos os que ordenam sua vida, sem demonstrar qualquer respeito pela lei de Deus, estão enganando a si próprios e seguindo após meras ilusões.

Aqueles que explicam a palavra *juízos*, como se referindo somente aos mandamentos da segunda tábua, estão, a meu ver, equivocados. Pois o propósito de Davi era recomendar, sob uma variedade de expressões, as vantagens que os fiéis recebem da lei de Deus. Ao dizer: **são juntamente justificados**, sua intenção é a seguinte: Eles são todos justos, do maior ao menor, sem exceção alguma. Com essa recomendação ele distingue a lei de Deus de todas as doutrinas dos homens, porquanto não se pode encontrar qualquer mácula ou falha nela, senão que ela, em todos os pontos, é absolutamente perfeita.

[vv. 10, 11]
São mais desejáveis do que o ouro, sim, do que muito ouro refinado; também mais doces do que o mel e o depurar dos favos.[16] Além do mais, por eles teu servo se faz judicioso; e em os guardar há grande recompensa.

10. São mais desejáveis do que o ouro. O salmista agora enaltece a lei de Deus, tanto em função de seu valor quanto de sua doçura. Esta recomendação depende das recomendações apresentadas nos versículos anteriores; pois as muitas e grandes vantagens que ele está justamente agora a enumerar devem merecidamente levar-nos a considerar a verdade celestial como o mais elevado e o mais excelente tesouro, e a desprezar, quando com ele comparado, todo o ouro e

---

16 "Et ce qui distille des rais de miel." – v.f.

prata do mundo. Em vez da expressão, *fino ouro*, que os latinos têm chamado, *Aurum obryzum*,[17] alguns traduzem a palavra hebraica por *uma jóia* ou *pedras preciosas*,[18] mas a outra tradução é mais geralmente aceita, ou seja, *fino ouro* [*ouro refinado*], isto é, ouro que é puro e bem refinado na fornalha; e há muitas passagens na Escritura pelas quais essa tradução é confirmada.[19] A palavra hebraica, פז (*paz*), se deriva de פזה (*pazah*), que significa *fortalecer*,[20] donde podemos conjecturar que o salmista não pretendia dizer o ouro de algum país específico, como se quisesse dizer o ouro de Ofir, mas ouro completamente refinado e purificado pela arte. No tocante a פז (*paz*), que se deriva do nome de um país que, ao contrário, aparece à luz de Jeremias 10.9, que a terra de Ufaz extraiu seu nome desta palavra hebraica, visto que ali havia minas do mais fino ouro. Quanto à origem da palavra *obrizum*, que os latinos têm usado, não podemos dizer coisa alguma com certeza, exceto que, segundo a conjectura de Jerônimo, significa *trazido da terra de Ofir*, como se houvera dito: *aurum Ophrizum*. Em suma, o sentido consiste em que não valorizamos a lei como a mesma merece, se não a preferimos a todas as riquezas do mundo. Se porventura uma vez fomos conduzimos a dedicar à lei a mais elevada apreciação, então ela servirá eficazmente para libertar nossos corações daquela imoderada sede pelo ouro e pela prata. A esse apreço à lei deve adicionar-se amor por ela, deleite nela, de modo tal que ela não só nos persuada à obediência pelo constrangimento, mas também nos fascine por sua doçura; fato esse impossível, a menos que, ao mesmo tempo, tenhamos mortificado em nós o amor pelos prazeres carnais, com os quais não surpreende que nos vejamos seduzidos e emaranhados, enquanto rejeitarmos, por depravada degustação, a justiça de Deus. À luz

---

17 "Lequel les latins ont nommé *Aurum obryzum*." – v.f.
18 A tradução da Septuaginta é: λιθον τιμιον, *pedras preciosas*; e no Salmo 119.127, ela traduz a mesma palavra hebraica por τοπαζιον, *um topázio*, que é uma pedra preciosa. Essa última palavra grega, segundo Hesychius, é derivada da palavra hebraica, פז, *paz*.
19 A palavra é evidentemente usada no Salmo 21.3 e Jó 28.17 para *fino ouro*.
20 Ou *consolidar*; e daí פז, *paz*, significa *ouro sólido* ou *ouro bem purificado*; pois quanto mais é ele purificado, mais sólido se torna, e, conseqüentemente, de maior peso e valor.

desse fato podemos uma vez mais deduzir outra evidência, a saber, que o discurso de Davi não deve ser subentendido simplesmente dos mandamentos e da letra morta, senão que ele compreende, ao mesmo tempo, a promessa pela qual a graça de Deus nos é oferecida. Se a lei nada mais fez senão ordenar-nos, como poderia ela ser amada, visto que, ao ordenar, ela nos terrifica, uma vez que todos nós falhamos em observá-la?[21] Com toda certeza, se separarmos a lei da esperança do perdão e do Espírito de Cristo, deixando de provar que ela é doce como o mel, então, ao contrário, encontraremos nela aquela amargura capaz de matar nossas desditosas almas.

11. Além do mais, por eles teu servo se faz judicioso. Essas palavras podem ser estendidas, em termos gerais, a todo o povo de Deus. Mas devem ser subentendidas apropriadamente como que aplicando-se à pessoa de Davi, e por meio delas ele testifica que conhecia bem, de experiência própria, tudo o que havia afirmado nos versículos precedentes acerca da lei. Ninguém jamais falaria legítima e absolutamente sério da verdade celestial, a não que a tivesse profundamente estabelecida em seu próprio coração. Davi, portanto, reconhece que toda e qualquer prudência que tivesse em regular e moldar sua vida corretamente, ele se sentiria endividado em relação à lei de Deus. Entretanto, embora seja propriamente de si mesmo que ele fala, no entanto por intermédio de seu próprio exemplo, ele estabelece uma regra geral, ou seja, que se alguém deseja ter um método próprio para governar bem sua vida, a lei de Deus é a única perfeitamente suficiente para tal propósito; mas que, ao contrário, assim que as pessoas se apartam dela, são passíveis de cair em infindáveis erros e pecados. Deve observar-se que Davi, ao volver imediatamente seu discurso à pessoa de Deus, apela para ele como testemunha do que havia dito, com o intuito de mais eficazmente convencer os homens de que ele fala sinceramente, dos recessos de seu coração.

---

21 "Veu qu'en commandant elle nous espouante, à cause que nous defaillons tous en l'observation d'icelle?" – v.f.

Visto que a palavra hebraica, זהר (*zahar*), a qual traduzi por *se fez judicioso*, significa *ensinar*, tanto quanto *pôr-se alguém em guarda*, alguns a traduzem, neste lugar, por *Teu servo é instruído* ou *advertido pelos mandamentos da lei*. A sentença, porém, implica muito mais, ou seja, quando ela é vista no sentido em que, ao entregar-se a Deus para ser governado por ele, Davi se tornou judicioso e cauteloso. Portanto, esta tradução parece-me a preferível.

Na segunda cláusula, o salmista declara que todo aquele que se entrega a Deus para observar a norma de justiça que ele prescreve, não perde seu tempo em lutar, visto que granjeia para si um grande e rico galardão: **Em guardá-los há grande recompensa**. Davi não está de forma alguma a recomendar a lei quando diz que nela Deus entra em aliança conosco e, por assim dizer, se obriga a recompensar nossa obediência. Ao requerer de nós tudo o que está contido na lei, ele nada demanda senão o que possui por direito; todavia, tal é a livre e imerecida liberalidade divina, que Deus promete a seus servos uma recompensa, a qual, no tocante à retidão, ele não lhes deve. As promessas da lei, é verdade, são feitas em vão em decorrência de nossa deficiência, pois nem mesmo aquele que se revela mais proficiente entre nós chega perto da plena e perfeita justiça; e os homens não podem esperar recompensa alguma por suas obras até que tenham perfeita e plenamente satisfeito os requerimentos da lei. E assim estas duas doutrinas se harmonizam perfeitamente: primeiro, que a vida eterna será dada como pagamento das obras àquele que cumpre a lei em todos os seus requisitos; e, segundo, que a lei, não obstante, pronuncia uma maldição contra todos os homens, já que toda a família humana se encontra destituída da justiça proveniente das obras.

Isso evidentemente transparece no versículo que se segue. Davi, depois de ter celebrado esse benefício da lei – que ela oferece um rico galardão aos que servem a Deus –, imediatamente muda seu discurso, e clama: *Quem pode discernir seus erros?* – pelo quê ele denuncia a todos os homens como passíveis de morte eterna, e assim destrói totalmente toda a confiança que os homens porventura se disponham em depositar no mérito proveniente de suas obras. Pode objetar-se que esta recomendação – *em guardar* esses mandamentos há grande recompensa – é vãmente atribuída à lei, visto que não contém qualquer efeito. A resposta é simples, ou seja: visto que no pacto de adoção se acha incluso o perdão gratuito dos pecados, para o qual requer-se a imputação da justiça, Deus concede uma recompensa às obras de seu povo, ainda que, no tocante à justiça, ela não lhes é devida. O que Deus promete na lei aos que perfeitamente a obedecem, os crentes autênticos obtêm por sua graciosa liberalidade e paternal munificência, visto que ele aceita para a perfeita justiça seus santos desejos e fervorosos esforços para a obediência.

[vv. 12-14]
Quem pode discernir seus erros?[22] Purifica-me tu de meus pecados secretos. Guarda teu servo também dos pecados de presunção,[23] para que eles não se assenhoreiem de mim; então serei irrepreensível e limpo de muita perversidade.[24] Que as palavras de minha boca, e as meditações de meu coração, sejam aceitáveis à tua vista, ó Jehovah, minha força e meu redentor.

12. Quem pode discernir seus erros? Esta exclamação nos revela que uso devemos fazer das promessas da lei, as quais têm uma condição a elas apensa. E é esta: Assim que elas vêm a lume, cada pessoa deve examinar sua própria vida, e comparar não só suas ações, mas também seus pensamentos sobre quão perfeita regra de justiça

---

22 "Ses fautes." – v.f. "Suas faltas." "Erreurs ou ignorances." – versão francesa marginal. "Erros ou ignorâncias."

23 A palavra que nosso autor usa denota literalmente *arrogâncias* ou *soberba*; e essa é também a tradução literal da palavra hebraica aqui usada. Calvino tem a seguinte nota explicativa na margem da versão francesa, para *arrogâncias*: "Pechez commis par contumace et rebellion." "Isto é, pecados cometidos obstinada e rebeldemente."

24 *De muita perversidade*. Esta tradução comunica o sentido preciso do que Davi pretendia. Ele estava receoso de incorrer em culpa acumulada. Em nossa versão inglesa temos "a grande transgressão", sobre a qual Walford observa: "A inserção do artigo definido 'a' não é autorizada pelo original, e leva a uma suposição incorreta, como sendo algum crime definido, tal como "o pecado contra o Espírito Santo"."

se acha estabelecida na lei. E assim sucederá que todos, do menor ao maior, visto que se acham privados de toda e qualquer esperança de recompensa proveniente da lei, sentir-se-ão constrangidos a buscar refúgio na mercê divina. Não basta considerar o que a doutrina da lei contém; devemos também olhar para dentro de nós, a fim de vermos quão pouca obediência temos exercido para com a lei. Sempre que os papistas ouvem esta promessa: "Aquele que pratica essas coisas por elas viverá" [Lv 18.5], não hesitam a imediatamente conectar vida eterna com o mérito procedente de suas obras, como se estivesse em seu próprio poder cumprir a lei, da qual somos todos transgressores, não só num ponto, mas em todas as suas partes. Davi, pois, sentindo-se emaranhado como se estivesse circundado por um labirinto, reconhece com espanto que se acha tragado pela consciência da multidão de seus pecados. Devemos, pois, lembrar em primeiro lugar que, visto estarmos destituídos daquela justiça que a lei requer, estamos, por isso, excluídos da esperança de receber o galardão que a lei prometera. E, em segundo lugar, que somos culpados perante Deus, não de uma falta ou de duas, mas de pecados inumeráveis, de modo que devemos, com a mais amarga tristeza, deplorar nossa depravação, a qual não só nos priva da bênção divina, mas também converte nossa vida em morte. Isso Davi fez. Indubitavelmente, depois de haver dito que Deus liberalmente oferece uma recompensa a todos quantos observarem sua lei, então pergunta: *Quem pode discernir seus erros?*, movido pelo terror de ponderar sobre seus pecados.

Pela palavra hebraica, שגיאות (*shegioth*), a qual traduzimos por *erros*, alguns crêem que Davi quer dizer as faltas menores. Em minha opinião, porém, sua intenção era simplesmente dizer que Satanás possui tantos engenhos pelos quais ilude e cega nossas mentes, que não há sequer uma pessoa que conheça uma centésima parte de seus próprios pecados. Os santos, é verdade, às vezes ofendem em questões mínimas, movidos por ignorância e inadvertência. Mas sucede também que, vendo-se emaranhados nas malhas de Satanás, não percebem mesmo as mais grosseiras faltas que estão a cometer. Conseqüentemente, todos os pecados, na prática dos mesmos os homens perdem totalmente as rédeas, perdendo também aquela sensibilidade para com o mal que ora os domina, e sendo enganados pelas fascinações da carne, são merecidamente incluídos na palavra hebraica aqui usada por Davi, a qual significa *faltas* ou *ignorâncias*.[25] Ao convocar a si e a outros a comparecerem perante o tribunal divino, ele adverte a si e aos demais dizendo que embora suas consciências não os condenem, contudo não estão por isso absolvidos; pois Deus vê muito mais claramente do que vêem as consciências humanas, já que, mesmo os que olham mui atentamente para dentro de si, não percebem uma grande porção de seus pecados, dos quais se acham culpados.

Depois de fazer essa confissão, Davi adiciona uma oração pelo perdão: **Purifica-me tu de meus pecados secretos**. O verbo *purificar* é uma referência, não à bênção da regeneração, mas ao perdão gratuito; pois o verbo hebraico, נקה (*nakah*), aqui usado, é oriundo de uma palavra que significa *ser inocente*. O salmista explica mais claramente o que pretendia com o termo *erros*, qualificando-os agora de *pecados secretos*. Equivale dizer: aqueles pecados a respeito dos quais os homens se equivocam, crendo que não são pecados, e que por isso se enganam não só propositadamente e por expressamente quererem agir assim, mas porque não ponderam devidamente na majestade do juízo divino. E é debalde pretendermos justificar-nos sob o pretexto e escusa de ignorância. Nem é de qualquer valia fecharmos os olhos para nossas faltas, visto que ninguém é competente juiz de sua própria causa. Portanto, não devemos jamais reputar-nos como sendo puros e inocentes, até que sejamos pronunciados como tais pela sentença divina de absolvição ou desobrigação. As faltas das quais não temos consciência, inevitavelmente estão sujeitas ao exame do juízo divino e nos fazem sujeitos à condenação, a menos que Deus as apague e as perdoe; e se esse for o caso, como escapará e ficará impune aquele que, além des-

---

25 "Dont à bom droict tous les pechez ausquels les hommes se laschent la bride, pource qu'ils ne sentent pas à bom escient le mal qui y est, et sont deceus par les allechemens de la chair, sont nommez du mot Hebrieu duquel David use yci qui signifie Fautes ou Ignorances." – v.f.

sas, se acha carregado de pecados dos quais ele tem consciência de ser culpado, e por conta dos quais sua própria consciência o compele a julgar-se e a condenar-se? Além do mais, devemos recordar que não somos culpados de apenas uma ofensa, mas estamos submersos numa imensa massa de impurezas. Quanto mais diligentemente alguém se examine, mais prontamente reconhecerá com Davi que, se Deus fosse pôr a descoberto nossas faltas secretas, seria encontrado em nós um tão imenso abismo de pecados que não se encontraria, por assim dizer, nem fundo nem barranco;[26] pois ninguém será capaz de compreender de quantas formas é ele culpado aos olhos de Deus. Desse fato se faz evidente também que os papistas são fascinados e culpados da mais peçonhenta hipocrisia, quando pretendem que podem fácil e rapidamente juntar num só pacote todos os seus pecados, e isso uma vez ao ano. O decreto do Concílio de Latrão ordena a cada um que confesse todos os seus pecados uma vez a cada ano, e ao mesmo tempo declara que não há qualquer esperança de perdão, senão mediante o assentimento a esse decreto. Conseqüentemente, os religiosos cegos, quando vão ao confessionário, murmuram seus pecados aos ouvidos do sacerdote, acreditando que fizeram tudo quanto lhes é requerido, como se pudessem contar nos dedos todos os pecados que cometeram durante todo o curso de um ano. Enquanto que, mesmo os santos, ao se examinarem detidamente, dificilmente chegariam a conhecer a centésima parte de seus pecados, e assim, a uma só voz com Davi, declaram: *Quem pode discernir seus erros?* Tampouco alegarão que é bastante que cada um cumpra o dever de computar seus pecados usando o máximo de sua capacidade. Isso não ameniza, em qualquer grau, o absurdo desse famoso decreto.[27]

Visto ser-nos impossível fazer o que a lei requer, todos aqueles, cujos corações estão real e profundamente imbuídos do princípio relativo ao temor de Deus, devem necessariamente ser dominados pelo

---

26 "Il se trouvera en nous un tel abysme de pechez, qu'il n'y aura ne fond ne rive, comme on dit." – v.f.
27 "Cela ne diminue en rien l'absurdite de ce beau decret." – v.f.

desespero, enquanto acalentarem a idéia de que são obrigados a enumerar todos os seus pecados a fim de que sejam perdoados. E aqueles que imaginam poder desvencilhar-se de seus pecados por esse meio, devem sentir-se como pessoas completamente dominadas pela obtusidade. Estou consciente de que alguns explicam essas palavras num sentido diferenciado, vendo-as como uma oração, na qual Davi roga a Deus que lhe conceda a orientação do Espírito Santo a fim de restabelecer-se de todos os seus erros. A meu ver, porém, elas devem ser avaliadas, antes, como uma oração pelo perdão, e o que se segue no próximo versículo é uma oração pelo auxílio do Espírito Santo e pelo sucesso em vencer as tentações.

13. Guarda também a teu servo dos pecados de presunção.
Pela expressão, *pecados de presunção*, ele quer dizer transgressões notórias e evidentes,[28] acompanhadas de soberbo desdém e obstinação. Pelo verbo *guardar* ele notifica que tal é a natural propensão da carne para pecar, que mesmo os próprios santos seriam imediatamente impelidos ou precipitados de ponta cabeça no pecado, não fosse Deus, por sua própria vigilância e proteção, guardá-los. Deve observar-se que, enquanto ele se denomina de *servo de Deus*, não obstante reconhece que carecia de freio para que, arrogante e rebeldemente, não se precipitasse em transgredir a lei de Deus. Sendo regenerado pelo Espírito de Deus, ele se vergava, é verdade, sob o peso de seus pecados, mas sabia, em contrapartida, quão profunda é a rebelião da carne e o quanto somos propensos a esquecer-nos de Deus, fato este do qual procede o menosprezo por sua majestade e toda impiedade. Ora, se Davi, que alcançara tanto progresso no temor de Deus, não estava isento do perigo de cometer transgressão, quanto mais a pessoa carnal e não renovada, em quem inumeráveis luxúrias exercem domínio! Como poderia ela refrear-se e deixar-se governar por seu próprio livre-arbítrio? Aprendamos, pois, ainda quando a teimosia de nossa indócil carne se achar já subjugada pela

---

28 Isto é, notórias e evidentes à pessoa que as comete. Ela peca conscientemente.

nossa abnegação, a andar em temor e tremor; pois a menos que Deus nos refreie, nossos corações prorromperão violentamente em soberbo e insolente menosprezo por Deus.

Esse sentido é confirmado pela razão aduzida imediatamente: **para que eles não se assenhoreiem de mim**. Com essas palavras ele expressamente declara que, a menos que Deus o assista, não só será incapaz de resistir, mas também se entregará totalmente ao domínio dos piores vícios. Esta passagem, pois, nos ensina não só que todo o gênero humano está naturalmente escravizado pelo pecado, mas que os próprios fiéis se tornariam também escravos do pecado, caso Deus não os vigiasse incessantemente e não os guiasse na vereda da santidade, fortalecendo-os para perseverarem nela. Há também outra lição útil para a qual temos aqui que atentar, ou seja, que não devemos jamais orar por perdão sem ao mesmo tempo pedir para sermos fortalecidos e fortificados pelo poder de Deus, durante o tempo a seguir, para que as tentações, no futuro, não logrem vantagem sobre nós. E embora sintamos em nossos corações as punções da concupiscência nos aferroando e angustiando, não devemos por essa conta sentir-nos desencorajados. O remédio a que devemos recorrer é a oração, rogando que Deus nos refreie. Sem dúvida, Davi poderia desejar que em seu coração não mais sentisse os estiletes da corrupção; mas sabendo que jamais estaria completamente livre dos resquícios de pecado, até que na morte se despisse dessa natureza corrupta, ele ora para armar-se com a graça do Espírito Santo para o combate, a fim de que a iniqüidade não mais reinasse vitoriosa sobre ele.

No final do versículo há duas palavras a serem analisadas. Davi, ao afirmar: **então serei irrepreensível e limpo de muita perversidade**, ele atribui, em primeiro lugar, à assistência espiritual de Deus a bênção de preservá-lo inocente; e dependendo dela, ele confiadamente se assegura da vitória sobre todos os exércitos de Satanás. Em segundo lugar, ele reconhece que, a menos que seja assistido por Deus, será submerso num imenso lodaçal e precipitado como que num infindável abismo de perversidade. Pois ele diz que, socorrido por Deus, ficará limpo, não de uma ou de duas faltas, mas de muitas. À luz desse fato, segue-se que, enquanto formos proscritos da graça de Deus, não haverá modalidade de pecado em que Satanás não nos enrede. Que essa confissão de Davi, pois, nos vivifique para sermos fervorosos em oração; para que, em meio a tantas e variadas armadilhas, não voltemos a cair em profundo sono nem numa vida de indolência. Além disso, que a outra parte do exercício do salmista predomine em nossos corações – gloriemo-nos com ele, para que, ainda que Satanás nos assalte com seus numerosos e poderosos exércitos, sejamos invencíveis, contanto que tenhamos o auxílio divino e prossigamos, a despeito de toda tentativa hostil, a consolidar nossa integridade.

14. Que as palavras de minha boca, e a meditação de meu coração. Davi pede, ainda mais expressamente, que fosse fortificado pela graça de Deus, e portanto capacitado a viver uma vida reta e santa. Aqui está a substância deste versículo: Rogo-te, ó Deus, não só que eu seja guardado de precipitar-me em atos carnais de transgressão, mas também a moldar minha língua e meu coração para a obediência da lei. Sabemos quão difícil é, mesmo para os mais perfeitos, conter nossas palavras e pensamentos, para que nada passe pelo nosso coração ou boca que seja contrário à vontade de Deus; e no entanto essa pureza interior é o que a lei principalmente requer de nós. Ora, quanto mais rara for essa virtude, quanto mais raro for esse estrito controle do coração e da língua, aprendamos ainda mais a necessidade de nossa vida ser governada pelo Espírito Santo, a fim de regular nosso ser reta e honestamente. Pela palavra, *aceitável*, o salmista mostra que a única regra do bom viver é que os homens se esforcem por agradar a Deus e ser aprovados por ele. As palavras conclusivas, nas quais ele chama Deus, **minha força e meu redentor**, ele emprega para confirmar-se na inabalável confiança de ser atendido em sua súplica.

Salmos 20

Este Salmo contém uma oração comum, proferida pela Igreja em favor do rei de Israel, para que Deus o socorresse em meio aos perigos; e em favor de seu reino, para Deus o mantivesse a salvo e o fizesse prosperar. Pois na pessoa de Davi se acha centrada a segurança e o bem-estar de toda a comunidade. A isso adiciona-se uma promessa, ou seja, que Deus presidirá sobre aquele reino do qual era ele o fundador, e então eficazmente o vigia para assegurar-lhe sua preservação contínua.

Ao mestre de música. Salmo de Davi.

[vv. 1, 2]
Que Jehovah te ouça no dia da angústia! Que o nome do Deus de Jacó te defenda! Que ele te envie socorro desde seu santuário e te sustenha de Sião!

A inscrição revela que o Salmo foi composto por Davi. Mas, embora seja ele seu autor, não há absurdo algum em falar de si mesmo na pessoa de outros. Ao ser-lhe confiado o ofício de profeta, com grande propriedade preparou isto como uma forma de oração para ser usada pelos fiéis. Ao proceder assim, seu objetivo era não tanto recomendar sua própria pessoa, por autoritativamente emitir uma ordenança real impondo ao povo o uso desta oração, como se quisesse mostrar, no exercício de seu ofício como mestre, que pertence à Igreja toda a preocupação por si mesma, e para aplicar seus esforços a fim de que o reino que Deus erigira pudesse continuar seguro e próspero. Muitos intérpretes vêem esta como uma oração para ser oferecida numa ocasião específica; mas com isso não posso concordar. A ocasião de sua composição pode ter se originado, enfim, de alguma batalha específica que estava para deflagrar-se, ou contra os amonitas ou contra algum outro inimigo de Israel. Mas o desígnio do Espírito, em minha opinião, era entregar à Igreja uma forma comum de oração que, como podemos deduzir das palavras, fosse usada sempre que ela se sentisse ameaçada por algum perigo. Deus ordena a seu povo, em geral, que ore pelos reis, mas havia uma razão especial, razão esta que não se aplica a nenhum outro reino pelo qual oração devesse ser feita em favor desse reino; pois foi somente pela mão de Davi e de sua descendência que Deus determinara governar e manter seu povo. Deve observar-se particularmente que, sob a figura desse reino temporário, havia descrito um governo muito mais excelente, do qual toda a alegria e felicidade da Igreja dependem. O objetivo, pois, que Davi tinha expressamente em vista era exortar a todos os filhos de Deus a nutrirem uma santa solicitude pelo reino de Cristo, de modo que os estimulasse à contínua oração em seu favor.

1. Que Jehovah te ouça no dia da angústia. O Espírito Santo, ao introduzir o povo como que a orar para que Deus respondesse às orações do rei, devia ser visto, ao mesmo tempo, como que admoestando os reis sobre seu dever de implorar a proteção divina em todas as suas atividades. Ao dizer, *no dia da angústia*, ele mostra que eles não seriam isentados de angústias, e fez isso para que não se sentissem desencorajados, caso em algum tempo ocorresse se virem expostos a circunstâncias de risco. Em suma, que os fiéis, para que o corpo não se separasse da cabeça, fossem mais unidos em suas súplicas em favor do rei. *O nome de Deus* é expresso aqui em lugar de *o próprio Deus*, e não sem boas razões; pois a essência de Deus, nos sendo incompreensível, convém-nos confiar em seu nome para que sua graça e poder nos sejam mais conhecidos. De seu nome, pois, procede a confiança para invocarmo-lo. Os fiéis desejam que o rei seja protegido e auxiliado por Deus, cujo nome era invocado entre *os filhos de Jacó*. Não posso concordar com aqueles que crêem que aqui se faz menção daquele patriarca, visto que Deus o educara com várias aflições, não diferentes daquelas com que ele testara a seu servo Davi. Sou antes de opinião que, como é usual na Escritura, o povo eleito é subentendido pelo termo *Jacó*. E à luz deste título, *o Deus de Jacó*, os fiéis se animam a orar pela defesa de seu rei; porque um dos privilégios de sua adoção era viver sob a conduta e proteção de um rei posto sobre eles por Deus mesmo. Desse fato podemos concluir, como eu disse previamente, que sob a figura de um reino temporário se nos descreve um governo muito mais excelente.[1] Visto que Cristo, nosso Rei, sendo um Sacerdote eterno, jamais cessa de fazer intercessão junto a Deus, todo o corpo da Igreja deve unir-se com ele em oração;[2] e, além do mais, não podemos alimentar qualquer esperança de sermos ouvidos a não ser que ele vá adiante de nós e nos conduza a Deus.[3] E de nada nos adianta suavizar nossas angústias, imaginando que Jesus Cristo, quando somos afligidos, considera nossas angústias como sendo pessoalmente suas, desde que nós, ao mesmo tempo, tomemos alento e continuemos resolutos e magnânimos na tribulação; o que devemos estar prontos a fazer, visto que o Espírito Santo, aqui, nos previne de que o reino de Cristo estaria sujeito a perigos e tribulações.

2. Que ele te envie socorro. Equivale dizer: que ele do monte Sião te socorra, onde ordenara fosse colocada a arca do concerto e a qual escolhera para sua habitação. A debilidade da carne não suporta que os homens se elevem até ao céu; e, portanto, Deus desce ao encontro deles, e pelos meios externos de sua graça mostra que está perto deles. Assim a arca do concerto era para seu antigo povo um penhor de sua presença, e o santuário, uma imagem do céu. Mas

---

1 "Et de là il nous convient recueillir ce que j'ay dit, que sous la figure d'un regne temporel nous est descrit un gouvernement bien plus excelent." – v.f.

2 Como o povo de Israel aqui se une em oração com e pelo monarca de Israel, a quem podemos retratar em nossas mentes como a retirar-se para o tabernáculo a fim de oferecer sacrifícios, onde esta animada ode era cantada pelos sacerdotes e pelo povo.

3 "Si non qu'il marche devant, et nous conduise à Dieu." – v.f.

visto que Deus, ao designar o monte Sião para ser o lugar onde os fiéis pudessem continuamente adorá-lo, unira o reino e o sacerdócio, Davi, ao pôr nos lábios do povo uma oração pedindo socorro de Sião, indubitavelmente tinha sua atenção voltada para este sacro laço de união. Donde presumo que este Salmo foi composto por Davi em sua velhice e já no extremo de sua vida. Alguns pensam que ele falara de Sião pelo Espírito de profecia antes que ficasse designado que a arca fosse ali colocada ; essa opinião, porém, parece forçada e desfruta de pouca probabilidade.

[vv. 3-5]
Que ele se lembre de todas as tuas oferendas e faça teus holocaustos [ou sacrifícios queimados] de gordura![4] Selah. Que ele conceda segundo teu coração, e cumpra todo o teu conselho! Para que nos regozijemos em tua salvação [ou segurança] e hasteemos uma bandeira em nome de nosso Deus, quando Jehovah cumprir todas as tuas petições.

3. Que ele se lembre. Entendo o verbo *lembrar* no sentido de *ter consideração por*, e assim deve ser entendido em muitos outros lugares; assim como *esquecer* às vezes significa *negligenciar* ou *não dignar-se a considerar, nem mesmo a olhar* para o objeto a que se aplica. Em suma, aqui temos uma oração para que Deus mostrasse realmente que os sacrifícios dos reis lhe eram aceitáveis. Aqui se mencionam dois tipos deles: primeiro, o מנחה (*mincha*), mencionado na primeira cláusula do versículo, o qual era o acompanhante designado de todos os sacrifícios, e o qual era também às vezes oferecido por si mesmo; e, segundo, o holocausto ou a totalidade do sacrifício queimado. Mas sob esses dois tipos Davi pretendia compreender, à guisa de sinédoque, todos os sacrifícios; e sob os sacrifícios ele compreende súplicas e orações. Sabemos que sempre que os pais, sob o regime da lei, oravam, sua esperança de obterem o que pediam estava fundada em seus sacrifícios;

---

4 Isto é, que ele os aceite! As melhores e mais gordas dos redis e dos rebanhos fossem, segundo a ordenação mosaica, oferecidas a Deus, e fossem, conseqüentemente, os sacrifícios que ele mais aprovasse.

e, semelhantemente, hoje nossas orações só são aceitas por Deus com base no fato de que Cristo as asperge e as santifica com o perfume de seu próprio sacrifício. Os fiéis, pois, aqui desejam que as solenes orações do rei, as quais eram acompanhadas com sacrifícios e oblações, tivessem seu efeito no venturoso resultado de suas atividades. Que esse é o significado, pode-se deduzir ainda mais claramente do próximo versículo, no qual eles recomendam a Deus os desejos e conselhos do rei. Mas visto ser absurdo pedir que Deus atenda a desejos tolos e perversos, deve considerar-se como indubitável que há aqui descrito um rei que não era dado à ambição, nem inflamado pela avareza, nem impulsionado pelo desejo de tudo quanto as paixões desregradas comumente sugerem, mas se concentra totalmente na responsabilidade que lhe fora confiada e se devota inteiramente ao avanço do bem público; de modo que nada pede senão o que o Espírito Santo lhe ditou e o que Deus, por sua própria boca, lhe ordenou que pedisse.

5. Para que nos regozijemos em tua salvação. Este versículo pode ser explicado de duas maneiras, além do sentido que ele comporta segundo a tradução que lhe imprimi. Alguns o consideram como uma oração, como se Davi houvera dito: Senhor, faze-nos regozijar. Outros pensam que os fiéis, depois de haverem concluído sua oração, se animam nutrindo boa esperança;[5] ou, melhor, estando já inspirados com uma garantida esperança de sucesso, começam a cantar, por assim dizer, a vitória, ainda quando seja costume de Davi misturar tal tipo de regozijo com suas orações, para com isso incitar-se a continuar mais entusiasticamente sua oração. Mas, com vistas a considerar tudo com mais cuidado, minha opinião é que a intenção aqui era expressar o efeito ou o fruto que resultaria da concessão da graça e favor de Deus, pelos quais o povo orava. E por isso creio ser necessário suprir a lacuna com a partícula *que*, no começo do versículo. Os fiéis, como argumento para obterem o favor divino para seu rei, manifestam a alegria

---

5 Lendo: "Regozijar-nos-emos em tua salvação, e no nome de nosso Deus hastearemos nossas bandeiras."

que todos eles experimentavam em comum, ao vê-la concretizando-se nele, e a ação de graça que de comum acordo lhe renderam. A decorrência de sua linguagem é esta: Não é pela preservação e bem-estar de um só homem que nos sentimos solícitos, e, sim, pela segurança e bem-estar de toda a Igreja.

A expressão, *em tua salvação*, pode referir-se a Deus tanto quanto ao rei; pois a salvação que Deus concede é às vezes chamada *a salvação de Deus*; mas o contexto requer que seja antes entendida em referência ao rei. O povo vivia "debaixo da sombra do rei", para usar as palavras de Jeremias [Lm 4.20]; e por isso os fiéis agora testificam que, à medida que ele estiver a salvo e em prosperidade, todos eles serão alegres e felizes. Ao mesmo tempo, para distinguir sua alegria das danças e regozijo dos pagãos, eles declaram que hasteariam bandeiras em nome de Deus; pois a palavra דגל (*dagal*), aqui usada, significa *hastear* ou *erguer uma bandeira*. O significado consiste em que os fiéis, com agradecido reconhecimento pela graça de Deus, celebrarão seus louvores e triunfos em seu nome.

[vv. 6-9]
Agora sei que Jehovah salvou seu ungido; ele o ouvirá lá dos céus, de seu santuário, na força da salvação de sua destra.[6] Uns confiam[7] em carruagens, e outros, em cavalos; nós, porém, nos lembraremos do nome de Jehovah nosso Deus. Eles se curvam e caem; nós, porém, nos erguemos e ficamos de pé. Salva-nos, ó Jehovah! Que o rei nos ouça no dia em que lhe

---

6 "Ou éspuissances le salut de as dextre." – versão francesa marginal. "Na grandeza da salvação de sua destra." A tradução que Horsley faz é esta: "Nos poderes [ou nas forças] da salvação de sua destra"; e ele vê esta cláusula como uma sentença por si mesma completa. Ele a explica assim: "Em todas as situações de poder e força, tudo o que um homem natural entende por livramento, sua preservação deve ser a obra da mão direita de Deus." "Essa parece", diz ele, "ser a melhor explicação desta frase, a qual por si só é uma cláusula, não uma parte da frase precedente; ישע é um substantivo, o sujeito do verbo que subentende um substantivo. As carruagens e os cavalos mencionados no próximo versículo são explicativos de גברה nesta frase, e tudo o que se segue deste Salmo é uma ampliação desse sentimento geral."

7 No texto hebraico há aqui uma elipse, ficando assim a redação: "Uns em carruagens e uns em cavalos" etc. Todas as versões antigas lêem as palavras como estão no texto hebraico, sem o suplemento de algum verbo. Calvino faz o mesmo em sua versão latina; mas na versão francesa ele completa com o verbo, "Se foyent", "confia", o mesmo suplemento que é usado em nossa versão inglesa.

clamarmos.

6. Agora sei. Aqui se segue agradecido regozijo, em que os fiéis declaram que têm experimentado a benevolência de Deus na preservação do rei. Para isso há ao mesmo tempo adicionada uma doutrina de fé, ou seja, que Deus mostrou, mediante o resultado que ele manifestou seu poder no fato de manter o reino de Davi, porquanto fora o mesmo fundado sobre sua vocação. Eis o significado: É evidente à luz da experiência que Deus é o guardião do reino que ele mesmo estabeleceu e do qual é o fundador. Pois Davi é chamado Messias, ou *Ungido*, para que os fiéis fossem persuadidos de que ele era um rei legítimo e sagrado, a quem Deus testificara, pela unção externa, ser ele o seu escolhido. E assim os fiéis atribuem à graça de Deus o livramento dos maiores perigos que havia sido operado por Davi, e ao mesmo tempo mencionam particularmente ser a causa disso o fato de que Deus determinara proteger e defender àquele que, por meio de seu mandamento, havia sido ungido rei sobre seu povo. Confirmam ainda mais claramente sua esperança com respeito ao futuro, na cláusula seguinte: **Deus o ouvirá do céu**. Não traduzo no pretérito o verbo aqui usado, mas conservo o futuro; pois não tenho dúvida de que, à luz da experiência de que Deus já lhes havia dado de sua benevolência, concluíram que futuramente a mesma seria exercida na preservação contínua do reino. Aqui o salmista faz menção de outro *santuário*,[8] isto é, um [de natureza] celestial. Visto então que Deus, graciosamente, se dignou descer entre os israelitas, através da arca do concerto, a fim de fazer-se-lhes mais familiarmente conhecido, assim, em contrapartida, ele tencionava atrair a mente de seu povo para si, e com isso os impediu de formar concepções carnais e terrenas de seu caráter, e ensinou-lhes que ele era maior que o mundo inteiro. E assim, sob o santuário visível, o qual fora feito por mãos, se estabelece ali a benevolência paternal de Deus e sua familiaridade com seu povo; enquanto que, sob o santuário celestial, demonstrou

---

8 Diferente de "o santuário" mencionado no segundo versículo.

seu infinito poder, domínio e majestade.

As palavras, **na força da salvação**, significam *sua poderosa salvação*, ou *seu poder salvífico*. E assim, na própria expressão há uma transposição das palavras. O sentido vem a ser o seguinte: Que Deus, por seu prodigioso poder, preserve o rei que foi ungido em obediência ao seu mandamento! O Espírito Santo, que ditou esta oração, percebeu bem que Satanás não toleraria que Davi vivesse em paz, por isso põe a descoberto todos os seus esforços para opor-se-lhe, o que tornaria necessário que fosse sustentado por um poder muito mais que humano. Entretanto, não desaprovo a outra explicação que tenho registrado na margem, segundo a qual os fiéis, para seu grande encorajamento, se põem diante desta verdade de que a salvação da destra de Deus está em ação; noutros termos, é suficientemente forte para eliminar todos os impedimentos.

7. **Uns confiam em carruagens.** Não restrinjo isto aos inimigos de Israel, como fazem outros intérpretes. Sou antes inclinado a ponderar que há aqui uma comparação entre o povo de Deus e todo o restante do mundo. Percebemos quão natural é à maioria dos homens sentir-se mais encorajada e confiante à medida que crescem suas riquezas, seu poder e forças militares. O povo de Deus, portanto, aqui protesta que não colocou sua esperança, segundo a propensão dos homens, em suas forças militares e aparato bélico, mas somente no auxílio divino. Visto que aqui o Espírito Santo põe a assistência divina em oposição à força humana, é preciso notar especialmente que toda vez que nossas mentes se deixam envolver pela confiança carnal, propendem cair ao mesmo tempo no esquecimento de Deus. É impossível para aquele que promete vitória a si mesmo, confiando em sua própria força, tenha seus olhos voltados para Deus. O escritor inspirado, pois, usa o verbo *lembrar* para mostrar que, quando os santos recorrem a Deus, devem desvencilhar-se de muita coisa que geralmente os impede de colocar sua exclusiva confiança nele. Essa lembrança de Deus serve para os fiéis a dois importantes propósitos. Em primeiro lugar, por mais poder e recursos que eles possuam, não obstante são impedi-

dos de nutrir toda e qualquer vã confiança, de modo que não esperam nenhum outro sucesso senão aquele advindo da pura graça de Deus. Em segundo lugar, se são privados e completamente destituídos de todo e qualquer socorro, não obstante se sentem tão fortalecidos e encorajados, que invocam a Deus com toda confiança e constância. Em contrapartida, quando os ímpios se sentem fortes e poderosos, sendo cegados pelo orgulho, não hesitam em desprezar ousadamente a Deus; mas quando são levados a circunstâncias de desespero, se sentem tão terrificados que não sabem o que fazer. Em suma, o Espírito Santo, aqui, nos concita a lembrarmo-nos de Deus, o qual, retendo sua eficácia tanto na carência quanto na abundância de poder, subjuga as vãs esperanças com que a carne se inclina a inflar-se. Visto que o verbo נזכיר (*nazkir*), o qual traduzi por *lembraremos*, está na conjugação *hiphil*, alguns o traduzem transitivamente, *nos fará lembrar*. Mas não é algo novo no idioma hebraico os verbos serem usados como neutros quando são propriamente transitivos. Portanto, tenho adotado a explicação que me parece a mais adequada a esta passagem.

8. Eles se curvam. É provável que estejam aqui apontados, como por um dedo em riste, os inimigos de Israel, a quem Deus derrotara, quando não imaginavam que tal coisa lhes pudesse suceder. Há contido nas palavras um tácito contraste entre o cruel orgulho com que se haviam ensoberbecidos por algum tempo, quando audaciosamente se precipitaram para causar devastação em todas as coisas, de um lado, e a opressão sobre o povo de Deus, do outro. A expressão, *nos erguemos*, se aplica somente aos que antes sucumbiram ou caíram; e, em contrapartida, a expressão, *se curvaram e caíram*, se aplica com propriedade aos que se ergueram com soberba e presunção. O profeta, pois, ensina através do evento quão mais vantajoso nos é depositarmos nossa confiança em Deus do que dependermos de nossa própria resistência.

9. Salva-nos, ó Jehovah! Alguns lêem como uma só sentença: Ó

Jehovah, salva o rei[9] – talvez porque pensassem ser errôneo atribuir a um rei terreno o que é próprio exclusivamente de Deus – ser invocado e ouvir orações. Mas se volvermos nossos olhos para Cristo, como nos convém fazer, não mais nos surpreenderemos que, o que propriamente lhe pertence em certo sentido é atribuído a Davi e a seus sucessores, até ao ponto em que eram tipos de Cristo. Visto que Deus nos governa e nos salva pela mão de Cristo, não devemos buscar a salvação em algum outro ponto. Semelhantemente, os fiéis sob a economia anterior costumavam recorrer a seu rei como o ministro da graça salvífica de Deus. Donde estas palavras de Jeremias: "O fôlego de nossa vida, o ungido do Senhor, foi preso nas covas deles, o mesmo de quem dizíamos: Debaixo de sua sombra viveremos entre as nações" [Lm 4.20]. Portanto, sempre que Deus promete a restauração de sua Igreja, ele apresenta um símbolo ou penhor de sua salvação no reino. Vemos agora que é sem boas razões que os fiéis se introduzem pedindo o socorro de seu rei, sob cuja guarda e proteção foram postos, e que, como o vice-regente de Deus, presidia sobre eles; como diz o profeta Miquéias: "Subirá diante deles aquele que abre o caminho; eles romperão, e entrarão pela porta, e sairão por ela; e o rei irá adiante deles, e o Senhor à frente deles" [2.13]. Por meio dessas palavras ele conclama que seu rei seria como um espelho no qual pudessem ver refletida a imagem de Deus.

Voltando à presente passagem, a expressão, *Salva, ó Jehovah!*, é elíptica, mas recebe maior ênfase do que se o objeto pelo qual a salvação é buscada fosse mencionado; pois por esse meio Davi mostra que essa salvação pertence em comum a todo o corpo da Igreja. No Salmo 118.25 há uma oração com as mesmas palavras, e é certo que ela é a mesma oração. Em suma, esta é uma oração em que Deus, ao abençoar o rei, se manifestaria como o Salvador de todo o povo. Na última cláusula do versículo há expresso os meios dessa salvação.

---

9 Esta é a tradução da Septuaginta. Suas palavras são: Κυριε σωσον τον βασιλεα. A redação da Vulgata é a mesma. A redação de Calvino, que é também a de nossa versão inglesa, concorda com a pontuação massorética; mas a Septuaginta seguiu uma pontuação diferente.

O povo ora para que o rei seja munido com o poder de Deus para libertá-los sempre que caíssem em abatimento e clamassem por socorro: **Que o rei nos ouça no dia em que o invocarmos**. Deus não prometeu que seu povo seria salvo de alguma outra forma senão pela mão e condução do rei que lhes fora dado. Na presente época, quando Cristo agora se nos manifesta, aprendamos a conferir-lhe esta honra – renunciando toda e qualquer esperança de salvação provinda de alguma outra fonte, e a confiar somente naquela salvação que ele nos trará de Deus seu Pai. E dela só nos tornaremos partícipes quando, sendo todos reunidos num só corpo, sob a mesma Cabeça, tivermos mútua preocupação uns dos outros, e quando nenhum de nós tiver sua atenção tão absorvida com suas próprias vantagens e interesses pessoais, que se mostre indiferente com o bem-estar e felicidade do próximo.

Salmos 21

Este Salmo contém uma pública e solene ação de graças pela condição de prosperidade e felicidade do rei. Seu tema é quase o mesmo do Salmo precedente.[1] No anterior apresentou-se uma forma comum de oração que se destinava a estimular em todo o povo a ardente solicitude pela preservação de seu cabeça. Nisso é demonstrado que a segurança e prosperidade do rei devem produzir público e geral regozijo por todo o reino, visto que Deus, por esses meios, tencionava preservar todo o corpo em segurança. Acima de tudo, porém, foi o propósito do Espírito Santo, aqui, dirigir a mente dos fiéis para Cristo, que era o fim e a perfeição desse reino, e ensinar-lhes que só poderiam ser salvos sob o Cabeça que Deus mesmo lhes havia designado.

Ao mestre de música. Salmo de Davi.

[vv. 1-3]
Em tua força, ó Jehovah, o rei se alegrará! e em tua salvação, quão imensamente se alegrará! Tu lhe tens concedido o desejo de seu coração, e não lhe tens negado a petição de seus lábios. [Selah.] Pois o proverás de bênçãos excelentes, e lhe porás na cabeça uma coroa de ouro.[2]

---

1 "O que foi antecipado no Salmo precedente, o presente poema parece celebrar como havendo sido concluído." – *Drake's Harp of Judah*.
2 A palavra hebraica é פז, *paz*, denotando ouro refinado, o mais fino ouro, a mesma palavra que é usada no Salmo 19.10.

1. Em tua força, ó Jehovah, o rei se alegrará! Davi poderia ter rendido graças a Deus privativamente, pois as vitórias e outros favores especiais de que desfrutava, ele havia recebido pessoalmente dele; mas era sua intenção testificar não só que fora Deus quem o elevara ao trono, mas também que todas as bênçãos que Deus lhe conferira redundaram no bem público e para o proveito de todos os fiéis. No início do Salmo, os israelitas crentes expressam sua firme persuasão de que Deus, que criara Davi para ser rei, empreendera defendê-lo e sustentá-lo. Daí parecer que este Salmo, tanto quanto o precedente, foi composto com o propósito de assegurar aos fiéis que a benevolência divina para com Davi, neste aspecto, seria de longa duração e mesmo permanente. E era necessário, a fim de se estabelecer numa sólida confiança em sua segurança, esperar o bem de seu rei, cujo semblante era como se fosse um espelho do misericordioso e reconciliado semblante de Deus. Eis o sentido das palavras: Senhor, ao manifestar teu poder no sustento e proteção do rei, tu preservarás seu bem-estar; e, atribuindo sua segurança ao teu poder, ele grandemente se alegrará em ti. O salmista, indubitavelmente, pôs *força* e *salvação* em lugar de *forte e poderoso socorro*, notificando que o poder de Deus, ao defender o rei, seria tal que o preservaria e o protegeria contra todos os perigos.

No segundo versículo realça-se a causa dessa alegria. Ei-la: Deus ouvira as orações do rei e liberalmente lhe concedera tudo quanto este desejava. Era importante fazer-se notório, e que os fiéis tivessem profundamente impresso em suas mentes, que todos os sucessos de Davi eram devidos aos muitos benefícios divinos a ele conferidos, e ao mesmo tempo eram testemunhas de sua legítima vocação. Davi, sem a menor dúvida, ao expressar-se assim, testifica que ele não perdera as rédeas dos desejos carnais, nem seguiu os meros impulsos de seus apetites como homem mundano que põe sua mente às vezes nisto, às vezes naquilo, sem qualquer consideração e precisamente como os ímpios são guiados por seus impulsos lascivos. Ele, porém, havia refreado seus afetos ao ponto de nada desejar senão o que era bom e lícito. Em consonância com a enfermidade que é natural aos homens, ele era, é verdade, culpado de alguns vícios, e até mesmo sentiu-se envergonhado em duas ocasiões. Mas a administração habitual de seu reino era tal que facilmente se percebia que o Espírito Santo presidia sobre ele. Mas visto que, pelo Espírito de profecia, o salmista tinha sua atenção tão direcionada para Cristo, que não reinava para seu próprio proveito, mas para o nosso, e cujo desejo era direcionado somente para nossa salvação. De modo que desse fato podemos deduzir aquela doutrina tão proveitosa, a saber, que não carecemos de nutrir nenhuma preocupação de que Deus rejeite nossas orações em favor da Igreja, visto que nosso Rei celestial nos precedeu para fazer intercessão por ela, de modo que, ao orarmos por ela, estamos apenas nos diligenciando por seguir seu exemplo.

2. **Pois tu o proverás de bênçãos**. A mudança do tempo nos verbos não quebra a seqüência do discurso. E, portanto, sem qualquer hesitação, traduzi esta frase no tempo futuro, pois sabemos que a mudança de um tempo para outro é muito comum no idioma hebreu. Os que limitam este Salmo à última vitória que Davi conquistara sobre as nações estrangeiras, e supõem que a coroa da qual se faz menção aqui era a do rei dos amonitas, da qual temos um relato na história sagrada, em minha opinião apresentam um baixo conceito do que o Espírito Santo aqui prescreveu concernente à perpétua prosperidade desse reino. Davi, não tenho dúvida, incluiu seus sucessores, até mesmo Cristo, e tencionava celebrar o curso contínuo da graça de Deus em manter seu reino através de eras sucessivas. Não foi acerca de apenas um homem que foi dito: "Serei seu pai, e ele será meu filho" [2 Sm 7.14]; mas essa foi uma profecia que deveria estender-se de Salomão a Cristo, como é plenamente estabelecido pelo testemunho de Isaías [9.6], o qual nos informa que ela foi cumprida quando o Filho fosse dado ou se manifestasse. Ao dizer-se: *Tu o proverás*, o significado é que tal seria a liberalidade e prontidão de Deus em espontaneamente derramar suas bênçãos, que ele não só lhe concederia o que pedira, mas, antecipando as petições do rei, o cumularia com todo gênero de coisas excelentes muito além do que ele jamais esperara. Pelo termo, *bênçãos*, devemos entender abundância ou profusão. Alguns tra-

duzem a palavra hebraica, טוב (*tob*), por *bondade*;[3] com isso, porém, não posso concordar. Ela deve antes ser tomada no sentido de *a beneficência* ou *as graciosas dádivas de Deus*. E assim o significado será: O rei de nada carecerá que seja indispensável para fazer sua vida feliz em todos os aspectos, visto que Deus, de seu próprio beneplácito, antecipará seus desejos e o enriquecerá com abundância de todas as coisas excelentes.

O salmista faz expressa menção de *a coroa*, porquanto ela era o emblema e insígnia da realeza; e com isso ele notifica que Deus seria o guardião do rei, a quem ele mesmo criara. Como, porém, o profeta testifica, dizendo que o diadema real, depois de permanecer por tanto tempo desonrado no pó, logrará ser colocado na cabeça de Cristo, chegamos à conclusão de que, através deste cântico, a mente dos piedosos seria elevada pela esperança do reino eterno, do qual apenas uma sombra, ou uma obscura imagem, se manifestou na pessoa dos sucessores de Davi. A doutrina da eterna duração do reino de Cristo é, portanto, aqui estabelecida, visto que ele não fora posto no trono pelo favor ou pelos sufrágios humanos, mas por Deus que, do céu, pôs a coroa real em sua cabeça, com suas próprias mãos.

[vv. 4-6]
A ti ele pediu vida, e tu lhe deste longa extensão de dias, para sempre e eternamente. Grande é sua glória em tua salvação; de esplendor e beleza o vestiste.[4] Pois tu o puseste por bênçãos para sempre; tu o alegraste com júbilo diante de tua face [ou em tua presença].

4. A ti ele pediu vida. Este versículo confirma o que eu já afirmei anteriormente, ou seja, que este Salmo não deve ser limitado à pessoa de um único homem. A vida de Davi, é verdade, foi prolongada por um longo período, de modo que, quando partiu deste mundo, era um homem em avançada idade e cheio de dias. Mas o curso de sua vida

---

3 Lendo "bênçãos de bondade"; isto é, as melhores ou mais excelentes bênçãos.
4 *Esplendor e beleza*. "Parkhurst observa que as duas palavras assim traduzidas são às vezes associadas na Escritura. A primeira parece denotar o *esplendor* ou *glória* intrínseca; a última, o *ornamento*, *beleza* ou *majestade*, resultantes daquela." – *Bispo Mant*.

foi curto demais para comparar-se a essa *longa extensão de dias*, a qual consiste de muitas eras. Mesmo que computemos o tempo em que teve início o reinado de Davi até ao cativeiro babilônico, mesmo assim essa extensão de dias não será composta e completada em todos os sucessores de Davi. Este, pois, sem a menor dúvida, compreende o Rei Eterno. Há aqui uma tácita comparação entre os começos do reino, que foram obscuros e desprezíveis, ou, melhor, foram repletos dos mais graves perigos e atingido pelo desespero, e a incrível glória que se seguiu, quando Deus, o isentando da sorte comum dos demais reinos, o elevou quase acima dos céus. Pois quando se diz que ele duraria enquanto o sol e a lua brilhassem nos céus, tal enaltecimento não é em um mínimo corriqueiro (Sl 72). Davi, pois, ao dizer que *pedira vida*, tacitamente aponta para as circunstâncias angustiantes a que ele amiúde era reduzido. E o sentido consiste nisto: Senhor, desde o tempo em que chamaste teu servo à esperança do reino, através de tua santa unção, sua condição tem sido tal que considerou como uma bênção singular ser resgatado das garras da morte; mas, agora, ele não só tem, por tua graça, escapado ileso dos perigos, os quais sempre ameaçaram sua vida; também prometeste que seu reino continuaria por séculos, na pessoa de seus sucessores. E serve não pouco para magnificar a graça de Deus o fato de que ele dignou-se conferir a um homem pobre e desventurado, o qual estava quase ao ponto de perecer, não só sua vida – quando, em meio aos perigos que o ameaçavam, ele tremulamente pediu simplesmente por sua preservação –, mas também a inestimável honra de ser elevado à dignidade real e de transmitir o reino à sua posteridade para sempre.

Alguns fazem a seguinte explanação do versículo: Tu lhe deste a vida que ele te pediu, ainda o prolongamento de seus dias para sempre e eternamente. Mas isso me parece uma interpretação um tanto árida e forçada. Devemos ter em vista o contraste que, como já disse, é aqui feito entre os débeis e desprezíveis começos do reino e a inesperada honra que Deus conferiu a seu servo, chamando a lua para ser testemunha de que sua posteridade jamais falharia. O mesmo foi exemplificado em Cristo que, do desprezo, da ignomínia, da morte, do túmulo e do desespero foi elevado por seu Pai à soberania do céu, a fim de sentar à destra do Pai, para sempre, e, extensivamente, para ser o Juiz do mundo.

5. Sua glória é grande. Com essas palavras o povo notifica que seu rei, através da proteção que Deus lhe proporcionara, bem como dos livramentos que lhe providenciara, alcançou maior renome do que se houvera reinado pacificamente em meio aos aplausos de todos os homens, ou se houvera sido defendido pela riqueza e força humanas; ou, por fim, houvera prosseguido sempre invencível por seu próprio poder e política. Pois, com isso, ficou ainda mais evidente que só alcançara a dignidade real através do favor divino e conduzido pelos mandamentos de Deus. Os israelitas crentes, pois, deixaram aos reis pagãos a tarefa de nobilitar-se por suas próprias realizações e de adquirir fama por sua própria coragem; enquanto que eles mesmos deram mais valor ao fato de Deus graciosamente revelar-se favorável para com seu rei,[5] do que a todos os triunfos do mundo. Ao mesmo tempo, prometeram a si mesmos que tomariam a assistência divina como suficiente para adornar o rei com majestade e honra.

6. Pois tu o puseste por bênçãos para sempre. Alguns explicam essas palavra simplesmente assim: Deus escolheu a Davi para ser rei a fim de derramar sobre ele suas bênçãos com rica profusão. Mas é evidente que algo mais está subentendido nesse modo de se expressar. Implica que o rei desfrutava de uma abundância tão exuberante de todos as coisas excelentes, que podia merecidamente considerar-se o exemplo da grandeza da divina beneficência; ou que, ao orar, seu nome seria geralmente usado para servir de exemplo de como o suplicante desejava ser tratado. Os judeus tinham o costume de falar dos que eram postos por maldição como alguém que se tornava em extremo execrável, e sobre quem a pavorosa vingança de Deus havia sido aplicada com tal severidade, que seu próprio nome servia de malditas

---

5 "Que la grace de Dieu se monstre favorable envers leur Roy." – v.f.

e horrendas imprecações. Em contrapartida, costumavam falar daqueles que deveriam ser uma bênção, cujos nomes apresentamos em nossas orações como exemplo de como desejamos ser abençoados; como se uma pessoa, por exemplo, dissesse: Que Deus graciosamente te conceda o mesmo favor que concedeu a seu servo Davi! Não rejeito tal interpretação, porém fico mais satisfeito com aquela que considera as palavras como subentendendo que o rei, recebendo abundância de todo gênero de coisas excelentes, servia de exemplo para ilustrar a liberalidade divina.

Devemos atentar bem para o que se diz imediatamente a seguir sobre a alegria: **Tu o alegraste com júbilo diante de teu semblante**.[6] A intenção do povo não era só que Deus fizesse bem ao rei, visto que ele o contemplava com um olhar benigno e paternal, mas também realçavam a própria causa dessa alegria, nos informando que ela procedia do conhecimento que o rei tinha de ser objeto do divino favor. Não nos seria suficiente que Deus se preocupe conosco e supra nossas necessidades se, em contrapartida, não nos iluminasse com a luz de seu semblante gracioso e conciliador, bem como não nos fizesse experimentar sua benevolência, como já vimos no Salmo 4: "Muitos dizem: Quem nos mostrará o bem? Levanta, Senhor, sobre nós a luz de teu semblante, e seremos salvos" [v. 6]. E, além de toda e qualquer dúvida, é verdadeira e sólida felicidade experimentarmos que Deus nos é tão favorável, que vivemos como se estivéssemos em sua imediata presença.

[vv. 7-10]
Pois o rei confia em Jehovah, e pela bondade do Altíssimo permanecerá inabalável. Tua mão atingirá todos os teus inimigos, tua destra atingirá todos os que te odeiam. No tempo de tua ira, tu os porás como numa fornalha ardente; Jehovah[7] em sua ira os oprimirá, e o fogo os consumirá. Tu destruirás da terra seu fruto e sua posteridade dentre os filhos dos homens.

---

6   Walford redige assim esta frase: "Tu o fizeste alegre com a alegria de tua presença."
7   Essa tradução concorda com a pontuação na versão francesa. Segundo a pontuação na versão latina, Jehovah é associado à cláusula precedente, assim: "No tempo de tua ira, ó Jehovah!"

7. Pois o rei confia. Aqui uma vez mais os israelitas pios se gloriam de que seu rei seria estabelecido, já que ele confia em Deus; e ao mesmo tempo expressam que o rei descansa em Deus, ou seja, pela esperança ou confiança. Leio todo o versículo como uma só frase, de modo que não há senão um só verbo principal, e o explico assim: O rei, visto que põe, pela fé, sua dependência em Deus e sua benevolência, não estará sujeito às desgraças que subvertem os reinos do mundo. Além do mais, como disse anteriormente, todas as bênçãos que os fiéis atribuem a seu rei, que pertencem a todo a corporação da Igreja, se convertem numa promessa comum a todo o povo de Deus, a qual pode servir para conservar-nos tranqüilos em meio às diversas tormentas que agitam o mundo. O mundo gira como se estivesse sobre uma roda, por meio da qual sucede que, aqueles que se elevam a uma grande altura são num instante precipitados no abismo. Mas a promessa, aqui, é que o reino de Judá e o reino de Cristo, do qual ele era tipo, será isento de tal vicissitude. Lembremo-nos de que só os que possuem a firmeza e estabilidade aqui prometidas, que buscam no seio de Deus uma fé inabalável, e confiam em sua misericórdia, é que descansam em sua proteção. A causa ou a base dessa esperança ou confiança é ao mesmo tempo expressa, ou seja: que Deus misericordiosamente nutre seu próprio povo, a quem uma vez graciosamente recebeu em seu favor.

8. Tua mão atingirá. Até aqui a felicidade interior do reino foi descrita. Agora apresenta, como era necessário fazê-lo, a celebração de sua invencível força contra seus inimigos. O que se diz neste versículo como se o rei se pronunciasse vitorioso sobre todos os seus inimigos. Estou justamente observando que tal declaração não é supérflua; pois não teria sido suficiente para o reino ter florescido internamente, ser saturado de paz, riquezas e abundância de todas as coisas mais excelentes, não tivesse ele também se fortificado contra os ataques dos inimigos estrangeiros. Isso se aplica particularmente ao reino de Cristo, que jamais subsistirá sem inimigos neste mundo. De fato, nem sempre é ele assaltado por guerras francas, e às vezes tem até mesmo desfrutado de algum respeito em certos períodos; mas os ministros de Satanás jamais desistem de sua malícia e desejo de fazer dano, e portanto jamais cessam de tramar e de se esforçar por concretizar a ruína do reino de Cristo. É-nos vantajoso que nosso Rei, que ergueu sua mão como um escudo diante de nós para defender-nos, seja mais forte que tudo o mais. Visto que a palavra hebraica מצא (*matsa*), que por duas vezes é traduzida por *atingir*, às vezes significa *ser suficiente*; e, como na primeira cláusula, há prefixada à palavra כל (*kal*), que significa *tudo*, a letra ל (*lamed*), que significa *em vez de*, ou *contra*, e a qual não está prefixada à palavra hebraica que é traduzida por *os que te odeiam*, alguns expositores, em decorrência dessa diversidade, explicam o versículo como se ele expressasse: Tua mão será destra contra todos os teus inimigos, tua direita atingirá todos os que te odeiam. E assim a frase subirá por degraus – Tua mão será destra para opor-se, tua direita desarraigará teus inimigos, de sorte que não escaparão à destruição.

9. Tu os porás como que numa fornalha ardente.[8] O salmista, aqui, descreve uma espécie espantosa de vingança, da qual deduzimos que ele não fala de um tipo de inimigos em geral, mas dos maliciosos e frenéticos desdenhadores de Deus, os quais, segundo o hábito dos gigantes[9] da antiguidade, se levantam contra seu Filho unigênito. A

---

8 A tradução dessas palavras, feita por French e Skinners é a mesma, e assim também é a de Rogers. Este último autor observe: "A interpretação comum: Tu os farás como um *forno ardente* etc. não é muito inteligível. Considero כתנור usada por elipse em lugar de כבתנור: *Tu os colocarás como que [em] uma fornalha ardente*." – (Rogers' Book of Psalms, in Hebrew, metrically arranged, vol. li. p. 178.) Poole defende o mesmo ponto de vista. Calvino, contudo, em sua versão francesa, faz uma tradução em grande parte como a nossa versão inglesa: "Tu les rendras comme une fournaise de feu en temps de ta cholere." "Tu os farás como uma fornalha ardente, no tempo de tua ira." Essa é exatamente a tradução de Horsley, na qual ele é seguido por Walford. Diz o erudito prelado: "Descreve-se a fumaça dos inimigos do Messias perecendo pelo fogo, subindo como a fumarada de uma fornalha. 'A fumaça de seu tormento subirá para sempre e eternamente.'" Diz o Bispo Mant: "Quão terrivelmente grande é a descrição da ruína das cidades da planície, como o chocante prospecto da visão de Abraão na fatal manhã de sua destruição: 'E olhou para Sodoma e Gomorra, e para toda a terra da planície, e eis que viu a fumaça das campinas subindo como a fumaça de uma fornalha.'"

9 A alusão é aos fabulosos gigantes da mitologia pagã, que deflagravam guerra contra o céu.

própria severidade da punição comprova a profundidade da perversidade. Há quem pense que Davi faz alusão ao tipo de punição que Deus infligira sobre os amonitas, da qual temos um relato na história sacra; é mais provável, porém, que ele aqui represente metaforicamente a tremenda destruição que aguarda todos os adversários de Cristo. Podem arder-se de raiva contra a Igreja e com sua crueldade pôr o mundo em chama, mas quando sua perversidade houver atingido seu ponto máximo, irão conhecer aquela recompensa que Deus tem reservado para eles, ou seja: serão lançados em sua fornalha ardente para serem consumidos.

Nesta primeira cláusula, o rei é chamado *vingador*; na segunda, esse ofício é transferido para Deus; e na terceira, a execução da vingança é atribuída ao fogo; e essas três coisas estão em plena sintonia. Sabemos que o juízo foi confiado a Cristo, que ele pode lançar seus inimigos de ponta cabeça no fogo eterno; mas era de muita importância expressar que esse não é o juízo do homem, mas de Deus. Tampouco era de menos importância pôr em evidência quão extremo e terrível tipo de vingança é esse, a fim de despertar de seu torpor os que, inadvertidos quanto ao perigo, atrevidamente menosprezam todas as ameaças de Deus. Além disso, isso serve não pouco para a consolação dos justos. Sabemos quão tremenda é a crueldade dos ímpios, e que nossa fé logo seria tragada por ela, não fosse a mesma soerguida para a contemplação do juízo de Deus.

A expressão, **no tempo de tua ira**, nos admoesta que devemos pacientemente suportar a cruz enquanto ao Senhor aprouver nos exercitar e nos humilhar debaixo dela. Se, pois, ele não revela imediatamente seu poder para destruir os ímpios, aprendamos a estender nossa esperança para aquele tempo que nosso Pai celestial designou em seu eterno propósito para a execução de seu juízo, e quando nosso Rei, armado de seu terrível poder, manifestar-se para exercer vingança. O fato de ele agora parecer ignorar o que se passa não implica que tenha esquecido, quer de si mesmo quer de nós. Ao contrário, ele escarnece da demência daqueles que prosseguem na prática de todo gênero de pecado sem qualquer temor do perigo, e dia a dia se tornam mais presunçosos. Esse escárnio divino, é verdade, produz em nós pouco conforto, não obstante devemos completar o tempo de nossa vida de guerra até que chegue "o dia da vingança do Senhor", o qual, como diz Isaías, também será "o ano de nossa redenção" [Is 34.8]. Parece-me não ser fora de propósito que na última cláusula haja anunciada contra os inimigos de Cristo uma destruição semelhante àquela que Deus nos tempos antigos enviou sobre Sodoma e Gomorra. A punição foi um extraordinário e memorável exemplo, acima de todos os demais, do juízo divino contra todos os perversos, ou, melhor, foi, por assim dizer, uma imagem visível para a terra do eterno fogo do inferno que está preparado para os réprobos; e daí ser essa similitude freqüentemente encontrada nos escritos sacros.

10. Tu destruirás da terra seu fruto. Davi amplifica a grandeza da ira divina, à luz da circunstância de que ela se estenderá até mesmo aos filhos dos perversos. É uma doutrina bastante comum na Escritura que Deus não só aplica castigo sobre os primeiros originadores da perversidade, mas a faz fluir mesmo do seio de seus filhos.[10] E ainda quando assim exerça sua vingança até à terceira e quarta geração, não se pode dizer que ele envolva indiscriminadamente o inocente com o culpado. Visto que a progênie dos ímpios, a quem privou de sua graça, é maldita, e visto que todos são por natureza filhos da ira, destinados à destruição eterna, ele não é menos justo em exercer sua severidade nos filhos do que nos pais. Quem poderá acusá-lo de algo, se ele priva os que são indignos da mesma graça que comunica a seus próprios filhos? Em ambas as formas ele mostra quão querido e precioso lhe é o reino de Cristo. Primeiro, em estender sua misericórdia aos filhos dos justos até mil gerações; e, segundo, em fazer sua ira repousar sobre os réprobos até à terceira e quarta geração.

---

10 "Mais qu'il le fait mesme regorger au sein des enfans d'iceux." – v.f. Veja-se Isaías 65.6-7.

[vv. 11-13]
Pois espalharam[11] o mal contra ti; inventaram estratagemas contra ti, o que não puderam executar. Porque[12] tu os porás no topo de uma viga; tu prepararás as cordas de teu arco para atirar contra seus rostos. Ergue-te, ó Jehovah, em tua força! Então cantaremos e celebraremos com salmos o teu poder.

11. Pois espalharam o mal contra ti. Neste versículo Davi mostra que os ímpios têm merecido a terrível ruína que ele predissera lhes sobreviria, visto que não só molestaram o homem mortal, mas também se precipitaram, na fúria de sua soberba, a fazer guerra contra o próprio Deus. Ninguém, como declaramos em nossa exposição do segundo Salmo, poderia manifestar violência contra o reino de Israel, que se consagrara na pessoa de Davi, pelo mandamento de Deus, sem declarar torpe e ímpia guerra contra Deus. Muito mais, quando certos indivíduos atacam diretamente o reino de Cristo com o fim de subvertê-lo, o que é violentado é a própria majestade divina, visto ser a vontade de Deus reinar no mundo única e exclusivamente pela mão de seu Filho. Visto que a palavra נטה, *natah*, a qual traduzimos por *espalhar*, às vezes também significa *desviar* [*desviar-se de um propósito*], pode muito bem ser também aqui traduzida em ambos os casos. Segundo o primeiro ponto de vista, o significado seria que os perversos, como se houvessem espalhado suas redes, empenhavam-se por sujeitar a si o poder de Deus. De acordo com o segundo significado, com o propósito de obstruir seu poder, ou como se quisessem tragá-lo,[13] desviaram sua malícia, canalizando-a contra ele, precisamente como alguém que, havendo aberto um grande rego, desviou o curso de alguma torrente para fazê-la desaguar nele. A seguir o salmista declara que *inventaram estratagema*, ou *esquema*, para frustrar suas realizações. Com essas palavras ele repreende a estulta arrogância daqueles que, ao fazerem guerra contra Deus, manifestam grande temeridade e audácia, o que os leva a tentar qualquer coisa com todo atrevimento.

---

11 "Ou, ont décliné." – v.f. "Ou, desviaram."
12 Esse versículo explica a razão por que não puderam executar o que engendraram.
13 "Pour icelle empescher et comme engloutir." – v.f.

12. Porque tu os porás no topo de uma viga. Visto que a palavra hebraica, שכם (*shekem*), a qual traduzimos por *uma viga*, significando propriamente *uma saliência*, alguns a entendem nesse sentido aqui, e explicam a frase assim: Suas cabeças serão esmagadas com pesados golpes, de modo que, estando seus corpos encurvados, seus ombros salientar-se-ão. De acordo com esses intérpretes, o ato de subjugar os inimigos de Deus é aqui metaforicamente realçado. No entanto há outra explicação que é mais geralmente aceita, mesmo entre os expositores judaicos, ou seja, que Deus os encerrará em algum canto, e ali os impedirá de fazer dano;[14] e assumem esse ponto de vista, porque a palavra hebraica, שכם (*shekem*), é às vezes usada para denotar um *canto*, um *espaço*, ou *lugar*. Contudo, como o escritor sacro, na cláusula imediatamente a seguir, representa Deus como munido de arco, pronto para atirar suas flechas diretamente nos rostos deles, não tenho dúvida de que, prosseguindo com sua metáfora, ele os compara a uma viga, ou um monte de terra, sobre o qual costumava-se fincar o marco que ele almejava, e portanto o sentido fluirá muito mais naturalmente, assim: Senhor, tu os farás como se fossem um alvo contra o qual atirarás tuas flechas.[15] O grande objetivo que o salmista tinha em vista era indubitavelmente ensinar-nos a exercitar a paciência, até que Deus, no tempo oportuno, conduza os ímpios ao seu extermínio.

13. Ergue-te, ó Jehovah! O Salmo é por fim concluído com uma oração, a qual uma vez mais confirma que o reino sobre o qual Davi falou está tão conectado com a glória de Deus, que o seu poder é re-

---

14 Kimchi e outros traduzem: "Tu os porás num canto"; o que subentende neste sentido: "Tu os lançarás num canto, e em seguida apontarás teus arcos contra seus rostos." – Veja-se *Poole's Synopsis Criticorum*.

15 Esse é o ponto de vista adotado por Ainsworth, Castellio, Cocceius, Diodati, Dathe, Horsley e Fry. Horsley traduz o versículo assim:
"Realmente farás deles um alvo para tuas flechas;*
Tu farás deles um alvo firme."
Diz ele: "Tomo מֵיתָר [a palavra que ele traduz por um *alvo firme*] como um termo técnico para arqueiro, para expressar o ato de fazer de um objeto específico um alvo." Em nossa versão inglesa temos: "Portanto, tu farás que eles voltem suas costas." Em defesa de tomar שכם, *shekem*, nesse sentido, veja-se *Merrick's Annotations*.
* Literalmente, "as cordas de teu arco."

fletido dele. Isso era sem dúvida procedente com respeito ao reino de Davi; pois Deus outrora exibiu seu poder em elevá-lo ao trono. Mas o que é aqui declarado só foi plenamente consumado em Cristo, o qual fora designado pelo Pai celestial para ser Rei sobre nós, e que é ao mesmo tempo Deus manifestado na carne. Como seu divino poder deve merecidamente lançar terror nos perversos, assim ele é descrito como cheio da mais doce consolação destinada a nós, a qual nos deve inspirar com júbilo e incitar-nos a celebrá-la com cânticos de louvor e com ações de graças.

Salmos 22

Davi, neste Salmo, se queixa de ser reduzido a circunstâncias tais de angústia, que ele se assemelhava a um homem em total desespero. Mas depois de haver recordado das calamidades com que fora tão severamente afligido, ele emerge dos abismos das tentações e reúne coragem e conforta a si mesmo com a certeza do livramento. Ao mesmo tempo, ele põe diante de nós, em sua própria pessoa, um tipo de Cristo, o qual, sabendo pelo Espírito de profecia, convinha que se aviltasse de formas estupendas e inusitadas[1] antes que fosse exaltado pelo Pai. E assim o Salmo, nas duas partes em que consiste, explica aquela profecia de Isaías – "Pela opressão e pelo juízo foi arrebatado; e quem dentre os de sua geração considerou que ele fora cortado da terra dos viventes, ferido por causa da transgressão de meu povo? [Is 53.8.]"

Ao mestre de música. Sobre a corça da manhã. Salmo de Davi.

Essa inscrição é obscura; os intérpretes, porém, inevitavelmente se sentem perplexos ao saírem em busca não sei de que sublime mistério numa questão de pouca importância. Alguns são de opinião que a palavra אילת (*ayeleth*), significa *a estrela da manhã*;[2] outros, que

---

1 "En toutes les sortes qu'il est possible de penser." – v.f. "De todas as formas possíveis de se conceber."
2 E dizem que esse título está prefixado ao Salmo em decorrência do fato de que todo ele diz respeito a Cristo como a estrela da manhã.

ela denota *força*;³ mas é mais correto traduzi-la por *corça*. Visto que é evidente, à luz do testemunho dos apóstolos, ser este Salmo uma profecia relativa a Cristo, os intérpretes antigos pensavam que Cristo não seria suficientemente dignificado e honrado a menos que, revestindo-se de um sentido místico ou alegórico sobre a palavra *corça*, vissem-na como ênfase às várias coisas que se incluíam num sacrifício. Os que também preferem traduzir as palavras originais, אילת השחר (*ayeleth hashachar*), como sendo *o alvorecer do dia ou manhã*,⁴ têm se esforçado por fazer a mesma coisa. Mas como não me sinto disposto a solidarizar-me com tais sutilezas, será preferível adotar aquele ponto de vista acerca do título que for mais simples e natural. Penso que ele mui provavelmente fosse a princípio algum cântico popular; tampouco vejo como a inscrição comporte alguma relação do tema do Salmo. À luz do teor de toda a composição, parece que Davi não faz, aqui, mera referência a uma só perseguição, mas abrange todas as perseguições que sofrera de Saul. Entretanto, é incerto se ele compôs este Salmo quando pacificamente desfrutava de seu reino, ou se foi no tempo de sua aflição; não há dúvida, porém, de que ele, aqui, descreve os pensamentos que transitavam por sua mente em meio às suas dificuldades, perplexidades e sofrimentos.

[vv. 1, 2]
Deus meu! Deus meu! por que me desamparaste? Por que te achas longe de meu socorro e das palavras de meu bramido? Ó Deus meu! eu clamo de dia,⁵ mas tu não me ouves; e de noite, e não há nenhum sossego para mim.

1. Deus meu! O primeiro versículo contém duas notáveis expressões que, embora aparentemente contrárias uma à outra, no entanto vão sucessivamente penetrando cada vez mais o coração dos santos.

---

3 Aqueles que a traduzem por *força* derivam a palavra de איל, *eyl, força*, e observam que a palavra cognata no versículo 20, אילותי, *eyaluthi*, é traduzida pela Septuaginta: την βοηθειαν μου, *meu auxílio* ou *força*. Pela expressão, *a força da manhã*, entendem o alvorecer do dia.
4 Esse é o sentido em que Lightfoot entende as palavras.
5 "Mon Dieu, je crie tout le jour." – v.f. "Ó meu Deus, eu clamo *todo* o dia."

Quando o salmista afirma sentir-se abandonado e destituído da presença de Deus, esta aparenta ser a queixa de um homem em profundo desespero. Pois é possível que permaneça em alguém pelo menos uma única fagulha de fé, quando crê que não há em Deus socorro algum para ele? E no entanto, ao chamar a Deus, por duas vezes, de *Deus meu*, e ao depositar no seio divino seus gemidos, ele faz uma confissão mui distinta de sua fé. Com esse conflito íntimo, o crente piedoso necessariamente será exercitado toda vez que Deus retraia dele os emblemas de seu favor; de modo que, em toda e qualquer direção que volva seus olhos, nada vê senão a densa escuridão da noite. Digo que o povo de Deus, ao contender consigo mesmo, por um lado descobre as debilidades da carne, e por outro demonstra evidência de sua fé. Com respeito aos réprobos, visto que nutrem em seus corações desconfiança para com Deus, sua perplexidade mental os abate até ao pó, e assim os incapacita a aspirarem a graça de Deus pela fé. Que Davi resistia os assaltos da tentação, sem se deixar esmagar, ou sem se deixar tragar por ela, pode facilmente deduzir-se de suas palavras. Ele fora profundamente oprimido pela dor; não obstante isso, prorrompe em linguagem de certeza: *Deus meu! Deus meu!* – o que não poderia ter feito sem resistir vigorosamente a apreensão contrária[6] de que Deus o abandonara. Não existe um sequer dentre todos os santos que não experimente em seu ser, um dia ou outro, a mesma coisa. Segundo os juízos da carne, Davi imaginava que havia sido ignorado e abandonado por Deus, enquanto que, pela fé, apreende a graça de Deus, a qual se acha oculta aos olhos dos sentidos e da razão. E assim sucede que as afeições contrárias são misturadas e entrelaçadas com as orações dos fiéis. Os sentidos e a razão carnais não podem fazer outra coisa senão formar de Deus a concepção de ser ele ou favorável ou hostil, segundo as atuais condições dos fatos como se lhes apresentam. Quando, pois, ele nos mantém sofrendo por muito tempo, como se quisesse nos consumir de desgosto, inevitavelmente iremos sentir, segundo a sensação

---

6 "Ce qu'il ne pouvoit faire si non en resistant vivement à la apprehension contrarie." – v.f.

da carne, como se ele tivesse nos esquecido completamente. Quando tal sensação de perplexidade toma total posse da mente de uma pessoa, ela é mergulhada em profunda descrença, e não mais busca e de forma alguma espera encontrar o remédio. Se a fé, porém, lhe vem em seu socorro, reprimindo uma tentação de tal natureza, a mesma pessoa que, julgando segundo a aparência externa dos fatos, considerava Deus como que enraivecido contra ela, ou como que a tendo abandonado, mira no espelho da promessa a graça de Deus que se acha oculta e distante. Entre essas duas emoções contrárias, os fiéis são agitados e, por assim dizer, se vêem flutuantes quando Satanás, de um lado, pondo diante de seus olhos os sinais da ira divina, os impele ao desespero, e tudo faz para destroçar completamente sua fé; enquanto que a fé, por outro lado, trazendo-lhes à lembrança as promessas [divinas], os ensina a esperar pacientemente e a confiar em Deus, até que uma vez mais ele lhes revele seu semblante paternal.

Vimos, pois, a fonte da qual procedeu esta exclamação: *Deus meu! Deus meu!*, e da qual também procedeu a queixa que se segue imediatamente: **Por que me desamparaste?** Enquanto a veemência da tristeza e a enfermidade da carne arrancavam do salmista estas palavras: *Estou desamparado de Deus!*, a fé, para que ele, ao ser tão severamente provado, não mergulhasse em desespero, põe em seus lábios a correção dessa linguagem, para que ousadamente invocasse a Deus, como *seu Deus*, de quem cria estar desamparado. Sim, descobrimos que ele tem dado à fé a preeminência. Antes de se permitir expressar sua queixa, a fim de dar à fé a prioridade, ele antes declara que ainda clamava a Deus como seu Deus pessoal e recorria a ele como seu refúgio. E visto que os afetos da carne, uma vez dando vazão ao seu impulso, não são facilmente reprimidos, ao contrário nos impelem para além dos limites da razão, por isso é aconselhável que os reprimamos desde o começo. Davi, pois, observou a melhor ordem possível ao dar à fé a precedência – expressando-a antes de dar vazão à sua dor, e modificando, por meio de uma devota oração, a queixa que mais adiante faz com respeito à ampla extensão de suas calamidades. Houvera ele expresso simples e precisamente nesses termos: Senhor, por que me desamparaste?, e pareceria, através de uma queixa tão amarga, ter murmurado contra Deus; e, além disso, sua mente correria um imenso risco de exasperar-se em razão do descontentamento movido pela intensidade de sua tristeza. Mas ao erguer contra a murmuração e o descontentamento a trincheira da fé, ele mantém todos os seus pensamentos e sentimentos reprimidos, a fim de que não ultrapassassem os devidos limites. Tampouco é supérflua a dupla reiteração ao chamar Deus de *Deus meu*; e, logo depois, ele ainda repete as mesmas palavras pela terceira vez. Quando parecer que Deus lançou de si toda preocupação por nossa segurança, ignorando nossas misérias e gemidos como se não os percebesse, o conflito com essa espécie de tentação é árduo e penoso; por isso Davi se esforça o máximo que pode em buscar a confirmação de sua fé. A fé não logra vitória logo no primeiro encontro, mas depois de ser alvo de muitos dardos; e depois de ser exercitada com muitas sacudidelas, ela por fim se sai vitoriosa. Não estou dizendo que Davi era um campeão tão corajoso e valente que sua fé não sofresse qualquer oscilação. Quanto mais os fiéis envidem esforços por subjugar seus sentimentos carnais, mais totalmente submissos e devotos se tornam a Deus. Mesmo assim haverá sempre resquícios de fraquezas prevalecendo neles. Disto procede o fato de o santo varão, Jacó, manquejar, segundo Moisés faz menção em Gênesis 32.24; pois embora houvesse prevalecido na luta contra Deus, não obstante conservou sempre a marca de seu pecaminoso defeito. Deus usa tais exemplos para encorajar seus servos à perseverança, para que, conscientes de sua própria deficiência, não sucumbam em desespero. Portanto, os meios que devemos adotar, sempre que nossa carne agitar-se tumultuosamente e, como uma tempestuosa borrasca, impelir-nos à impaciência, é reagindo-nos contra ela, tudo fazendo para restringir sua impetuosidade. Ao agirmos assim, é verdade, seremos agitados e dolorosamente provados, mas nossa fé, não obstante, continuará incólume e será poupada de naufrágio.

Além do mais, podemos deduzir da própria forma da queixa que Davi aqui apresenta, que não é sem motivo que ele reitera as palavras pelas quais sua fé fosse sustentada. Ele não diz simplesmente que *fora desamparado* por Deus, mas adiciona que *Deus estava longe de seu auxílio*, visto que, quando o viu a enfrentar os maiores perigos, não lhe deu qualquer sinal de o encorajar com a esperança de obter livramento. Visto que Deus tem toda condição de socorrer-nos, ao ver-nos expostos como presas de nossos inimigos, não obstante continua quedo como se não se importasse conosco, quem não diria que ele encolheu sua mão para não libertar-nos? Além disso, pela expressão: **as palavras de meu bramido**, o salmista notifica que enfrentava angústia e tormento em alto grau. Certamente que ele não era um homem de tão pouca coragem para, por conta de alguma aflição leve e ordinária, bramir assim, como se fosse uma fera bruta.[7] Devemos, pois, concluir que sua angústia era tão profunda que podia arrancar um bramido tal de uma pessoa que era distinguida pela mansidão e pela coragem intrépida com que suportava as calamidades.

Visto que nosso Senhor Jesus Cristo, ao pender da cruz e ao prontificar-se a depositar sua alma nas mãos de Deus, seu Pai, fez uso dessas mesmas palavras [Mt 27.46], devemos ponderar como essas duas coisas podem concordar, ou seja, que Cristo era o unigênito Filho de Deus, e que, não obstante, se compenetrara de tal forma na tristeza, apoderado de tão profunda dor mental, que chegou a clamar que Deus, seu próprio Pai, o havia desamparado. A aparente contradição entre essas duas afirmações tem constrangido muitos intérpretes a dar curso às evasivas, levados pelo receio de acusar a Cristo de ser culpado nessa questão.[8] Conseqüentemente, dizem que Cristo deu vazão a essa queixa, expressando antes a opinião do

---

7 "Et de faict, il n'estoit point de si petit courage, que pour quelque mal leger il hurlast ainsi comme une beste brute." – v.f. "A palavra original [para *bramir*] propriamente denota o bramir de um leão, e com freqüência se aplica ao lamento profundo de pessoas enfermas em grande dor. Veja-se, entre outros passos, Salmo 32.3; 38.9." – Bispo Mant.

8 "Pour crainte de charger Christ de ce blasme." – v.f.

populacho que era testemunha de seus sofrimentos, do que algum sentimento que nutrisse de estar abandonado por seu Pai. Mas não têm levado em conta que, fazendo assim, estão empobrecendo consideravelmente o benefício de nossa redenção, imaginando que Cristo era totalmente isento dos terrores que o juízo de Deus causa nos pecadores. Temer fazer Cristo sujeito a tão grande sofrimento, para não apoucar sua glória, é de fato um temor infundado. Como Pedro, em Atos 2.24, claramente testifica que "não era possível fosse ele isentado das dores da morte", segue-se que ele não era totalmente imune a elas. E visto que tornou-se nosso representante, e tomou sobre si nossos pecados, era certamente necessário que ele comparecesse perante o tribunal de Deus como pecador. Donde procede o terror e o espanto que o compeliram a orar pelo livramento da morte; não que lhe fosse tão terrível apartar-se meramente desta vida, mas porque surgia diante de seus olhos a maldição divina, à qual se expõem todos quantos são pecadores. Ora, se durante seu primeiro conflito "seu suor se converteu em grandes gotas de sangue", de tal modo que careceu de anjo que o confortasse [Lc 22.43], não surpreende que, em seus sofrimentos finais na cruz, emitisse um lamento indicativo da mais profunda dor. De passagem, deve-se notar que Cristo, embora sujeito aos sentimentos e afetos humanos, jamais caiu em pecado movido pela fragilidade da carne; pois a perfeição de sua natureza o preservou de todo e qualquer excesso. Ele podia, portanto, vencer a todas as tentações com as quais Satanás o assaltava, sem receber qualquer ferimento no conflito que porventura viesse posteriormente compeli-lo a fraquejar. Em suma, não há dúvida de que Cristo, ao verbalizar essa exclamação na cruz, manifestamente demonstrou que, embora Davi, aqui, lamente suas angústias pessoais, este Salmo foi composto sob a influência do Espírito de profecia concernente ao Rei e Senhor de Davi.

2. Ó Deus meu! clamo de dia. Neste versículo o salmista expressa a prolongada continuação de sua aflição, o que agravava ainda mais sua inquietude e exaustão. A tentação se fazia ainda mais grave ante o fato de que tudo indicava que ele perdia seu tempo. Pois se invocar a Deus é nosso único meio de amenizar nossas calamidades, se porventura não extrairmos nenhum benefício de nossas orações, que outro remédio nos restará? Davi, portanto, se queixa de que Deus era de certa forma surdo às suas orações. Ao dizer na segunda cláusula: **e não há sossego algum para mim**, o significado é o seguinte: ele não experimentava nenhum conforto ou alívio, nada que pudesse comunicar-lhe tranqüilidade à mente atribulada. Enquanto a aflição o deprimia, sua mente ficava tão desassossegada, que ele era compelido a clamar. Aqui se demonstra a constância da fé, ou seja, em que a longa duração das calamidades não podia nem destruí-la nem tampouco interromper seu exercício. Portanto, a regra genuína para a oração é esta: que aquele que tem esmurrado o ar sem qualquer resultado, ou parece ter perdido seu tempo, orando por um longo período, não deve por isso abandonar ou desistir desse santo dever. Entrementes, existe a seguinte vantagem que Deus, em sua munificência paternal, concede a seu povo: se ele sentir-se desapontado por algum tempo, não vendo satisfeitos seus desejos e suas expectativas, então que faça conhecidas a Deus suas perplexidades e angústias, e que as descarregue, por assim dizer, em seu regaço.

[vv. 3-8]
> Todavia tu és santo, aquele que habita os louvores de Israel. Nossos pais confiaram em ti; confiaram e tu os livraste. Clamaram a ti e foram libertados; confiaram em ti, e não se sentiram confusos. Mas eu sou verme, e não homem; opróbrio dos homens e irrisão do povo. Todos os que me vêem zombam de mim; fazem muxoxo e meneiam a cabeça. Dizem: Confiou sua causa [ou devolveu sua causa] a Jehovah;[9] então que o livre; que o livre,[10] já que se deleita nele.

---

9 No hebraico temos: "Ele correu para Deus." Na versão latina, nosso autor traduz: "Devolvit ad Jehovam"; e na versão francesa: "Il a remis *disent-ils*, au Seigneur *son affaire*."

10 *Que o livre, que o livre*. Essa repetição é também a tradução adotada por Street, e é aprovada por Poole. "Diz este: "A mesma coisa é duplamente repetida, com o intuito de mostrar tanto a veemência do ódio deles quanto sua confiança no êxito contra ele."

3. Todavia, tu és santo. No hebraico, propriamente, temos: *E tu és santo*; mas a conjunção, ו (*vau*), deve ser, sem dúvida, traduzida pela adversativa *todavia*. Alguns pensam que o estado eterno e imutável de Deus é aqui posto em oposição às aflições que Davi experimentava;[11] mas não posso subscrever tal opinião. É mais simples e mais natural conceituar a linguagem como significando que Deus tem sempre se mostrado gracioso para com seu povo eleito. O tema aqui desenvolvido não é o que Deus é no céu, mas o que ele tem revelado de si em relação aos homens. Pode-se perguntar se Davi, nessas palavras, agrava ainda mais sua queixa, insinuando que é a única pessoa que não consegue nada de Deus. Ou se, apresentando essas palavras como um escudo diante dele, repele a tentação com que era assaltado, exibindo à sua vista esta verdade de que Deus é o contínuo libertador de seu povo. Admito que este versículo é uma expressão adicional da intensidade da tristeza de Davi; mas não alimento dúvida de que, ao usar essa linguagem, ele busca nela um antídoto contra sua desconfiança. Ver-se esquecido de Deus era de fato uma perigosa tentação; e, portanto, para que não pensasse continuamente nela, e para que não a nutrisse, ele volve sua mente da tentação para as evidências fornecidas da graça de Deus, diante das quais ele pudesse encorajar-se, na esperança de obter socorro. Ele, pois, não só quis perguntar como foi que Deus, que sempre tratara misericordiosamente a seu povo, esqueceria agora, por assim dizer, sua própria natureza, e portanto deixa um miserável homem sem qualquer socorro ou conforto, mas também lança mão de um escudo com o qual pudesse defender-se contra os dardos inflamados de Satanás.

---

11 Visto que ישב, *yashab*, não só significa *habitar*, mas também *permanecer* ou *continuar* (veja-se Salmo 102.13), Hammond pensa que este último é o sentido aqui, e traduz a palavra: "Mas tu permaneces ou continuas a ser santo: Ó tu, os louvores de Israel, ou que és os louvores de Israel, isto é, o objeto de todos os seus louvores; ou, mais simplesmente: Mas tu permaneces santo, os louvores de Israel."

Ele chama a Deus de *santo*, visto que ele continua perenemente o mesmo. Diz que ele *habita os louvores de Israel*; porque, ao mostrar tão pródiga liberalidade para com o povo eleito, derramando continuamente bênçãos sobre ele, assim lhe fornecia motivo para constantes louvores e ações de graças. A menos que Deus nos faça provar de sua benevolência, fazendo-nos o bem, permaneceremos mudos em relação à celebração de seus louvores. Visto que Davi pertencia ao número desse povo eleito, ele se esforça, em oposição a todos os obstáculos que pudessem surgir em seu caminho e insinuar-lhe desconfiança, a nutrir esperança de que finalmente se unirá a essa corporação para cantar em sintonia com ela os louvores de Deus.

4. **Nossos pais confiaram em ti**. Aqui o salmista assinala a razão por que Deus se assenta em meio aos louvores das tribos de Israel. A razão consiste no fato de que sua mão tem estado sempre estendida para preservar seu povo fiel. Davi, como acabo de observar, reúne os exemplos de todas as eras passadas com o fim de, por esse meio, encorajar-se, revigorar-se e eficazmente persuadir-se de que, visto Deus jamais lançar fora a qualquer um dentre seu povo eleito, ele também seria um do número daqueles para quem o livramento seguramente está posto na mão de Deus. Ele, pois, expressamente declara que pertence à progênie daqueles que haviam sido ouvidos, notificando com isso que é herdeiro da mesma graça que haviam experimentado. Sua atenção está voltada para o pacto por meio do qual Deus adotara a posteridade de Abraão para que fosse seu povo peculiar. Resultaria pouco tomar conhecimento dos variados exemplos em que Deus exercitara sua misericórdia para com seu próprio povo, a menos que cada um de nós se considere pertencente a seu número, como Davi se incluía na Igreja de Deus. Ao reiterar três vezes que os pais haviam obtido livramento mediante sua *confiança*, não há dúvida de que, com toda modéstia, ele tenciona tacitamente notificar que possuía a mesma esperança com que eles se inspiraram, esperança esta que acarreta, por assim dizer, o cumprimento das promessas também em nosso favor. Para que uma pessoa extraia ânimo das bênçãos que Deus derramou

sobre seus servos nos tempos de outrora, ela deve volver sua atenção para as graciosas promessas da Palavra de Deus e para a fé que repousou sobre eles. Em suma, para provar que essa confiança não era nem tíbia nem morta, Davi nos relata, ao mesmo tempo, que *clamavam a Deus*. Mente despudoradamente aquele que tem a pretensão de dizer que confia em Deus e, no entanto, em suas calamidades é tão lânguido e indiferente que não chega a implorar o socorro divino. A fé genuína é conhecida pela oração, já que a produtividade de uma árvore se conhece por seus frutos. Deve observar-se também que Deus não reconhece nenhuma outra oração como legítima senão aquela que procede e é acompanhada pela fé. Portanto, não é sem boas razões que Davi colocou o verbo *clamar* entre estas palavras: *Confiaram em ti, confiaram*, nos quatro versículos, e estas palavras: *Confiaram em ti*, no quinto versículo.

6. Mas eu sou um verme, e não homem. Davi não murmura contra Deus como se ele o estivesse tratando de forma inclemente, senão que, ao deplorar sua condição, diz ele, com o intuito de mais eficazmente induzir a Deus a revelar-lhe misericórdia, que já não se considerava um ser humano. É verdade que isso à primeira vista tende a desencorajar a mente, ou, melhor, a destruir a fé; mas se evidenciará mais claramente, à luz da seqüência, que, até onde é esse o caso, Davi declara que sua condição era tão miserável, que por esse meio ele se encorajava com a esperança de receber lenitivo. Ele, pois, argumenta dizendo que outra coisa não podia ser senão que Deus, afinal de contas, lhe estenderia sua mão para salvá-lo; salvar, digo, a ele que era tão severamente afligido e estava à beira do desespero. Se Deus tem tido compaixão de todos quantos já foram afligidos, ainda que afligidos só em grau moderado, como é possível que ele esqueça seus servos quando se vêem precipitados no mais profundo abismo de toda espécie de calamidades? Portanto, sempre que nos sentirmos sucumbidos sob o imenso peso das aflições, tiremos desse fato um argumento que nos encoraje a esperar pelo livramento, em vez de nos precipitarmos no desespero. Se

Deus tão severamente provou ao seu mais eminente servo Davi, e o aviltou ao ponto de ele não encontrar um espaço nem mesmo entre os mais desprezíveis dos homens, não levemos a mal se, segundo seu exemplo, formos lançados abaixo. Devemos, contudo, principalmente despertar nossa lembrança para o Filho de Deus, em cuja pessoa, sabemos, foi isso também cumprido, como Isaías predisse: "Era desprezado, e rejeitado dos homens; homem de dores, e experimentado nos sofrimentos; e, como um de quem os homens escondiam o rosto, era desprezado e não fizemos dele caso algum" [Is 53.3]. Com essas palavras do profeta, somos munidos com uma suficiente refutação contra as frívolas sutilezas daqueles que têm filosofado sobre a palavra *verme*, como se Davi, aqui, estivesse a realçar algum mistério singular na geração de Cristo; enquanto que seu significado é simplesmente o seguinte: ele fora aviltado abaixo de todos os homens e, por assim dizer, cortado do rol dos seres viventes. O fato de que o Filho de Deus suportou ser reduzido a uma ignomínia tal, sim, desceu ao próprio inferno, longe está de obscurecer, em algum aspecto, sua glória celestial, ao contrário é como um espelho nítido do qual se nos reflete sua graça sem paralelo.

7. Todos aqueles que me vêem espicham o lábio e meneiam a cabeça.[12] Aqui temos uma explicação da frase anterior. Ele disse que se tornara objeto de escárnio aos mais vis dos homens e, por assim dizer, refugo do povo. Ele agora nos informa da ignomínia com que era tratado – não contentes com uma linguagem de baixo calão, também revelavam sua insolência por meio de muitos gestos, tanto pelo uso de

---

12 O Bispo Horsley traduz assim essas palavras: "Todos os que me vêem [me] insultam com gestos de zombaria." "Não posso traduzir de outra maneira o verbo לעג, senão por meio desta perífrase:" O Bispo Mant traduz todo o versículo assim:
"Todos os que me vêem levado para a matança
Escarnecem de meu deprimente estado;
Torcem os lábios, meneiam a cabeça,
Apontam para mim com pilhérias insultuosas."
E observa: "A distinção e o colorido dos quadros proféticos aqui são tão notáveis à imaginação, como o tema é doloroso ao coração."

espichar seus lábios[13] quanto pelo meneio de suas cabeças. Visto que as palavras que traduzimos por *espicham o lábio* é, no idioma hebraico, *franqueiam com o lábio*,[14] alguns as explicam como significando *dizer insultos*. Mas tal ponto de vista não me parece ser apropriado; pois a letra ב, *beth*, que significa *com*, é aqui supérflua, como às vezes sucede no idioma hebraico. Portanto, preferi traduzir as palavras originais assim: *espicham o lábio*; que é o gesto daqueles que motejam franca e injuriosamente. A linguagem de reproche que se segue se revela muito mais grave quando alegavam contra ele que Deus, que publicamente confessava ser seu Pai, lhe voltara as costas. Sabemos que Davi, ao ver-se injustamente condenado pelo mundo, costumava suportar e consolar-se com a certeza de que, uma vez tendo a aprovação de uma sã consciência, tinha Deus no céu como seu guardião, aquele que era poderoso para executar vingança sobre seus difamadores.[15] Agora, porém, todos quantos o viam debochavam dele, dizendo que com vã arrogância havia infundadamente se gabado do socorro que receberia de Deus. Onde está esse Deus, perguntam eles, de quem havia aprendido? Onde está esse amor para o qual se lançara? Satanás não possui um dardo mais mortífero com o qual ferir as almas dos homens, do que quando se esforça por banir a esperança de nossas mentes, convertendo as promessas de Deus em ridículo. Os inimigos de Davi, contudo, não dizem simplesmente que suas orações eram debalde, e que o amor de Deus no qual se gloriava era falaz; senão que indiretamente o acusavam de ser hipócrita, no fato de falsamente pretender ser um dos filhos de Deus, de quem se havia alienado completamente.

Quão severa tentação teria sido essa para Davi, o que qualquer um de nós poderá julgar à luz de sua própria experiência. Mas, mediante o remédio que usou, ele fornece uma prova da sinceridade

---

13 "Espichar o lábio inferior é, no Oriente, considerado uma forte indicação de desdém. Seu emprego é principalmente confinado às classes mais baixas." – *Illstrated Commentary upon the Bible*.

14 בשפה, *besaphah, com o lábio*.

15 "Qu'il avoit Dieu au ciel pour garent qui sçavoit bien faire la vengence de ses mesdisans." – v.f.

de sua confiança; porque, a menos que ele tomasse a Deus como insofismável testemunha e aprovador da sinceridade de seu coração, jamais haveria ousado aproximar-se dele com essa queixa. Portanto, sempre que os homens nos acusam de hipocrisia, seja nosso empenho fazer com que a sinceridade de nosso coração responda por nós diante de Deus. E sempre que Satanás tentar desalojar a fé de nossa mente, através de mordaz detração e cruel irrisão, que seja esta a nossa sacra âncora: invocar a Deus como testemunha dela, e que, divisando-a, agrademo-nos em exibir sua justiça em manter nosso direito, visto seu santo nome não poder ser maculado com uma blasfêmia mais vil do que afirmar que aqueles que põem sua confiança nele são inflados com vã confiança, e que os que se persuadem de que Deus os ama se enganam com infundada fantasia. Visto que o Filho de Deus foi assaltado com a mesma arma, é inegável que Satanás não poupará mais os crentes genuínos, por serem seus membros, do que a ele [o Filho de Deus]. Eles devem, pois, defender-se desta consideração: ainda que os homens os considerem como vivendo em desesperadora condição, todavia, se confiarem a Deus, tanto a si próprios quanto a todas as suas atividades, suas orações não serão feitas em vão. Pelo verbo גל, *gol*, que é traduzido por *confiar*, a natureza e a eficácia da fé são muito bem expressas, a qual, repousando sobre a providência de Deus, alivia nossas mentes dos pesados fardos das preocupações e distúrbios com que são agitadas.

> [vv. 9-11]
> Seguramente tu me retiraste da madre, e fizeste com que me sentisse seguro nos seios de minha mãe.[16] Desde a madre fui lançado sobre ti;[17] tu és o meu Deus desde o ventre materno. Não te afastes para longe de mim, pois a angústia está perto, e não há ninguém que me ajude.

---

16 "Qui m'as donné asseurance, lorsque je sucçoye les mammelles de ma mere." – versão francesa marginal. "Isto é, me deste confiança enquanto sugava os seios de minha mãe."

17 "Abandonné entre tes mains." – versão francesa marginal. "Isto é, deixado entre tuas mãos." Poole, aplicando isso a Cristo, diz: "Fui como alguém esquecido por seus pais, e lançado totalmente à mercê de tua providência. Não tive pai sobre a terra; e minha mãe era pobre e desamparada."

9. **Seguramente tu me retiraste da madre.** Neste ponto Davi uma vez mais ergue uma nova fortaleza com o intuito de resistir e repelir as maquinações de Satanás. Ele enumera de forma sucinta os benefícios que Deus lhe havia concedido, pelos quais desde muito havia aprendido que ele era seu Pai. Sim, ele declara que ainda antes de nascer Deus lhe revelara uma evidência tal de seu amor paternal que, ainda que ora estivesse submerso nas trevas da morte, ele podia com sobejas razões esperar que sua vida fosse poupada. E é o Espírito Santo quem ensina aos fiéis a sabedoria de coletarem juntos, quando se vêem envolvidos por circunstâncias de medo e sofrimento, as evidências da bondade de Deus, a fim de, por esse meio, sustentarem e robustecerem sua fé. Devemos considerar como um princípio estabelecido que, uma vez que Deus nunca se cansa no exercício de sua liberalidade, e uma vez que as mais exuberantes doações não podem exaurir suas riquezas, segue-se que, como temos a experiência dele como nosso Pai desde nossa tenra infância, ele nos comprovará ser o mesmo ainda em nossa extrema velhice. Ao reconhecer que *fora tomado desde a madre*, pela mão divina, e que *Deus fez com que ele se sentisse seguro nos seios de sua mãe*, o significado consiste em que, embora seja pela operação de causas naturais que os infantes vêm ao mundo e são nutridos com o leite materno, nesse particular, contudo, a prodigiosa providência divina resplandece gloriosamente. Esse milagre, é verdade, em virtude de sua ocorrência ordinária, nos parece de somenos importância. Se a ingratidão, porém, não estendesse sobre nossos olhos o véu da estupidez, sentir-nos-íamos estupefatos de admiração ante cada parto que se dá no mundo. O que impede o feto de perecer, como é possível, uma centena de vezes em sua própria deterioração, antes mesmo de haver chegado o tempo de seu nascimento, senão o fato de Deus, por seu secreto e incompreensível poder, conservá-lo vivo em seu próprio túmulo? E depois de ser introduzido no mundo, visto estar sujeito a tantas misérias e não poder mover um dedo sequer em seu próprio auxílio, como poderia sobreviver por um único dia não o tomasse Deus em seu próprio e

paternal regaço para nutri-lo e protegê-lo? É com boas razões, pois, que se diz que o infante é *lançado sobre ele* [Deus]; pois, a menos que ele alimente as mais tenras criancinhas, e exerça para com todas a função de enfermeiro, mesmo ao tempo em que são trazidas à luz, seriam expostas a centenas de mortes, pelas quais seriam sufocadas num instante.

Finalmente, Davi conclui que Deus é o *meu Deus*. Deus, é verdade, com toda evidência revela a mesma bondade, que é aqui celebrada, até mesmo para com a criação bruta; mas é tão-somente em relação ao gênero humano que ele se revela como Pai, de uma forma especial. E ainda que ele não dote imediatamente as criancinhas com o conhecimento dele, no entanto declara-se que *lhes comunica confiança*, porque, ao demonstrar que de fato ele toma cuidado de sua vida, de certo modo as atrai para si; como se diz em outra parte: "Que dá aos animais seu alimento, e aos filhos dos corvos quando clamam" [Sl 147.9]. Visto que Deus dessa forma antecipa, por sua mercê, os pequeninos antes mesmo que atinjam o uso da razão, é indubitável que jamais desapontará a esperança de seus servos quando o invocam e lhe apresentam suas petições. Aqui está o argumento em favor do fato de que Davi luta e se empenha por vencer a tentação.

11. Não te afastes para longe de mim. Neste ponto ele emprega outro argumento com o fim de introduzir Deus usando de misericórdia para com ele, alegando que se sente dolorosamente deprimido e dominado pela mais profunda angústia. Ele, indubitavelmente, põe diante de seus olhos a função que as próprias Escrituras atribuem a Deus de socorrer o miserável, bem como de estar sempre pronto a ajudar-nos quando somos atingidos pela aflição. Portanto, mesmo o próprio desespero servia de escada para elevar sua mente ao exercício da oração devota e fervorosa. Semelhantemente, a sensação que temos de nossas aflições deve incitar-nos a buscar abrigo debaixo das asas de Deus, para que, ao conceder-nos seu auxílio, nos revele que nutre profundo interesse por nosso bem-estar.

[vv. 12-16]
Fortes touros me têm cercado; touros de Basã me têm rodeado. Abrem sua boca contra mim, como um leão que despedaça e ruge. Sou derramado como água, e todos os meus ossos se desconjuntaram; meu coração é como cera; derreteu-se no meio de minhas entranhas. Minha força secou-se como um caco de barro, e minha língua adere ao céu da boca e me lançaste ao pó da morte. Pois cães me têm rodeado; e a assembléia dos perversos me têm cercado; traspassaram-me as mãos e os pés.

12. Fortes touros me têm cercado. O salmista agora se queixa da crueldade e da bárbara raiva de seus inimigos, e os compara, primeiro, a touros, segundo a leões e terceiro a cães. Quando se acende o furor dos touros, sabemos quão ferozes e terríveis eles são. Igualmente o leão é uma fera cruel e mete medo no ser humano. E a raiva e feroz ousadia com que os cães, uma vez irritados, se precipitam sobre alguém para fazer-lhe dano também são bem conhecidas. Em suma, os inimigos de Davi eram tão sedentos de sangue e cruéis, que se assemelhavam mais a animais selvagens que a seres humanos. Ele os qualifica não simplesmente de *touros*, mas de *fortes touros*. Em vez de traduzir a palavra original, רבים (*rabbim*), *forte*, como tenho feito, alguns preferem traduzi-la por *muitos*, com o quê não posso concordar. Davi, é verdade, era assaltado por numerosas hostes de inimigos, mas tudo indica, à luz da segunda cláusula do versículo, que o que se descreve aqui é sua força, e não seu número. Ele aí os denomina de *touros de Basã*; significando com tal expressão os touros bem nutridos e, conseqüentemente, enormes e fortes; pois sabemos que as colinas de Basã eram distinguidas pelas pastagens ricas e suculentas.[18]

14. Sou derramado como água. Até aqui ele nos informou que, sendo cercado por animais selvagens, avizinhava-se da morte, como se estivesse ao ponto de ser devorado num instante. Ele agora deplora, em adição a isso, sua angústia íntima. Donde aprendemos que ele

---

18 "O touro é conhecido como sendo um animal feroz, e os de Basã, nutridos em luxuriantes pastagens, eram fora do comum." – *Dr. Geddes*.

não era nem estúpido nem insensível aos perigos. Não poderia ser um medo comum esse que o levou a quase consumir-se de desgosto, pelo qual seus ossos se desconjuntaram e seu coração derramou como água. Vemos, pois, que Davi não se deixava golpear pelas ondas da aflição como se fosse uma rocha inamovível; ao contrário, era agitado intimamente por desagradáveis ansiedades e tentações, as quais, através da fragilidade da carne, jamais teria sido capaz de suportar não fosse socorrido pelo poder do Espírito de Deus. Como tais sofrimentos são aplicáveis a Cristo, eu já informei o leitor um pouco antes. Visto ser um homem real, ele era realmente sujeito às fragilidades de nossa carne, menos na corrupção do pecado. A perfeita pureza de sua natureza não extinguiu as enfermidades humanas. Ela apenas as regulava para que não se tornassem pecaminosas pelo excesso. A intensidade de suas tristezas, portanto, não podiam enfraquecê-lo tanto que o impedisse, mesmo em meio aos seus mais execráveis sofrimentos, de submeter-se à vontade de Deus, com mente equilibrada e pacífica. Ora, embora esse não seja o caso em relação a nós, que temos em nosso íntimo turbulentas e desordenadas emoções, e que nunca podemos mantê-las sob tal restrição que as impeçamos de lançar-nos de um lado a outro por sua impetuosidade, no entanto, seguindo o exemplo de Davi, tomemos alento; e quando, através de nossa fragilidade, estivermos, por assim dizer, quase sem vida, dirijamos nossos gemidos a Deus, rogando-lhe que graciosamente se digne de restaurar-nos a força e o alento.[19]

15. Minha força secou-se. Sua intenção era falar do vigor que nos é comunicado pela nutrição radical, como os médicos a chamam. O que ele acrescenta na próxima cláusula – **Minha língua adere ao céu de minha boca** – é do mesmo teor. Sabemos que a excessiva tristeza não só consome os espíritos vitais, mas também seca quase que toda a umidade que temos em nossos corpos. A seguir declara que, em conseqüência disso, ele estava relegado ou destinado ao túmulo: **Tu me**

---

19 "A ce qu'il luy plaise nous remettre sus, et nous rendre force et vigueur." – v.f.

tens lançado no pó da morte. Com isso ele notifica que toda a esperança de vida se exaurira dele; e nesse sentido Paulo também diz que "em nós mesmos tínhamos a sentença de morte" [2 Co 1.9]. Mas neste ponto Davi fala de si mesmo em linguagem hiperbólica, e faz isso a fim de guiar-nos para além de si mesmo, a saber, para Cristo. O tremendo encontro de nosso Redentor com a morte, pela qual foi extraído de seu corpo sangue em lugar de suor; sua descida ao inferno, pela qual sorveu a ira divina que se destinava aos pecadores; e, em suma, seu próprio esvaziamento, tudo isso não poderia ser adequadamente expresso através de alguma forma ordinária de linguagem. Além do mais, Davi fala da morte da forma como os que estão atribulados costumam falar dela, ou seja, chocados pelo medo, não conseguem pensar em nada mais senão em seu ser sendo reduzido a pó e destruição. Sempre que a mente dos santos é circundada e oprimida por essa mesma escuridão, há sempre alguma incredulidade adicionada a seu exercício, o que os impede de imediatamente emergir totalmente dela para a luz de uma nova vida. Mas em Cristo essas duas coisas estavam maravilhosamente associadas, ou seja, terror, procedente de seu senso da maldição divina; e paciência, oriunda da fé, que tranqüilizava todas as emoções mentais, de modo que elas continuavam em completa e voluntária sujeição à autoridade de Deus. Quanto a nós, que não somos dotados de igual poder, se em algum tempo nada visualizarmos perto de nós senão destruição, permanecermos por longo tempo intensamente desfalecidos, devemos esforçar-nos por paulatinamente recobrar a coragem e erguer-nos cheio da esperança que vivifica os mortos.

16. Traspassaram minhas mãos e meus pés. A palavra original que traduzimos por *traspassaram* é כארי (*caärî*), que literalmente traduzida é *como um leão*. Visto que todas as Bíblias hebraicas atualmente, sem exceção, trazem esta redação, sentir-me-ia grandemente hesitante em afastar-me de uma redação que todas elas apoiam, não fosse o escopo do discurso compelir-me a fazer isso, e não fosse as fortes razões para conjeturar-me que esta passagem foi fraudulentamente corrompida pelos judeus. Quanto à Septuaginta, não há dúvida de que os tradutores leram no texto hebraico כארו (caäru), que é a letra ו (vau), onde agora há a letra י (yod).[20] Os judeus tagarelam muito sobre estar o sentido literal propositada e deliberadamente destruído por nossa tradução do verbo original, *traspassaram*. Em abono dessa alegação, porém, não há qualquer colorido de verdade. Que necessidade havia de tagarelar tão presunçosamente sobre uma questão sobre a qual não havia a menor necessidade? Mui forte suspeita de falsidade, contudo, os atinge, visto que o supremo desejo de seus corações é despojar o Jesus crucificado de seus brasões e despi-lo de seu caráter como Messias e Redentor. Se recebêssemos esta redação como gostariam que fizéssemos, o sentido seria desenvolvido em maravilhosa obscuridade. Em primeiro lugar, seria uma forma defectiva de expressão; e, para completá-la, diriam que é necessário suprir o verbo *rodear* ou *sitiar*. Mas o que fariam com tal significado: *sitiando as mãos e os pés*? Sitiar pertence tanto a essas partes quanto o corpo humano pertence ao homem como um todo. Ao ser descoberto o absurdo desse argumento, usam como recurso a mui ridícula fábula de viúvas idosas, segundo seu modo usual, dizendo que o leão, quando encontra uma pessoa em seu caminho, faz um círculo com sua calda antes de precipitar-se sobre sua presa. Provando com isso que é

---

20 Essa palavra tem criado muita polêmica. Na Bíblia hebraica, a redação *kethib* ou *textual* é כארי, *caäri, como um leão*; a redação *keri*, ou *marginal*, é כארו, *caäru*, "*eles traspassaram*", de כרה, *carah, cortar, cavar* ou *trespassar*. Ambas as redações são apoiadas por MSS. Não há, contudo, razão para se duvidar que a redação genuína seja כארו, *caäru*. Visto que a Septuaginta, aqui, tem ωρυξαν, *traspassaram*, os tradutores, indubitavelmente, consideraram que a redação correta do texto hebraico era כארו, *caäru*. A Vulgata, a Siríaca, a Arábica e Etiópica apresentam uma redação semelhante. Todos os Evangelistas também citaram e aplicaram a passagem à crucificação de Cristo. Além disso, a outra redação, כארי, *caäri, como um leão*, traduz a passagem ininteligivelmente. A versão Caldaica combinou ambas as idéias, de *traspassou* e *como um leão*, ficando assim: "Perfurando, como um leão, minhas mãos e meus pés." Nosso autor presume que o texto foi fraudulentamente corrompido pelos judeus que intencionalmente mudaram כארו, *caäru*, para כארי, *caäri*. Mas não há necessidade de pressupor-se que houve alguma fraude neste caso. No processo de transcrição, a mudança pode ter ocorrido sem premeditação, substituindo a letra י, *yod*, pela letra ו, *vau*, que são muitíssimo parecidas. Walford observa: "que a presente redação [כארי, *caäri*] é plenamente satisfatória, se for tomada como um particípio plural *in regium*, e for traduzida: 'Ofensores de minhas mãos e de meus pés'."

sobejamente evidente serem eles um caso perdido em matéria de argumento em abono de seus pontos de vista.

Além disso, visto que Davi, no versículo precedente, usou a similitude de um leão, a repetição dela, neste versículo, seria supérflua. Abstenho-me de insistir sobre o que alguns de nossos expositores têm observado, ou seja, que este substantivo, quando tem como prefixo a letra ⊃ (*caph*), que significa *como*, a palavra, denotando similitude, tem comumente outros pontos além daqueles que são empregados nesta passagem. Não obstante, meu objetivo aqui não é tentar convencer os judeus que em matéria de controvérsia são no mais elevado grau obstinados e teimosos. Desejo apenas sucintamente demonstrar quão perversamente lutam por deixar os cristãos perplexos em virtude da diferente redação que ocorre nesta passagem. Quando objetam, dizendo que por determinação da lei ninguém era pregado com pregos numa cruz, nisso denunciam sua grosseira ignorância da história, visto ser indubitável que os romanos introduziram muitos de seus próprios costumes e hábitos nas províncias que iam conquistando. Se objetarem que Davi nunca foi pregado numa cruz, a resposta é simples, ou seja, que ao deplorar sua condição ele fez uso de uma similitude, declarando que não era menos afligido por seus inimigos do que o que é suspenso numa cruz, tendo suas mãos e pés traspassados por pregos. Deparar-nos-emos um pouco adiante com mais metáforas desse mesmo gênero.

[vv. 17-21]
Contarei todos os meus ossos; eles me olham e me encaram. Repartem entre si minhas vestes, e sobre minha túnica lançam sortes. Mas tu, ó Jehovah, não fiques longe de mim! Ó tu que és minha força, apressa-te em socorrer-me. Livra da espada minha alma; meu único bem[21] da mão [ou do poder] do cão. Salva-me da boca do leão, e ouve-me dos chifres dos unicórnios.[22]

---

21 "Asçavoir, vie, qui est seule." – versão francesa marginal. "Isto é, minha vida, que é única."
22 "Et me respon, *en me sauvant* des cornes des licornes." – v.f. "E responde-me, *salvando-me* dos chifres dos unicórnios."

17. Contarei todos os meus ossos. A palavra hebraica, עצמות (*atsmoth*), que significa *ossos*, deriva-se de outra palavra, que significa *força*; e por isso esse termo às vezes se aplica a amigos, por cuja defesa somos reanimados, ou a argumentos e raciocínios que são, por assim dizer, os tendões e a força da defesa de uma causa. Alguns, portanto, injetam nesta passagem este significado: De nada me aproveitará somar todos os meus argumentos em minha própria defesa; pois meus inimigos estão plenamente determinados a destruir-me de uma forma ou outra, seja justa ou dolosa, sem sentir qualquer respeito pelos ditames da justiça. Outros a explicam assim: Davi se queixa de que seu corpo estava tão definhado e abatido, que os ossos pareciam projetar-se de todas as partes dele; pois acrescentam imediatamente que seus inimigos se regalaram ao vê-lo em tão miserável condição. Portanto as duas cláusulas do versículo são lindamente conectadas uma à outra. A crueldade de seus inimigos era tão insaciável que, contemplando um homem em estado de miséria e arrasado pela tristeza, bem como consumido pelo desgosto, enchiam-se de deleite, arregalando seus olhos de satisfação diante de um espetáculo tão deplorável.

O que se segue no próximo versículo, relativo a suas vestes, é de cunho metafórico. É como se quisesse dizer que todos os seus bens se transformaram em presa para seus inimigos, à semelhança dos vencedores que costumavam saquear os vencidos ou dividir o espólio entre si, lançando sortes para determinar a parte que cabia a cada um. Comparando seus ornamentos, suas riquezas e tudo quanto possuía, com suas vestes, ele se queixa de que, depois de haver sido espoliado de tudo, seus inimigos o dividiram entre si como se faz com um butim, seguido de escárnio contra ele; e com esse escárnio a vilania de sua conduta era agravada, visto que triunfavam contra ele, como se já fosse um homem morto. Os Evangelistas citaram este texto com todas as letras, como dizemos, e sem figura; e não houve absurdo algum em tal procedimento. Com o intuito de ensinar-nos com a máxima clareza que neste Salmo Cristo nos é descrito pelo Espírito de profecia, o Pai celestial pretendia que na pessoa de seu Filho aqueles fatos seriam visivelmente concretizados, os quais foram prefigurados em Davi. Mateus [8.16-17], ao narrar que o paralítico, o cego e o coxo foram curados de suas enfermidades, diz que isso foi feito "para que se cumprisse o que fora dito por Isaías, o profeta, dizendo: Ele tomou sobre si nossas enfermidades, e levou nossas dores". Ainda que o profeta, nessa passagem, tenha posto diante de nós o Filho de Deus no caráter de um médico espiritual. Somos em extremo morosos e tímidos para crermos; e não nos admira que, em virtude de nosso embotamento de mente, a demonstração do caráter de Cristo, palpável aos nossos sentidos, nos tem sido dado[23] para que tivesse o efeito de despertar a lentidão de nosso entendimento.

19. Mas tu, ó Jehovah, não fiques longe de mim. Devemos ter em mente tudo o que Davi tem até aqui relatado acerca de si mesmo. Como suas misérias haviam atingido o ponto mais alto, e como ele não divisava nem sequer um único raio de esperança a encorajá-lo a esperar pelo livramento, é um prodigioso exemplo do poder da fé que ele tenha não só suportado pacientemente suas aflições, mas também que do abismo do desespero ele saiu para invocar a Deus. Portanto, notemos particularmente que Davi não derramou suas lamentações pensando consigo mesmo ser inútil e sem qualquer propósito que alguém caia em perplexidade e derrame ao léu, repetidas vezes, seus gemidos. As orações que adiciona revelam sobejamente que ele esperava que os resultados seriam segundo seus desejos. Ao chamar Deus, *minha força*, com essa qualificação ele apresenta uma prova mais evidente de sua fé. Ele não ora de uma maneira dúbia, mas promete a si mesmo aquela assistência que os olhos dos sentidos ainda não perceberam.

Com as expressões, *a espada, mão do cão, boca do leão* e *os chifres dos unicórnios*, ele enfatiza que estava presentemente exposto ao risco de morte, e isso de variadas formas. Do que deduzimos que, embora

---

23 "Il nous a esté faite une demonstration si grossiere, qu'on la pouvoit taster au doigt." – v.f. "Tem-nos sido dado uma demonstração tão palpável, que poderia ser tocado com o dedo."

se sentisse totalmente debilitado quando se via cercado pela morte, não obstante continuava forte no Senhor e o espírito de vida era sempre vigoroso em seu coração. Alguns tomam as palavras, *único bem*, ou, *única vida*, por *querida* e *preciosa*.[24] Mas tal conceito não me parece apropriado. Ele antes quer dizer que, em meio a tantas mortes, nenhum socorro ou auxílio encontrou em qualquer parte do mundo. Como no Salmo 35.17, as palavras, *minha alma, minha dileta*,[25] são usadas no mesmo sentido em relação a uma pessoa que está sozinha e destituída de todo e qualquer socorro e auxílio. Isso se torna ainda mais evidente à luz do Salmo 25.16, onde Davi, ao chamar a si de pobre e solitário, indubitavelmente se queixa de que estava completamente privado de amigos e esquecido do mundo inteiro.

Ao dizer no final do versículo 21: **Responde-me**, ou, **Ouve-me dos chifres dos unicórnios**, essa forma hebraica de expressão pode parecer estranha e obscura aos nossos ouvidos, mas o sentido não é de forma alguma ambíguo. A causa é apenas posta em lugar do efeito; pois nosso livramento é a conseqüência ou o efeito de Deus nos ouvir. Pode perguntar-se como isso se aplica a Cristo, a quem o Pai não livrou da morte. Minha resposta é expressa sucintamente, ou seja, ele foi mais poderosamente libertado do que se Deus o impedisse de cair vítima da morte, quando se constitui num livramento muito mais glorioso ressuscitar dos mortos do que ser curado de uma grave doença. A morte, pois, não impediu a ressurreição de Cristo de finalmente testificar que ele fora ouvido.

> [vv. 22-24]
> Declararei teu nome a meus irmãos; no meio da assembléia te louvarei. [Dizendo[26]]: Vós, que temeis a Jehovah, louvai-o; todos vós, descendência de Jacó, glorificai-o; e temei-o, todos vós, descendência de Israel. Porque ele não desprezou nem desdenhou do pobre; nem ocultou-lhe ele seu rosto; e quando a ele clamou, foi ouvido.

---

24 Isto é, minha vida, a qual me é querida e preciosa.
25 "La vie esseulee." – v.f. "Vida abandonada ou deixada sozinha."
26 *"Disant."* – v.f.

22. Declararei teu nome.[27] Davi, ao prometer que quando fosse libertado não seria ingrato, confirma o que anteriormente declarara, ou seja, que se achava tão assolado pela tentação, que não tinha alento para resisti-la. Como poderia ele pôr-se em prontidão, como o faz aqui, para oferecer a Deus o sacrifício de ações de graças, se não nutrisse de antemão a esperança de livramento? É mister ainda concordarmos que este Salmo foi composto depois que Davi alcançou realmente o que desejava; não há dúvida de que o que ele mais tarde escreveu formou as meditações e reflexões que transitaram por sua mente durante o tempo de suas pesadas aflições. Deve notar-se particularmente que o que ele promete não é um sinal comum de gratidão, mas tal como Deus requeria para as bênçãos raras; ou seja, que os fiéis deviam adentrar seu santuário e ali dar solene testemunho da graça que haviam recebido. O propósito das públicas e solenes ações de graças consiste em que os fiéis pudessem envolver-se em todas as variedades de desejos de servir e honrar a Deus, e para que pudessem animar uns aos outros a agir da mesma maneira. Sabemos que o prodigioso poder de Deus manifestou-se na proteção de Davi; e não apenas através de um só milagre, mas de muitos. Portanto, não é de admirar que ele se sentisse obrigado, por um voto solene, a proferir uma franca e pública confissão de sua piedade e fidelidade para com Deus. Pela expressão, *meus irmãos*, ele quer dizer os israelitas; e lhes aplica esta designação, não só porque ele e eles eram ambos descendentes da mesma paternidade, mas, sim, porque a religião que tinham em comum, como um vínculo sagrado, os mantinha unidos uns aos outros por um laço espiritual. O apóstolo [Hb 2.12], ao aplicar este versículo a Cristo, argumenta a partir dele que ele era participante conosco da mesma natureza e unido a nós por uma genuína comunhão de carne, visto ele reconhecer-nos como seus irmãos e dignar-se a conferir-nos um epíteto tão honroso. Tenho reiteradamente afirmado

---

27 A segunda parte do Salmo começa aqui. Há uma transição de linguagem da angústia mais profunda àquela de exaltada alegria e gratidão. O Messias sofredor aqui contempla os benditos resultados de seus sofrimentos.

(e que pode ser facilmente provado à luz do propósito deste Salmo) que, sob a figura de Davi, Cristo nos foi aqui prefigurado. O apóstolo, pois, afortunadamente deduz desse fato que, sob e através do epíteto, *irmãos*, o direito de aliança fraternal com Cristo nos foi confirmado. Tal coisa, sem dúvida, em certa extensão pertence a toda a humanidade, mas o verdadeiro usufruto disso pertence propriamente só aos crentes genuínos. Por essa razão Cristo mesmo, de sua própria boca, limita esta designação a seus discípulos, dizendo: "Vai a meus irmãos e diz-lhes que eu subo para meu Pai e vosso Pai, meu Deus e vosso Deus" [Jo 20.17]. Os ímpios, por meio de sua incredulidade, desfazem e dissolvem aquela relação da carne, pela qual se aparentaram conosco, e assim se tornaram completamente estranhos a ele por sua própria culpa. Visto que Davi, enquanto compreendia sob a palavra *irmãos* toda a progênie de Abraão, imediatamente a seguir [v. 23] dirige especificamente seu discurso aos verdadeiros adoradores de Deus; e assim Cristo, enquanto derrubava "a parede de separação que estava no meio" entre judeus e gentios, e publicou as bênçãos da adoção a todas as nações, e por esse meio manifestou-se a eles como irmão, não retém no grau de irmãos a ninguém mais senão os verdadeiros crentes.

23. Vós, que temeis a Jehovah. Aqui, uma vez mais, o salmista expressa mais distintamente o fruto das públicas e solenes ações de graças, do qual fala antes, declarando que, ao engajar-se nesse exercício, cada pessoa, em seu próprio lugar, convida e incita a igreja, mediante seu exemplo, a louvar a Deus. Ele nos diz que o propósito com o qual louvará o nome de Deus na assembléia pública é para reanimar a seus irmãos a fazer o mesmo. Mas como os hipócritas comumente se infiltram na igreja, e visto que, no celeiro do Senhor, a palha se mistura com o trigo, ele se dirige expressamente aos santos e aos que *temem* a Deus. Os impuros e maus podem cantar os louvores de Deus com sua boca aberta, mas com toda certeza não fazem outra coisa senão poluir e profanar seu santo nome. Aliás, deveria ser um objetivo muito desejável que os homens de todas as condições no mundo, de comum acordo, unir-se em santa melodia ao Senhor. Visto, porém, que a principal e essencial parte dessa harmonia procede de uma afeição sincera e pura de coração, ninguém jamais, de uma forma correta, celebrará a glória de Deus, exceto aquele que o adorar sob a influência de santo temor. Davi, um pouco depois, designa *a semente de Jacó e de Israel* como uma referência à vocação comum do povo; e certamente ele não põe nenhum obstáculo no caminho para prejudicar mesmo os filhos de Abraão de louvarem a Deus de comum acordo. Mas como percebeu que muitos dos israelitas eram bastardos e degenerados, ele distingue os verdadeiros e sinceros israelitas daqueles; e ao mesmo tempo mostra que o nome de Deus não é devidamente celebrado, senão onde há verdadeira piedade e temor íntimo de Deus. Conseqüentemente, em sua exortação ele uma vez mais junta os louvores de Deus com a reverência para com ele. **Temei-o vós, descendência de Israel**, diz ele; pois toda boa aparência com que os hipócritas se revestem neste assunto não passa de pura zombaria. O temor que ele recomenda não é, contudo, aquele que levaria os fiéis a fugirem da presença de Deus, mas aquele que os introduzirá humildemente em seu santuário, como se acha declarado no Salmo 15. Alguns poderão sentir surpresos de encontrar Davi endereçando uma exortação em prol do louvor[28] de Deus, àqueles a quem havia previamente recomendado a agirem assim. Mas isso é facilmente explicável, pois mesmo os mais santos dentre os homens no mundo nunca são tão plenamente imbuídos do temor de Deus que não tenham mais necessidade de continuamente incitar-se ao seu exercício. Conseqüentemente, a exortação não é de forma alguma supérflua quando, falando daqueles que temem a Deus, ele os exorta a reverenciarem-no e a prostrarem-se humildemente diante dele.

24. Pois ele não desprezou. Regozijar-se pelo bem uns dos outros, e render graças pela comum felicidade uns dos outros, é uma parte daquela

---

28 Isto é, "louvor de Deus", tanto na versão latina quanto na francesa; mas o fio do pensamento parece requerer que seja "temor de Deus".

comunhão que deve existir entre o povo de Deus, como Paulo também ensina: "Ajudando-nos também vós com orações por nós, para que pela mercê, que por muitas pessoas nos foi feita, por muitas também sejam dadas graças a nosso respeito" [2 Co 1.11]. Mas essa afirmação de Davi serve a outro importante propósito – serve para encorajar a cada pessoa a esperar que Deus exerça a mesma mercê para com ela. De passagem, somos ensinados à luz dessas palavras que o povo de Deus deve suportar com paciência suas aflições, enquanto for do agrado do Senhor conservá-lo num estado de angústia, para que, por fim, o socorra e lhe conceda seu auxílio, quando for severamente provado.

[vv. 25-29]
Meu louvor procederá de ti[29] na grande assembléia; pagarei meus votos na presença dos que o temem. Os pobres comerão e ficarão satisfeitos; louvarão a Jehovah os que o buscam; vosso coração viverá para sempre. Todos os confins da terra se lembrarão e se converterão a Jehovah; e todas as tribos dos gentios se prostrarão diante de sua face. Porque o reino é de Jehovah, para que ele seja o governador entre as nações. Todos aqueles que na terra são gordos comerão e adorarão; todos aqueles que descem ao pó se curvarão diante dele; e ninguém pode vivificar sua própria alma [ou ninguém é capaz de guardar-se vivo].

25. Meu louvor procederá de ti. Não rejeito a outra tradução; em minha opinião, porém, a forma hebraica de expressão, aqui, requer este sentido, ou seja, que Davi levará a efeito seu cântico de louvor a Deus. Conseqüentemente, completo com o verbo *procederá* ou *fluirá* – *Meu louvor procederá* ou *fluirá de ti*. Ele fez essa afirmação a fim de testificar que devia seu livramento inteiramente a Deus. Sabemos que há muitos que, sob o pretexto de louvar a Deus, proclamam seus próprios louvores e os de seus amigos, deixando Deus em segundo plano, valendo-se da ocasião para fazerem uma coisa ou outra, a fim de celebrarem seus próprios triunfos. O salmista repete o que havia mencionado um pouco antes, ou seja, que mostraria as provas de sua gratidão de uma

---

29 "A te laus mea." – versão latina. "Ma louange *proviendra* de toy." – v.f. "Ou, ma louange sera de toy." – versão francesa marginal. "Ou, meu louvor será teu."

forma pública, a fim de, por esse meio, edificar a outros. Acrescenta que entre essas provas estaria o exercício da bondade prescrita pela lei: **Pagarei meus votos na presença daqueles que o temem**. Em importantes negócios, e quando ameaçados por iminentes perigos, era prática comum entre o antigo povo de Deus votar uma oferta pacífica, e, depois de haver obtido o objeto de seu desejo, cumpriam seu voto. Uma vez que Davi, pois, pertencia ao rol dos santos, ele conformou-se, como costumava fazer, a essa norma comum e compreensível da Igreja. Os votos que ele promete pagar são aqueles que notifica ter feito em sua extrema angústia, e se prepara para cumpri-los com um coração nobre e festivo, sim, com um coração cheio de confiança. Ora, ainda que lhe coubesse cumprir esse solene ato religioso na presença de toda a assembléia, sem distinção, uma vez mais confessa ser seu desejo que todos quantos estivessem presentes ali testificassem que seriam os verdadeiros adoradores de Deus. Portanto, ainda que não esteja em nosso poder purificar a Igreja de Deus, é nosso dever desejar que ela seja pura. Os papistas, torcendo esta passagem com o intuito de apoiar seus falsos e ilusórios votos, se revelam tão estúpidos e dolorosamente ridículos, que seria desnecessário desperdiçar muito tempo em refutá-los. Que semelhança há entre essas parvoíces pueris com que, segundo sua própria imaginação, tentam apaziguar a Deus, e aquele santo testemunho de gratidão, o qual sugeria aos pais não só um genuíno senso de religião e temor de Deus, mas também que Deus mesmo ordenou e ratificou em sua lei? Sim, como podem ter a desfaçatez de equiparar suas insensatas e infames superstições com o mais precioso dos sacrifícios – o sacrifício de ações de graças –, ainda quando as Escrituras testificam que a principal parte do culto divino consiste nisto: que os verdadeiros crentes pública e solenemente reconhecem que Deus é o Autor de todas as coisas excelentes?

26. Os pobres comerão. O salmista apresenta uma referência ao costume que era prevalecente naquele tempo entre os judeus, sobejamente notório, de festejarem em seus sacrifícios. Ele aqui promete essa festa com o fim de exercer e provar sua caridade. E, seguramente, essa era uma oblação agradável e aceitável a Deus, à qual se associam a compaixão e a misericórdia. Sem estas, as cerimônias pelas quais os homens professam cultuar a Deus, com toda sua pompa e magnificência, se desvanecem como fumaça. Não obstante, Davi não está simplesmente prometendo doar aos pobres e famintos algo para a mera nutrição do corpo. Ele declara que serão participantes dessa festa com outro propósito, a saber, para que lhes fosse ministrado conforto, e aos seus corações fosse restaurada a alegria e prosperassem uma vez mais. Porquanto viam manifestada nessa festa, como num espelho, a munificência divina a todos quantos sofriam aflição, para que fossem saciados com a maravilhosa consolação e mitigada a tristeza proveniente de todas as suas calamidades.

O salmista, pois, acrescenta: **Louvarão a Jehovah os que o buscam**. Certamente que o abundante repasto de que participaram os teria incitado a render graças a Deus; mas o que está particularmente subentendido é que louvaram a Deus por aquele livramento em cuja agradecida comemoração o sacrifício foi oferecido. Isso transparece ainda mais claramente à luz da última cláusula do versículo: **Vosso coração viverá para sempre**. Uma só refeição não poderia ser suficiente para que seus corações vivessem para sempre. Significava, antes, a esperança que eles nutriam de poderem contar com o socorro divino para fazer isso; pois todos os fiéis afortunadamente consideravam o livramento deste único homem como um livramento operado em favor deles em particular. Donde se segue que, nas oferendas pacíficas, os louvores de Deus eram então celebrados quando os genuínos adoradores também exercitavam nelas sua esperança. Além do mais, visto que os hipócritas se contentavam meramente em participar de um cerimonial vazio e sem vida, o salmista restringe a correta realização desse exercício aos israelitas genuínos e santos: *Louvarão a Jehovah os que o buscam*; e buscar a Deus é o infalível emblema da genuína piedade. Ora, se os pais, sob o regime da lei, tiveram sua vida espiritual renovada e revigorada pela participação dessas santas festas, tal virtude se revelará muito mais abundantemente hoje, na celebração da santa ceia de Cristo, contanto que os que se chegam para participar dela busquem o Senhor verdadeiramente e de todo o seu coração.

27. Todos os confins da terra se lembrarão. Esta passagem, além de toda dúvida, mostra que Davi não se detém em sua própria pessoa, senão que, fazendo uso de si mesmo como um tipo, descreve o Messias prometido. Pois devia ser bem notório o fato de haver sido criado por Deus como rei para que o povo pudesse viver unido e pudesse desfrutar de uma vida feliz debaixo de uma mesma cabeça; e isso foi, por fim, plenamente cumprido em Cristo. Admito que o nome de Davi era grande e famoso entre as nações circunvizinhas; mas o que era o território que ora ocupavam em comparação com o mundo inteiro? Além disso, as nações estrangeiras as quais havia subjugado jamais se converteram, por sua instrumentalidade, ao genuíno culto de Deus. Tampouco o salmista tinha em mente uma mudança ordinária, quando diz que as nações se converterão a Deus, depois de se familiarizarem bem com a graça. Além do mais, ao uni-las à comunhão proporcionada pela santa festa, ele evidentemente as enxerta no corpo da Igreja.

Alguns explicam a expressão, *se lembrarão*, significando que, na restauração da luz da fé nos gentios, então viriam a lembrar-se de Deus, de quem haviam por algum tempo se esquecido;[30] mas isso me parece um tanto refinado e longe do sentido real. Admito que a conversão ou retorno [para Deus] de que ele faz menção, aqui, implica que anteriormente haviam vivido alienadamente de Deus através de ímpia apostasia; mas essa lembrança significa simplesmente que os gentios, despertados pelos prodigiosos milagres operados por Deus, se converteram e abraçaram a verdadeira religião, da qual haviam apostatado. Demais, deve observar-se que o verdadeiro culto de Deus procede do conhecimento dele; pois a linguagem do salmista implica que virão prostrar-se diante de Deus, em humilde adoração, aqueles que tiverem tirado tanto proveito da meditação sobre as obras divinas, que não

---

30 Visto que não se diz do quê se lembrariam, alguns comentaristas o explicam assim: Lembrar-se-ão, com penitência, de seus pecados; e, particularmente, de sua idolatria. Outros, que lembrarão da bondade e misericórdia de Deus, através de Cristo, a uma porção do mundo. E outros, que se lembrarão de Deus, de quem se haviam esquecido, adorando-o, em lugar dele, a madeira e as pedras. Este último parece ter sido o conceito a que Calvino se refere.

mais desejarão, soberba e desdenhosamente, precipitar-se contra ele. Tal sentido é confirmado ainda mais plenamente à luz da razão[31] adicionada no versículo 28: **O reino é de Jehovah, para que ele possa governar sobre as nações**. Alguns explicam essas palavras da seguinte forma: Não deve causar surpresa se os gentios forem constrangidos a render homenagem a Deus, por quem foram criados e por cuja mão são governados, ainda que não tenha feito com eles um pacto de vida. Rejeito, porém, tal conceito como uma interpretação pobre e insatisfatória. Esta passagem, não tenho dúvida, concorda com muitas outras profecias que apresentam o trono de Deus como que erigido para que Cristo pudesse sentar-se para superintender e governar o mundo. Mas ainda que a providência divina se estenda ao mundo inteiro, sem excetuar dele uma parte sequer, não obstante recordemos que ele, então, em cada ato, exercerá sua autoridade, quando tiver dissipado as trevas da ignorância e difundido a luz de sua palavra e surgir em seu trono em toda a sua plenitude. Temos uma descrição de seu reino no profeta Isaías: "Julgará entre as nações e repreenderá muitos povos" [Is 2.4]. Demais, visto que Deus não havia subjugado o mundo a si antes do tempo quando os povos não haviam ainda sido conquistados à voluntária obediência mediante a pregação do evangelho, podemos concluir que essa conversão só foi efetuada sob a administração e governo de Cristo. Se se objetar que o mundo inteiro ainda não converteu-se, a solução é simples. Faz-se aqui uma comparação entre aquele notável período em que Deus se fez repentinamente conhecido por toda parte, mediante a pregação do evangelho, e a antiga dispensação, quando manteve o conhecimento de si mesmo fechado dentro dos limites da Judéia. Cristo, bem o sabemos, surgiu com espantosa rapidez, desde o oriente até ao ocidente, como o passar de um relâmpago, com o fim de introduzir a Igreja gentílica atraída de todas as partes do mundo.

29. Todos os gordos da terra comerão e adorarão. Para que não

---

31 A razão por que os gentios se lembrariam e se converteriam ao Senhor.

se nutra pensamento inconsistente de que agora os gordos da terra são admitidos como convidados a esse banquete, o qual Davi imediatamente antes parece ter destinado somente aos pobres, lembremo-nos de que o primeiro lugar foi dado aos pobres em virtude do fato de que foi principalmente a eles que veio o conforto pelo exemplo de Davi. Contudo era necessário, em segundo lugar, que os ricos e os prósperos fossem também convidados à festa, para que não concluíssem que haviam sido preteridos na participação da mesma graça. É verdade que não são movidos pela pressão das presentes calamidades a buscar conforto para a tristeza, mas necessitam de antídoto para que não se intoxiquem com seus deleites e se incitem, antes, a extrair do céu sua alegria. Além disso, visto também estarem sujeitos a uma variedade de dificuldades, suas riquezas lhe serão uma maldição, se porventura conservarem suas mentes postas na terra. A afirmação do salmista equivale dizer que esse sacrifício seria comum tanto aos que são saudáveis, robustos e vivem em circunstâncias opulentas quanto aos que são carentes, pobres e quase mortos pela falta de alimento; que os primeiros, descartando-se de seu orgulho, se humilhem diante de Deus, e que os últimos, embora se sintam humilhados, elevem suas mentes a Deus em busca da alegria espiritual, o qual é o autor de todas as coisas excelentes: "Mas glorie-se o irmão abatido em sua exaltação, e o rico em seu abatimento" [Tg 1.9,10]. Ora, se Deus, sob o regime da lei, uniu o farto e o faminto, o nobre e o pobre, o feliz e o miserável, muito mais agora deve isso ocorrer, sob o regime do evangelho. Quando, pois, o rico ouvir que lhes é oferecido alimento em outra esfera além da abundância terrena, que aprendam a usar as boas coisas externas que Deus lhes concedeu para os propósitos da presente vida, com sobriedade tal que não se enojem do alimento espiritual ou se desviem dele como se fosse uma carga pesada. Enquanto estiverem submersos em suas próprias imundícias, jamais buscarão esse alimento com santo desejo; e ainda que o tenham à mão, jamais sentirão vontade de degustá-lo.[32] Demais, visto que todos os que são gordos devem tornar-se magros, a fim

---

[32] "Et encores qu'ils les ayent à main, ils ne pourront prendre plaisir à les savourer." – v.f.

de se apresentarem a Deus para que sejam alimentados e nutridos, assim Davi se esforça por inspirar os famintos com inabalável e intrépida confiança, a fim de que sua pobreza não os impedisse de se aproximarem do banquete. Sim, ele convida até mesmo os mortos a participarem da festa, a fim de que os mais desprezados, e aqueles que, na estima do mundo, são semelhantes a carcaças putrefatas, fossem encorajados e incentivados a apresentar-se à santa mesa do Senhor. A mudança que o salmista faz no número, do plural para o singular, no final do versículo, obscurece um tanto o sentido; mas o significado, indubitavelmente, é o seguinte: aqueles que parecem já se achar reduzidos a pó, e cuja restauração da morte para a vida não revela, por assim dizer, qualquer esperança, serão partícipes da mesma graça com eles.

[vv. 30, 31]
Sua semente o servirá, e será registrado ao Senhor[33] por uma geração. Virão e declararão sua justiça a um povo que ainda nascerá, porquanto ele o fez.

30. Sua semente o servirá. Para exaltar ainda mais a grandeza do benefício, Davi declara que o mesmo será de um caráter tal que a posteridade jamais o esquecerá. E mostra como esse benefício será perpetuado, ou seja, porque a conversão do mundo, da qual falara, não será algo de curta duração, mas durará pelos séculos dos séculos. Donde concluímos uma vez mais que, o que é aqui celebrado não é tanto uma manifestação da glória de Deus às nações gentílicas, procedente de um rumor transitório e fortuito, mas sobretudo a ação de iluminar o mundo com seus raios, até ao final dos tempos. Conseqüentemente, a perpetuidade da Igreja é aqui sobejamente provada, e em termos sobejamente claros. Não que ela sempre floresça e continue no mesmo curso invariávelmente através das eras sucessivas, mas porque Deus, mesmo que seu nome viesse a ser extinto do mundo, sempre erguerá alguns para que se devotem ao seu serviço. Devemos ter em mente que essa semente, na qual o culto divino foi preservado,

---

33 A palavra hebraica, aqui, é אדני, *Adonai*.

é o fruto da semente incorruptível; pois Deus só cria e multiplica sua Igreja através de sua Palavra.

A expressão, **Será registrado ao Senhor por uma geração**, é explicada de duas formas. Alguns tomam a palavra hebraica, דור (*dor*), por *uma sucessão de séculos*, e explicam a cláusula assim: Será registrado ao Senhor século após século. Outros a tomam por *geração*, no sentido em que a palavra *natio* [*nação*] é usada no idioma latino. Como ambos esses sentidos se adequam bem, e equivalem quase a mesma coisa, deixo a meus leitores a liberdade de decidir sua escolha. Quanto a mim, contudo, confesso que sinto-me mais inclinado para a opinião que, pelo uso dessa palavra, designa-se o povo eleito e nação peculiar de Deus, a qual pode considerar-se a herança de Deus. Demais, visto que o título, *Jehovah*, o qual expressa a essência de Deus, não é aqui usado como o foi um pouco antes, e, sim, o nome *Adonai*, não reprovo a opinião daqueles que pensam que Cristo é aqui expressamente investido com autoridade sobre[34] a Igreja, para que se registrassem todos quantos dessem seus nomes para ficarem do lado de Deus seu Pai. E, aliás, visto que nosso Pai celestial confiou todos os seus eleitos à proteção e guarda de seu próprio Filho, ele não reconhece como seu povo a ninguém mais além dos que pertencem ao rebanho de Cristo.

31. Virão e declararão. O salmista, aqui, confirma o que já afirmei previamente, ou seja: visto que os pais transmitirão o conhecimento desse benefício a seus filhos, como que passando de uma mão para outra, o nome de Deus se fará sempre famoso. Desse fato podemos também deduzir a verdade adicional de que é tão-somente pela pregação da graça de Deus que a Igreja é guardada de perecer. Ao mesmo tempo, deve observar-se que o cuidado e a diligência em propagar a divina verdade são aqui exigidos de nós, para que ela prossiga sua trajetória depois que formos removidos deste mundo. Visto que o Espírito Santo prescreve como um dever,

---

34 A palavra hebraica, *Adonai*, deriva-se de um verbo que significa *dirigir, governar, julgar*; e, portanto, significa *diretor, governador, juiz*.

incumbindo a todos os fiéis que sejam diligentes na instrução de seus filhos, para que haja sempre uma geração após outra para servir a Deus, a indolência daqueles que não têm nenhum escrúpulo de consciência em sepultar a memória de Deus no eterno silêncio, pecado este pelo qual são virtualmente responsáveis aqueles que negligenciam falar dele a seus filhos e, portanto, nada fazem para impedir que seu nome pereça totalmente, é condenado como que envolvendo a mais profunda torpeza. O termo, *justiça*, neste lugar se refere à fidelidade que Deus observa em preservar seu povo, da qual temos um memorável exemplo no livramento de Davi. Ao defender seu servo da violência e ultraje dos perversos, ele provou ser justo. Daí podermos aprender quão precioso nosso bem-estar é à vista de Deus, visto que o combina com a celebração do louvor de sua própria justiça. Se pois a justiça divina é ilustrativamente manifestada neste fato, ou seja, que ele não nos desaponta em nossa esperança, nem nos abandona em meio aos perigos, mas nos defende e nos guarda em perfeita segurança, então não há razão para temer-se que ele se esqueça de nós nos dias de nossa necessidade mais do que haveria alguma razão a temer que ele viesse a esquecer-se de si mesmo. Devemos, contudo, lembrar que não é por algum socorro particular oferecido a um só indivíduo, mas pela redenção da raça humana, que a celebração do louvor de Deus é requerido de nós nesta passagem. Em suma, o Espírito Santo, pelos lábios de Davi, nos recomenda a publicação da ressurreição de Cristo. No final deste Salmo, alguns comentaristas substituem a partícula, כי (*ki*), *porque*, pelo pronome אשר (*asher*), *que*, como se quisesse dizer: *A justiça que ele fez*. Mas a frase ficará mais completa se lermos, *porque*, e explica a passagem assim: Virão e declararão sua justiça, porque Deus terá dado prova, ou demonstração, de sua justiça – terá oferecido evidência por meio do efeito, ou do próprio feito, de que ele é o fiel guardião de seu próprio povo.

Salmos 23

Este Salmo não se acha nem entrelaçado com orações, nem apresenta queixas de misérias com o propósito de se obter alívio. Contém simplesmente uma expressão de gratidão, à luz da qual evidencia-se que foi composta quando Davi granjeou a posse pacífica do reino e vivia em prosperidade e no usufruto de tudo quanto pudesse desejar. Portanto, para que não vivesse, no tempo de sua grande prosperidade, como os homens mundanos, os quais, quando parecem viver afortunadamente,[1] sepultam a Deus no esquecimento, e concupiscentemente se precipitam em seus prazeres, ele se deleita em Deus, o autor de todas as bênçãos de que desfrutava. E não só reconhece que o estado de tranqüilidade no qual ora vive, bem como a isenção de toda e qualquer inconveniência e desventura, era devido à benevolência divina, mas também confia em que através do divina providência ele continuará feliz mesmo no encerramento de sua vida [terrena], e por isso termina dizendo que poderia gastar-se na prática de seu culto perfeito.

Salmo de Davi.

[vv. 1-4]
Jeová é o meu Pastor, não terei falta de nada.[2] Ele me faz deitar-me em pastagens de gramas; ele me guia aos mananciais de águas tranqüilas.[3] Res-

---

1 "Lesquels ayans le vent à gré, comme on dit." v.fr. "De vento em popa, como dizemos."
2 "Le Seigneur est mon pastur, *parquoy* je n'auray faute de rien." v.fr. "O Senhor é o meu pastor, *portanto* não me faltará *coisa alguma*."
3 "Il me mene aux eaux quoyes." v.fr. "Ele me guia às águas mansas [ou pacíficas]."

taura minha alma; guia-me pelas veredas da justiça por amor de seu nome. Ainda que eu ande no vale da sombra de morte, não temerei mal algum; porque tu está comigo; tua vara e teu cajado me confortam.

Jeová é o meu Pastor. Embora Deus, por meio de seus benefícios, amavelmente nos atrai a si, como que por meio do sabor de sua doçura paternal, no entanto não há nada em que mais facilmente caímos do que em esquecê-lo, quando desfrutamos de paz e conforto. Sim, a prosperidade não só intoxica a tantos, guiando-os para além de todos os limites de sua jovialidade, mas também engendra insolência, que os faz soberbamente erguer-se e pôr-se contra Deus. Conseqüentemente, dificilmente haja uma centésima parte dos que desfrutam em abundância das coisas excelentes de Deus e que conservam seu temor e vivem no exercício da humildade e temperança, as quais são tão recomendáveis.[4] Por essa razão, devemos notar o mais cuidadosamente possível, o exemplo que é aqui posto diante de nós por Davi, o qual, elevado à dignidade do soberano poder, se cerca com o esplendor de riquezas e honras, de posse da maior abundância de excelentes coisas temporais e em meio a prazeres principescos, não só testifica que era alvo da atenção de Deus, mas, evocando a memória dos benefícios que Deus lhe conferira,[5] faz deles degraus pelos quais pudesse subir para mais perto dele. Por esse meio ele não só refreia a depravação de sua carne, mas também se estimula à gratidão com mais intensa solicitude, bem como a outros exercícios da piedade, como transparece da frase conclusiva do Salmo, onde diz: "Habitarei na casa de Jeová por longos dias." De modo semelhante, no Salmo 18, o qual foi composto num período de sua vida quando era aplaudido de todos os lados, chamando a si de servo de Deus, demonstrava humildade e simplicidade de coração a que atingira, e, ao mesmo tempo, publicamente testificava sua gratidão, aplicando-se à celebração dos louvores divinos.

---

4 "Qui se contiene en la crainte de Dieu se selon la modestie et temperance Qui seroit requise." v.fr.
5 "Mais rememorant les benefices qu'il reçoit de luy." v.fr.

Sob a similitude de um pastor, ele enaltece o cuidado com que Deus, em sua providência, havia exercido para com ele. Sua linguagem implica que Deus não tinha menor cuidado para com ele do que um pastor tinha para com as ovelhas que lhe são postas à sua responsabilidade. Deus, na Escritura, freqüentemente toma sobre si o nome e assume o caráter de um pastor, e isso de forma alguma é o emblema de um frágil amor para conosco. Visto ser essa uma despretensiosa e familiar forma de expressão, Aquele que se digna descer tão baixo por nossa causa, com certeza nutre uma afeição singularmente forte para conosco. Portanto, não é de admirar que, quando nos convida para si com tal mansidão e familiaridade, não nos deixamos ser atraídos ou fascinados por ele para que descansemos em segurança e paz sob sua guarda. Deve-se, porém, observar que Deus só é pastor em relação àqueles que, tocados com o senso de sua própria fragilidade e pobreza, sente-se dependente de sua proteção, e que espontaneamente habita o seu redil e se deixa governar por ele. Davi, que excedia tanto em poder quanto em riquezas, não obstante confessa francamente não passar de uma pobre ovelha, com o intuito de fazer de Deus o seu pastor. Quem há, pois, entre nós que se eximiria de tal necessidade, visto que nossa própria fragilidade sobejamente revela que seríamos mais que miseráveis caso não vivamos sob a proteção deste pastor? Tenhamos em mente, pois, que nossa felicidade consiste nisto: que sua mão se estende para governar-nos, a fim de que vivamos sob sua sombra, e para que sua providência mantenha-se insone e preserve nosso bem-estar. Portanto, ainda que tenhamos abundância de todas as coisas excelentes e temporais, no entanto asseguremo-nos de que não podemos ser realmente felizes a menos que Deus se digne de incluir-nos no rol de seu rebanho. Além disso, só atribuímos a Deus o ofício de Pastor com a devida e legítima honra, quando formos persuadidos de que sua exclusiva providência é suficiente para suprir todas as nossas necessidades.[6]

---

6 "Que as seule providence est suffisante pour nous administrer toutes nos necessitez." v.fr.

Ele me faz deitar em pastagens de grama. Com respeito às palavras, no hebraico temos *pastagens*, ou *campos de grama*, em lugar de *graminoso e terrenos férteis*. Alguns, em vez de traduzir a palavra נאות (*neoth*), a qual traduzimos por *pastagens*, traduzem-na por *cabanas* ou *abrigo de pastor*. Se tal tradução for considerada preferível, o significado do salmista será que os apriscos eram preparados em pastagens de terrenos férteis, sob os quais pudesse proteger-se do calor do sol. Se mesmo em países frios o incômodo calor que às vezes ocorre é insuportável ao rebanho de ovelhas, quanto mais suportar o calor do verão na Judéia, uma região calmosa, sem apriscos! O verbo רבץ (*rabats*), *deitar*, ou *repousar*, parece fazer referência à mesma coisa. Davi usou a frase **as águas tranqüilas** para expressar o suave fluir das águas; pois as fortes correntezas se tornam inconvenientes para as ovelhas beberem, e são também quase sempre prejudicial.

Neste versículo, bem como nos versículos seguintes, ele explica a última cláusula do primeiro versículo: **não terei falta de nada.** Ele relata quão ricamente Deus o provera em todas as suas necessidades, e faz isso sem apartar da comparação que empregara no início. O equivalente do que se acha expresso é: que o Pastor celestial nada omitiu do que pode contribuir para fazê-lo viver vida feliz sob sua proteção. Ele, pois, compara a grande abundância de todas as coisas indispensáveis aos propósitos da presente vida das quais desfrutava, as colinas ricamente forradas de grama e mananciais de águas borbulhando suavemente; ou compara o benefício ou vantagem de tais coisas para os apriscos; pois não teria sido suficiente ter-se nutrido e sentir-se satisfeito em rica pastagem, não fosse também suprido de águas para beber e da sombra do aprisco para refrescá-lo e descansá-lo.

Ele restaura minha alma. Visto ser o dever de um bom pastor nutrir suas ovelhas, e quando adoecem ou se enfraquecem, assisti-las e defendê-las, Davi declara que essa era a forma em que ele era tratado por Deus. *A restauração da alma*, segundo nossa tradução, ou *a conversão da alma*, segundo literalmente traduzido, contém a mesma essência que dizer: *tornar-se novo*, ou *restabelecido*, como já ficou afirmado no Salmo 19, versículo 7. Por **veredas da justiça** ele quer dizer *veredas acessíveis e planas*.[7] Visto que ainda prossegue com sua metáfora, seria fora de propósito entender isso como uma referência à direção do Espírito. Ele afirmara um pouco antes que Deus liberalmente o supre com tudo quando se requer para a manutenção da presente vida, e agora acrescenta que é defendido por ele de toda preocupação. O equivalente do que se diz aqui é o seguinte: Deus em nenhum aspecto deixa carente a seu povo, visto que o sustenta com seu poder, o revigora e o vivifica, e desvia dele tudo quanto é prejudicial, para que ele possa andar por veredas confortáveis em planura e retitude. Entretanto, para que não lhe fosse atribuído nada propriamente digno ou meritório, Davi apresenta a bondade de Deus como sendo a causa de tão grande liberalidade, declarando que Deus lhe havia concedido todas as coisas **por amor de seu próprio nome**. Certamente, ao escolher-nos para que fôssemos suas ovelhas, e ao executar em nosso favor as funções de um pastor, tal coisa se constitui numa bênção que procede inteiramente de sua livre e soberana benevolência, como veremos no Salmo 65.

Ainda que eu ande. Os verdadeiros crentes, ainda que habitem seguros sob a proteção de Deus, estão, não obstante, expostos a muitos perigos, ou, melhor, são passíveis a todo gênero de aflições que sobrevêm à humanidade em comum, para que eles possam melhor sentir o quanto necessitam da proteção divina. Davi, pois, neste ponto, expressamente declara que, se alguma adversidade lhe sobreviesse, ele se protegeria na providência de Deus. E assim ele não promete a si mesmo buscar apoio nos prazeres contínuos [e terrenos], senão que se fortifica, através do socorro divino, corajo-

---

7 Walford adota e defende esse ponto de vista. Sua redação é: Ele me guia por veredas retas." Esta versão", diz ele, "talvez não prove totalmente agradável aos sentimentos do leitor, em conseqüência de estar ele acostumado a uma expressão diferente na Bíblia inglesa. Mas a consistência da imagem requer a alteração; como igualmente temos uma incongruente mistura de figuras físicas e morais. Um pastor habilidoso guia suas ovelhas a pastagens virentes, as conduz para perto de águas mansas, oferece-lhes os meios de refrescamento quando exaustas e as guia por veredas íngremes e tortuosas da mesma forma que as guia pelas planas e fáceis.

samente a fim de suportar as diversas calamidades que porventura o visitassem. Prosseguindo sua metáfora, ele compara o cuidado que Deus assume ao governar os verdadeiros crentes com a vara e o cajado do pastor, declarando que está satisfeito com isso como sobejamente satisfatório para a proteção de sua vida. Como uma ovelha, quando vagueia e atravessa um vale escuro, é preservada imune dos ataques das feras selvagens e de outras formas de males, tão-somente mediante a presença do pastor, assim Davi ora declara que enquanto estiver exposto a algum perigo, contará com suficiente defesa e proteção, estando sob o cuidado pastoral de Deus.

E assim vemos como, em sua prosperidade, ele nunca esqueceu que era um homem, mas, mesmo assim, oportunamente meditava sobre as adversidades que mais tarde poderiam lhe sobrevir. E com toda certeza, a razão por que nos sentimos tão terrificados quando Deus se agrada em exercitar-nos com a cruz é porque toda pessoa, para que durma profunda e tranqüilamente, se abriga totalmente na segurança carnal. Mas há uma grande diferença entre esse sono do estúpido e o repouso que a fé produz. Visto que Deus prova a fé pela adversidade, segue-se que ninguém realmente confia em Deus, senão aquele que se arma com invencível constância para resistir todos os medos com que seja assaltado.[8] Contudo Davi não quis dizer que estava destituído de todo medo, mas apenas que o superaria para então prosseguir sem medo sempre que seu pastor o guiasse. Isso transparece mais claramente do contexto. Ele diz, em primeiro lugar, **não temerei mal algum**; mas imediatamente acrescenta a razão disso, ou seja, publicamente reconhece que busca um antídoto contra seu medo ao contemplar e ao ter seus olhos fixos na vara de seu pastor: **Porque tua vara e teu cajado me confortam**. Que necessidade teria ele tido dessa consolação, não fosse o fato de sentir-se inquieto e agitado pelo medo? Deve-se, pois, ter em mente que, quando Davi

---

[8] "Celuy Qui est armé d'une constance invincible pour resister à toutes les frayeurs Qui peuvent survenir." v.fr.

refletiu sobre as adversidades que poderiam lhe sobrevir, tornou-se vitorioso sobre o medo e as tentações, e não de outra forma senão lançando-se sob a proteção divina. Isso ele havia também afirmado antes, embora um tanto obscuramente, nestas palavras: **Porque tu estás comigo.** Isso implica em que se havia afligido com o medo. Não houvera sido esse o caso, com que propósito desejaria ele a presença de Deus?[9] Além disso, não é só contra as calamidades comuns e ordinárias da vida que ele opõe a proteção divina, mas também contra aqueles que distraem e confundem as mentes humanas com as trevas da morte. Pois os gramáticos judaicos acreditam que צלמות (*tsalmaveth*), que traduzimos por *sombra da morte*, é uma palavra composta, como se alguém dissesse: *sombra mortal*.[10] Davi, neste ponto, faz uma alusão aos recessos ou covas escuras de animais selvagens, das quais, se alguém se aproxima, é subitamente dominado, logo na entrada, pela preocupação e pelo medo da morte. Ora, visto que, na pessoa de seu unigênito Filho, tem-se revelado como nosso pastor, muito mais claramente do que o fez nos tempos antigos a nossos pais que viveram sob o regime da lei, não rendemos suficiente honra ao seu protetor cuidado, se não erguermos nossos para mirá-lo e conservá-los fixos nele, pisoteando todos os temores e terrores sob a planta de nossos pés.[11]

[vv. 5-6]
Tu prepararás uma mesa diante de mim na presença de meus perseguidores; tu ungirás minha cabeça com óleo; meu cálice transborda. Certamente que a bondade e a misericórdia me seguirão todos os dias de minha vida; e habitarei na casa de Jeová por longos dias.

Tu prepararás. Estas palavras, que são postas no tempo futuro,

---

9 "Car s'il n'y eust point eu de crainte, à quel propos desireroit il la presence de Dieu?" v.fr.
10 "O original, כניא צלמות, é muito enfático: 'No ou através do vale de sombra-mortal.' Tal expressão parece denotar perigo iminente [Jr 2.6], dolorosa aflição [Sl 44.19], medo e terror [Sl 107.10,14; Jó 24.17] e medonha escuridão [Jó 10.21,22]." – *Morison's Commentary on the Psalms.*
11 "Si non qu'eslevans là nos yeux et les y ayans fichez, nous foullions aux pieds criaintes et espouantemens." v.fr.

aqui denotam um ato contínuo. Davi, pois, repete agora, sem qualquer figura, o que até aqui declarou, concernente à beneficência divina, sob a similitude de um pastor. Ele nos diz que, pela liberalidade divina, é suprido com tudo quanto lhe é necessário para a manutenção desta vida. Ao dizer: Tu prepararás uma mesa perante mim, ele quer dizer que Deus lhe fornecerá o sustento sem problema ou dificuldade de sua parte, assim como um pai que estende sua mão para dar comida a seu filho. Ele enaltece esse benefício a partir de uma consideração adicional, dizendo que, embora muitas pessoas maliciosas invejem sua felicidade, e desejem sua ruína, sim, lutam por defraudá-lo da bênção divina, não obstante Deus não desiste de demonstrar-se liberal para com ele e de fazer-lhe o bem.

O que adiciona referente ao *óleo* tem referência ao costume então prevalecente. Sabemos que nos tempos antigos os ungüentos eram usados nas mais magníficentes festas, e ninguém imaginava ter honrosamente recebido seus convivas se não os perfumava imediatamente. Ora, esse exuberante suprimento de *óleo*, bem como esse transbordar de *cálice*, devem ser explicados como que denotando a abundância que vai além do mero suprimento das necessidades comuns da vida; pois ela é expressa no enaltecimento da riqueza real com que, segundo os registros da história sacra, Davi havia sido amplamente suprido. Todos os homens, é verdade, não são tratados com a mesma liberalidade com que Davi fora tratado; mas não há sequer um indivíduo que não esteja sob a obrigação para com Deus pelos benefícios que o mesmo lhe tenha conferido, de modo que são constrangidos a reconhecer que ele é um Pai bondoso e liberal para com todo o seu povo. Entrementes, que cada um de nós se incite à gratidão para com Deus por seus benefícios, e quanto mais abundantemente estes nos tenham sido concedidos, maior deve ser nossa gratidão. Se é ingrato aquele que, tendo apenas um pedaço de pão, não reconhece nele a providência paternal de Deus, quanto menos pode ser tolerada a estupidez daqueles que se saturam com grande abundância das coisas excelentes de Deus, que possuem, sem possuir qualquer senso ou experiência de sua benevolência para com eles? Davi, pois, movido por seu próprio exemplo, admoesta os ricos sobre seu dever, para que fossem mais fervorosos na expressão de sua gratidão a Deus, à medida em que os alimente mais fartamente. Além do mais, lembremo-nos que, os que possuem maior abundância do que outros são obrigados a observar a moderação não menos do que se possuíssem as coisas excelentes desta vida na medida que servisse para seu limitado e moderado desfruto. Somos demasiadamente inclinados, pela própria natureza, ao excesso. Portanto, quando Deus é, com respeito às coisas mundanas, generoso para com seu povo, não é para injetar nele nem fomentar-lhes essa doença. Todos os homens devem atentar para a regra de Paulo, a qual está delineada em Filipenses 4.12: "Sei estar abatido, e sei também ter abundância; em toda maneira e em todas as coisas estou instruído, tanto a ter fartura quanto a ter fome; tanto a ter abundância quanto a padecer necessidade." Para que a carência não nos precipite no desespero, carecemos ser sustentados por paciente persistência. E, em contrapartida, para que tão imensa abundância não nos ensoberbeça além da medida, carecemos ser refreados pelo freio da temperança. Conseqüentemente, o Senhor, ao enriquecer a seu próprio povo, ao mesmo tempo refreia os licenciosos desejos da carne pelo espírito de continência, de modo que, de seu próprio arbítrio, prescrevem para si mesmos normas de temperança. Não que seja ilícito aos homens ricos desfrutarem mais livremente da abundância que possuem do que se Deus lhes houvera dado uma porção menor; todos os homens, porém, devem precaver-se (e muito mais os reis) para que se envolvam em prazeres voluptuosos. Davi, não há dúvida, como era perfeitamente lícito, permitiu a si mesmo maior amplitude do que se fosse apenas um dentre a plebe, ou do que se habitasse ainda na choupana de seu pai, porém se precavia em meio à sua opulência, como se definitivamente se deleitasse em empanturrar e em cevar seu corpo. Ele sabia muito bem como distinguir entre a mesa que Deus preparara para ele e o cocho dos suínos. É também digno de nota especial que, embora Davi vivesse de suas próprias terras, do dinheiro dos tributos e de outras rendas do reino, ele dava graças a Deus justamente como se Deus lhe servisse a refeição diária com sua própria mão. Desse fato concluímos que ele não se deixava cegar pelas riquezas, mas sempre olhasse para Deus como anfitrião que retirava comida e água de seu próprio estoque e lhos distribuía no tempo próprio.

Certamente que a bondade e a misericórdia. Havendo relatado as bênçãos que Deus derramara sobre ele, agora expressa sua convicta persuasão da continuação delas até ao fim de sua vida. Mas, donde procedia tal confiança, pela qual se assegura de que a beneficência e misericórdia de Deus o acompanhariam para sempre, se não procedia da promessa pela qual Deus costumava sazonar as bênçãos que derramava sobre os verdadeiros crentes, para que não devorassem inconsideradamente sem sentir por elas qualquer sabor ou apetite? Ao dizer a si mesmo que mesmo em meio às trevas da morte, manteria seus olhos postos na providência divina, testificava sobejamente que não dependia das coisas exteriores, nem media a graça de Deus segundo o juízo da carne, senão que, ainda quando a assistência de todos os quadrantes da terra lhe falhasse, sua fé continuaria encarcerada na palavra de Deus. Portanto, embora a experiência o guiasse a esperar o bem, todavia esse bem estava principalmente na promessa pela qual Deus confirma seu povo com respeito ao futuro do qual dependia. Se se objeta ser presunção alguém prometer a si mesmo uma contínua trajetória de prosperidade neste mundo de incertezas e mudanças, respondo que Davi não falava desta forma com o propósito de impor a Deus uma lei; senão que esperava pelo exercício da beneficência divina para com ele segundo a condição deste mundo permitir, com o que ele estaria contente. Ele não diz: Meu cálice estará sempre cheio, ou: Minha cabeça será sempre perfumada com óleo; mas, em termos gerais, ele nutre a esperança de que, visto que a bondade divina jamais falha, Deus seria favorável para com ele até ao fim.

Habitarei na casa de Jeová. Com esta frase conclusiva ele manifestamente mostra que não delimitava seus pensamentos aos prazeres e confortos terrenos; senão que o alvo no qual ele mira está fixo no céu, e alcançá-lo era seu grande objetivo em todas as coisas. É como se quisesse dizer: Não vivo com o mero propósito de viver, mas para exercitar-me no temor e no serviço de Deus, e progredir diariamente em todos os aspectos de genuína piedade. Ele traça uma manifesta distinção entre si mesmo e os homens ímpios, os quais se deleitam tão-somente em encher seus ventres com luxuosas comidas. E não só isso, mas também notifica que viver para Deus é, em seu conceito, de tão grande importância, que avaliava todos os confortos de sua carne só na proporção em que serviam para capacitá-lo a viver para Deus. Francamente afirma que a razão por que ele contemplava todos os benefícios que Deus lhe conferira era para que pudesse habitar na casa do Senhor. Donde se segue que, quando se privava do desfruto dessa bênção, ele não levava em conta as demais coisas; como se dissesse: Não terei nenhum prazer nos confortos terrenos, a menos que ao mesmo tempo eu pertença ao rebanho de Deus, como igualmente escreve em outro lugar: "Bem-aventurado o povo ao qual assim sucede; bem-aventura o povo cujo Deus é o Senhor" [Sl 144.15]. Por que ele deseja tão intensamente freqüentar o templo, senão para oferecer sacrifícios juntamente com seus irmãos adoradores, e cultivar, por meio de outros exercícios da religião, a meditação sobre a vida celestial? Portanto, é indubitável que a mente de Davi, pelo auxílio da prosperidade temporal de que desfrutava, se elevava à esperança da herança eterna. Desse fato concluímos que, brutos são aqueles que se propõem qualquer felicidade além daquela que emana da intimidade com Deus.

Salmos 24

Visto que Deus se relacionou com toda a humanidade como seu Criador e Governador, Davi, à luz dessa consideração, magnifica o favor especial que Deus manifestara para com os filhos de Abraão, escolhendo-os para que fossem seu povo peculiar, em preferência ao restante da humanidade, e erigindo seu santuário como sua casa para que habitasse entre eles. Ao mesmo tempo ele mostra que, embora o santuário fosse aberto a todos os judeus, Deus não estava perto de todos eles, mas tão-somente daqueles que o temiam e o serviam sinceramente, e que haviam se purificado das contaminações do mundo, a fim de devotar-se à santidade e à justiça. Além do mais, visto que a graça de Deus era mais claramente manifestada de o templo ser construído, ele celebra que a graça num estilo de esplêndida poesia, com o fim encorajar os verdadeiros crentes com a mais profunda alegria a perseverar no exercício de servi-lo e honrá-lo.

Salmo de Davi.

[vv. 1-4]
De Jeová é a terra e sua plenitude;[1] o mundo e os que nele habitam. Pois ele a fundou sobre os mares, e a estabeleceu sobre os rios. Quem subirá ao monte de Jeová? quem permanecerá em seu santo lugar? Aquele que é limpo de mãos e puro de coração; que não alça sua alma à vaidade, nem jura enganosamente.

---

1 "Son contenu." nota, fr. marg. "Isto é, seu conteúdo."

De Jeová e a terra. Deparar-nos-emos, em muitos outros passos, com os filhos de Abraão sendo confrontados com todo o restante da humanidade, para que a graciosa benevolência divina, selecionando-os dentre todas as demais nações e envolvendo-os nos braços de sua graça, pudesse resplandecer ainda mais conspicuamente. O objetivo do início do Salmo é demonstrar que os judeus nada tinham de si mesmos que pudesse qualificá-los a chegar mais perto ou a ter maior familiaridade com Deus do que os gentios. Visto que Deus, por sua providência, preserva o mundo, o poder de seu governo se estende igualmente a todos, de modo que ele deve ser adorado por todos, ainda quando ele também revela a todos os homens, sem exceção, o cuidado paternal que mantém sobre eles. Visto, porém, que preferiu os judeus a todas as demais nações, era indispensavelmente necessário que houvesse algum sacro vínculo de conexão entre ele e eles, o qual pudesse distingui-los das nações pagãs.

Valendo-se deste argumento, Davi os convida e os exorta à santidade. Ele lhes assegura que era razoável que aqueles a quem Deus adotou como seus filhos portassem certas marcas peculiares a si próprios e que não se assemelhassem totalmente aos estrangeiros. Não que ele os incite a desejarem que Deus prejudique os outros, para com isso granjear seu favor exclusivo; senão que os ensina, à luz do propósito ou desígnio de sua eleição, que então terão garantido para si a firme e pacífica posse da honra que Deus lhes conferiu para uma vida reta e santa.[2] Debalde teriam sido selecionados e reunidos num corpo distinto, como um povo peculiar de Deus, se não se aplicassem ao cultivo da santidade. Em suma, o salmista proclama a Deus como o Rei do mundo inteiro, com o fim de levar os homens a saberem que, mesmo pela lei da natureza, são obrigados a servi-lo. E ao declarar que [Deus] havia feito um pacto de salvação com uma pequena porção da

---

2 "Qu'adonc ils entreront en ferme et paisible possesseion de l'honneur que Dieu leur a fait par dessus les autres nations." nota, fr. marg.

humanidade, e mediante a ereção do tabernáculo, deu aos filhos de Abraão o símbolo de sua presença, para por esse meio assegurar-lhes sua habitação no meio deles, ele lhes ensina que devem esforçar-se por nutrir a pureza de coração e de mãos, se quisessem ser considerados os membros de sua sagrada família.

Com respeito à palavra *plenitude*, admito que em seu bojo se acham compreendidas todas as riquezas com que a terra foi adornada, como se pode provar pela autoridade de Paulo; mas não tenho dúvida de que o salmista, pela expressão, tem em mente os próprios homens, os quais são o mais ilustrativo ornamento e glória da terra. Se fracassassem, a terra exibiria triste cena de desolação e solicitude, não menos horrenda do que se Deus a despojasse de todas as suas demais riquezas. A que propósito são aí produzidas tantas espécies de frutos e em tão exuberante abundância, e por que se espalham nela tantos prazenteiros e deleitosos campos, se não é para o uso e conforto dos homens?[3] Conseqüentemente, Davi explica, na cláusula seguinte, que é principalmente dos homens que ele fala. É de seu modo habitual repetir a mesma coisa duas vezes, e aqui *a plenitude da terra* e *os habitantes do mundo* têm o mesmo sentido. Contudo não nego que as riquezas com que a terra se plenifica para o uso dos homens são compreendidas sob essas expressões. Paulo, pois, ao discorrer acerca de alimentos, oportunamente cita esta passagem em apoio de seu argumento, mantendo que nenhum tipo de alimento é impuro, porque "a terra e sua plenitude são do Senhor" [1 Co 10.26].

Porque ele a fundou sobre os mares. Neste ponto o salmista confirma a verdade de que os homens estão legalmente sob a autoridade e poder de Deus, de modo que em todos os lugares e países devem reconhecê-lo como o Rei. E o confirma à luz da própria ordem manifestada na criação; pois a prodigiosa providência divina é nitidamente refletida em toda a face da terra. E com o fim de comprová-lo, ele lança

---

3 "Car à quelle fin font produits des fruits de tant de sortes, et en telle abondance, et qu'il y a tant de lieux de plaisance, si non pour l'usage et commodite des hommes?" nota, fr. marg.

mão da terra, que é a prova mais evidente. Como é que a terra paira sobre as águas, senão porque Deus propositadamente tencionou preparar uma habitação para os homens? Os próprios filósofos admitem que, como o elemento líquido é em maior quantidade que a terra, é contrária à natureza dos dois elementos[4] alguma parte da terra continuar a seco e habitável. Conseqüentemente, Jó [28.11,25] enaltece, em termos magnificentes, que o maior milagre pelo qual Deus refreia a violenta e tempestuosa fúria do mar, para que não trague a terra, o que, se o mesmo não fosse contido, imediatamente o faria e produziria horrível confusão. Tampouco Moisés esquece de mencionar isso na história da criação. Após ter narrado que as águas se espalharam tanto que cobriam a superfície da terra, acrescenta que, por uma ordem expressa de Deus se retiraram para um lugar definido, a fim de deixar espaço vazio para as criaturas vivas que subseqüentemente foram criadas [Gn 1.9].

À luz desta passagem, aprendemos que Deus tomou precaução em relação ao homem mesmo antes de o mesmo existir, já que se pôs a preparar-lhe uma habitação e outras conveniências; e que ele não considerou o homem como inteiramente estranho, visto que tomou medida em prol de suas necessidades, não com menos liberalidade do que faz o pai de família em favor de seus filhos. Davi não apresenta aqui uma disputa de cunho filosófico concernente à situação da terra, ao dizer que *ela foi fundada sobre os mares*. Ele lança mão de uma linguagem popular e se adapta à capacidade do indouto. Todavia esse modo de se expressar, o qual é tomado do que se pode julgar pela vista, não é sem propósito. O elemento terra, é verdade, no tocante à parte que ocupa o lugar mais inferior na ordem da esfera, está debaixo das águas. Mas quanto à parte habitável da terra que está acima da água, como é possível considerar que essa separação da água e da terra permanecer estável senão porque Deus pôs as águas embaixo à semelhança de um fundamento? Ora, visto que desde a criação do

---

4 "C'est contre la nature des deux elemens." nota, fr. marg.

mundo Deus estendeu seu cuidado paternal a toda a humanidade, a prerrogativa de honra, pela qual os judeus exceleram a todas as demais nações, procedeu somente da livre e soberana escolha pela qual Deus os distinguiu.

Quem subirá? Uma vez que era sobejamente notório que foi por pura e simples graça que Deus erigiu seu santuário e escolheu para si uma habitação entre os judeus, Davi faz apenas uma tácita referência a esse tema.[5] Ele insiste principalmente sobre o outro ponto contido no versículo com o fim de distinguir os verdadeiros israelitas dos falsos e bastardos. Ele extrai o argumento, pelo qual exorta os judeus a levar uma vida santa e justa, do fato de que Deus os separara do resto do mundo, a fim de que fossem sua herança peculiar. O resto da humanidade, é verdade, uma vez que foi criado por ele, pertence ao seu domínio; mas aquele que ocupa um lugar na Igreja está muito mais intimamente relacionado com ele. Portanto, todos aqueles a quem Deus recebe em seu rebanho, ele convoca à santidade, e ele os põe sob a obrigação de segui-la por meio de sua adoção. Além do mais, por essas palavras Davi, indiretamente, repreende os hipócritas, os quais não tinham o escrúpulo de falsamente tomar sobre si o santo nome de Deus, como sabemos que são geralmente dominados pelo orgulho em virtude dos títulos que assumem sem possuírem as excelências que tais títulos implicam, contentando-se em exibir meramente as distinções externas;[6] sim, ao contrário, propositadamente magnifica esta singular graça de Deus, para que toda pessoa pudesse aprender por si própria que ela não tem o direito de entrar ou ter acesso ao santuário, a menos que ela se santifique a fim de servir a Deus em pureza. Os ímpios e perversos, é verdade, estavam habituados a recorrer ao tabernáculo; e por isso Deus, através do Profeta Isaías [1.12], os repreende por adentrarem indignamente seus átrios e a se protegerem em

---

5 "Il n'en fait yci que bien petite mention et comme en passant." nota, fr. marg. "Ele aqui apenas aponta ligeiramente para esse tema, e como era de passagem."

6 "Comme sçavons que c'est leur coustume de s'eslever par orgueil à cause des titres qu'ils prenent sans avoir l'effect, se contentans de porter seulement les marques par dehors." nota, fr. marg.

seu pavilhão. Davi, porém, trata aqui daqueles que podiam entrar licitamente no santuário de Deus. Sendo a casa de Deus santa, se alguém temerariamente e sem qualquer direito entra nela, sua corrupção e abuso outra coisa não fazem senão contaminá-la. Visto, pois, que não sobem para lá licitamente, Davi não leva em consideração sua subida, e, sim, ao contrário, nestas palavras há inclusa uma severa repreensão acerca da conduta dos homens perversos e profanos, os quais ousam subir ao santuário e contaminá-lo com sua impureza. Sobre este tema tenho falado mais extensamente no Salmo 15.

Na segunda parte do versículo ele parece subentender perseverança, como se quisesse dizer: Quem subirá ao mundo de Sião para comparecer e permanecer na presença de Deus? O termo hebraico, קוּם (*kum*), de fato, às vezes significa *subir*, mas é geralmente considerado como *permanecer*, como vimos no primeiro Salmo. E ainda que esta seja uma repetição da mesma idéia, afirmada na cláusula anterior, não é bem assim, senão que Davi, expressando o propósito pelo qual devem subir, ilustra e amplia o tema; e o encontramos com freqüência fazendo uso dessa repetição e ampliação em outros Salmos. Em suma, por mais que os perversos estivessem misturados com os bons na igreja, nos dias de Davi, ele declara que era algo totalmente sem efeito fazer-se uma confissão de fé meramente exterior, a menos que ela fosse, ao mesmo tempo, verídica no íntimo do homem. O que ele diz acerca do tabernáculo do concerto deve-se aplicar ao governo contínuo da igreja.

Aquele que é limpo de mãos e puro de coração. Sob a pureza de mãos e de coração, bem como a reverência ao nome de Deus, ele compreende toda a religião, e denota uma vida bem ordenada. A verdadeira pureza, indubitavelmente, tem sua sede no coração, todavia manifesta seus frutos nas obras das mãos. O salmista, pois, mui apropriadamente associa ao coração puro a pureza da vida toda; porquanto a pessoa que se vangloria de ter um coração íntegro age de forma ridícula, se porventura não demonstrar através dos frutos que a raiz é sadia. Por outro lado, de nada adiantará modelar as mãos, os pés e os olhos segundo a norma da justiça, a menos que a pureza de coração preceda a continência externa. Se alguém imaginar o absurdo de que se deve dar o primeiro lugar às mãos, respondemos sem qualquer hesitação, dizendo que os efeitos às vezes são nomeados antes de sua causa, não que a precedam em ordem, mas porque às vezes é vantajoso começar com coisas que são melhor conhecidas. Davi, pois, queria que os judeus entrassem na presença de Deus com mãos puras, e estas juntamente com um coração sem dolo.

Alçar ou **entregar sua alma**, aqui, não tenho dúvida de equiparar a *juramento*. Portanto, aqui requer-se que os servos de Deus, ao prestarem juramento, o façam com reverência e sã consciência;[7] e, de uma forma específica, à guisa de sinédoque, denota-se o dever de se observar a fidelidade e a integridade em todas as atividades da vida. A menção que aqui se faz de juramentos surge das palavras que imediatamente se seguem: **E não jura enganosamente**, as quais são acrescentadas como explicação do que vem antes. Entretanto, visto que há uma dupla redação da palavra hebraica para *alma*, ou seja, tanto pode-se ler *minha alma* quanto *sua alma*, por causa do ponto *ki-rek*, alguns comentaristas judaicos lêem: *Quem não alça minha alma à vaidade*[8] e subentende a palavra *minha* como se referindo a Deus, uma explicação que rejeito como sendo abrupta e forçada. É uma forma de expressão que contém grande ênfase, pois significa que os que juram oferecem suas almas a Deus como garantias. Alguns, contudo, talvez prefiram a opinião de que *alçar a alma* é expresso em lugar de *aplicá-la à mentira*, uma interpretação à adoção da qual não faço muita objeção, porquanto faz pouca diferença no tocante ao sentido. A pergunta que

---

7 "Par ainsi il est yci requis des serviteurs de Dieu, que quand ils jurent, ce soit avec reverence et en honne conscience." nota, fr. marg.

8 A redação textual é נפשו (*naphshiv*), *sua alma*; a redação marginal é נפשי (*naphshi*), *minha alma*. Mas redação textual, à luz de sua clareza e simplicidade, é, sem dúvida, a única correta. "Os pontos", diz Hammond, "leva a traduzir נפשי, minha alma, e assim o interlinear lê *animam meam*, minha alma ou vida, como se fosse נפשי, fazendo Deus aquele que fala neste versículo e assim a vida ou alma é de Deus. Mas a letra do texto é ו e não י, e o contexto concordando com ela, a pontuação deve, com razão, dar lugar; e, conseqüentemente, todos os intérpretes antigos parecem ter lido נפשו, sua alma, significando por isso *sua própria alma*, ou *a alma do que jura*."

aqui pode suscitar-se é: por que Davi não diz, portanto, uma só palavra concernente à fé e ao invocar a Deus? A razão para isso é facilmente explicável. Visto que raramente sucede que uma pessoa se porta reta e inocentemente para com seus irmãos, a menos que ela se revista do genuíno temor de Deus, andando prudentemente diante dele, Davi mui judiciosamente forma sua avaliação da piedade dos homens para com Deus pelo caráter de sua conduta para com seus semelhantes. Pela mesma razão, Cristo [Mt 23.23] apresenta "o juízo, a misericórdia e a fé" como os itens primordiais da lei; e Paulo chama a 'caridade' uma vez de "o fim da lei" [1 Tm 1.5] e outra vez de "o vínculo da perfeição" [Cl 3.14].

[vv. 5-6]
Ele receberá bênção de Jeová e justiça do Deus de sua salvação. Esta é a geração dos que o buscam, dos que buscam tua face![9] Selah.

Ele receberá bênção. Com o fim de mudar a mentalidade dos israelitas mais eficazmente, Davi declara que nada é mais desejável do que ser considerado um dentre o rebanho de Deus e participar do rol da igreja. Aqui devemos considerar que um contraste implícito entre os verdadeiros israelitas e aqueles de seu meio que são degenerados e bastardos. Quanto mais liberdade os perversos dão a si mesmos, mais presunçosos são eles em pretender ao nome de Deus, como se ele tivesse obrigação para com eles, visto que são adornados com os mesmos símbolos ou emblemas externos como se fosse crentes genuínos. Conseqüentemente, o pronome demonstrativo, *esta*, no próximo versículo, é de grande peso, pois ele expressamente exclui toda aquela geração bastarda que se gloriou somente máscara de cerimônias externas. E neste versículo, ao falar de *bênção*, ele notifica que os participantes da bênção prometida não são aqueles que se gloriam de ser servos de Deus, conservando apenas o seu nome, mas aqueles que respondem ao seu chamamento de todo o seu coração e sem qualquer hipocrisia.

---

9 "*Asfavoir, Jacob*" nota, fr. marg. "Isto é, Jacó."

Como já observamos, é um poderoso induzimento a uma vida de piedade e retidão quando os fiéis são assegurados de não perderão seu tempo em seguir a justiça, visto que Deus tem reservado para eles uma bênção que jamais poderão perder. Pode-se explicar o termo *justiça* de duas formas. Ou significa todos os benefícios divinos, pelos quais Deus prova ser justo e fiel para com seu povo, mantendo-lhes suas promessas, ou denota o fruto ou recompensa da justiça dos crentes. Aliás, a intenção de Davi é ricamente manifesta. Ele tenciona mostrar, de um lado, que não se pode esperar que o fruto ou recompensa da justiça seja concedida aos que injustamente profanam o sacro culto divino; e, do outro, que é impossível que Deus decepcione a seus verdadeiros adoradores; pois seu ofício peculiar é apresentar evidência de sua justiça, fazendo-lhes o bem.

Esta é a geração. Como acabei de observar acerca do pronome demonstrativo, *esta*, o salmista apaga do catálogo dos servos de Deus todos os pseudo-israelitas que, confiando tão-somente em sua circuncisão e nos sacrifícios de animais, não se preocupam em oferecer-se a Deus; e, no entanto, ao mesmo tempo se introduzem temerariamente na igreja. Tais pessoas podem pretender deleitar-se no serviço de Deus, freqüentando amiúde seu templo, mas que não têm outro propósito senão esquivar-se dele o máximo que podem. Ora, visto que nada era mais comum nos lábios de cada um deles do ouvi-los dizer que pertenciam à santa semente, o salmista limitou o nome de santa geração aos verdadeiros observadores da lei; como se dissesse: Todos quantos têm descendido de Abraão, segundo a carne, não são, por isso, seus legítimos filhos. De fato, com razão diz-se em outros lugares, como vimos no Salmo 27, que aqueles que buscavam a face de Deus para testificar sua piedade, exercitavam-se nas cerimônias diante da arca do concerto; ou seja, se fossem conduzidos até lá por uma afeição pura e santa. Mas já que os hipócritas buscam a Deus externamente, até certo ponto como o fazem os santos, enquanto o evitam com suas sinuosidades e falsas pretensões,[10] Davi então declara

---

10 "Lequel toutesfois ils fuyent par leurs destours et faux semblans." nota, fr. marg.

que Deus não é realmente buscado, a menos que haja antes um zeloso cultivo de santidade e justiça. Para imprimir na frase ênfase mais forte, ele a repete, usando a segunda pessoa e endereçando a Deus seu discurso.[11] É como se ele convocasse os hipócritas a comparecerem perante o tribunal divino, os quais não reputavam como falso usar o nome de Deus diante do mundo; e assim ele nos ensina que, seja o que digam em seu vazio linguajar entre os homens, o juízo divino será algo muitíssimo distinto. Ele adiciona a palavra *Jacó*, para a confirmação da mesma doutrina, para substituir aqueles que descendiam de Jacó; como se quisesse dizer: Ainda que a circuncisão distinga toda a semente de Jacó, segundo a carne dos gentios, contudo só podemos distinguir o povo eleito pelo temor e reverência para com Deus, como disse Cristo: "Eis aqui um verdadeiro israelita, em quem não há dolo!" [Jo 1.47].

[vv. 7-10]
Levantai, ó portões, vossas cabeças! levantai-vos, ó portas eternas! e entrará o Rei da glória. Quem é esse Rei da glória? Jeová, forte e poderoso, Jeová poderoso na batalha. Levantai, ó portões, vossas cabeças! levantai-vos, ó portas eternas! e entrará o Rei da glória. Quem é esse Rei da glória? Jeová dos exércitos, ele é o Rei da glória. Selah.

Levantai, ó portões, vossas cabeças! A estrutura esplêndida e magnificente do templo, da qual transparecia mais majestade externa do que do tabernáculo, não estando ainda erigido, Davi neste ponto fala de sua futura edificação. Ao fazer isso, ele encoraja os israelitas piedosos a empenhar-se mais espontaneamente, e com mais profunda confiança, nas observâncias cerimoniais da lei. Não era uma indicação ordinária da bondade de Deus que ele condescendesse habitar no meio deles por meio de um símbolo visível de sua presença, e foi de sua vontade que o lugar de sua habitação fosse visto na terra. Esta doutrina nos deve ser de muita utilidade em nosso tempo; pois é um exemplo da inestimável graça de Deus que, até onde a enfermidade de nossa carne o permita, sejamos elevados até à presença de Deus

---

11 Primeiro, ele diz: "Aquele que o busca", e a seguir, "Aquele que busca *tua* face."

pelo exercício da religião. Qual é o objetivo da pregação da palavra, dos sacramentos, das santas assembléias e de todo o governo externo da Igreja, senão para que vivamos unidos a Deus? Portanto, não é sem boas razões que Davi enalteça tão sublimemente o culto divino designado na lei, visto que Deus exibiu-se a seus santos na arca do concerto, e por meio dela lhes deu certo penhor de socorro imediato sempre que o invocassem solicitando-lhe seu auxílio. Deus, é verdade, "não habita em templos feitos por mãos humanas", nem tem ele prazer na pompa externa, senão que, como era útil e como era também do agrado de Deus, seu povo antigo, que era rude e ainda em sua infância, seria elevado a ele por meio de elementos terrenos, Davi, neste ponto, não hesita em anunciar-lhes, para a confirmação de sua fé, o suntuoso edifício do templo com vistas a assegurar-lhes que ele não era um inútil teatro; e, sim, que quando adorassem a Deus corretamente nele, segundo a determinação de sua palavra, eles permanecessem como se fosse em sua presença e realmente experimentassem que de fato estava perto deles. Eis o equivalente do que é expresso aqui: que à medida que o templo que Deus ordenara lhe fosse construído sobre o monte Sião, ultrapassasse o templo em magnificência, ele seria um espelho muito mais esplendente da glória e poder de Deus habitando entre os judeus. Entrementes, visto que Davi mesmo ardesse de intenso desejo de erigir o templo, assim ele desejava inflamar o coração de todos os santos com o mesmo ardente desejo, para que, auxiliado pelos rudimentos da lei, fizesse mais e mais progresso no temor de Deus. Ele deu o nome de *portões eternos*, visto que a promessa de Deus garantia sua estabilidade contínua. O templo excelia em materiais e estrutura, mas sua principal excelência consistia nisto: que a promessa de Deus estava esculpida nele, como veremos no Salmo 132.14: "Este é o meu repouso para sempre." Ao denominar de portões *eternos*, o salmista, ao mesmo tempo, não tenho dúvida, traça um tácito contraste entre o tabernáculo e o templo. O tabernáculo nunca desfrutava de um lugar definido para ficar, senão que, sendo de tempo em tempo transportado de um lugar a outro, era semelhante a um homem que vive a vagar.

Contudo, quando o monte Sião foi escolhido, e o templo construído, Deus então começou a ter ali uma morada definida e fixa. Com a vinda de Cristo, essa sombra visível se desvaneceu, e portanto não é de admirar que o templo não mais seja visto sobre o monte Sião, já que ele é agora tão imenso que ocupa o mundo inteiro. Se se objetar que ao tempo do cativeiro babilônico os portões que Salomão construíra foram demolidos, minha resposta é que o decreto de Deus permanece inabalável, não obstante temporariamente tenha sido destruído. E apesar disso, o templo foi logo depois reconstruído; era como se tivesse continuado sempre inteiro.

A Septuaginta, por ignorância, corrompeu este texto.[12] A palavra hebraica, ראשים (*rashim*), a qual traduzimos por *cabeças*, é indubitavelmente às vezes tomada metaforicamente por *príncipes*; mas o pronome *vossas*, que é aqui anexado a ela, sobejamente demonstra que não podemos extrair dela outro sentido senão este: que os portões ergam suas cabeças, caso contrário diríamos: Vós, príncipes. Por isso alguns concluem que os reis e magistrados são aqui admoestados quanto ao seu dever que é o de abrir um caminho para a entrada de Deus. Essa é uma interpretação plausível, mas se afasta demais do desígnio das palavras do profeta. Acima de tudo, à luz do sentido natural das palavras, podemos perceber quão tola e vilmente os papistas têm abusado desta passagem para a confirmação da grosseira e ridícula noção pela qual introduzem Cristo como que batendo no portão das regiões infernais a fim de obter ingresso.[13] Portanto,

---

12 A Septuaginta tem "Αρατε πύλὰς οἱ ἄρχοντες ὑμῶν", que se pode traduzir assim: "Vós, príncipes, erguei vossos portões." A redação da Vulgata é semelhante: "Attollite portas principes vestras." E assim é também a da Arábica e Etiópica. Mas tal tradução, como o observa Calvino com toda razão, é inadmissível; pois, no texto hebraico, o afixo כם (*kem*), *vós*, é associado a ראשי (*rashey*), *cabeças*, e não a שערים (*shearim*), *portões*. Contudo, embora a redação da Septuaginta possa ser traduzida da forma como supra: "Vós, príncipes, erguei vossos portões", o pensamento de Hammond é mais provável, ou seja, que os tradutores verteram οἱ ἄρχοντες ὑμῶν, *vós, príncipes*, para representar ראשיכם (*rashekem*), *vossas cabeças*, invertendo, por equívoco, a construção da frase, de modo a formar esta redação: "Vossas cabeças, ou príncipes, erguei os portões", em vez de: "Vós, portões, erguei vossas cabeças."

13 "Par lesquels ils introduissent Christ frappant à la porte pour entrer és enfers." (nota, fr. marg.)

aprendamos desse fato que, a fim de compendiar a santa palavra de Deus com sobriedade e reverência, repugnemos a atitude papista que, por assim dizer, brincam de corromper e falsificar dessa forma [a palavra de Deus], com suas execráveis impiedades.[14]

8. Quem é esse Rei da glória? Os louvores pelos quais o poder divino é aqui magnificado são destinados a ensinar aos judeus que ele não se assentava ociosamente em seu templo, senão que erguia nele sua morada com o fim de estar em prontidão para socorrer a seu povo. Deve-se observar que há grande peso tanto na interrogação quanto na reiteração da mesma frase. O profeta assume a pessoa de alguém que vagueia por perto para expressar com maior efeito que Deus vem armado com invencível poder para sustentar e salvar a seu povo e guardar os fiéis em segurança debaixo de sua sombra. Já dissemos que quando Deus se expressa como que habitando no templo, não se deve entender como se sua infinita e incompreensível essência pudesse ser circunscrita e confinada dentro dele; senão que estaria presente ali através de seu poder e graça, segundo se acha implícito na promessa que fizera a Moisés: "em todo lugar, onde eu fizer celebrar a memória de meu nome, virei a ti e te abençoarei" [Êx 20.24]. Que essa promessa não era nem vazia nem inútil, senão que Deus realmente habitou no meio do povo, é o que os fiéis que não buscavam supersticiosamente experimentaram, como se ele tivesse residência fixa no templo, mas faz uso do templo e do serviço que se realiza nele com o intuito de elevar seus corações ao céu. O equivalente a essa idéia é que sempre que o povo invocasse a Deus no templo, transparece claramente, à luz do efeito que se segue, que a arca do concerto não era um símbolo vão e ilusório da presença de Deus, porque ele sempre estenderia seu onipotente braço para a defesa e proteção de seu povo. A repetição nos ensina que os genuínos crentes não têm como exagerar a diligência e meditação sobre este tema. O Filho de Deus, vestido de nossa

---

14 "Qui comme sacrileges execrables tienent pour jeu de la corrompre et falsifier en ceste sorte." (nota, fr. marg.)

carne, se revelou agora para ser o *Rei da glória* e *Senhor dos Exércitos*, e ele não adentrou seu templo simplesmente através de figuras e sombras, mas realmente e de fato, para que pudesse habitar em nosso meio. Não há nada, pois, que nos impeça de gloriarmo-nos de sermos invencíveis através de seu poder. O monte Sião, é verdade, não é hoje o lugar destinado a ser o santuário, e a arca do concerto não é mais a imagem ou representação de Deus habitando entre os querubins; senão que, visto termos este privilégio em comum com os pais, ou seja, que, pela pregação da palavra e dos sacramentos, podemos viver unidos a Deus, nos convém usar esses auxílios com reverência; pois se os menosprezarmos pelo exercício de um detestável orgulho, Deus outra coisa não fará senão retrair-se sumariamente de nós.

Salmos 25

Este Salmo consiste de meditações mescladas de orações. Sendo rudemente tratado, e sentindo-se profundamente angustiado pela crueldade de seus inimigos, Davi, a fim de obter a assistência divina, primeiramente reconhece que Deus afortunadamente fez uso disso como meio para castigá-lo e discipliná-lo por seus pecados; e por isso ora por seu perdão, para que pudesse imediatamente desfrutar da certeza do favor divino e de obter livramento. Ele então implora o auxílio do Espírito Santo para que, sustentado por ele, pudesse, mesmo em meio a tanta tentação, continuar no temor de Deus. E em vários lugares ele entrelaça meditação como meio de estimular-se a reforçar sua confiança em Deus e oração para desvencilhar seus pensamentos das fascinações do mundo.

Salmo de Davi.

[vv. 1-3]
A ti, ó Jehovah, tenho elevado minha alma! Ó meu Deus, tenho posto em ti minha confiança; não me deixes envergonhado; que meus inimigos não triunfem sobre mim. Sim, nenhum daqueles que em ti esperam será envergonhado; serão envergonhados, sim, os que sem motivo procedem falsamente.

1. A ti, ó Jehovah, tenho elevado minha alma. O salmista declara logo no início que não se conduz de um lado a outro como fazem os ímpios, senão que dirige todos os seus desejos e orações exclusivamente a Deus. Nada é mais incongruente com a vera e sincera oração a Deus do que oscilar e pasmar como fazem os pagãos, em busca de algum socorro no mundo, e ao mesmo tempo nos esquecendo de Deus ou não recorrendo diretamente à sua guarda e proteção. Os que imaginam que aqui Davi declara haver se devotado inteiramente a Deus, como se houvesse se oferecido em sacrifício, não entendem adequadamente a importância da passagem. O significado é, antes, este: para fortalecer a esperança de ser atendido em sua súplica, ele declara, o que é da mais profunda importância na oração, que havia depositado sua esperança em Deus, e que não se deixara emaranhar pelas fascinações do mundo, ou não permitira que sua alma deixasse de elevar-se a Deus plenamente e sem qualquer hipocrisia. Portanto, a fim de orarmos corretamente a Deus, deixemo-nos dirigir por esta regra: não distraiamos nossa mente com esperanças várias e incertas, nem dependamos do auxílio mundano, mas deixemos com Deus a honra de elevar nossos corações a ele em oração sincera e fervorosa. Além do mais, embora o verbo esteja adequadamente traduzido – *elevarei* –, contudo tenho seguido outros intérpretes, mudando-o para o pretérito [contínuo] – *tenho elevado*. Com o tempo futuro, contudo, Davi denota um ato que prosseguirá avante.

2. Ó meu Deus, tenho posto em ti minha confiança. Neste versículo aprendemos (o que se mostrará de forma nítida mais adiante) que Davi tinha a ver com os homens; mas como estava persuadido de que seus inimigos eram, por assim dizer, o azorrague divino, com boas razões pede a Deus que os restringisse pelo uso de seu poder, a fim de não se tornarem ainda mais insolentes e porventura fossem além de todos os limites. Com o uso do termo *confiança,* ele confirma o que já havia dito sobre *elevar a alma a Deus*; pois o termo é empregado ou como descritivo da forma como as almas dos fiéis são elevadas ou mais fé e esperança são adicionadas como a causa de tal efeito, ou seja, a elevação da alma. E, de fato, essas são as asas pelas quais nossas almas, alçando vôo acima do mundo, se conduzem a Deus. Davi, pois, ascende a Deus com a plenitude do desejo de seu coração, porque, confiando em suas promessas, com isso esperava uma salvação definida e infalível. Ao pedir

que Deus não o deixasse ser envergonhado, ele apresenta uma oração extraída da doutrina ordinária da Escritura, ou seja, os que confiam em Deus jamais serão envergonhados. A razão por que ele acrescenta, e por que ele aqui se empenha por induzir a Deus a ter compaixão dele, deve igualmente ser observada. Isto é, que ele não se visse exposto à irrisão de seus inimigos, cuja soberba não é menos ferina aos brios dos santos que nauseante a Deus.

3. Sim, nenhum daqueles que em ti esperam será envergonhado. Se essas palavras fossem explicadas na forma de um desejo, como se Davi dissesse: Que nenhum dos que em ti esperam seja envergonhado,[1] então, neste versículo, ele continua sua oração e se estende a todos os fiéis em geral o que havia expresso só sobre si. Sinto-me, porém, inclinado a entender as palavras num sentido diferente, e a visualizá-las como se Davi exibisse o fruto da graça divina, o qual procedia de seu livramento. E há uma força peculiar na palavra *sim*; pois como sabia que ele era visto por muitos, e que a notícia de sua confiança em Deus era amplamente difundida, sua intenção consiste nisto: o que fosse feito em sua pessoa se estenderia por toda parte, como exemplo a outros, e teria o efeito de reavivar e animar a todos os filhos de Deus, de um lado, e de lançar por terra a arrogância dos maus, do outro. As palavras podem também ser subentendidas em outro sentido, ou seja, que Davi, mediante o fortalecimento de sua fé, põe diante de si uma promessa que Deus freqüentemente formula em sua palavra. Mas o sentido em que eu as tenho interpretado parece-me mais adequado. Pela expressão, os perversos **que sem motivo procedem falsamente**, sem a menor sombra de dúvida ele se refere especialmente a seus inimigos. Conseqüentemente, ele declara que, quando for libertado não desfrutará exclusivamente do benefício dela, senão que seu fruto se estenderá a todos os crentes genuínos. Precisamente como, por outro lado, a fé de muitos teria sido abalada se ele houvera esquecido de Deus.

---

1 "Que tous ceux qui s'attendant à toy ne soyent point confus." – v.f.

Na última cláusula do versículo, a qual ele põe em oposição à primeira, ele argumenta que, quando os perversos forem confundidos, esse fato redundará na glória de Deus, visto que a jactância a que se entregaram em sua prosperidade é uma franca zombaria contra Deus, enquanto que, a despeito de seu juízo, se lançaram ainda mais ousadamente na prática do mal. Ao acrescentar, *sem motivo*, apenas tenciona demonstrar a natureza agravada da ofensa. A perversidade de uma pessoa é ainda mais intolerável quando, ao ser agravada pelos erros, ela se põe, espontaneamente, a injuriar o inocente e inculpável.

[vv. 4-7]
Ó Jehovah, faze-me conhecer teus caminhos e ensina-me tuas veredas. Guia-me em tua verdade e ensina-me; pois tu és o Deus de minha salvação; tenho esperado por ti todo o dia. Lembra-te, ó Jehovah, de tuas misericórdias e de tua benignidade, pois elas têm sido desde a eternidade. Não te lembres dos pecados de minha juventude, nem de minhas transgressões; lembra-te de mim segundo tua compaixão e por causa de tua bondade, ó Jehovah.

4. Ó Jehovah, faze-me conhecer teus caminhos. Pela expressão, *os caminhos do Senhor*, às vezes Davi tem em mente, como já vimos em outros passos, a felicidade e o próspero resultado das atividades; mais freqüentemente, porém, ele usa essa expressão para denotar a regra de uma vida santa e justa. Visto que o termo, *verdade*, ocorre no versículo imediatamente seguinte, a oração que ele apresenta neste lugar tem, em minha opinião, este propósito: Senhor, guarda teu servo na firme convicção de tuas promessas, e não permitas que ele se desvie seja para a direita seja para a esquerda. Quando nossas mentes se dispõem à paciência, não empreendemos nada precipitadamente nem por meios impróprios, mas passamos a depender inteiramente da providência de Deus. Conseqüentemente, neste ponto Davi deseja não simplesmente ser dirigido pelo Espírito de Deus, a fim de não errar o caminho certo, mas também para que Deus claramente lhe manifeste sua verdade e fidelidade nas promessas de sua palavra, para que pudesse viver em paz perante ele e se visse livre de toda impaciência.[2] Não faço objeção se alguém tomar as palavras num sentido geral, como se Davi se confiasse totalmente a Deus para ser governado por ele. Entretanto, como creio ser provável que, sob o título *verdade*, no próximo versículo, ele explique sua intenção no tocante aos termos, *caminhos* e *veredas de Deus*, dos quais ele aqui fala, não tenho dúvida de que a referência nesta circunstância é à oração, ou seja, que Davi, temendo ceder ao sentimento de impaciência, ou ao desejo de vingança, ou a algum impulso extravagante e ilícito, suplica que as promessas de Deus sejam profundamente impressas e esculpidas em seu coração. Pois eu disse antes que, quando esse pensamento prevalece em nossas mentes, ou seja, que Deus toma cuidado de nós, esse é o melhor e mais poderoso meio de resistir às tentações. Entretanto, se pelos termos, os *caminhos* e *veredas de Deus*, alguém entende ser sua doutrina, eu, não obstante, mantenho isto como um ponto estabelecido, a saber, que na linguagem do salmista há uma alusão às emoções súbitas e irregulares que despontam em nossas mentes quando somos açoitados pela adversidade, e pelas quais somos precipitados nas tortuosas e ilusórias veredas do erro, até oportunamente sermos dominados ou tranquilizados pela palavra de Deus. O significado, portanto, é este: Seja o que for que venha suceder-me, não deixes, ó Senhor, desviar-me de teus caminhos ou ser levado por uma voluntária desobediência à tua autoridade, ou qualquer outro desejo pecaminoso. Mas, ao contrário, que tua verdade me conserve num estado de quieto repouso e paz, por uma humilde submissão a ela. Além do mais, embora frequentemente reitere a mesma coisa, pedindo que Deus o faça conhecer seus caminhos, e o ensine neles e o guie em sua verdade, não há qualquer redundância nessas formas de linguagem. Nossos adversários são amiúde como a névoa que tira a visão de nossos olhos; e cada um sabe à luz de suas próprias experiências quão difícil é, enquanto essas nuvens de escuridão persistirem, discernir em que caminho devemos andar. Se Davi, po-

---

2 "Et sans estre troublé d'impatience." – v.f.

rém, profeta tão distinto e dotado de uma sabedoria tão inusitada, era carente de instrução, o que será de nós se, em nossas aflições, Deus não dispersar de nossas mentes aquelas nuvens de escuridade que nos impedem de contemplar sua luz? Então, assim que as tentações nos assaltarem, que oremos sempre para que Deus faça a luz de sua verdade resplandecer sobre nós, a fim de que, recorrendo a invenções pecaminosas, não nos desviemos e perambulemos por desvios e caminhos proibidos.

Ao mesmo tempo, devemos observar o argumento que aqui Davi emprega para corroborar sua oração. Ao chamar Deus de **Deus de minha salvação**, ele procede assim a fim de revigorar sua esperança em Deus para o futuro, a partir de uma consideração dos benefícios que ele já havia recebido dele; e então reitera o testemunho de sua confiança em Deus. E assim, a primeira parte do argumento é extraída da natureza da própria pessoa de Deus e do dever que, por assim dizer, lhe pertence; ou seja, visto que ele se esforça por manter o bem-estar dos santos e os socorre em suas necessidades, com base no fato de que continuará a manifestar o mesmo favor para com eles até ao fim. Visto, porém, ser necessário que nossa confiança corresponda à sua incomensurável benevolência para conosco, Davi o assevera, ao mesmo tempo, em conexão com uma declaração de sua perseverança. Porque, pela expressão, **todo o dia** ou **cada dia**, ele quer dizer que, com uma constância determinada e infatigável, depende exclusivamente de Deus. E, indubitavelmente, olhar para Deus é uma propriedade da fé, mesmo nas circunstâncias mais tentadoras, e pacientemente esperar pelo socorro que lhe fora prometido por Deus. Para que o reconhecimento das bênçãos divinas possa nutrir e sustentar nossa esperança, aprendamos a refletir sobre a bondade que Deus já manifestou em nosso favor, olhando para o que Davi fez, fazendo disso a base de sua confiança, a qual ele encontrou em sua própria experiência pessoal com Deus como o Autor da salvação.

6. Lembra-te, ó Jehovah! À luz desse fato parece, em primeiro lugar, que Davi era gravemente afligido e tentado, tanto que perdera todo o senso da misericórdia de Deus; porquanto invoca a Deus para que se lembrasse de incluí-lo em seu favor, de tal maneira que transparece que Deus se havia esquecido totalmente dele. Essa, pois, é a queixa de um homem que sofre extrema angústia e se acha mergulhado em profunda tristeza. Podemos aprender disso que, embora Deus, por algum tempo, venha a subtrair de nós todo sinal de sua benevolência, e aparentemente não leve em conta as misérias que nos afligem, nos esquecendo como se lhe fôssemos estranhos e não seu próprio povo, devemos lutar corajosamente até que, livres dessa tentação, cordialmente apresentemos a oração que é aqui registrada, rogando a Deus que, retornando à sua maneira anterior de nos tratar, ele uma vez mais comece a manifestar sua benevolência para conosco e a tratar-nos de uma forma mais graciosa. Essa forma de oração não pode ser usada com propriedade, a menos que Deus esteja ocultando de nós sua face e pareça não demonstrar nenhum interesse por nós. Ademais Davi, havendo recorrido à misericórdia ou compaixão e benevolência de Deus, testifica que não confia em seu próprio mérito como se este fosse a base de sua esperança. Aquele que deriva cada coisa tão-somente da fonte da divina mercê nada encontra em si mesmo digno de recompensa aos olhos de Deus. Mas como a intermissão que Davi havia experimentado se tornara um obstáculo a impedir seu livre acesso à presença de Deus, ele se eleva acima dela através de um antídoto muito melhor, ou seja, a consideração de que, embora Deus, que de sua própria natureza é misericordioso, se retraia e cesse por algum tempo de manifestar seu poder, todavia não pode negar a si próprio; ou seja, não pode despir-se do sentimento de misericórdia que lhe é inerente e que poderia cessar se porventura sua existência não fosse eterna. Mas devemos manter firmemente esta doutrina, a saber: que Deus tem sido misericordioso desde o princípio, de modo que, se alguma vez ele parece agir com severidade em relação a nós e rejeitar nossas orações, não devemos imaginar que ele age em oposição a seu próprio caráter, ou que mudasse de propósito. Donde aprendemos com que objetivo as Escrituras por toda parte nos informam que em todos os tempos Deus sempre considerou seus servos com olhos de benignidade e exercitou sua compaixão para conosco.³ Devemos pelo menos considerar como um ponto fixo e estabelecido que, embora a bondade divina às vezes se mantenha oculta e, por assim dizer, sepultada da vista humana, ela jamais poderá ser extinta.

7. Não te lembres dos pecados de minha juventude. Visto que nossos pecados são como um muro entre nós e Deus, o qual o impede de ouvir nossas orações, ou de estender sua mão em nosso auxílio, Davi agora remove tal obstrução. É deveras verdade, de modo geral, que os homens orariam de uma forma errônea e em vão, a menos que comecem a buscar o perdão de seus pecados. Não há esperança alguma de se obter algum favor de Deus a menos que ele nos reconcilie consigo. Como poderá nos amar a não ser que primeiro graciosamente nos reconcilie consigo mesmo? Portanto, a ordem própria e correta de orar é, como eu já disse, pedindo, logo de início, que Deus perdoe nossos pecados. Aqui Davi reconhece, em termos explícitos, que ele não pode de alguma outra forma tornar-se partícipe da graça de Deus a não ser que seus pecados sejam apagados. Por isso, para que Deus se mantenha insone em relação à sua misericórdia para conosco, é indispensável que ele olvide nossos pecados, porquanto a simples visão deles desvia de nós seu favor. Entrementes, com isso o salmista confirma mais claramente o que já havia dito, ou seja, que embora os perversos agissem em relação a ele com crueldade, e o perseguissem injustamente, no entanto atribuía a seus próprios pecados toda a miséria que suportava. Por que, pois, ele implora o perdão de seus pecados, recorrendo à misericórdia divina, senão porque reconhecia que, mediante o cruel tratamento que recebia de seus inimigos, simplesmente enfrentava a punição que justamente merecia? Ele, pois, agia sabiamente em volver seus pensamentos à causa primeira de sua miséria, com o intuito de encontrar o genuíno antídoto; e assim ele nos ensina, através de seu exemplo, que quando alguma aflição

---

3 "Et usé de douceur envers eux." – v.f.

externa nos deprimir, não apenas roguemos a Deus que nos liberte dela, mas também que ele apague os nossos pecados, com os quais provocamos seu desprazer e nos colocamos sob a vara de seu castigo. E se porventura agirmos de outro modo, estaremos seguindo o exemplo dos médicos inexperientes que, ao diagnosticar a causa da doença, apenas buscam aliviar a dor, aplicando meramente remédios preventivos para a cura. Além do mais, Davi faz confissão não só de algumas ofensas leves, como os hipócritas costumam fazer, ou seja, confessando sua culpa de maneira geral e perfunctória, ou buscando algum subterfúgio, ou buscando atenuar a enormidade de seu pecado. Ele, porém, faz uma retrospecção de seus pecados, indo até sua infância e pondera de quantas formas ele havia provocado a ira divina contra si. Ao fazer menção dos pecados que cometera em sua juventude, ele não pretende com isso dizer que não guardava na memória alguns dos pecados que cometera em seus últimos anos; senão que desejava mostrar que se considerava digno da mais severa condenação.[4] Em primeiro lugar, considerando que não havia começado a cometer pecado apenas agora, senão que desde outrora amontoara pecado sobre pecado, ele se curva, se podemos expressá-lo assim, debaixo de um peso acumulado. E, em segundo lugar, ele notifica que, se Deus o tratasse segundo o rigor da lei, não só os pecados de ontem, nem os de uns poucos dias, viriam a juízo contra ele, mas todas as instâncias em que havia ofendido, mesmo em sua infância, poderiam agora, com justiça, ser lançadas em sua acusação. Portanto, quando Deus nos terrificar com seus juízos e com os sinais de sua ira, avivemos nossa memória, não só em relação aos pecados que recentemente cometemos, mas também em relação a todas as transgressões de nossa vida pregressa, experimentando a renovação mediante sincera humilhação e lamentação.

Além do mais, com o fim de expressar mais plenamente que sua súplica é pelo gracioso perdão, ele pleiteia diante de Deus unica-

---

4 "Redevable de tant plus grande condennation." – v.f.

mente com base em seu beneplácito; e por isso ele diz: **Segundo tua compaixão, lembra-te de mim.** Quando Deus lança nossos pecados no olvido, isso o leva a olhar para nós com paternidade. Davi não podia descobrir nenhuma outra causa pela qual pudesse valer-se da paternidade divina, senão que Deus é bom, e desse fato segue-se que não há nada que induza a Deus a receber-nos em seu favor senão seu próprio beneplácito. Ao afirmar-se que Deus se lembra de nós com base em sua misericórdia, somos tacitamente levados a entender que há duas formas de lembrança que são totalmente antagônicas: uma é aquela em que ele visita os pecadores em sua ira; e a outra quando novamente manifesta seu favor àqueles de quem parecia por algum tempo ter-se olvidado.

[vv. 8-11]
Bom e reto é Jehovah; por isso ensinará os pecadores na vereda. Ele guiará os pobres em juízo e ensinará aos pobres[5] sua vereda. Todas as vereda de Jehovah são misericórdia e verdade para aqueles que guardam seu concerto e seu testemunho. Por amor de teu nome, ó Jehovah, sê misericordioso para com minha iniqüidade, pois é grande.

8. Bom e reto é Jehovah. Abrindo uma breve pausa, como a interromper o seguimento de sua oração, ele exercita seus pensamentos em meditação sobre a munificência divina, para que pudesse voltar à sua oração com fervor renovado. Os fiéis sentem que em seus corações a oração logo se desvaneceria, caso não se revigorem constantemente para prossegui-la com novos estímulos; quão raro e difícil é perseverarmos inabaláveis e incansáveis neste santo dever. Aliás, como a preservação do fogo requer que se ponha combustível com freqüência, assim o exercício da oração requer o socorro de tais auxílios, para que ela não se desvaneça e por fim venha a se extinguir totalmente. Davi, pois, obsequioso de injetar-lhe ânimo a fim de perseverar, fala a si mesmo e afirma que Deus é *bom e reto*, para que, armazenando novas energias através da meditação sobre esta verdade, pudesse

---
5 "Humbles." – v.f. "Humildes."

retornar com mais vivacidade à oração. Devemos, porém, observar esta conseqüência: visto que Deus é bom e reto, ele estende sua mão aos *pecadores* com o fim de trazê-los de volta *ao caminho*. Tributar a Deus uma retidão que ele só pode exercer para com os dignos e merecedores é um frio ponto de vista de seu caráter e de pouca vantagem para com os pecadores, e no entanto o mundo comumente conserva a noção de que Deus é bom em nenhum outro sentido. Como sucede que raramente um em cem aplica a si a misericórdia de Deus, senão porque os homens a limitam aos que são dignos dela? Ora, ao contrário disso, diz-se aqui que Deus oferece uma prova de sua retidão, apontando o caminho aos transgressores; e isso tem a mesma equivalência que chamá-los ao arrependimento e ensinar-lhes uma vida de retidão. Aliás, se a bondade de Deus não penetrasse o próprio inferno, ninguém jamais se tornaria participante dela. Deixemos, pois, os papistas blasonar-se prazerosamente de suas imaginárias preparações; quanto a nós, porém, consideremos esta como sendo uma doutrina incontestável, a saber: se Deus não se antecipasse aos homens com sua graça, todos eles pereceriam totalmente. Portanto Davi, neste ponto, recomenda esta graça preventiva, como às vezes é denominada, a qual se manifesta ou quando Deus, ao chamar-nos, finalmente renova nossa natureza corrupta, pelo Espírito de regeneração, ou quando ele nos traz de volta ao caminho reto, após nos termos desviado dele seguindo as veredas do pecado. Pois visto que mesmo aqueles a quem Deus recebe como seus discípulos são aqui chamados pecadores, segue-se que ele os renova pela ação de seu Espírito Santo, a fim de que se tornem dóceis e obedientes.

9. Ele guiará os pobres em juízo. O salmista, aqui, especifica a segunda manifestação da graça divina, a qual Deus aplica àqueles que, sendo subjugados por seu poder e trazidos debaixo de seu jugo, suportam espontaneamente e se submetem ao seu governo. Mas tal docilidade jamais será encontrada no homem, até que o coração, que é naturalmente inchado e saturado com soberba, seja humilhado e vencido. Visto que a palavra hebraica עֲנָוִים (*anavim*), denota o *pobre* ou *aflito*, e é empregada num sentido metafórico para denotar aquele que é *manso* e *humilde*, é provável que Davi, sob esse termo, esteja incluindo as aflições que servem para restringir e subjugar tanto a obstinação da carne quanto a graça da própria humildade; como se quisesse dizer: Depois de Deus os haver humilhado, então amavelmente lhes estende sua mão e os leva e os guia ao longo de todo o curso de sua vida. Além do mais, há quem entenda estes termos, *juízo* e *vereda do Senhor*, como que denotando um modo de vida justo e bem ordenado. Outros os fazem referir à providência de Deus, interpretação esta que parece a mais correta e mais condizente com o contexto, pois acrescenta-se imediatamente: **Todas as veredas de Jehovah são misericórdia e verdade.** O significado, pois, é que os que se sentem realmente humilhados em seus corações e põem sua confiança em Deus experimentarão quão cuidadoso é ele com seus filhos,[6] e o quanto ele supre suas necessidades. Os termos, *juízo* e *vereda do Senhor*, portanto, significam simplesmente, neste lugar, o mesmo que seu governo, em cujo exercício ele revela que, como um tipo de pai, tem interesse no bem-estar de seus filhos, aliviando-os quando são oprimidos, erguendo-os quando são derrubados, recreando-os e confortando-os quando estão pesarosos e socorrendo-os quando se acham aflitos. Percebemos, pois, de que ordem Deus se utiliza para manifestar sua graça para conosco. Primeiro, ele nos reconduz ao caminho quando vagueamos e nos afastamos dele, ou, melhor ainda, quando nos transformamos em fugitivos e nos exilamos dele, ele refreia nossa obstinação; e já que éramos obstinados e rebeldes, ele agora nos submete à obediência de sua justiça. E, segundo, depois de nos ter afligido e provado, ele não nos olvida; senão que, depois de nos moldar e nos treinar, mediante a cruz, à humildade e mansidão, ainda nos mostra ser um pai sábio e providente, guiando-nos e orientando-nos ao longo da vida.

10. Todas as veredas de Jehovah. Este versículo é erroneamente interpretado por aqueles que supõem que a doutrina da lei é aqui des-

---

6 "Quel soin il ha de ses enfans." – v.f.

crita como genuína e agradável, e que aqueles que a guardam sentem que de fato ela é assim, como se esta passagem fosse equivalente ao que foi declarado por Jesus Cristo: "*Meu jugo é suave e meu fardo é leve*" [Mt 11.30]. Uma interpretação tal como esta não só é forçada, mas pode também ser reprovada por muitas passagens similares nas quais a expressão, *as veredas do Senhor*, é tomada numa significação passiva pela atitude paternal na qual ele age em relação aos que são seu povo, defendendo-os e nutrindo-os; mais ainda, mesmo em toda a sua conduta no governo e direção das atividades deste mundo. O equivalente do que se diz aqui é que Deus age de maneira tal em favor de seu povo, como se, em todos os aspectos, pudessem provar por sua experiência que ele é misericordioso e fiel. Davi não está falando do caráter em que Deus age em favor da humanidade em geral, mas o que seus próprios filhos pensam dele. Já vimos no Salmo 18.26 que ele é inflexível e severo para com os obstinados e rebeldes; e mesmo quando age bondosamente para com eles, em compassivamente exercer tolerância para com eles, não obstante sua iniqüidade, todavia achamos que, longe de buscar o pleno desfruto dele e confiar em suas promessas, não revelam qualquer senso da bondade divina. Mais ainda, assim que lhes sobrevem alguma adversidade, eles ou se tornam explosivos e irascíveis, acusando a Deus de agir cruelmente para com eles, ou se queixam de Deus portar-se como surdo às suas orações; e quando desfrutam de prosperidade, ou o desprezam ou o ignoram, agindo como se fossem capazes de livrar-se de sua presença. Davi, portanto, ao falar da *misericórdia* e *fidelidade* de Deus, ditosamente as descreve como sendo um tesouro peculiar dos santos; como se dissesse: Não temos razão alguma de temer que Deus nos engane, se perseverarmos em sua aliança. Estas palavras, *concerto* e *testemunho*, são do mesmo teor, a menos que a segunda tenha sido adicionada como explicação da primeira. Elas abrangem toda a doutrina da lei, pela qual Deus entra em aliança com seu povo eleito.

11. Por amor de teu nome, ó Jehovah! Visto que no texto original a conjunção é inserida entre as duas cláusulas deste versículo, há quem acredite que a primeira cláusula é incompleta, e que alguma palavra deve ser inserida para completar; e então lêem estas palavras: *Sê tu misericordioso para com minha iniqüidade* etc., como sendo por si só uma frase distinta. E assim, segundo sua opinião, o sentido seria: Senhor, embora não tenha guardado plenamente teu concerto, todavia nem por isso deixes de demonstrar bondade para comigo; e para que minha iniqüidade não obstrua tua benevolência de vir em meu socorro, concede-me graciosamente teu perdão. Minha opinião, porém, é contrária a de outros que consideram supérflua a conjunção, aqui, como sucede em muitos outros lugares, de modo a fazer que todo o versículo forme uma frase conectada. Quanto ao tempo do verbo, há também uma diversidade de opiniões entre os intérpretes. Alguns o traduzem no pretérito, assim: *tu foste misericordioso,* como se Davi, aqui, rendesse graças a Deus por ter-lhe perdoado seu pecado. Mas a outra interpretação, que é a mais geralmente aceita, é também a mais correta, ou seja, que Davi, com o fim de obter perdão, uma vez mais recorre à misericórdia divina como seu único refúgio. A letra ו, *vau,* que é equivalente a *e,* tem às vezes a função de mudar o tempo nos verbos hebraicos, de modo que o tempo futuro é às vezes tomado no sentido do optativo. Além do mais, conecto este versículo com o precedente, desta forma: O profeta, havendo refletido sobre o fato de Deus ser bondoso e fiel para com os que o servem, agora examina seu próprio coração, e reconhece que não pode ser contado como um deles, a menos que Deus lhe conceda o perdão de seus pecados, como no Salmo 19.13, depois de haver se referido à recompensa que é oferecida aos fiéis que cumprem a lei, repentinamente exclama: "Quem pode discernir seus erros?" Conseqüentemente, embora Davi não seja ignorante do fato de Deus prometer liberalmente derramar sobre os que guardam sua aliança toda bênção que faz parte de uma vida de felicidade, contudo, ao mesmo tempo, considerando quão longe está de cumprir a perfeita justiça da lei, ele não descansa nela sua confiança, mas busca um antídoto para as multiformes ofensas das quais se sente culpado. E assim, para que Deus nos inclua no número de seus servos, é preciso que sempre nos acheguemos a ele, rogando-lhe, segundo o exemplo de Davi, em sua benignidade paternal, a tolerar nossas debilidades, porque, sem a graciosa remissão de nossos pecados, não há razão em esperar recompensa alguma de nossas obras. Ao mesmo tempo, que se observe que, a fim de mostrar mais distintamente que ele depende inteiramente da livre graça de Deus, expressamente diz: *por amor de teu nome*; significando com isso que Deus, ao conceder o perdão a seu povo, não faz isso movido por outra causa senão por seu próprio beneplácito; precisamente como disse um pouco antes, no mesmo versículo: *por causa de tua bondade*. Ele se sentiu também constrangido, em consideração da magnitude de sua ofensa, de invocar o nome de Deus; pois imediatamente acrescenta, à guisa de confissão: **porque minha iniqüidade é grande** ou *multiforme* (porque a palavra רב (*rab*), pode ser traduzida de ambas as formas); como se dissesse: Meus pecados são, na verdade, como um pesado fardo que me faz sucumbir, de tal modo que a multidão ou enormidade deles poderia privar-me de toda e qualquer esperança de perdão; mas, ó Senhor, a infinita glória de teu nome não permitirá que me lances fora.

[vv. 12-15]
Quem é o homem que teme a Jehovah? Ele o ensinará no caminho que deve escolher. Sua alma habitará no bem, e sua descendência herdará a terra. O conselho[7] de Jehovah é para aqueles que o temem, e para que lhes faça conhecida sua aliança. Meus olhos estão continuamente [voltados] para Jehovah, pois ele tirará meus pés da rede.

12. Quem é o homem? enovando uma vez mais em sua mente o caráter no qual Deus se manifesta a seus servos, Davi extrai nova força e coragem. Pois já dissemos que nada ocorre com mais freqüência do que certo afrouxamento na solicitude e atenção à prática da oração, caso ela não seja nutrida pelo reconhecimento das promessas divinas. Não pode haver dúvida, contudo, de que Davi tanto se acusa, ao nutrir mais intensa esperança, quanto se anima a prosseguir no temor de

---

7 "Ou, secret." – v.f. "Ou, segredo."

Deus. Em primeiro lugar, ao notificar que os homens são destituídos de reto entendimento e de são juízo, visto não se deixarem governar por Deus com reverência e temor, ele imputa à sua própria indolência o fato de que, em razão das trevas que dominam sua mente, ele havia vagueado tanto que se afastara seguindo suas próprias luxúrias; e no entanto, por outro lado, ele promete a si próprio a orientação e direção do Espírito Santo, entregando-se simples e totalmente a Deus e se mostrando voluntariamente disposto a aprender. Além do mais, o estilo interrogativo de falar, que ele aqui emprega, parece revelar que havia mui poucos que temiam a Deus; pois, embora todos os homens em geral orem e manifestem alguma aparência de piedade, contudo onde há um entre tantos que realmente seja solícito? Em vez disso, quase todos os homens se entregam à sua própria modorra. O temor de Deus, pois, é muitíssimo raro; e por essa conta o mundo, em sua maioria, continua destituído do Espírito de conselho e sabedoria.

Alguns intérpretes traduzem o verbo *escolher* no presente do indicativo, em vez de no futuro, *escolherá*; como se se dissesse que Deus mostra o caminho que ele aprova e no qual deseja que homens andem. Com tal interpretação não posso concordar; pois, em meu juízo, o verbo *escolher*, ao contrário, se refere ao próprio indivíduo; como se se dissesse: quando nos dispusermos a temer a Deus, ele não será insuficiente de sua parte, senão que nos dirigirá sempre pelo Espírito de sabedoria para escolhermos o caminho reto. Quando somos chamados a adotar algum curso específico na vida, nós nos achamos como que colocados entre dois caminhos, sem sabermos qual deles seguir;[8] não só isso, mas em quase todas as nossas atividades seríamos mantidos em suspenso e em dúvida, a menos que Deus surja para apontar-nos o caminho. Davi, pois, diz que, embora os homens não saibam o que é certo e o que devem escolher, todavia, se se dispuserem a submeter-se a Deus com pia docilidade de mente, e estiverem dispostos a segui-lo, ele estará sempre pronto a manifestar-se em seu

---

8 "Ne sçachans lequel prendre." – v.f.

favor como um guia infalível e fiel. Entretanto, visto que o temor de Deus não é algo natural em nós, seria insensato que alguém argumentasse à luz deste texto que Deus não começa a cuidar dos homens até que, por seus próprios esforços antecedentes, dêem a Deus um sinal de que agora ele pode auxiliá-los em seus pios empreendimentos. Davi afirmou com razão que esta graça vem diretamente de Deus, ao dizer que este ensina os transgressores; e agora acrescenta, em segundo lugar, que depois que os homens uma vez tenham se submetido e se amoldado à mansidão de espírito, Deus ainda toma sobre si a responsabilidade de guiá-los e dirigi-los até que sejam capazes, pela iluminação do Espírito Santo, de saber qual é seu dever.

13. Sua alma habitará no bem. Se a suprema felicidade do homem consiste em discernir e atentar para nada mais além da permissão de Deus, segue-se também ser um sublime e incomparável benefício tê-lo como nosso condutor e guia na trajetória da vida, para que jamais nos desviemos. Em aditamento a isto, porém, uma bênção terrena é aqui prometida, na qual o fruto da graça precedente é distintamente demonstrado, como Paulo também ensina: "a piedade para tudo é proveitosa, tendo a promessa da vida que agora é e da que há de vir" [1 Tm 4.8]. A suma consiste em que aqueles que verdadeiramente servem a Deus são não só abençoados no que tange às coisas espirituais, mas também abençoados por ele no que tange à sua condição na presente vida. É de fato verdade que Deus nem sempre trata com eles segundo seus desejos, e que as bênçãos que desejariam nem sempre fluem de uma maneira definida e invariável. Ao contrário, amiúde sucede serem eles abalados com doenças e dificuldades, enquanto que os perversos desfrutam de prosperidade. Mas é bom que saibamos que, ao tempo em que Deus retrai sua bênção de seu próprio povo, tal sucede com o propósito de despertá-los para o senso de sua condição e levá-los a descobrirem o quanto se acham afastados do perfeito temor de Deus. E no entanto, até onde lhes seja conveniente, desfrutam agora da bênção divina, de tal modo que, em comparação com os homens mundanos e os que desprezam a Deus, são realmente felizes e abençoados, visto que, mesmo em sua mais intensa pobreza, nunca perdem a certeza de que Deus está presente com eles; e sendo sustentados por sua consolação, desfrutam de paz e tranqüilidade mental. É deveras verdade que todas as nossas misérias procedem de uma única fonte – que por causa de nossos pecados somos privados de ver a bênção divina fluindo num curso invariável para nós; e no entanto, em meio a um estado de confusão, sua graça nunca cessa de manifestar-se, de modo que a condição dos santos é sempre melhor que a dos demais; pois embora não se sintam satisfeitos com as coisas excelentes, contudo estão constantemente a experimentar certo senso do favor paternal de Deus. E é nesse sentido que me disponho a tomar a palavra *alma*, ou seja, que, na recepção dos dons de Deus, não se devotam a eles sem sentir certo senso de sua doçura, mas realmente os saboreiam, de modo que a menor aptidão é de mais proveito para satisfazê-los do que a maior abundância para satisfazer os ímpios. Portanto, à medida que cada um se contenta com sua condição e alegremente nutre o espírito de paciência e tranqüilidade, diz-se que sua alma *habita no bem*. Alguns intérpretes aplicam o verbo *habitar* ou *morar* ao tempo da morte; mas tal interpretação é mais sutil que sólida. O escritor inspirado, ao contrário, está falando, como já dissemos, da condição da presente vida.[9] E acrescenta, em segundo lugar, à guisa de ilustração, que a posteridade dos fiéis *herdará a terra*;[10] e desse fato segue-se que Deus continua a estender-lhes seu favor. Portanto podemos uma vez mais inferir que a morte dos servos de Deus não implica em sua total destruição, e que eles não cessam de existir quando deixam este mundo, senão que continuam a viver para sempre. Seria absurdo su-

---

9 Horsley aplica as palavras à bem-aventurança de um estado futuro. Ele forma a seguinte redação: "Sua alma repousará em felicidade"; e produz a seguinte nota: יָלִין, *pernoctavit*. As palavras parecem aludir ao feliz estado da alma do homem bom que deixa o corpo, enquanto sua posteridade prospera neste mundo."

10 Isto é, a terra de Canaã, a qual Deus prometeu para perpetuar os israelitas obedientes e sua posteridade. "Ela foi prometida e dada", diz Poole, "como um penhor de todo o pacto da graça e de todas as suas promessas, e assim é colocada em forma de sinédoque para todos eles. O sentido é que sua progênie seria abençoada."

por que Deus privaria totalmente da vida àqueles por cuja causa ele faz o bem até aos demais. Quanto ao que aqui se diz, que os filhos dos santos herdarão a terra, foi trazido a lume noutra parte, e ainda será demonstrado mais plenamente no Salmo 37, em quais aspectos e como isso se efetua.

14. O conselho de Jehovah. O salmista, neste passo, confirma o que havia dito num dos versículos precedentes, ou seja, que Deus se ocupará fielmente do ofício de mestre e senhor em relação a todos os piedosos; e, segundo seu modo usual, repete o mesmo sentimento duas vezes no mesmo versículo. Pois a *aliança de Deus* outra coisa não é senão seu *segredo* ou *conselho*. Ao fazer uso do termo, *segredo*, sua intenção é magnificar e enaltecer a excelência da doutrina que nos é revelada na lei de Deus. Ainda quando muitos homens mundanos, mediante o orgulho e obstinação de seus corações, desprezem a Moisés e aos profetas, os fiéis, não obstante, reconhecem que na doutrina que eles contêm, os segredos do céu, os quais excedem toda a compreensão humana, são revelados e desenvolvidos. Portanto, quem quer que deseje extrair instrução da lei, que considere com reverência e apreço a doutrina que ela contém. Somos, além do mais, por este ensejo admoestados a cultivar as graças da mansidão e humildade, a fim de que, não depositando confiança em nossa própria sabedoria nem em nosso próprio entendimento, não tentemos, por nossos próprios esforços, compreender aqueles mistérios e segredos, cujo conhecimento Davi, neste passo, declara ser prerrogativa exclusiva de Deus. Além disso, visto que o temor do Senhor é expresso como sendo o princípio e, por assim dizer, o caminho que conduz ao reto entendimento de sua vontade [Sl 111.10], quem quer que deseje crescer na fé deve também ser diligente em progredir no temor do Senhor. Além do mais, quando a piedade reina no coração, não precisamos recear ser perda de tempo buscar o Senhor. É deveras verdade que a aliança de Deus é um segredo que excede muitíssimo a compreensão humana; visto, porém, sabermos que não é em vão que ele nos incita a buscá-lo, podemos descansar seguros de que todos aqueles que se esforçam por servi-lo com um reto desejo serão levados, pela instrução do Espírito Santo, ao conhecimento daquela sabedoria celestial que foi designada para sua salvação. Nesse ínterim, porém, Davi indiretamente repreende os que falsa e infundadamente se gabam de nutrir interesse pela aliança de Deus, enquanto se apoiam meramente na letra da lei e não revelam nenhum vestígio do temor de Deus, na verdade ele dirige sua palavra indiscriminadamente aos justos e aos perversos; mas os homens não o compreendem, a menos que nutram sincera piedade, justamente como diz Isaías [29.11] que, com respeito aos ímpios, a lei é como "um livro selado". E por isso não é de admirar que se faça aqui uma distinção entre os que verdadeiramente servem a Deus, a quem ele faz conhecer seu segredo, e os perversos e hipócritas. Mas quando vemos Davi nessa confiança vindo ousadamente para a escola de Deus, e conduzindo outros consigo, saibamos, segundo ele claramente o demonstra, que é uma ímpia e danosa invenção tentar privar o povo comum das Santas Escrituras, sob o pretexto de serem elas um mistério oculto, como se todos os que o temem de coração, seja qual for seu estado e condição em outros aspectos, não fossem expressamente chamados ao conhecimento da aliança de Deus.

15. Meus olhos estão [voltados] continuamente para Jehovah. Neste ponto Davi fala de sua própria fé e de sua perseverança, não a título de vanglória, mas com o fim de encorajar-se na esperança de obter resposta às suas súplicas, de modo a poder entregar-se mais diligente e alegremente à oração. Visto que a promessa é feita a todos quantos confiam em Deus, para que não venham a sentir-se desapontados em sua esperança e jamais sejam expostos a qualquer vexame, os santos com freqüência fazem disso seu escudo e sua defesa. Entrementes, Davi mostra a outros, através de seu próprio exemplo, o modo correto de orar, dizendo-lhes que se esforcem por conservar seus pensamentos fixos em Deus. Como o sentido da visão é muito rápido e exerce total influência sobre toda a estrutura, não é algo incomum encontrar todas as emoções compreendidas pelo termo *olhos*. A razão que imediatamente se segue mostra ainda mais claramente que, na mente de

Davi, a esperança estava associada ao desejo; como se quisesse dizer que, ao depositar sua confiança no socorro divino, ele procedia assim não com dúvidas e incertezas, mas porque sentia-se convicto de que Deus seria seu libertador. Deve observar-se que o pronome *ele* é também enfático. Revela que Davi não olha em torno de si e em toda direção, segundo o costume daqueles que, nutrindo dúvida, engendram para si vários métodos de livramento e salvamento, mas porque se sentia feliz unicamente com Deus.

[vv. 16-22]
Atenta para mim e tem piedade de mim, porque estou sozinho e pobre. As tribulações de meu coração se avolumam; tira-me para fora de minhas angústias. Olha para minha aflição e para minha dor,[11] e elimina todos os meus pecados. Contempla meus inimigos, porque se multiplicam; e eles me odeia com ódio violento.[12] Preserva minha alma, e livra-me, para que eu não seja envergonhado; porquanto tenho posto em ti minha confiança. Que a integridade e a retidão me preservem, porque tenho esperado por ti.
Ó Deus, tu redimes a Israel de todas as angústias.

16. Atenta para mim e tem piedade de mim. Visto que a carne está sempre pronta a sugerir à nossa mente que Deus se esqueceu de nós, ao cessar ele de manifestar seu poder em nosso auxílio, Davi, neste passo, segue a ordem que lhe parece natural, pedindo que Deus atente para ele, como se antes o houvera negligenciado totalmente. Ora, parece-me que as palavras poderiam ser explicadas assim: Atenta para mim, a fim de teres piedade de mim. Ele pondera imediatamente sobre a causa e fonte de sua salvação, como estando em Deus; e então adiciona o efeito disto; pois logo que Deus, de seu próprio beneplácito, se digne atentar para nós, sua mão também estará pronta a socorrer-nos. Além disso, a fim de incitar a compaixão divina, ele expõe sua própria miséria, expressamente declarando que está *sozinho*, ou seja,

---

11 "Mon souci et travail." – versão francesa marginal. "Minha preocupação e trabalho."
12 "C'est, cruelle." – versão francesa marginal. "Isto é, cruel."

solitário;[13] e então se descreve como *pobre*. Não pode haver dúvida, ao expressar-se assim, de que ele está a aludir às promessas nas quais Deus declara que estaria sempre presente com os aflitos e oprimidos, a fim de socorrê-los e ajudá-los.

17. As tribulações de meu coração se multiplicam. Neste versículo, ele reconhece não só que tinha que contender exteriormente com seus inimigos e enfrentar as tribulações que lhe ocasionavam, mas que ele era também afligido interiormente com dores e angústias do coração. É também indispensável observar a forma de expressão que ele emprega aqui, e pela qual ele notifica que o peso e volume de suas tribulações se haviam acumulado de tal forma que pervadiam todo o seu coração, como se fossem um fluxo de águas transbordando pelas bordas e se estendendo por todos os lados e cobrindo todo o campo. Ora, quando vemos o coração de Davi às vezes dominado pela angústia, não carece que nos admiremos se às vezes a violência da tentação nos faz sucumbir; mas roguemos como o fez Davi, crendo que, quando estivermos à mercê do desespero, Deus virá em nosso socorro.

18. Contempla minha aflição. Ao repetir essas queixas com tanta freqüência, claramente mostra que as calamidades com que era assaltado não eram males suaves e triviais. E isso deve ser atentamente notado por nós, de modo que quando as tribulações e aflições nos forem desmedidas segundo a mesma experiência, sejamos capacitados a elevar nossas almas a Deus em oração; porque o Espírito Santo tem posto diante de nossos olhos esta representação, para que nossas mentes não sucumbam sob o volume ou peso das aflições. Mas com vistas a obter alívio dessas misérias, Davi uma vez mais ora para que seus pecados sejam perdoados, renovando suas reminiscências acerca do que já havia expresso, ou seja, que não poderia esperar que viesse a desfrutar do favor

---

13 A palavra hebraica, aqui usada, é יחיד, *yachid, unus, um só*, que não é pouco freqüentemente expressa, como neste passo, para uma pessoa *solitária* e *desolada*. Davi estava agora sozinho, desolado e destituído de todo auxílio. A palavra é usada no mesmo sentido no Salmo 22.20 e 35.17.

divino, a menos que fosse antes reconciliado com Deus mediante seu gracioso perdão. E deveras são demasiadamente insensíveis os que, contentes com o livramento das aflições físicas, não sondam os males de seus próprios corações, ou seja, seus pecados, senão que, muito ao contrário, desejam sepultá-los no olvido. Portanto, para achar um antídoto que curasse suas preocupações e angústias, Davi começa implorando pela remissão de seus pecados, porque, enquanto Deus estiver irado contra nós, devemos necessariamente deduzir que todas as nossas atividades nos levam a um fim infeliz; e ele tem sempre sobejas razões para nutrir desprazer contra nós enquanto nossos pecados persistirem, ou seja, até que sejam perdoados.[14] E ainda que o Senhor tenha vários fins em visto em trazer seu povo subjugado à cruz, contudo devemos manter firme o princípio de que, enquanto Deus nos aflige, somos convocados a examinar nossos próprios corações e humildemente buscar sua reconciliação.

19. Contempla meus inimigos. Neste versículo, Davi se queixa do número e da crueldade de seus inimigos, porque, quanto mais o povo de Deus é oprimido, mais Deus se inclina a socorrê-lo; e na proporção da magnitude do perigo pelo qual se vêem cercados, ele os assiste ainda mais poderosamente. As palavras, **odiado com violência**,[15] devem, aqui, ser subentendidas no sentido de ódio cruel e sanguinário. Ora, visto que o furor dos inimigos de Davi era tão profundo, que nada senão sua morte os deixaria satisfeitos, ele invoca a Deus para que fosse o guardião e protetor de sua vida; e desse fato pode inferir-se, segundo já afirmei, que ele estava agora exposto a um perigo extremo.

A cláusula que imediatamente se segue – **para que eu não seja envergonhado** – pode ser subentendida de duas formas. Alguns retêm o tempo futuro – *eu não serei envergonhado* –, como se Davi se sentisse seguro de que já havia sido ouvido por Deus, e como se o galardão de

---

14 "Cependant que nos pechez demeurent c'est à dire jusques à ce qu'il les pardonne." – v.f.
15 As palavras hebraicas, literalmente traduzidas, são: "com ódio de violência".

sua esperança lhe assegurasse uma graciosa resposta às suas orações. Sinto-me, antes, inclinado à opinião contrária que considera essas palavras como que formando ainda parte de sua oração. Portanto, o equivalente do que é aqui afirmado consiste nisto: visto que ele confia em Deus, então ora para que a esperança de salvação, que se havia formado nele, não fosse desapontada. Não há nada mais adequado para comunicar santo ardor às nossas orações do que quando somos capazes de testificar com sinceridade de coração que confiamos em Deus. E por isso nos convém pedir com muito maior solicitude que ele faça nossa esperança crescer, quando ela é pequena; despertá-la, quando é dormente; confirmá-la, quando é oscilante; revigorá-la, quando é frágil; e que ele até mesmo a ressuscite, quando está como que destruída.

21. Que a integridade e a retidão me preservem. Alguns defendem a opinião de que, nestas palavras, Davi simplesmente ora para que seja preservado de todos os males, com base no fato de que havia se conduzido inofensivamente em relação aos outros e se havia abstido de todo engano e violência. Outros fazem as palavras conterem um duplo sujeito da oração e as entendem como que incluindo ao mesmo tempo um desejo de que Deus lhe concedesse o propósito de cultivar um coração sincero e íntegro; e tudo isso para que ele não prorrompesse em vingança e outros meios ilícitos de preservar sua vida. E assim o significado seria: Senhor, embora minha carne me impulsione a buscar lenitivo em alguma outra parte além de ti, e meus inimigos também me constranjam a agir precipitadamente, todavia tu subjugas em meu íntimo toda e qualquer paixão pecaminosa e cada desejo perverso, de modo que eu sempre exerça sobre minha mente um puro e total controle; e que a integridade e a retidão me sejam dois poderosos meios para minha preservação. Preferimos a primeira interpretação, porque ele imediatamente acrescenta uma prova de sua integridade. Quem quer que espere em Deus com um espírito manso e tranqüilo deve antes sofrer tudo o que os homens porventura lhe inflijam do que permitir a si próprio contender injustamente com seus inimigos. Em minha opinião, portanto, Davi protesta que essa era a retidão de seu comportamento entre os homens, de modo que a perseguição de seus inimigos era totalmente imerecida e injusta; e estando consciente de não haver feito qualquer ofensa a quem quer que seja, invoca a Deus como o protetor de sua inocência. Visto, porém, que em outro lugar já havia reconhecido que fora merecidamente visitado pela aflição, pode parecer estranho que ele agora se glorie em sua integridade. Essa aparente inconsistência já foi explicada em outro lugar, onde demonstramos que os santos, no que se refere à sua pessoa, sempre entram na presença de Deus com humildade, implorando seu perdão; e contudo isso não os impede de apresentar diante dele a bondade de sua causa e a justiça de suas reivindicações. Ao mesmo tempo, ao dizer que *confiava* em Deus, ele apenas afirma o que deveras é essencialmente necessário; pois, ao empreendermos nossa defesa, não basta que tenhamos a justiça de nosso lado, mas também que dependamos de suas promessas, entregando-nos confiadamente à sua proteção. Amiúde sucede que os homens de firmeza e prudência, mesmo quando sua causa é boa, nem sempre saem em sua própria defesa por confiarem em seu próprio discernimento, nem põem sua confiança na fortuna. Portanto, a fim de que Deus se torne o protetor e defensor de nossa inocência, devemos antes conduzir-nos com retidão e inocência para com nossos inimigos, e então entregar-nos inteiramente à proteção divina.

22. Tu, ó Deus, redime a Israel! Com esta conclusão, Davi demonstra de que caráter eram os inimigos de quem se queixava. À luz desse fato parece que eram inimigos domésticos, os quais, à semelhança de uma doença a percorrer as entranhas, eram agora a causa de tribulação e vexação para o povo de Deus. Pelo verbo *redimir*, o qual ele emprega aqui, podemos inferir que a Igreja era naquele tempo oprimida por dura escravidão; e por isso não tenho dúvida de que, neste Salmo, ele esteja a aludir a Saul e a outros que reinavam com ele de uma forma tirânica. Ao mesmo tempo, ele mostra que não se preocupa meramente com seu próprio benefício, senão que compreende em sua oração o estado de todo o reino, justamente como a mútua comunhão e união que subsistem entre os santos requerem que cada indivíduo, profundamente afetado pelo senso das calamidades públicas que recaem sobre a Igreja, conjuntamente, deve unir-se a todos os demais em lamentação perante Deus. Isso de forma alguma contribuiu pouco para confirmar a fé de Davi, isto é, considerando-se como em tudo jungido a todo o corpo dos fiéis, ele considerava que todas as aflições e males que suportava eram comuns a ele e a eles. E devemos levar em conta como sendo da máxima importância que, em concordância com essa regra, cada um de nós, deplorando suas misérias e provações privativas, deve estender seus desejos e orações a toda a Igreja.

Salmos 26

Este Salmo, em sua maior parte, se assemelha ao precedente. O profeta, opresso com numerosos males, e não encontrando nenhum socorro no mundo, implora o auxílio divino, rogando a Deus que defenda a causa de um homem injustamente afligido e declare sua inocência. E, visto que sua polêmica era com os hipócritas, ele apela para o juízo divino, reprovando-os categoricamente por fazerem uma falsa profissão do nome de Deus. Na conclusão, como se houvera alcançado seu desejo, ele promete a Deus um sacrifício de louvor por seu livramento.

Salmo de Davi.

[vv. 1-4]
Julga-me, ó Jehovah, porque tenho andado em minha integridade; e, confiado em Jehovah, não tropeçarei. Prova-me, ó Jehovah, e examina-me; esquadrinha meus rins e meu coração. Pois tua bondade está diante de meus olhos; tenho, pois, andado em tua verdade. Não me tenho assentado com homens falsos, nem andarei com os fraudulentos.

1. Julga-me, ó Jehovah! Estive justamente dizendo que Davi recorre ao juízo de Deus em razão de não haver encontrado entre os homens nem eqüidade nem humanidade. O verbo hebraico, que é traduzido por *julgar*, significa empreender o reconhecimento de uma causa. O significa aqui, portanto, é como se Davi invocasse a Deus para ser o defensor de seu direito.¹ Quando Deus nos deixa por algum tempo entregues às injúrias e petulâncias de nossos inimigos, parece negligenciar nossa causa; mas quando os refreia para que não nos assaltem, a seu talante, ele claramente comprova que a defesa de nossa causa é o objeto de sua preocupação. Portanto, aprendamos do exemplo de Davi, ao sermos destituídos do auxílio humano, a recorrer ao tribunal de Deus e a descansar em sua proteção. A cláusula que se segue é diversamente explicada pelos intérpretes. Alguns a lêem em conexão com a primeira cláusula – *Julga-me, ó Jehovah, porque tenho andado em minha integridade*; outros, porém, a ligam à última cláusula – *porque tenho andado em minha integridade, por isso não tropeçarei*. Em minha opinião, ela poderia ser conectada com ambas. Visto ser próprio da obra de Deus manter e defender as causas justas, o salmista, ao constituí-lo seu defensor, o cita como a testemunha de sua integridade e confiança, e assim concebe a esperança de obter seu auxílio. Se, por outro lado, alguém pensa que as cláusulas devem ser separadas, parece mais provável que esta sentença – *Julga-me, ó Jehovah!* – deva ser lida sozinha; e então que a segunda oração venha a seguir – *que Deus não permita que eu tropece, porque me tenho portado inofensiva e honestamente* etc. Existe, porém, forte ênfase no pronome *me*, fato este ignorado pelos intérpretes. Pois Davi não comprova simplesmente que ele havia sido íntegro, mas que havia seguido constantemente uma trajetória reta, sem se desviar de seu propósito, não obstante os poderosos artifícios através dos quais havia sido assaltado. Quando os homens malignos nos atacam com vistas a sucumbir-nos, quer pela força quer pela fraude, sabemos quão difícil é preservar estável a mesma coragem. Colocamos nossa esperança de vitória procurando opor resoluta e vigorosamente força contra força e habilidade contra habi-

---

1 Hammond traduz o verbo original por "apelar por mim, ou defender-me"; e Green, "vindicar-me". A palavra denota tanto a ação de um juiz quanto a de um advogado. Este último ponto de vista concorda muito bem com o escopo do Salmo, o qual, à luz das fortes asserções de inocência que o enchem, parece ter sido escrito por Davi quando se defendia dos vários crimes de que era acusado; embora os eventos específicos a que se refere não sejam indicados.

lidade. E essa é a tentação que tanto afeta os homens mais honestos e resolutos, que são, por outro lado, zelosos em fazer o bem, quando a crueldade de seus inimigos os compele a sair fora da vereda reta. Portanto, aprendamos do exemplo de Davi, mesmo quando se nos ofereça a oportunidade de injuriar nossos inimigos, e quando por vários métodos nos forçarem e nos provocarem, a permanecermos firmes em nossa trajetória, não nos permitindo fraquejar, em hipótese alguma, na vereda de nossa integridade.

2. Prova-me,[2] ó Jehovah! Quanto mais Davi percebe estar sendo vil e injustamente perseguido pelas calúnias, mais poderosamente se excita pela veemência de seu abatimento e destemidamente assevera sua retidão. Tampouco se purifica de pecados meramente exteriores; mas se gloria na retidão de seu coração e na pureza de seus sentimentos, tacitamente se confronta, ao mesmo tempo, com seus inimigos. Como eram indecentemente hipócritas, soberbamente se gabando de sua reverência para com Deus, ele expõe diante de si as despudoradas afrontas e temeridade deles. Este protesto mostra também quão intimamente familiarizado estava ele consigo mesmo, quando se atrevia a submeter todos os recessos de seu coração ao exame divino. É preciso observar, contudo, que foi a perversidade de seus inimigos que o forçou a expor-se tanto. Não houvera ele sido injustamente condenado pelos homens, e teria humildemente depreciado tal exame, porquanto bem sabia, não obstante seu zelo em agir corretamente, estar longe da perfeição. Mas ao sentir-se falsamente acusado, a injustiça e crueldade humanas o encorajaram a apelar para o tribunal divino sem qualquer tergiversação. E como ele sabia que uma aparência externa de inocência não possuía qualquer validade em tal caso, então apresentou a honesta retidão de seu coração. A distinção que alguns fazem aqui, dizendo que *o coração* significa as afeições mais elevadas, e que *os rins* significam as afeições sensuais (como as chamam) e mais grosseiras, contém mais sutileza que solidez. Sabemos

---

2 A significação primária da palavra hebraica, צרף, *tsaraph*, é *pôr à prova*, como o refinador testa seu ouro, dissolvendo-o e fundindo-o. Nesse sentido ela é usada no Salmo 66.10: "Pois tu, ó Deus, nos tem provado."

que os hebreus entendiam pelo termo *rins* aquilo que era mais secreto no homem. Davi, pois, cônscio de sua inocência, oferece o homem todo ao exame de Deus; não à semelhança dos homens displicentes ou, melhor, estúpidos, os quais, lisonjeando-se, acreditam que poderão enganar a Deus com suas pretensões. É evidente, antes, que ele honesta e completamente se devassara antes de apresentar-se confiadamente à divina presença. E isto é preciso especialmente ter em mente, se porventura desejarmos obter a aprovação de Deus: quando injustamente perseguidos, devemos não só abster-nos de toda e qualquer retaliação, mas também perseverar no espírito de retidão.

3. Porque tua bondade está diante de meus olhos. Este versículo pode ser considerado ou como uma só sentença ou dividido em duas partes, mas com quase o mesmo sentido. Se a primeira redação for adotada, ambos os verbos serão enfáticos, desta maneira: "Visto que tua bondade, ó Senhor, tem estado sempre diante de meus olhos e tenho confiado em tua fidelidade, tenho refreado todas as perversas concupiscências de meu coração, a fim de que, ao ser provocado pela malícia de meus inimigos, não seja forçado a valer-me de retaliação." Com esta interpretação deve haver a tradução de uma causa. A outra exposição também não se adequa, ou seja: "Visto que tua bondade tem estado diante de meus olhos e tenho andado na verdade que ordenaste." Neste caso a conjunção, tão comum entre os hebreus, é supérflua. Mas embora esta exposição seja afim à primeira, prefiro antes uma que seja menos remota às palavras. Visto ser uma virtude rara e difícil, não só refrear de si próprio as ações perversas, quando fortemente tentado a isso, mas também preservar a integridade do coração, o profeta declara de que maneira ele seguiu sua trajetória em meio a tão poderosas tentações, relatando-nos que foi pelo ato de colocar a bondade de Deus diante de seus olhos, a qual tão criteriosamente preserva seus servos, que ele, declinando-se das práticas ruins, não se privou da proteção divina. E ao confiar em sua fidelidade, ele mantinha sua alma na paciência, firmemente convicto de que jamais se esqueceria de seu povo fiel que nele confiava. E com toda certeza, não houvera ele confiado na bondade divina, não teria tão constantemente prosseguido em sua vereda de integridade em meio a tão numerosos e a tão crueis assaltos. É deveras uma diferença notável entre os filhos de Deus e os homens mundanos, que os primeiros, na esperança de um resultado favorável na mão do Senhor, confiam em sua palavra e não se deixam guiar por práticas nocivas que causam perturbação; enquanto que os últimos, embora mantenham uma boa causa, contudo, visto serem ignorantes da providência divina, vivem a correr de um lado para o outro: seguem conselhos ilícitos; recorrem à astúcia; e, em suma, não têm eles outro objetivo senão o de pagar mal com mal. Por que motivo, pois, seus fins miseráveis e dolorosos, e não raro trágicos, senão porque, desprezando o favor de Deus, se entregam à astúcia e à fraude? Em suma, Davi estava determinado a preservar sua retidão em razão de haver resolvido que Deus seria seu guia. Em primeiro lugar, portanto, ele menciona sua *bondade*; e, subseqüentemente, ele adiciona sua *verdade*, visto que sua bondade, que o capacitava a andar com inflexível coragem em meio a todas as tentações, só nos é conhecida mediante suas promessas.

4. Não me tenho assentado com homens falsos. Davi uma vez mais expressa a imensa dissemelhança existente entre ele e seus adversários. Pois é preciso observar sempre o contraste, a saber, que os homens malignos, mediante todo o mal e planos danosos que arquitetavam contra Davi, jamais o desviariam da vereda da retidão. Este versículo pode também ser juntado com o anterior, como a completar a sentença, desta maneira: Davi, ao confiar no favor divino, se desvencilhara dos enganadores. Os verbos, *assentar* e *andar*, denotam *participação no conselho e solidariedade na atividade*, de acordo com o que se acha expresso no primeiro Salmo. Davi nega que tivesse alguma ligação com os homens inúteis e fraudulentos. E com certeza o melhor antídoto para recordarmos e nos livrarmos da assembléia dos ímpios é fixando nossos olhos na bondade divina; pois aquele que anda confiante na proteção divina, entregando todos os eventos à sua providência, jamais imitará a fraudulência deles. Aqueles a quem ele denomina na primeira cláusula, *homens de futilidade*, logo a seguir os intitula, נעלמים (*naälamim*), isto é, *encer-*

rados e encobertos pela dissimulação.[3] Pois nisto consiste a futilidade da dissimulação: que os homens fraudulentos ocultam em seus corações outra coisa além daquilo que suas línguas expressam. Não obstante, é absurdo derivar essas palavras de עלם (*alam*), *jogar*, pois é fora de propósito, aqui, comparar suas imposturas a jogos infantis. Deveras confesso que os que se entregam à dissimulação são escarnecedores; mas, por que recorrer a uma explicação tão forçada, quando é evidente que a palavra revela a fonte da qual procede toda mentira e fraude? E assim a fé, que olha fixamente para as promessas divinas, se opõe habilmente a todos os conselhos desonestos e iníquos, nos quais os incrédulos nos envolvem, quando não atribuímos uma honra justa à tutela divina. Davi ensina, através de seu exemplo pessoal, que não temos o menor motivo para temer que nossa integridade se faça presa dos ímpios, quando Deus nos promete segurança debaixo de sua mão. Os filhos de Deus são, aliás, prudentes, mas sua prudência é totalmente diferente daquela da carne. Sob tutela e governo do Espírito Santo, torna-se-lhes mui necessário a precaução contra as armadilhas, mas de tal maneira que se isentem da prática de qualquer gênero de dissimulação.

[vv. 5-7]
Odeio a assembléia de transgressores, e não me assentarei com os perversos. Lavarei minhas mãos na pureza,[4] e rodearei teu altar, ó Jehovah! para fazer os homens ouvirem a voz de teus louvores, e contar-lhes todas as tuas prodigiosas obras.

5. Odeio a assembléia de transgressores. O salmista declara uma vez mais quão profunda era sua aversão pelos ímpios. Anteriormente negara que mantivesse qualquer comunhão com eles; agora, de uma forma ainda mais explícita, declara que fugia de sua companhia com repugnância, pois esse é o sentido do termo *odeio*. É deveras verdade que os perversos são por toda parte odiados, quão poucos, porém, se desvencilham deles

---

3 Horsley traduz assim a palavra: "Aqueles que buscam esconder-se." De forma semelhante, as paráfrases caldaicas: "Aqueles que se ocultam para praticar o mal."
4 "Innocence." – versão francesa marginal.

com o fim de não imitarem seus vícios! Davi assevera uma e outra coisa: nos diz que odiava sua sociedade e que não mantinha comunhão com eles, do quê se depreende que ele lutava não tanto contra a pessoa deles, mas contra seus malfeitos. Menciona ainda mais uma qualificação, a saber, que ele evitava os perversos de tal forma que não permitia com isso esquecer a congregação de Deus, nem retrair-se da companhia daqueles com quem estava associado por divina determinação. Muitos erram dolorosamente neste caminho; imaginam que, quando vêem o mal associado ao bem, serão infeccionados por corrupção, a menos que imediatamente se esquivem de toda a congregação. Isso se destina precisamente aos donatistas de outrora, e antes deles os cataritas e os novacianos, com seus cismas perniciosos. Em nosso próprio tempo, também, os anabatistas, com um conceito semelhante, têm se separado das santas assembléias, uma vez que não as consideram suficientemente isentas de mácula quanto se desejaria. Além do mais, os donatistas se tornaram um ludíbrio num certo processo, se prendendo tenazmente a meras palavras. Quando uma assembléia se reunia para resolver dissensões, e eram convidados pelo presidente da sessão a tomarem assento, com o intuito de honrá-los, replicavam que não podiam, porquanto não lhes era lícito "tomar assento com os perversos". Por que, pois, replicou argutamente Agostinho, sua consciência lhes permite introduzir-se em nosso meio? Pois ambas as coisas se acham escritas: *Não irei para o meio dos perversos, nem me assentarei com os ímpios.* Davi, pois, prudentemente modera seu zelo e, enquanto se separa dos ímpios, não deixa de freqüentar o templo, como o divino mandamento e a ordem prescrita na lei o requeriam. Ao denominá-los de *assembléia* dos ímpios, podemos inquestionavelmente concluir que seu número não era pequeno; ao contrário, é provável que naquele tempo se pavoneassem como se fossem os únicos exaltados acima do povo de Deus e senhores sobre ele. Não obstante, isso não impediu a Davi de subir, como de costume, para os sacrifícios. De fato é preciso cultivar o cuidado público para que a Igreja não se contamine com a perversidade, e que cada pessoa deve previamente envidar esforços, em seu próprio lugar, para que sua omissão e tolerância não afaguem as desordens que esses vícios ocasionam. Entretanto, ainda que esse rigor não seja exercido com aquele cuidado de que se faz necessário, não há nada nisso que impeça que os fiéis, piedosa e santamente, permaneçam na comunhão da Igreja. Deve observar-se, entrementes, que o que mantinha Davi era sua comunhão com Deus e com as coisas sacras.

6. Lavarei minhas mãos na pureza. Referindo-se, nestas palavras, ao uso ordinário dos sacrifícios, ele faz distinção entre ele mesmo e os que professavam oferecer o mesmo culto divino, e se lançavam aos serviços do santuário como se só eles possuíssem o direito exclusivo de efetuá-los. Portanto, como Davi e esses hipócritas eram um neste aspecto, de modo que entravam no santuário e se acercavam juntos do altar sagrado, Davi prossegue mostrando que ele era um adorador genuíno, declarando que diligentemente participava não só dos ritos externos, mas que também se entregava ao culto divino com inusitada devoção. É óbvio que ele alude ao rito solene da lavagem, o qual era praticado sob a lei.[5] Conseqüentemente, reprova a grosseira superstição dos hipócritas que, ao buscarem unicamente a purificação da água, negligenciavam a verdadeira purificação; enquanto que o propósito divino, na instituição do sinal externo, era conscientizar os homens de sua poluição interna, e assim estimulá-los ao arrependimento. A lavagem externa sozinha, em vez de trazer proveito aos hipócritas, aumenta-lhes a distância entre eles e Deus. Quando o salmista, pois, diz: *Lavarei minhas mãos na inocência*, ele declara que a única coisa que faziam, com suas lavagens, era juntar mais poluição e sujeira. O termo hebraico, נִקָּיוֹן (*nikkayon*), significa a limpeza de alguma coisa, e é figuradamente usado para *inocência*. Vemos assim que, como os hipócritas não derivam qualquer pureza moral de suas lavagens, Davi moteja do esforço com que inutilmente se empenham e se atormentam em tais ritos. Portanto, por mais que os perversos se exaltem na Igreja, e

---

5 A lavagem das mãos em solene protesto de inocência, em ocasiões particulares, era ordenada pelo ritual mosaico, e era comum entre os judeus [Dt 21.6,7]. Era um uso comum entre eles antes da oração; e os sacerdotes, em particular, não podiam realizar qualquer ofício sacro no santuário enquanto não derramassem água do lavatório, lavando suas mãos, o qual fora posto no templo com esse propósito [Êx 40.30-33].

ainda que multidões deles povoem nossos santuários, que nós, seguindo o exemplo de Davi, celebremos a profissão externa de nossa fé de tal maneira que não substituamos fraudulentamente seus ritos externos pela verdadeira devoção. E assim seremos puros e livres de toda mancha de perversidade. Além do mais, como não era permitido às pessoas tocarem no altar, Davi usa o termo *transgressão*.[6]

7. Para fazer os homens ouvirem a voz de teus louvores. Com essas palavras, ele mostra que sua referência era aos sacrifícios em seu devido uso e propósito, o que os hipócritas estavam longe de fazer. Não sabiam, nem consideravam a que propósito Deus destinara os serviços cúlticos, mas simplesmente criam ser suficiente precipitar-se na divina presença com a pompa e o formalismo de sua dissimulação. Davi, portanto, desejando distinguir o culto espiritual daquele que não passa de ficção e imitação, afirma que ele entrava no santuário para oferecer louvor ao Nome de Deus. Há, contudo, uma sinédoque em suas palavras, quando menciona só um tipo de culto, ainda que, ao oferecer os sacrifícios, requeria-se o exercício do arrependimento e fé, tanto quanto de ação de graças. Como, porém, o fim último dos sacrifícios, ou pelo menos seu objetivo principal, era celebrar a munificência divina, e então reconhecer suas bênçãos, não havia impropriedade em compreender as outras partes do culto numa só. E assim, no Salmo 50.14, o sacrifício de louvor é preferido a todas as cerimônias externas, como se o todo da devoção consistisse só no louvor. Igualmente no Salmo 116.12 se diz: "O que darei ao Senhor por todos os seus benefícios? Tomarei o cálice da salvação e invocarei o nome do Senhor." Além do mais, para que ele pudesse melhor enaltecer o sublime poder

---

6 Mudge conjectura que a expressão, *transgressão*, provavelmente seja tomada do costume de cercar o altar por ocasião do culto. E Goodwyn nos informa que na festa dos tabernáculos o povo, ao sétimo dia, circundava o altar sete vezes, levando ramos de palmeiras em suas mãos, em memória da queda de Jericó, cantando hozanas. – *Moses and Aaron*, p. 132. Davi, contudo, podia referir-se à prática dos sacerdotes que, quando ofereciam sacrifícios, andavam ao redor do altar; sua intenção seria simplesmente que, como os sacerdotes primeiramente lavavam suas mãos, e então exerciam seu sacro ofício no altar, sentiam profunda necessidade de pureza pessoal, para poderem envolver-se no serviço divino.

de Deus, e mais impressivamente exaltar seus benefícios, Davi emprega o termo *magnífico*; como se quisesse dizer que não fora de uma maneira ordinária que Deus o socorrera.

[vv. 8-11]

Ó Jehovah! Eu tenho amado a habitação de tua casa,[7] e o lugar onde permanece tua glória. Não juntes minha alma com a dos perversos, nem minha vida com os homens sanguinários.[8] Pois em suas mãos está a malícia, e sua destra é cheia de subornos. Eu, porém, andarei em minha integridade; redime-me e sê misericordioso para comigo.

8. Ó Jehovah! Eu tenho amado a habitação de tua casa. Neste versículo, ele confirma o que disse anteriormente, ou seja, que entrou no santuário, não de uma forma imprudente, mas levado por devoção muita séria. Os homens profanos, ainda que às vezes freqüentem as assembléias sacras, as freqüentam meramente como um lugar de escape, onde possam estar a salvos dos olhos de Deus. Ao contrário, a pessoa verdadeiramente piedosa e de coração puro as freqüentam, não como vã ostentação, mas quando sincera e ansiosamente buscam a Deus, voluntária e afetuosamente empregam os auxílios que dali recebem; e a vantagem que derivam delas gera amor em seus corações, por isso anelam por elas. Esta declaração adicional mostra que, embora Davi excelesse aos demais em fé, todavia estava receoso de que a violência de seus inimigos viesse a privá-lo dos meios ordinários de instrução que Deus havia conferido à sua Igreja. Ele sentia necessidade da disciplina e ordem comuns da Igreja, e por isso labutava exaustivamente para obter delas seu desfruto. À luz desse fato deduzimos o ímpio orgulho daqueles que olham com desdém para as atividades da religião como sendo algo desnecessário, ainda que Davi, pessoalmente, não podia viver sem elas. Outra consideração de fato existia naqueles dias, confesso, quando a lei, semelhante a um diretor de escola,

---

7 *A habitação de tua casa* – um hebraísmo para *a casa em que habitas*. Esse título era dado ao tabernáculo [1 Sm 2.29,32] e posteriormente ao templo de Salomão [2 Cr 36.15].
8 Hebraico = *homens de sangue*. Veja-se Salmo 5.7.

mantinha o povo antigo num estado de servidão comparado ao nosso. Nosso caso, contudo, é o mesmo deles neste aspecto, a saber, que a debilidade de nossa carne requer auxílio tanto quanto a deles. E visto que Deus com este propósito instituiu os sacramentos, e bem assim toda a ordem da Igreja, ai do orgulho daqueles que displicentemente se afastam das atividades as quais percebemos ter-se mantido no mais elevado apreço pelos piedosos servos de Deus. O termo hebraico, מעון (*me-on*), segundo alguns, se deriva de um termo[9] que significa *um olho*, e traduzem-no por *beleza* ou *aparência*. Essa é a tradução da Septuaginta.[10] Mas como a palavra é quase em toda parte usada para significar um *lugar permanente*, que é mais simples, prefiro reter tal sentido. O santuário é chamado *casa de Deus* e *lugar permanente de sua glória*; e sabemos quão freqüentemente expressões desse gênero são empregadas na Escritura para testificar da presença de Deus. Não que Deus habitasse numa tenda ou quisesse restringir a mente de seu povo a símbolos terrenos; mas era necessário lembrar os fiéis da presente benevolência divina, a fim de que não imaginassem que o buscavam em vão, como já dissemos em outra parte. Ora, para que a glória de Deus permaneça entre nós, é necessário que uma viva imagem dela resplandeça na Palavra e nos Sacramentos. Desse fato se deduz que os templos que são reconhecidos como tais entre os papistas, não passam de imundos prostíbulos de Satanás.

9. Não juntes minha alma com a dos perversos. Tendo agora afirmado sua inocência, ele recorre novamente à oração e invoca a Deus para defendê-lo. À primeira vista, de fato parece estranho orar para que Deus não envolva o justo na mesma destruição com os perversos; Deus, porém, com paternal indulgência, permite tal liberdade na oração, para que seu povo pessoalmente possa assim corrigir suas ansiedades e vencer os temores com que são tentados. Davi, quando concebeu esta súplica, com o fim de livrar-se da ansiedade e do temor,

---

9 Isto é, עין, *ayin*.
10 A palavra empregada é εὐπρέπεια.

pôs diante de seus olhos o justo juízo de Deus, para quem nada é mais aversivo do que misturar o bem e o mal sem qualquer distinção. O termo hebraico, אסף, *asaph*, às vezes significa *juntar* e, às vezes, *destruir*. Neste lugar, minha opinião é que significa *juntar num monte*, como costumava ser o caso num massacre desordenado. Esta foi a objeção expressa por Abraão: "Longe de ti que faças tal coisa, que mates o justo com o ímpio, de modo que o justo seja como o ímpio; esteja isso longe de ti. Não fará justiça o Juiz de toda a terra?" [Gn 18.25.] Lembremo-nos, pois, que essas formas de oração são ditadas pelo Espírito Santo, a fim de que os fiéis, sem qualquer hesitação, se assegurem de que Deus ainda se assenta inquisitorialmente sobre cada caso humano, para, por fim, exercer justo juízo. Na segunda cláusula, em vez da expressão: *os perversos*, ele usa *homens sanguinários*, ampliando o que havia dito. Porque, embora muitos perversos não se precipitam subitamente na prática de homicídio, não obstante, no transcurso do tempo, se habituam à crueldade; nem ainda Satanás lhes permitirá descansar enquanto não os precipitar em atos sanguinários.

10. Porque em suas mãos está a malícia. O termo hebraico, זמה (*zimmah*), significa propriamente um *artifício* ou *estratagema interior*. Aqui, porém, ele não é indevidamente aplicado às *mãos*, visto que Davi desejava declarar que os perversos, de quem estava falando, não só engendravam fraude secretamente, mas também executavam vigorosamente com suas mãos a malícia que seu coração engendrava. Ao acrescentar: *Suas destras estão cheias de subornos*, podemos inferir disto que as pessoas para quem apontava, para que fossem observadas, não eram dentre as pessoas comuns, mas dentre a própria nobreza, as quais eram as mais culpadas de praticar tal corrupção. Ainda que a comum e mais vil espécie de homens seja alugada para se obter recompensa e subornada como agente da perversidade, contudo sabemos que o suborno é principalmente oferecido aos juízes e a outros grandes homens que se acham no poder; e dessa forma sabemos que no tempo referido aqui os piores homens estavam investidos de autoridade. Não era de se admirar, portanto, que Davi lamentasse que a justiça estivesse exposta à venda. Somos também admoestados por esta expressão, pois os que se deleitam com peitas não conseguem fazer outra coisa senão vender-se à iniqüidade. Nem é em vão, inquestionavelmente, que Deus declare que "a peita cega os olhos dos sábios, e perverte a causa dos justos" [Dt 16.19].

11. Eu, porém, andarei em minha integridade. Nesta repetição há que ser observada uma circunstância que mais claramente ilustra a justiça de Davi; a saber, que, em meio a tantas tentações, ele se manteve firmemente em seu caminho. Via a muitos tornando-se repentinamente ricos através de peitas, como ainda vemos aqueles que se sentam ao leme dos negócios acumulando para si próprios, num brevíssimo espaço de tempo, uma enorme abundância de riquezas, construindo suntuosos palácios e expandindo suas terras em todo o redor. Visto que nenhuma dessas fascinações conseguia induzi-lo a imitar neste campo o exemplo deles, Davi dá prova de rara e heróica virtude. Ele, pois, afirma com veracidade que, ainda que o mundo os considerasse felizes, ele não se deixaria desviar de sua habitual integridade, de modo tal que ficasse em evidência que ele atribuía mais poder à providência de Deus do que às práticas perversivas. Ele, pois, roga a Deus que o *redima*, porque, sendo oprimido pelos males e tentado de várias formas, ele confiava somente em Deus, certo de que ele o libertaria. À luz desse fato podemos concluir que ele, por esse tempo, se via reduzido a extremas dificuldades. Ele acrescenta: *Sê misericordioso para comigo*, pelo quê demonstra que esse livramento emana da graça de Deus, como sua genuína fonte; e já vimos que amiúde a causa toma o lugar do efeito.

[v. 12]
Meu pé está firme na retidão,[11] nas congregações eu te bendirei, ó Jehovah!

Este versículo pode ser explicado de duas maneiras. Alguns endossam a opinião de que Davi declara quão criteriosamente havia cultivado a retidão entre os homens; eu, porém, antes penso que ele

---

11 "C'est, en lieu plain et droict; c'est a dire, seur." – v.f. "Isto é, numa linha plana e reta; equivale dizer, em lugar seguro."

celebra a graça de Deus em seu favor e, ao mesmo tempo, dedica sua gratidão. Fazendo uso de tal metáfora, pois, ele nos relata que fora preservado em segurança. E como sabia que era somente na mão de Deus que poderia permanecer firme, por isso se entrega ao exercício do louvor e ação de graças. Ele não diz simplesmente que reconhecerá privativamente a munificência divina a ele concedida, mas também em público, para que as assembléias do povo de Deus fossem testemunhas dela. É extremamente necessário que cada um de nós celebre publicamente sua experiência com a graça de Deus, como exemplo a outros, para que também confiem nele.[12]

---

12 "Qu'elle soit celebree publiquement; afin qu'elle serue d'exemple aux autres pour se confermer en Dieu." – v.f

Salmos 27

Neste Salmo, Davi repassa os desejos e meditações com que havia se exercitado em meio a seus grandes perigos. As ações de graças que mistura com os mesmos revelam que o Salmo foi composto após seu livramento. É também provável que ele esteja a repetir imediatamente as orações que estiveram bailando em sua mente durante suas diferentes meditações. Daí se deve ver aqui com que invencível fortaleza de alma o santo homem era dotado, de modo que pôde vencer os mais graves assaltos de seus inimigos. Sua maravilhosa piedade se sobressai no fato de que não desejava viver com nenhum outro propósito, senão o de servir a Deus; nem poderia ele retroceder-se deste propósito impulsionado por alguma ansiedade ou dificuldade.

Salmo de Davi.

[vv. 1-3]
Jehovah é minha luz e minha salvação: a quem temerei? Jehovah é a força de minha vida: de quem terei medo? Quando os perversos caíram sobre mim para comerem minha carne, quando meus opressores e meus inimigos caíram sobre mim, tropeçaram e caíram. Ainda que exércitos se acampem contra mim, meu coração não temerá; ainda que a guerra se levante contra mim, estarei confiante.

1. Jehovah é minha luz. Este início pode ser entendido no sentido em que Davi, havendo já experimentado a misericórdia divina, publica um testemunho de sua gratidão. Eu, porém, me inclino para outro significado, a saber, que ele, percebendo o conflito que travara com as mais cruciantes tentações, se fortifica de antemão e, por assim dizer, reúne recursos para confiança; pois é necessário que os santos energicamente lutem consigo mesmos para repelir e vencer as dúvidas que a carne com tanta propensão nutre, a fim de que alegre e desembaraçadamente se dediquem à oração. Davi, conseqüentemente, havendo sido agitado por várias tempestades, finalmente se recobra e grita triunfantemente sobre as angústias que o haviam acossado, regozijando-se no fato de que, sempre que Deus manifesta sua misericórdia e favor, não há nada por que temer. Isso é também sugerido pelo acúmulo de termos que ele emprega quando chama a Deus não só *minha luz*, mas também *minha salvação*, e *a rocha* ou *força de minha vida*. Seu objetivo era usar um tríplice escudo, por assim dizer, contra seus vários temores, como sendo suficiente para repelir os golpes. O termo *luz*, como é bem notório, é usado na Escritura para denotar alegria ou a perfeição da felicidade. Além do mais, para explicar seu significado, ele aduz que Deus era *sua salvação* e *a força de sua vida*, quando foi por seu socorro que ele se sentia em segurança e livre dos terrores da morte. Certamente, descobrimos que todos os nossos temores são oriundos desta fonte, a saber, que nos sentimos demasiadamente ansiosos por nossa vida quando não reconhecemos que Deus é seu preservador. Não nos é possível termos tranqüilidade, pois, enquanto não nos persuadirmos de que nossa vida é suficientemente guardada, porquanto é ela protegida pelo infinito poder de Deus. A interrogação, também, demonstra o quanto Davi apreciava a proteção divina, quando ele assim ousadamente exulta contra todos os seus inimigos e perigos. Nem intrepidamente prestamos a devida homenagem a Deus, a menos que, confiando em seu auxílio prometido, ousemos gloriar-nos na infalibilidade de nossa segurança. Pesando, por assim dizer, em seqüência todo o poder da terra e do inferno, Davi considera tudo mais leve do que a pluma, e considera exclusivamente a Deus como sendo o mais excelente de todos.

Aprendamos, pois, a dar ao poder de Deus, para nos proteger, um valor tal, que o mesmo ponha em fuga todos os nossos temores. Não que a mente dos fiéis esteja, por razões de enfermidades da carne, em todo tempo inteiramente isenta de temor; mas, recobrando imediatamente a coragem, que nós, do alto da torre de nossa confiança, visualizemos todos os nossos perigos com desdém. Os que jamais provaram a graça de Deus tremem porque se recusam a confiar nele, e imaginam que ele está sempre ofendido com eles, ou, pelo menos, se mantém longe deles. Mas, com as promessas de Deus diante de nossos olhos, e a graça que elas nos oferecem, nossa incredulidade o ofenderá gravemente, caso não recobremos ânimo, colocando-o ousadamente contra todos os nossos inimigos. Quando Deus, pois, bondosamente nos atrai para si, e nos assegura que cuidará de nossa segurança, uma vez que tenhamos abraçado suas promessas, ou porque cremos que ele nos é fiel, é mister que exaltemos sublimemente seu poder, a fim de mantermos nossos corações cativos com admiração por ele. Devemos notar bem esta comparação: O que são para Deus todas as criaturas? Além do mais, temos de estender esta confiança ainda mais, a fim de banir de nossas consciências todos os temores, como Paulo, ao falar de sua salvação, ousadamente exclama: "Se Deus é por nós, quem será contra nós?" [Rm 8.34.]

2. Quando os perversos caíram sobre mim. Não há razão para traduzir esta sentença no tempo futuro, como alguns intérpretes fazem.[1] Mas quando retemos o pretérito que os profetas empregam, as palavras podem ser explicadas de uma dupla forma. O significado é, ou que Davi celebra a vitória que havia alcançado pela bênção divina, ou há uma referência à maneira na qual ele se havia predisposto a esperar o melhor, mesmo em meio às suas tentações, ou seja, ao meditar nos antigos favores de Deus. Esta é a exposição de minha preferência. Ambas, porém, equivalem a mesma coisa, e implicam que Davi não

---

1 A tradução do erudito Castellio é: "Si invadant — offensuri sunt atque casuri;" – "Se eles me invadirem — tropeçarão e cairão." Os verbos hebraicos para 'tropeçar' e 'cair' estão de fato no *tempo pretérito*; nos escritos proféticos, porém, são amiúde usados para o futuro. Contudo, como Calvino observa, nesta passagem parece não haver necessidade de traduzir os verbos no tempo futuro, na qual Davi pode ser considerado como a contemplar evidências passadas da munificência divina para com ele, e de as mesmas encorajarem no que tange ao futuro.

tinha razão de doravante duvidar da assistência divina quando ponderava em sua experiência anterior; pois nada é de maior utilidade para confirmar nossa fé do que a lembrança daqueles exemplos em que Deus claramente nos deu prova não só de sua graça, mas também de sua veracidade e poder. Portanto, conecto este versículo com o seguinte. No primeiro, Davi relembra os triunfos que, com o auxílio divino, já havia obtido; e daqui conclui que, por maiores que fossem as hostes que o cercavam, ou quais fossem os malefícios que seus inimigos inventassem contra ele, destemidamente se manteria contra eles. O termo hebraico, קרב *(karab)*, significa *introduzir*, mas aqui indica a irrupção que os inimigos de Davi fizeram contra ele quando o assaltaram. Alguns o traduzem por *fugir*, tradução esta, porém, artificial. Para testificar sua inocência, ele os chama de *perversos* ou *insubordinados*, e ao dizer que *caíram sobre mim para comerem minha carne*,[2] ele expressa sua selvagem crueldade.

3. Ainda que exércitos se acampem. Ele infere de sua experiência anterior, como já mencionei, que qualquer que seja a adversidade que lhe sobrevenha, ele deve esperar o *bem* e não nutrir nenhum receio acerca da proteção divina, a qual lhe fora tão eficazmente concedida em sua necessidade anterior. De fato ele havia asseverado isso, no primeiro versículo, mas agora, para uma prova mais convincente, ele o reitera. Sob as idéias de *acampamentos* e *exércitos*, ele inclui tudo quanto de mais formidável há no mundo; como se quisesse dizer: Ainda que todos os homens conspirem para minha destruição, não levarei em conta sua violência, porquanto o poder de Deus, o qual sei estar do meu lado, está muito acima do poder deles. Mas quando declara: *Meu coração não temerá*, não significa que ele se achava inteiramente isento de temor – pois tal coisa mereceria muito mais ser qualificada de insensibilidade do que de virtude; mas para que seu coração não desmaiasse sob

---

2 O francês e Skinner têm: "devorar minha carne"; e observe-se que "essa imagem é extraída de um animal selvagem. Comparem-se Salmo 3.7 e Salmo 22.13."

os terrores que iria encontrar, ele se intermedia com o escudo da fé. Há quem prefira a palavra que se traduz, *nesta*, para o próximo versículo, significando que ele estava confiante de permanecer na casa de Deus; mas sou de opinião que ela pertence antes à doutrina precedente. Porque, então, a fé produz seu fruto na devida estação quando permanecemos firmes e destemidos em meio aos perigos. Davi, pois, notifica que, quando a provação vier, sua fé se provará invencível, porquanto ela se apoia no poder de Deus.

> [vv. 4-6]
> Uma coisa tenho desejado de Jehovah, e irei em busca dela: que eu possa habitar na casa de Jehovah todos os dias de minha vida, para contemplar a beleza de Jehovah e diligentemente avaliar seu templo. Pois ele me ocultará em sua tenda no dia do mal;[3] ele me ocultará no lugar secreto de sua tenda; me porá sobre uma rocha. E agora ele exaltará minha cabeça acima de meus inimigos que me cercam; e oferecerei sacrifícios de alegria em seu tabernáculo; eu cantarei e louvarei a Jehovah.

4. Uma coisa tenho desejado de Jehovah. Há quem considere isto como uma profecia referente à perpetuidade do reino de Davi, da qual não só sua própria felicidade pessoal dependia, mas também a felicidade de todo seu povo; como se quisesse dizer: Estou tão satisfeito com essa prova singular do favor divino, que não consigo pensar em nada mais, noite e dia. Em minha opinião, contudo, parece uma interpretação mais simples considerar as palavras neste sentido: ainda que Davi se visse banido de seu país, despojado de sua vida, roubado de sua família e, enfim, despojado de sua subsistência, todavia ele não estava tão ansioso pela recuperação dessas coisas do que pela tristeza e aflição que sentia por seu banimento do santuário de Deus e pela perda de seus privilégios sagrados. Sob a palavra *uma* há uma antítese implícita, na qual Davi, em desconsideração a todos os demais interesses, exibe seu intenso afeto pelo culto divino; de maneira tal que lhe era mais amargo ser exilado do santuário do

---
3 "C'est, d'adversite." Nota, fr. marg. "Isto é, da adversidade."

que lhe ser negado acesso à sua própria casa. Portanto, que Davi desejava só uma coisa, a saber, habitar na casa do Senhor, deve ser lido numa só sentença. Pois não há qualquer probabilidade de que tencione com isso algum desejo secreto que ele suprimira, visto que distintamente proclama o que principalmente o atribulava. Acrescenta também firmeza de propósito, declarando que não cessava de reiterar estas orações. É possível ver muitos, à primeira vista, se impelindo com grande impetuosidade, cujo ardor, no decorrer do tempo, não só enlanguesce, mas é quase imediatamente extinto. Ao declarar, pois, que perseveraria nesse desejo durante toda sua vida, ele, com isso, faz distinção entre ele e os hipócritas.

Entretanto, é mister que observemos por qual motivo Davi era tão poderosamente estimulado. "Seguramente", diria alguém, "ele podia ter invocado a Deus fora do recinto do templo. Sempre que vagueava como exilado, ele levava consigo a preciosa promessa de Deus, de sorte que não carecia dar tão grande valor à vista externa do edifício. Ele parece, por uma ou outra grosseira imaginação, supor que Deus poderia estar enclausurado entre madeiras e pedras." Se examinarmos, porém, as palavras mais minuciosamente, nos será fácil ver que seu objetivo era completamente distinto de uma mera visão do nobre edifício e seus ornamentos, ainda que de grande valor. Realmente ele fala da beleza do templo, mas coloca tal beleza não tanto na aparência que podia ser contemplada com os olhos, quanto em ser ele o modelo celestial que fora mostrado a Moisés, como se acha escrito em Êxodo 25.40: "Atenta, pois, que os faças conforme seu modelo, que te foi mostrado no monte." Visto que a forma do templo não foi arquitetada conforme a sabedoria humana, senão que era uma imagem de coisas espirituais, o profeta dirigiu seus olhos e todo seu afeto para este objeto. A necessidade deles, pois, é realmente detestável, porquanto deturparam esse lugar em prol de quadros e imagens que, em vez de merecerem ser contados entre os ornamentos do templo, são antes como excremento e lixo, maculando toda a pureza das coisas santas. Devemos agora considerar se os fiéis devam ter a mesma opinião sob a dispensação cristã ou evangélica.[4] Admito que de fato vivemos em circunstâncias muito diferentes daquela dos antigos pais; mas enquanto Deus ainda preservar seu povo sob certa ordem externa, e atraí-lo para si por meio de instruções terrenas, os templos ainda terão sua beleza, a qual merecidamente deve atrair para si os afetos e os anelos dos fiéis. A Palavra, os sacramentos, as orações públicas e outros auxílios do mesmo gênero não podem ser negligenciados sem um perverso menosprezo por Deus, que se nos manifesta nessas ordenanças, como num espelho ou imagem.

5. Pois ele me ocultará em sua tenda. Aqui o profeta assegura a si mesmo que sua oração não seria em vão. Embora esteja ele, por algum tempo, privado do santuário visível, não nutre dúvida de que sempre que precisar experimentará o protetor poder de Deus. E ele alude ao templo em virtude de o mesmo ser, para os fiéis, um símbolo da presença divina; como se quisesse dizer que, ao formular o pedido que mencionara, de modo algum perde seu tempo; pois cada um de nós que busque a Deus sinceramente, e com um coração puro, será escondido em segurança debaixo das asas de sua proteção. Ele, portanto, afirma que a figura do templo não era algo sem sentido, porque ali Deus, por assim dizer, estende suas asas para reunir os verdadeiros crentes debaixo de sua proteção. Disto ele conclui que, como não acalentava nenhum desejo maior do que fugir para refugiar-se debaixo dessas asas, ali haveria um refúgio preparado para ele em tempos de adversidade, sob a proteção divina, a qual, sob a figura de uma *rocha*, ele nos informa que seria inexpugnável como torres que, por causa da resistência, logravam ser construídas, nos tempos antigos, em lugares mais elevados. Portanto, embora ele se visse, nesse tempo, cercado por inimigos de todos os lados, contudo se gloriava no fato de que os venceria. É deveras uma forma comum de expressão, nas Escrituras, dizer que os que se vêem opressos com tristeza andam com as costas arqueadas e com o semblante abatido, enquanto que, por outro lado, erguem suas cabeças quando sua alegria é restaurada. E foi assim

---

4 "Sous le regne de Christ." – v.f.

que Davi falou no Salmo 3.4: "E tu, Senhor, és aquele que exata minha cabeça." Mas visto que o cerco é aqui posto em oposição a este pensamento, sua intenção era que nesse refúgio divino ele seria como que guardado em lugar alto, de sorte que pudesse destemidamente desdenhar dos dardos de seus inimigos, que de outra forma o trespassariam. E ao esperar por vitória, ainda que fosse reduzido a grandes dificuldades como que ameaçado de morte instantânea, ele nos dá uma notável prova de sua fé, pela qual somos instruídos a não medir o auxílio divino pelas aparências externas ou recursos visíveis, mas mesmo em meio à morte devemos esperar pelo livramento provindo de sua poderosa e vitoriosa mão.

6. E oferecerei em seu tabernáculo sacrifícios de triunfo.[5] Ao fazer um voto solene de ações de graças, após ter sido libertado dos perigos, ele se confirma uma vez mais na esperança de livramento. Os fiéis sob a lei, nós sabemos, costumavam, por meio de um rito solene, pagar seus votos quando tivessem experimentado alguma bênção extraordinária provinda de Deus. Aqui, portanto, Davi, ainda que banido e proibido de aproximar-se do templo, se gloria de que uma vez mais iria ao altar de Deus e ofereceria o sacrifício de louvor. Parece, contudo, que ele tacitamente põe os cânticos e o júbilo santos, nos quais promete dar graças a Deus, em oposição aos triunfos profanos do mundo.

[vv. 7-9]
Ouve, ó Jehovah, minha voz, com que clamo a ti; tem misericórdia de mim, e responde-me. Meu coração disse a ti:[6] buscai minha face; portanto,[7] tua face, ó Jehovah, eu buscarei. Não ocultes de mim tua face; em tua ira não lances fora a teu servo; tu tens sido minha força; não me deixes nem me esqueças completamente, ó Deus de minha salvação!

---

5 "Sacrificia jubili." – latim. "Sacrifice de triomphe." – francês. Ainsworth lê: "Sacrifícios de aclamação ou de triunfo, de retumbância jubilosa." Diz ele: "Isso tem referência à lei que apontava para as trombetas que soavam no momento dos sacrifícios [Nm 10.10], cujo som principal, mais alto, mais jubiloso e triunfante chamava-se *trughnah* [ou תרועה, *truah*, a palavra aqui usada], 'triunfo', 'alarma' ou 'júbilo' [Nm 10.5-7]."
6 "Ou dit de toy." – versão marginal francesa. "Ou disse de ti ou concernente a ti."
7 "Pourtant." – v.f.

7. Ouve, ó Jehovah, minha voz. O salmista retorna uma vez mais à oração, e ao agir assim ele declara que tipo de armadura lhe fora fornecido para bloquear suas tentações. Pelo termo, *clamo*, ele expressa sua veemência, como eu disse em outra parte, para que pudesse, com isso, mover a Deus a socorrê-lo depressa. Com o mesmo propósito, também, ele um pouco depois menciona sua miséria, pois quanto mais os fiéis são oprimidos, mais sua necessidade pessoal induz a Deus a estender-lhes seu favor.

8. Meu coração disse a ti. A mudança de pessoa nos verbos tem ocasionado variedade de interpretações deste versículo. Mas quem quer que detidamente examine a intenção de Davi perceberá que o texto flui perfeitamente bem. Como não nos convém precipitarmo-nos temerariamente na presença de Deus, antes que ele nos chame, Davi primeiro nos conta que ele cuidadosamente considerou quão mansa e amavelmente Deus antecipa seu povo, convidando-o a espontaneamente buscar sua face; e então, recobrando seu contentamento, ele declara que atenderá a quantos chamar a si. O sentido do termo hebraico, לך (*leka*), é um tanto ambíguo. Pode significar o mesmo que *tibi*, *a ti*, em latim. Visto, porém, que a letra hebraica, ל (*lamed*), é freqüentemente usada para a preposição *de*, ou *concernente*, pode com bastante propriedade ser traduzida por *Meu coração tem dito de ti*; explicação esta para a qual se inclina a maioria dos intérpretes. Em minha opinião, contudo, é mais provável que denote uma conversação mútua entre Deus e o profeta. Tenho dito que ninguém pode confiadamente sair em busca de Deus enquanto o caminho não for aberto pelo convite de Deus mesmo, como alhures demonstrei à luz da declaração do profeta: "Eu direi: É o meu povo; e dirão: O Senhor é o meu Deus" [Zc 13.9]. Davi, conseqüentemente, diz que dessa forma a porta se abriu para que ele buscasse a Deus: ele formula esta promessa e então responde, por assim dizer, a Deus.[8] E, com certeza, se esta sin-

---

8 A intenção de Calvino parece ser esta: Deus nos ofereceu em sua Palavra esse gracioso imperativo ou convite: "Buscai minha face", nos convidando a buscá-lo em oração e noutros exercícios da religião. Ora, quando Davi diz: "Meu coração disse a ti: Buscai minha face", ele quer dizer que seu coração lembrou a Deus de seu imperativo ou convite; e com isso ele se animou a buscar a face de Deus, no quê ele expressa sua resolução de fazer na seguinte cláusula: "Tua face, ó Jehovah, buscarei."

fonia não precedesse, e ninguém faria coro ao convite. Portanto, assim que ouvirmos Deus se nos apresentando, respondamos confiadamente com *Amém*; e meditemos conosco mesmos em suas promessas, como se fossem familiarmente a nós endereçadas. Por isso os verdadeiros crentes não carecem de buscar algum artifício sutil ou circuitos tediosos para introduzir-se no favor de Deus, visto que este prefácio lhes prepara tão facilmente um caminho: "Por indignos sejamos nós de ser recebidos por ti, ó Senhor, contudo teu mandamento, pelo qual nos ordenas a irmos a ti, nos é um encorajamento suficiente." A voz de Deus, portanto, deve ressoar em nossos corações, como um eco nos lugares sagrados, para que deste acordo mútuo emane confiança para invocá-lo.

O termo, *face*, é comumente explicado no sentido de *auxílio* ou *socorro*; como se ele quisesse dizer: Busque-me. Quanto a mim, porém, estou persuadido de que a alusão, aqui, é também ao santuário, e que Davi se refere ao modo de manifestação no qual Deus costumava apresentar-se, em algum grau, visível. Indubitavelmente, é ilícito formar qualquer idéia grosseira e carnal dele; visto, porém, que ele destinara a arca do concerto para ser emblema de sua presença, ela é por toda parte, sem qualquer impropriedade, denominada *sua face*. É de fato verdade que nos achamos muito distanciados de Deus enquanto habitarmos este mundo, visto que a fé está muito distante da vista. Mas é igualmente verdade que agora vemos Deus como que através de um espelho, e obscuramente [1 Co 13.12], até que publicamente ele se nos manifeste no último dia. Nesta palavra, pois, estou persuadido de que nos são apresentados aqueles auxílios pelos quais Deus nos põe em sua presença, descendo de sua inconcebível glória até nós e nos munindo, na terra, com uma visão de sua glória celestial. Visto, porém, que, segundo seu soberano beneplácito, ele nos concede a bênção de olharmos para ele (como faz na Palavra e nos sacramentos), convém-nos fixarmos firmemente nossos olhos neste aspecto, para que não se dê conosco o que ocorreu com os papistas que, por meio das mais desenfreadas invenções, impiamente transformaram Deus em tudo quanto saciasse suas astutas fantasias ou seus cérebros concebessem.

9. Não ocultes de mim tua face. O salmista elegantemente prossegue na mesma forma de linguagem, mas com um significado diferente. *A face de Deus* é agora empregada para descrever os efeitos sensíveis de sua graça e favor; como se houvesse dito: Senhor, faz-me realmente experimentar que estás sempre perto de mim e me permites claramente contemplar teu poder em me salvar. Que observemos bem a distinção entre o conhecimento teórico derivado da Palavra de Deus e o que é denominado de *conhecimento experimental* de sua graça. Pois visto como Deus se revela presente em ação (como costuma-se dizer), ele deve ser primeiramente buscado em sua Palavra. A cláusula que se segue: *em tua ira, não lances fora a teu servo*, alguns intérpretes judeus apresentam uma forma muito forçada, ou seja: Não permitas que teu servo seja imerso nas ímpias preocupações deste mundo, as quais nada são senão ira e loucura. Eu, contudo, prefiro traduzir o termo hebraico, נטה (*natah*), como muitos o traduzem, a saber: *voltar-se de*, ou *afastar-se*. Seu significado é mais provável interpretado assim: Não deixes teu servo inclinar-se para a ira. Quando uma pessoa é completamente abandonada por Deus, ela não pode fazer nada além de ser agitada em seu íntimo por pensamentos murmurantes, irrompendo-se em manifestações de desprazer e ira. Se alguém porventura concluir que Davi agora antecipa esta tentação, não objeto, pois não era sem razão que ele se visse acometido de impaciência, a qual nos enfraquece e nos faz ir além dos limites da razão. Quanto a mim, porém, sigo a primeira explicação, confirmada pelas duas palavras que se seguem; e assim o termo *ira* introduz uma tácita confissão de pecado; porque, embora Davi reconheça que Deus poderia, com razão, deixá-lo cair, ele deplora sua ira. Além do mais, ao recordar dos primeiros favores de Deus, ele se anima na esperança de receber mais, e com este argumento convence a Deus a continuar com seu auxílio e a não deixar sua obra incompleta.

[vv. 10-12]
Quando meu pai e minha mãe me desampararem, Jehovah me acolherá.
Ensina-me teu caminho, ó Jehovah, e guia-me na vereda reta, por causa

de meus adversários. Não me entregues ao desejo[9] de meus opressores; porque falsas testemunhas se levantaram contra mim, e os que dão à luz a violência.

10. Quando meu pai e minha mãe me desampararem. Como transparece da sacra história que Jessé, até onde sua oportunidade admitiu, efetuou seu dever em relação a seu filho Davi, alguns são de opinião que os nobres e conselheiros são aqui mencionados em termos alegóricos; mas isso não se adequa bem. Nem é com razão plausível que insistem nesta fraca interpretação. Davi não está a queixar-se de haver sido de forma desnaturada traído por seu pai ou por sua mãe; senão que, com tal comparação, ele magnifica a graça de Deus, declarando que ele sempre esteve disposto a ajudá-lo, ainda que viesse a ser esquecido de todos os homens. A partícula hebraica, כִּי (*ki*), na maioria das vezes, significa *porque*, mas sabe-se também que às vezes é empregada como advérbio de tempo, *quando*. Davi, pois, pretendia informar que, toda benevolência, amor, zelo, atenção ou serviço encontrasse da parte dos homens, tudo isso é muito inferior à misericórdia paternal com que Deus abraça seu povo. O mais elevado grau de amor entre os homens, deve-se dizer com razão, é encontrado nos pais que amam a seus filhos como suas próprias entranhas. Deus, porém, nos eleva a um ponto mais alto, declarando pelos lábios do profeta Isaías que, ainda que uma mãe vier a esquecer o filho de seu ventre, ele jamais nos esqueceria [Is 49.15]. É nesse grau que Deus o coloca, de modo que aquele que é a fonte de toda benevolência excede infinitamente a todos os mortais, que são por natureza malevolentes e mesquinhos. Entretanto, é uma forma imperfeita de se expressar, como a que encontramos em Isaías 63.16: "Mas tu és nosso Pai, ainda que Abraão não nos conhece, e Israel não nos reconhece." Eis o suporte de tudo isso: Por mais inclinados por natureza os pais terrenos sejam em ajudar seus filhos, ou ainda que se esforcem ao máximo por nutri-los com o mais ardente dos afetos, contudo o afeto seria totalmente extinto da terra se Deus não cumprisse,

---

9 "C'est, plaisir." – versão marginal francesa. "Isto é, vontade ou prazer."

em relação a seu povo, a função de pai e de mãe. Do qual fato se deduz que vilmente subestimaríamos a graça de Deus, se porventura nossa fé não se erguer acima de todos os afetos da natureza; pois é mais fácil que as leis da natureza sejam subvertidas centenas de vezes, do que Deus falhar em relação a seu povo.

11. Ensina-me teu caminho, ó Jehovah! Muitos pensam que Davi, neste ponto, roga a Deus que o guie através de seu Espírito, a fim de que ele não excedesse seus inimigos na prática da violência e da perversidade. Tal doutrina, indubitavelmente, é muito proveitosa, mas não parece concordar com o escopo da passagem. Em minha opinião, é uma interpretação mais simples considerar que Davi deseja, a fim de escapar das tramas e da violência de seus inimigos, que Deus lhe estenda sua mão e o conduza em segurança, para que suas atividades encontrassem um feliz resultado. Ele põe *vereda reta* em oposição às dificuldades e impedimentos que são postos em lugares íngremes e de difícil acesso, os quais ele não tinha como vencer, a menos que Deus exercesse a função de guia para conduzi-lo. Aquele, porém, que deseja entregar-se à guarda e proteção de Deus[10] deve antes renunciar os artifícios ardilosos e ímpios. Não devemos esperar que Deus, que só promete um feliz resultado aos de coração sincero, e aos que confiam em sua fidelidade, abençoe os conselhos fraudulentos e ímpios.

12. Não me entregues ao desejo de meus opressores. O substantivo נפש (*nephesh*), significa *concupiscência, vontade* ou *desejo*; e a linguagem de Davi implica: Não me entregues ao deleite ou concupiscência de meus inimigos, e assim ele informa que eles avidamente abriam covas para sua destruição. Deus livra a seu povo de duas maneiras: ou abrandando a crueldade dos ímpios, tornando-os mansos; ou, se lhes permite arder em fúria, restringe seu poder e violência, de sorte que desejam e se esforçam em vão em fazer malefícios. O salmista mais adiante acrescenta que é perseguido com calúnias e falsas acusações, bem como com franca violência. Pois ao dizer que *dão*

---

10 "En la sauvegarde et pretection de Dieu." – v.f.

à *luz a violência*,¹¹ sua intenção é que eles não falam de outra coisa senão de guerra e mortandade. E assim vemos que o santo homem era miseravelmente oprimido de todos os lados. Mesmo sua integridade, que sabemos ter sido singular, não podia livrá-lo das amargas e letais calúnias, e era ao mesmo tempo dominado pela violência e força de seus inimigos. Se os ímpios, pois, em qualquer época se erguerem contra nós, não só com ameaças e violência cruel, mas também para imprimir em sua inimizade uma aparência de justiça, caluniando-nos com mentiras, lembremo-nos do exemplo de Davi, que era assaltado de ambas as formas; não só isso, mas recordemos que Cristo, o Filho de Deus, sofreu injúria não menos das línguas mentirosas do que da violência.¹² Além do mais, esta oração foi ditada para nosso conforto, para notificar que Deus pode manter nossa inocência e opor o escudo de sua proteção contra a crueldade de nossos inimigos.

[vv. 13, 14]
Se eu não tivesse crido ver a bondade de Jehovah na terra dos viventes —.¹³ Espera em Jehovah; tem bom ânimo, e ele fortalecerá teu coração; espera tu, também, em Jehovah.

13. Se eu não tivesse crido ver a bondade de Jehovah. É geralmente aceito entre os intérpretes que esta sentença é incompleta. Alguns, contudo, são de opinião que a partícula hebraica, לולא (*lulë*),

---

11 Hammond traduz as palavras "*insinuadores* ou *faladores de injúria ou rapina*; חמם significando *injúria* ou *rapina*, e פוח, *respirar* ou *falar*." Ainsworth lê: "Aquele que bafeja ou respira atos violentos."
12 "De glaives et autre tels efforts." – v.f. "Da espada e de outras armas tais."
13 No hebraico, este versículo é elíptico, como Calvino aqui o traduz. Na versão francesa, ele preenche a elipse no final do versículo com as palavras: "C'estoit fait de moy", "Eu teria perecido". Em nossa versão inglesa, as palavras: "Eu teria desmaiado" são introduzidas como um suplemento no início do versículo. Tanto o suplemento de Calvino quanto o de nossa versão inglesa, que são substancialmente os mesmos, sem dúvida explicam o significado da passagem; destroem, porém, a elegância da forma abrupta da expressão empregada pelo salmista, que se interrompe em meio ao seu discurso sem completar a sentença, embora sua intenção é bem evidente. "Se não tivesse crido ver a bondade do Senhor na terra dos viventes — O que teria sido de mim!" – Dr. Adam Clarke. Entretanto, como לולא, *lulë*, que é traduzido *se eu não*, é omitido pelas versões e diversos MSS. antigos, alguns o consideram uma interpolação, e traduzem o versículo sem elipse. Por isso Walford o traduz assim: "Tenho crido que verei a bondade de Jehovah na terra dos viventes."

é usada com o propósito de informação, como se fosse uma espécie de juramento; os hebreus tinham o costume de jurar de forma elíptica; pois, interrompendo-se no meio do discurso e deixando-o incompleto, deixavam em branco uma imprecação, ou seja, para que Deus os punisse em caso de cometerem perjúrio. Mas um número maior apresenta uma interpretação diferente, ou seja, que Davi informa que ele era sustentado somente pela fé, do contrário teria perecido centenas de vezes. O significado que deduzem, conseqüentemente, é: Não tivera eu confiado na promessa de Deus, e com toda certeza me assegurado de que seria conservado em segurança, e não tivera prosseguido firme nessa persuasão, teria perecido completamente: não haveria nenhum outro remédio. Alguns entendem por *na terra dos viventes* a herança celestial; esta interpretação, porém, é forçada e destoa do estilo usual da Escritura. Quando Ezequias lamenta em seu cântico registrado em Isaías 38.11, de que perdera a esperança de ver a Deus "na terra dos viventes", sua intenção, sem a menor sombra de dúvida, é esta vida, como imediatamente adiciona: "Jamais verei o homem com os moradores do mundo." Uma forma similar de expressão ocorre também em outro lugar [Jr 11.19]. Davi, pois, cria que ele ainda desfrutaria da bondade de Deus neste mundo, ainda que, no momento, se achasse privado de toda a experiência do favor divino e não conseguia divisar nem sequer uma fagulha de luz. Das trevas da morte, pois, ele promete a si mesmo uma prelibação do favor divino, e com essa persuasão sua vida é sustentada, embora, segundo o critério da razão carnal, a mesma estivesse em convalescência de perdas no passado. Deve observar-se, contudo, que Davi não ousa ir além da promessa divina. É verdade que "a piedade é em tudo proveitosa, tendo a promessa da vida que agora é e da que há de vir" [1 Tm 4.8], jamais, porém, ousaria nutrir tal persuasão não fora ele informado por revelação especial e assegurado mediante a promessa de um sucessor, que se assentaria sempre em seu trono [Sl 132.11,12]. Portanto, ele foi legitimamente persuadido de que não morreria até que esta promessa se cumprisse. Para que ninguém, pois, através de uma equivocada imitação de seu exemplo, não traspasse as fronteiras da fé, é necessário entender o que peculiarmente lhe pertencia, e a nós não pertence. Entretanto, em geral todos nós devemos esperar que, mesmo que Deus não nos opere abertamente algum livramento, ou não nos revele seu favor de uma maneira visível, não obstante nos será sempre misericordioso, ainda na presente vida.

14. Espera em Jehovah. É lícito questionar Davi, havendo nos versículos precedentes falado de si mesmo, aqui dirige seu discurso a outros e os exorta por meio de seu próprio exemplo à paciência fortalecedora e perseverante, como faz na conclusão do Salmo 31.19, onde, depois de falar particularmente acerca de si mesmo, se dirige a todos os santos. Mas, visto que ele, aqui, fala no singular, e não usa qualquer sinal de que dirige seu discurso a outros, em minha opinião é provável que o aplique a si mesmo com o fim de encorajar ainda mais sua confiança em Deus, para que em ocasião alguma seu coração viesse a se desfalecer.[14] Uma vez que era cônscio de sua debilidade, e sabia que sua fé era o grande meio de preservá-lo em segurança, ele oportunamente se fortalece para o futuro. Sob o verbo *esperar*, igualmente, ele se conscientiza de novas provações e põe ante seus olhos a cruz que deveria carregar. Somos, pois, convidados a esperar em Deus quando, retraindo de nós sua graça, ele permite que nos definhemos submersos em aflições. Davi, pois, havendo enfrentado conflitos, se prepara para enfrentar outros pela frente. Visto, porém, que nada é mais difícil do que dar a Deus a honra de depositarmos nele nossa confiança, quando ele se oculta de nós, ou retarda sua assistência, Davi se anima a recarregar suas energias, como se quisesse dizer: se porventura o medo te vencer; se porventura a tentação abalar tua fé; se porventura as emoções carnais fervilharem tuas veias, não te desfaleças; ao contrário, empenha-te por erguer-te acima deles através de uma invencível resolução mental. Disto podemos aprender que os filhos de Deus triunfam, não pela obstinação, mas pela paciência,

---

14 "A ce que sa foy ne soit jamais esbranler." – v.f. "Para que sua fé jamais se abalasse."

quando tranqüilamente confiam suas almas a Deus; como diz Isaías: "Na quietude e na confiança tereis vossa força" [Is 30.15]. Como Davi não se sentia preparado para grandes e difíceis esforços, ele se apropria da força divina através da oração. Tivera ele dito não mais que *Age como homem*,[15] e pareceria ter realçado as emoções de seu próprio livre-arbítrio; no entanto imediatamente acrescenta, à guisa de correção, que Deus é quem tinha toda condição de *fortalecer seu coração*, e mostra com suficiente clareza que, quando os santos se esforçam vigorosamente, sua luta é na força de outro, e não na sua própria. Davi não faz como os papistas que põem seus próprios esforços no que é vão, e a seguir suplicam pelo auxílio divino; ele, porém, uma vez cumprido seu próprio dever, embora soubesse ser destituído de energia própria, ora para que sua deficiência fosse suprida pela graça do Espírito Santo. E como ele sabia que a guerra deverá continuar ao longo de toda sua vida, e que novos conflitos surgiriam diariamente, e que as dificuldades dos santos são amiúde proteladas por um longo período, ele novamente reitera o que havia dito sobre esperar em Deus: *Espera somente em Jehovah*.

---

15 Aqui, Calvino parece lançar mão da versão Septuaginta. O que ele traduz no texto por "Tem bom ânimo" é traduzido pela Septuaginta: "ἀνδρίζου", "Sê varonil", ou "Age como homem". A Vulgata tem: "viriliter age", seguindo a Septuaginta como geralmente faz. Paulo usa a mesma fraseologia em 1 Co 16.13. "Estas", diz Ainsworth, "são palavras de encorajamento contra o desleixo, o medo, o quebranto de coração ou outras enfermidades."

Salmos 28

Após ser libertado de grandes perigos pelo socorro divino, Davi, neste Salmo, segundo seu costume, primeiramente registra os votos que fizera em meio às suas dificuldades, e então [registra] suas ações de graças e louvores a Deus, com o fim de induzir outros a seguirem seu exemplo. É provável que ele esteja se referindo às suas perseguições movidas por Saul.

Salmo de Davi.

[vv. 1, 2]
A ti clamarei, ó Jehovah; não retires de mim tua paz, ó minha força; não suceda que, mantendo silêncio para comigo, eu me torne como os que descem à sepultura. Ouve a voz de minhas orações quando clamo a ti, quando ergo minhas mãos para o santuário de tua santidade.

1. A ti clamarei, ó Jehovah. O salmista começa declarando que se valeria unicamente do socorro divino, no que mostra tanto sua fé quanto sua sinceridade. Embora os homens labutem por toda parte sob um enorme volume de problemas, todavia raramente um em cem recorre a Deus. Quase todos, tendo suas consciências sobrecarregadas de culpa, e não havendo jamais experimentado o poder da graça divina que poderia levá-los a apropriar-se dele, ou soberbamente se atormentam um bocado ou se enchem de ar com queixas sem valor, ou dão vazão ao desespero, desfalecendo sob o peso de suas aflições. Ao chamar Deus, *minha força*, Davi mais plenamente demonstra que confiava na assistência divina, não só quando se achava à sombra e em paz, mas também quando se achava exposto às mais severas tentações. Ao comparar-se com os mortos, ele igualmente informa quão grandes eram seus apertos, ainda que seu objetivo não fosse meramente realçar a magnitude de seus perigos, mas também mostrar que quando necessitava de socorro, não o buscava aqui e ali, mas descansava somente em Deus, sem cujo favor não restaria esperança alguma para ele. Portanto, é como se dissesse: Se me deixares, me transformarei em nulidade; se não me socorreres, perecerei. Para alguém que se acha em tal estado de aflição não basta ser sensível à sua miséria, a menos que se convença de sua incapacidade de se ajudar e renuncie todo e qualquer auxílio do mundo, recorrendo tão-somente a Deus. E como as Escrituras nos informam que Deus responde aos verdadeiros crentes quando mostra através de suas operações que ele leva em conta suas súplicas, assim a expressão, *em silêncio,* é posta em oposição à sensível e presente experiência de seu auxílio, quando parece, por assim dizer, não ouvir suas orações.

2. Ouve a voz de minhas orações quando clamo a ti. Esta petição é emblema de um coração em angústia. O ardor e veemência de Davi em oração são também demonstrados pelo expressivo substantivo *voz* e pelo expressivo verbo *clamar*. Quer dizer que estava tão abalado pela ansiedade e medo, que orava não com tibiez, mas com ardor, com veemente desejo, como aqueles que, sob a pressão da tristeza, gritam com veemência. Na segunda cláusula do versículo, fazendo uso de sinédoque, a coisa significada é indicada pelo sinal. Tem sido uma prática comum, em todos os tempos, pessoas erguerem suas mãos em oração. A natureza tem criado esse gesto, até mesmo nos idólatras pagãos, para mostrar por meio de um sinal visível que suas mentes eram dirigidas somente para Deus. A maioria, é verdade, se satisfaz com a mera cerimônia, esforçando-se por não serem afetados com suas próprias invenções; mas o próprio ato de erguer as mãos, quando não há hipocrisia e fraude, é um auxílio para a oração devota e zelosa. Davi, contudo, não diz aqui que ele erguia suas mãos para o céu, e, sim, para *o santuário* por meio do qual, auxiliado por sua proteção, ele podia ascender mais facilmente ao céu. Ele não estava tão grosseira ou tão supersticiosamente ligado ao santuário externo, como se não soubesse que devia buscar a Deus espiritualmente e que os homens então só se aproximam dele quando, deixando o mundo, pela fé penetram a glória celestial. Recordando, porém, que ele era homem, Davi não negligenciaria tal auxílio oferecido à sua enfermidade. Como o santuário era o penhor ou emblema do pacto de Deus, Davi via ali a presença da prometida graça de Deus, como se ela fosse representada num espelho; justamente como os fiéis agora, se desejam ter a percepção da proximidade de Deus com eles, imediatamente dirigem sua fé para Cristo, que desceu a nós em sua encarnação para que pudesse elevar-nos ao Pai. Compreendamos, pois, que Davi subia ao santuário com nenhum outro propósito senão que, pelo auxílio da promessa divina, pudesse pairar acima dos elementos do mundo, os quais ele usava, contudo, segundo as determinações da lei. O termo hebraico, דביר (*debir*), o qual traduzimos por *santuário*,[1] significa a sala interior do tabernáculo ou templo, ou o lugar santíssimo, onde se encontrava a arca do concerto, e é assim chamado proveniente das respostas ou oráculos que Deus revelava dali, com o fim de testificar a seu povo a presença de seu favor entre eles.

[vv. 3-5]
Não me expulses com os perversos, nem com os obreiros da iniqüidade, que falam de paz com seus vizinhos enquanto a malícia está em seus corações. Retribui-lhes segundo suas obras e segundo a perversidade de seus feitos; dá-lhes segundo a obra de suas mãos; retribui-lhes o que eles merecem. Visto que não atentam para os feitos de Jehovah, nem para a obra de suas mãos, que ele os destrua, e não os edifique.

3. Não me expulses com os perversos. O sentido consiste em que, em circunstâncias tão dessemelhantes, Deus não mistura o jus-

---

1 דביר, *debir*, deriva-se de דבר, *dabar, falar*.

to com o perverso, indiscriminadamente, na mesma destruição.² Indubitavelmente, também, ao falar de seus inimigos, ele indiretamente assevera sua própria integridade. Mas não ora desta maneira, porquanto pensava que Deus estivesse indiscriminada e irrevogavelmente irado contra os homens. Seu raciocínio tem por base a natureza de Deus, e assim nutre boa esperança, porquanto a prerrogativa divina era que Deus faz distinção entre o justo e o perverso, e retribui a cada um segundo seu merecimento. Por *obreiros da iniqüidade* ele quer dizer o homem totalmente habituado à perversidade. Os filhos de Deus às vezes caem, cometem erros e agem equivocadamente de um ou outro modo, contudo não sentem prazer em seus malfeitos; o temor de Deus, ao contrário, os estimula ao arrependimento. Davi, subseqüentemente, define e amplia a perversidade daqueles a quem ele descreve; pois sob a pretensão de amizade perfidamente enganavam as pessoas boas, afirmando com sua língua uma coisa, enquanto que em seus corações acalentavam algo muito diferente. A depravação franca é mais fácil de ser suportada do que a astúcia da raposa, quando as pessoas apresentam bela aparência a fim de granjearem uma oportunidade de fazer malefício.³ Esta verdade, conseqüentemente, nos admoesta que aqueles são mais detestáveis aos olhos de Deus, pois atacam os simplórios e desavisados com bela linguagem saturada de peçonha.

4. Retribui-lhes segundo suas obras. Havendo assim rogado a Deus que levasse em conta sua inocência, o salmista troveja uma maldição contra seus inimigos. O acúmulo de palavras revela que ele sofreu muito e dolorosamente sob tanto peso antes de expressar seu desejo de vingança. Notifica que os perversos de quem fala haviam

---

2 O verbo מָשַׁךְ, *mashak*, aqui traduzido *expulsar*, "significa", observa Hammond, "tanto expulsar quanto apreender", e pode "ser melhor traduzido, aqui, *não te apoderes de mim*, como aquele que se apodera de alguém para levá-lo ou arrastá-lo para a execução. A Septuaginta depois de traduzir o hebraico para o grego, Μὴ συνελκύσῃς τὴν ψυχήν μου, *não ajuntes minha alma com,* acrescenta: Κίαν μὴ συναπολέσῃς με, *e não me destruas juntamente com.* Calvino, aqui, evidentemente assume a mesma opinião; embora não o expresse na forma de crítica.

3 "Que ceste finesse de renard, quand on use de beaux semblans pour avoir occasion de nuire." – v.f.

transgredido não apenas uma vez, nem por curto espaço de tempo, nem de uma só forma, senão que foram tão longe em seus constantes malfeitos, que não era mais possível suportar sua audácia. Sabemos quão importuno e triste é ver o procedimento dos ímpios, sem medida e sem fim, como se Deus fosse conivente com sua perversidade. Davi, pois, exausto como estava com o exercício contínuo da paciência, e desfalecendo sob a carga [que carregava], implora a Deus, em toda a extensão, que refreasse a devassidão de seus inimigos, os quais não cessavam um instante sequer de amontoar perversidade sobre perversidade. E assim percebemos que não existe nada de supérfluo neste versículo, quando às obras ele acrescenta a perversidade de seus feitos e o operar de suas mãos, e por três vezes ele roga que recebessem a *recompensa* que mereciam. Acrescente-se a isso, que ele ao mesmo tempo dá testemunho de sua própria fé, exibição esta à qual os hipócritas às vezes compelem os filhos de Deus, enquanto, através de suas fraudes e cavilações, impõem os critérios do mundo. Vemos como os homens que se distinguem por sua perversidade, não satisfeitos com sua impunidade, não conseguem abster-se de pressionar o inocente com falsas acusações, justamente como o lobo que, desejoso de fazer dos cordeiros uma presa,[4] segundo um provérbio popular, os acusava de turvar as águas.

Davi é portanto compelido por essa exigência a invocar a Deus para que o protegesse. Aqui uma vez mais ocorre a difícil questão de se orar por vingança, a qual resolverei em poucas palavras, como já a examinei alhures. Em primeiro lugar, pois, é inquestionável que, se a carne nos move a buscar vingança, tal desejo é perverso aos olhos de Deus. Ele não só nos proíbe de imprecarmos o mal sobre nossos inimigos como vingança por injúrias pessoais; e não poderia ser de outra forma, porquanto todos os desejos que emanam do ódio são sentimentos desordenados. O exemplo de Davi, portanto, não deve ser alegado por aqueles que se deixam levar por suas próprias pai-

---

4 "Voulant devorer les agneaux." – v.f.

xões desequilibradas em busca de vingança. O santo profeta não é aqui impulsionado por sua própria dor pessoal a devotar seus inimigos à destruição; mas, pondo de lado o desejo carnal, ele pronuncia juízo concernente à questão propriamente dita. Portanto, antes que o homem proclame vingança contra o ímpio, primeiro deve verificar se porventura se acha isento de todos os sentimentos impróprios em seu próprio espírito. Em segundo lugar, ele deve estimular a prudência, para que os horrores dos malefícios que nos ofendem não nos conduzam a um zelo desequilibrado, o que sucedia mesmo aos discípulos de Cristo quando desejaram que descesse fogo do céu e consumisse os que se recusaram a acolher a seu Mestre [Lc 9.54]. Sua intenção, é verdade, era agir de conformidade com o exemplo de Elias; Cristo, porém, os repreendeu severamente, dizendo-lhes que não sabiam mediante que espírito estavam agindo. Em particular, deve observar-se esta regra geral, a saber, que desejemos e labutemos cordialmente em prol do bem-estar de toda a raça humana. E assim sucederá que, não só estaremos pondo em exercício a misericórdia divina, mas também acalentaremos o desejo de ver a conversão daqueles que, obstinadamente, parecem precipitar-se em sua própria destruição. Em suma, Davi, despido de toda e qualquer paixão maligna, e igualmente revestido do espírito de discrição e juízo, advoga aqui não propriamente sua causa pessoal, mas a causa de Deus. E com esta oração ele recorda ainda mais tanto de si próprio quanto dos fiéis, para que, embora por algum tempo os perversos soltem, impunemente, suas rédeas para a prática de toda espécie de vícios, terão que, por fim, deter-se diante do tribunal de Deus.

5. Visto que não atentam para os feitos de Jehovah. Neste versículo ele põe a descoberto as raízes da impiedade, declarando que os ímpios são por demais ousados em fazer malefício, porque, enquanto estão com isso nutrindo seu ódio e perpetrando todo gênero de perversidade, acreditam que não têm nada a ver com Deus. E quando a consciência os alfineta, acalentam-se com falsas esperanças, e por fim obstinadamente tornam sua sensibilidade cada vez mais empedernida.

Primeiro, intoxicando-se com a prosperidade, se gabam de que Deus é seu amigo, enquanto que não atenta para aquelas pessoas boas que se acham submersas em mil e uma aflições; e, a seguir, se convencem de que o mundo é governado pelo acaso, e assim se fazem cada vez mais cegos em meio à meridiana luz do dia. E assim, os adversários de Davi, ignorando propositadamente que Deus o designara para ser rei, se animaram a persegui-lo. Ele, pois, se queixa de que eles grosseiramente o ignoravam, justamente como Isaías expressa a mesma queixa, em termos gerais, contra todos os ímpios de seus dias [Is 5.20]. Esta doutrina, pois, tem uma dupla aplicação. Primeiro, não é uma consolação de somenos importância que os filhos de Deus sejam persuadidos, enquanto são injustamente afligidos, de que são, pela divina providência, proveitosamente exercitados na paciência; e que, enquanto os negócios deste mundo são todos gerados num estado de distúrbio e confusão, Deus, não obstante, se acha supremamente sentado no céu a conduzir e a governar todas as coisas.[5] Em segundo lugar, este é um freio muito adequado para subjugar as paixões de nossa carne, ou seja, que não podemos, à semelhança dos Andabates,[6] contender no escuro, com olhos vendados, como se Deus não visse e de nada cuidasse do que se passa aqui embaixo. Portanto, aprendamos a ponderar prudentemente que os juízos que Deus executa são as muitas provas de sua justiça ao governar a raça humana, e que, embora todas as coisas se achem aglomeradas em confusão, os olhos da fé devem dirigir-se para o céu, procurando divisar os juízos secretos de Deus. E como Deus nunca cessa, mesmo em meio às mais densas trevas, de oferecer alguns sinais de sua providência, é inescusável indolência não atentar para eles. O profeta exarceba ainda mais tal perversidade, reiterando uma vez mais *as obras das mãos de Deus*. E com isso notifica que os ímpios, ao seguirem renitentemente seu curso, pisoteiam todas

---

5 "Conduisant et gouvernant toutes choses." – v.f.
6 "C'estoyent certains peuples ou escrimeurs qui souloyent ainsi combatte. Voyez les Chiliades d'Erasme." – nota, fr. marg. "Estas eram certas pessoas ou construtores de cercas que costumavam combater dessa forma. Veja-se o Chiliades de Erasmo."

as obras de Deus que porventura encontrem, as quais deveriam servir para refrear sua demência.
Que ele os destrua, e não os edifique. Alguns nutrem a opinião de que a primeira parte deste versículo é o nominativo no lugar de um substantivo para os verbos na última cláusula; como se Davi dissesse: Essa brutal demência os destruirá; mas o nome de Deus deve ser antes suprido, e então o contexto fluirá excelentemente. Quanto aos verbos, contudo, que no hebraico estão no tempo futuro,[7] a frase pode ser explicada significando que Davi agora se assegura da destruição dos réprobos, pela qual havia há pouco orado. Não rejeito essa interpretação; não obstante, em minha opinião as palavras são justamente um seguimento de suas petições. Dessa maneira ele ora para que os perversos fossem subvertidos, não se soerguendo mais, nem recobrando seu estado anterior. A expressão, *que ele os destrua, e não os edifique*, é uma figura de linguagem comum entre os hebreus, segundo nos diz Malaquias de Edom: "Assim diz o Senhor dos Exércitos: Eles edificarão, eu, porém, demolirei" [Ml 1.4]. Não fiquemos surpresos, pois, com uma praga incurável, mas aprendamos a educar nossas mentes à ponderação nas obras de Deus, e assim possamos aprender a temê-lo, a perseverar na paciência e a crescer na piedade.

>[vv. 6-8]
>Bendito seja Jehovah, porque ouviu a voz de minha súplica. Jehovah é minha força e meu escudo, nele meu coração tem confiado e tenho sido socorrido; portanto, meu coração se regozijará, e com meu cântico o louvarei. Jehovah é sua força; e ele é também a força das salvações [ou livramentos] de seu ungido.

6. Bendito seja Jehovah, que tem ouvido. Esta é a segunda parte do Salmo em que o profeta começa a render graças a Deus. Já vimos como ele se dedicava à oração em meio a seus perigos; e agora, por meio desta ação de graças, ele nos ensina que suas orações não eram em vão. Portanto, ele inicia com seu próprio exemplo, dizendo que

---
7 "Ele os destruirá, e não os edificará."

Deus está pronto a trazer auxílio a seu povo sempre que este o busque em verdade e sinceridade. Ele declara a mesma verdade de forma mais completa no próximo versículo, chamando a Deus *minha força* e *meu escudo*; porquanto estava persuadido de que Deus o ouvira a partir do fato de que havia sido miraculosamente preservado. E acrescenta que havia sido *socorrido* em relação à sua confiança e esperança. Pois amiúde sucede que os que invocam a Deus não alcançam sua graça em função de sua própria incredulidade. Em terceiro lugar, ele diz que adicionará à sua alegria o testemunho de sua gratidão. Os ímpios e hipócritas correm para Deus quando se vêem submersos em suas dificuldades; mas assim que se vêem livres delas, olvidando seu libertador, se regozijam com frenética hilaridade. Em suma, Davi não se nutria de vã confiança, já que realmente descobrira, por experiência, que Deus está sempre presente de posse daquele poder com que preserva seus servos; e que o motivo de sua verdadeira e sólida alegria era o fato de ter sempre Deus favorável a ele. Em razão disso, portanto, ele promete que teria Deus sempre em sua memória e lhe seria sempre agradecido. E, indubitavelmente, quando Deus esparge alegria em nossos corações, o resultado deve ser que nossos lábios se abram para entoar seus louvores.

8. Jehovah é sua força. À guisa de explicação, ele reitera o que havia dito antes, ou seja, que Deus havia sido sua força; isto é, porque ele havia abençoado seus exércitos. De fato Davi havia empregado a mão e o labor humanos, a vitória, porém, ele a atribuía exclusivamente a Deus. Já que ele sabia que todo auxílio que obtivera por parte dos homens procedia de Deus, e que seu próspero sucesso provinha igualmente do favor gratuito de Deus, ele percebia sua mão nesses meios, tão palpavelmente como se a houvera estendida do céu. E com certeza é extremamente deprimente que os meios humanos, que não passam de instrumentos do poder de Deus, obscureçam a glória divina; embora não haja pecado mais comum. É uma forma de expressão que leva grande peso quando, falando de seus soldados, ele só usa o pronome *sua* [*deles*], como se apontasse para eles com o dedo. A segunda cláusula indica a razão da outra. Ele declara que ele pessoalmente e todo seu exército eram revestidos de valor celestial, portanto vitorioso, porquanto lutavam sob a bandeira de Deus. Esse é o significado da palavra *ungido*; pois não o houvera Deus ungido rei, e graciosamente o adotado, e não haveria sido favorecido mais que Saul o fora. Com isso, ao enaltecer unicamente o poder de Deus que imprimia progresso ao seu reino, ele não atribui nada à sua própria habilidade e poder. Entrementes, podemos aprender que quando alguém se satisfaz com a legalidade de sua vocação, esta doutrina o encoraja a nutrir boa esperança com respeito aos prósperos resultados de suas atividades. Deve observar-se em particular, como já observamos resumidamente em outro lugar, que a fonte donde nos advêm todas as bênçãos que Deus nos concede consiste em que ele nos escolheu em Cristo. Davi emprega salvações ou livramentos no plural, visto que ele havia sido com freqüência e de várias maneiras preservado. O significado, pois, consiste em que, desde o tempo quando Deus o ungira por mão de Samuel, ele nunca cessou de ajudá-lo, senão que o livrara de inúmeras formas, até que concluísse nele a obra de sua graça.

[v. 9]
Salva teu povo e abençoa tua herança; apascenta-os e exalta-os para sempre.

Neste versículo, ele mostra que seu objetivo e sua preocupação não era tanto seu bem-estar pessoal quanto o de toda a Igreja, e que tampouco vivia e reinava para si próprio, mas para o bem comum do povo. Ele sabia muito bem que não fora instituído rei com algum outro propósito. Nisto ele declara ser um tipo do Filho de Deus, de quem, quando Zacarias [9.9] prediz que ele viria "trazendo salvação", não há dúvida de que não promete nada a si à parte de seus membros, senão que os efeitos dessa salvação se difundiriam por todo seu corpo. Mediante tal exemplo, conseqüentemente, ele prescreve uma norma aos reis terrenos, a saber: que, devotando-se ao bem público, seu único desejo para que sejam preservados é o bem de seu povo.[8] Quão longe a realidade se acha disto, nem é preciso dizer. Cegados de soberba e presunção, desprezam o resto do mundo, como se sua pompa e dignidade os elevassem totalmente acima do estado comum do homem. Nem é para se admirar que a humanidade seja tão insolente e habitualmente pisoteada pelos pés dos reis, já que a maioria rejeita e desdenha carregar a cruz de Cristo.[9] Lembremo-nos, pois, que Davi é como um espelho no qual Deus põe diante de nós o curso contínuo de sua graça. O que devemos fazer é revestir-nos de prudência para que a obediência de nossa fé corresponda ao seu amor paternal, e venha êle a reconhecer-nos como seu povo e sua herança. A Escritura amiúde designa a Davi pelo título de *pastor*; mas ele mesmo atribui tal ofício a Deus, assim confessando que ele é totalmente insuficiente para tal ofício,[10] salvo só no caso em que ele é ministro de Deus.

---

8 "Que tout la prosperite qu'ils se souhaitent soit à cause du peuple." – v.f. "Que toda a prosperidade que desejam seja por causa de seu povo."
9 "Veu que la plus grand part rejette et desdaigne de porter le joug de Christ." – v.f.
10 "Qu'il n'en est pas digne." – v.f. "Que não é digno dele."

Salmos 29

Davi, com o fim de humilhar todos os homens diante de Deus, do mais nobre ao mais vil, celebra o terrível poder divino nos variados prodígios da natureza, os quais, afirma ele, não são menos apropriados para levar-nos a dar glória a Deus do que se ele houvera asseverado com sua própria voz o império e a majestade de Deus. Após infundir terror nos soberbos, os quais são sempre relutantes a render-se a Deus, ele lhes dirige uma exortação acompanhada de gentil reprovação, e amoravelmente convida os fiéis a voluntariamente temerem ao Senhor.

Salmo de Davi.

[vv. 1-4]
Tributai a Jehovah, vós, filhos dos poderosos, tributai a Jehovah glória e força. Tributai a Jehovah a glória de seu nome;[1] adorai a Jehovah no resplendor de seu santuário. A voz de Jehovah está sobre as águas; o Deus de glória troveja; Jehovah está sobre as águas. A voz de Jehovah é em poder, a voz de Jehovah é em magnificência.

1. Tributai a Jehovah, vós, filhos dos poderosos. Não há dúvida de que o propósito de Davi era levar todos os homens a cultuarem e a reverenciarem a Deus; visto, porém, ser muito difícil prevalecer sobre os grandes homens, os quais se acham numa categoria elevada demais para receber ordens, Davi expressamente se dirige a eles. É óbvio que a

---

1 "C'est, digne de son nom." – nota, fr. marg. "Isto é, digna de seu nome."

LXX, ao fazer a tradução: *filhos de carneiros*,[2] envolveu-se num equívoco pela afinidade das palavras hebraicas.[3] Com referência à importância da palavra, é verdade, os comentaristas judeus são todos concordes; mas quando se põem a falar de seu significado, a pervertem e a obscurecem com comentários insípidos. Alguns a aplicam aos anjos,[4] outros às estrelas; e ainda outros dirão que se refere aos grandes homens ou aos santos pais. Davi, porém, apenas tencionava humilhar os príncipes deste mundo que, intoxicados de soberba, exaltavam suas coroas contra Deus. Esta, conseqüentemente, é a razão por que ele introduz Deus com uma voz terrificante subjugando esses gigantes empedernidos e obstinados com trovões, granizos, tempestades e relâmpagos, os quais, se não forem abalados com terror, se recusarão a temer a qualquer poder celestial. Vemos, pois, por que, desviando-se de outros, ele dirige seu discurso particularmente aos filhos dos poderosos. A razão é que não lhes há nada mais comum do que abusarem de sua extraordinária condição pela prática de feitos ímpios, enquanto que desvairadamente arrogam para si toda prerrogativa divina. Pelo menos para que se submetam humildemente a Deus e, cônscios de sua fragilidade, coloquem sua dependência na graça divina, é necessário, por assim dizer, compeli-los pela força. Davi, pois, ordena-lhes que *tributem força a Jehovah*, porque, iludidos por suas traiçoeiras imaginações, acreditam que o poder que possuem lhes é comunicado por

---

2 Toda a redação do versículo na Septuaginta é: "Ἐνέγκατε τῷ Κυρίῳ υἱοὶ Θεοῦ, ἐνέγκατε τῷ Κυρίῳ υἱοὺς κριῶν" "Trazei ao Senhor, vós, filhos de Deus, trazei ao Senhor cordeiros." Daí a LXX, como não é natural em outros lugares, traduz as palavras por: "vós, filhos dos poderosos", duas vezes; primeiramente, no caso vocativo, intitulando-os: Ὑιοὶ Θεου, *vós, filhos de Deus*, e a seguir no caso acusativo, υἱοὺς κριῶν, *cordeiros*, sendo aparentemente duvidoso que a tradução fosse correta, e, portanto, suprime ambas. A Vulgata, a Arábica e a Etiópica a seguem literalmente. Jerônimo também traduz: "Afferte Domino filios arietum"; embora não apresente uma dupla tradução das palavras originais. A tradução correta, porém, não temos dúvida de ser esta: "vós, filhos dos poderosos"; a qual é uma expressão idiomática hebraica para "Vós, poderosos", ou "Vós, príncipes"; e o escritor inspirado dirige a eles um convite ao reconhecimento e adoração a Deus, partindo de sua majestade e poder nos prodígios da natureza.

3 A palavra hebraica que Calvino traduz por "poderosos" é אלים, *elim*, palavra esta que significa *deuses*. A palavra hebraica, אילים, *eylim*, que significa *carneiros*, é muito semelhante, tendo apenas um *yod* adicional י, e esta letra às vezes termina em sobstantivos.

4 As paráfrases caldaicas trazem: "A assembléia dos anjos, filhos de Deus", significando *anjos de Deus*.

alguma outra fonte além do céu. Em suma, ele os exorta a renunciarem sua arrogância e sua enganosa opinião acerca de sua própria força, e por fim a glorificarem a Deus como ele merece. Por *a glória do nome de Deus* [v. 2] ele quer dizer aquilo que é digno da majestade divina, da qual os grandes deste mundo costumam privá-lo. A repetição também demonstra que devem ser veementemente convencidos do erro a um conveniente reconhecimento de que precisam ser arrebatados dele. Por *o resplendor do santuário*[5] *de Deus* deve-se entender, não o céu, como pensam alguns, mas o tabernáculo do concerto, adornado com símbolos da glória divina, como se faz evidente à luz do contexto. E o profeta intencionalmente faz menção desse lugar, no qual o Deus verdadeiro se manifestara, para que todos os homens, dizendo adeus à superstição, adotem aquele culto puro devido a Deus. Não seria suficiente cultuar algum poder celestial, mas o único e imutável Deus a quem se deve unicamente adorar, o que não pode se dar enquanto o mundo não descobrir todas as tolas invenções e serviços forjados pelo cérebro humano.

3. A voz de Jehovah está sobre as águas. Davi agora relata os prodígios da natureza, aos quais já fiz referência antecipadamente; e de fato ele celebra tanto o poder de Deus quanto sua bondade em suas obras. Como não há nada no curso ordinário da natureza, através de toda a estrutura do céu e terra, que não nos convide à contemplação de Deus, ele poderia anunciar, como fez no Salmo 19.1, o sol e as estrelas, todas as hostes celestes e a terra com suas riquezas; mas seleciona apenas aquelas obras de Deus que provam não só que o mundo fora inicialmente criado por ele e é governado por seu poder, mas que também despertou os entorpecidos, e os arrastou, por assim dizer, para que consciente e humildemente o adorassem; como até mesmo Horácio foi compelido, ainda que fosse

---

5 Esta tradução transmite um sentido um tanto diferente daquele de nossas versões; é, porém, apoiada por vários críticos. Green traduz: "em seu magnificente santuário"; e Fry: "adorai a Jehovah com santa reverência" ou "adorai a Jehovah nos gloriosos lugares do santuário". Diz Hammond: "Onde se lê no hebraico בהדרת, *na glória ou beleza da santidade*, de הדר *honrar* ou *magnificar*, a LXX lê: ἐν αὐλῇ ἁγίᾳ αὐτοῦ, *em seu santo átrio*, como se fosse de חדר, *santuário interior, tálamo, área mais interior,* câmara nupcial, paço real; e assim as versões latina e siríaca as seguem, bem como a arábica: *em sua santa habitação*."

não apenas um poeta pagão, mas também um epicureu e desprezador da Divindade, a dizer de si mesmo numa de suas odes (Lib. I. Ode xxxiv):

"Fugitivo do céu e da oração,
Desdenhei de todo temor religioso,
Profundamente instruído na erudição
Da louca filosofia; mas agora
Içoé vela e retomo minha viagem
Rumo àquele bendito porto que deixei outrora.
Pois, veja!, que terrível Majestade celestial,
Que amiúde fende as nuvens com fogo,
Pai do dia, imortal Jove;
Tardio pelos campos flutuantes no ar,
A face do céu sereno e belo,
Seus corcéis trovejantes e suas carruagens aladas" etc.[6]

A experiência igualmente nos diz que aqueles que são mais ousados em seu desprezo por Deus são mais vulneráveis em seu medo do ribombar dos trovões, tempestades e comoções violentas como tais. Com grande propriedade, pois, o profeta chama nossa atenção para esses exemplos que chocam os rudes e insensíveis com algum senso da existência de um Deus,[7] despertando-os à ação, por mais morosos e displicentes sejam eles. Ele não diz que o sol se levanta dia a dia, que derrama seus raios geradores de vida, nem que a chuva meigamente cai para fertilizar a terra com sua umidade. Ele anuncia, sim, trovões, tempestades violentas e aquelas coisas que golpeiam os corações humanos com o terror ante sua violência. Deus, é verdade, fala em todas as suas criaturas, mas aqui o profeta menciona aqueles sons que nos despertam de nossa modorra, ou, melhor, de nossa letargia pelo estrondo de seu ruído. Já dissemos que essa linguagem é primordialmente dirigida aos que, com empedernida obstinação, lançam

---

6 Tradução que o Dr. Francis fez de Horácio.
7 "Qui contraignent les barbares et gens esbestez sentir qu'il y a un Dieu." – v.f. "Que constrangem os rudes e insensíveis a sentirem que existe um Deus."

de si, o máximo que podem, todo pensamento de Deus. As próprias figuras que ele usa declaram suficientemente que o propósito de Davi era subjugar pelo temor os obstinados que, de outra forma, não se renderiam espontaneamente. Três vezes ele reitera que a voz de Deus é ouvida nas grandes e violentas tempestades, e no versículo subseqüente ele adiciona que ela é cheia de poder e majestade.

> [vv. 5-8]
> A voz de Jehovah quebra os cedros; digo, Jehovah quebra os cedros do Líbano. E ele faz o Líbano saltar como um bezerro, e o Siriom, como um filhote de unicórnio. A voz de Jehovah lança [ou cria] chamas de fogo. A voz de Jehovah faz tremer o deserto; a voz de Jehovah faz tremer o deserto de Cades.

5. A voz de Jehovah quebra os cedros. Vemos como o profeta, a fim de subjugar a obstinação dos homens, mostra, por meio de cada termo, quão terrível é Deus. Tudo indica que ele também repreende, de passagem, a demência dos soberbos e daqueles que se intumescem com vã presunção, porque não dão ouvidos à voz de Deus em seus trovões, enchendo a atmosfera com seus relâmpagos, sacudindo as montanhas altaneiras, lançando por terra e destruindo as árvores mais altas. Que coisa monstruosa é que, enquanto que toda a porção irracional da criação treme diante de Deus, só os homens, dotados de senso e razão, não se comovem! Além do mais, ainda que possuam talento e erudição, empregam os encantamentos para fecharem seus ouvidos contra a voz de Deus, por mais poderosa seja ela, a fim de que não alcance seus corações. Os filósofos acreditam que não terão raciocinado com suficiente habilidade sobre as causas inferiores, a menos que separem Deus totalmente de suas próprias obras. É uma ciência diabólica, contudo, que fixemos nossas contemplações nas obras da natureza e nos ponhamos de costas para Deus. Se alguém, desejando conhecer uma pessoa, não toma nota de nenhum traço de sua fisionomia, mas fixa seus olhos somente nos aspectos de suas unhas, pode-se com razão escarnecer de sua estultícia. Mas maior ainda é a estultícia dos filósofos que, partindo das causas mediatas e imediatas, tecem véus diante de si para que não sejam compelidos a reconhecer a mão de Deus, a qual manifestamente se exibe em suas obras. O salmista particularmente menciona *os cedros do Líbano*, em virtude da altura e beleza dos cedros que ali se encontravam. Refere-se igualmente ao *Líbano e Monte Hermom*, bem como ao *deserto de Cades*,[8] visto que tais lugares eram melhor conhecidos dos judeus. Ele usa, aliás, uma figura magnificamente poética, acompanhada de uma hipérbole, quando diz: *a voz de Deus faz o Líbano saltar como um bezerro*, e o Siriom (que também é denominado Monte Hermom[9]) *como um unicórnio* que, bem o sabemos, é um dos animais mais velozes. Ele alude também ao terrível estrondo do trovão, o qual faz estremecer os fundamentos das montanhas. É uma figura semelhante quando diz: *o Senhor lança chamas de fogo*, o que é feito quando os vapores, sendo golpeados, por assim dizer, com seu martelo, irrompem em relâmpagos e trovões. Aristóteles, em seu livro sobre *Meteoros*, arrazoa mui astutamente sobre essas coisas, até onde se relacionem com as causas imediatas, só que ele omite o ponto primordial. A investigação sobre essas coisas, aliás, seria um exercício proveitoso e agradável, fôssemos nós guiados, como deveríamos, da Natureza para o próprio Autor. Nada, porém, é mais irracional do que, ao nos depararmos com causas mediatas, por maior que seja seu número, nos deixarmos deter e protelar por elas, como que diante de inúmeros obstáculos, em nossa aproximação de Deus;[10] pois tal é o caso em que alguém tivesse que permanecer nos mesmos rudimentos das coisas durante toda sua vida, sem sequer dar um passo adiante. Em suma, com isso você aprende que de forma absoluta jamais conhecerá coisa alguma. Portanto, que só a agudeza de mente é digna de louvor, o qual nos eleva, por esses meios, até ao céu, a fim de que nenhum ruído confuso impressione nossos ouvidos, mas que a voz do Senhor penetre nossos corações e nos ensine a orar e a servir a Deus. Há quem explique o termo hebraico, יָחִיל (*yachil*) – o qual traduzimos por *tremer* –, de outra maneira, ou seja, que *Deus faça*

---

8 Isto é, o deserto de Zim [Nm 33.36]. É descrito em Dt 1.19 como o "grande e terrível deserto". Os israelitas atravessaram esses desertos em sua jornada do Egito para a terra prometida [Nm 13.27]. Recebeu esse nome da cidade de Cades, perto do qual ela se acha [Nm 20.1,16].
9 Os sidônios aplicavam ao Hermom o nome de Siriom [Dt 3.9].
10 "D'approcher de Dieu." – v.f.

o deserto de Cades abortar,[11] em decorrência dos muitos prodígios que foram realizados nele quando os israelitas o atravessaram. Eu, porém, faço objeção a tal sentido como sendo por demais sutil e tacanho. Davi parece antes fazer referência às emoções humanas comuns; pois como os desertos se lhes afiguram como algo terrível, muito mais terrificados se sentem quando se vêem cercados por trovões, raios e tormentas. Não faço objeção, contudo, de que o deserto seja aqui entendido por meio de sinédoque, significando os animais selvagens que se escondem nele. E assim o próximo versículo, onde se mencionam corças, pode ser considerado como um adendo à guisa de explicação.

[vv. 9-11]
A voz de Jehovah faz as corças darem à luz e descobre [ou desnuda] as florestas; e em seu templo tudo expressa seu louvor. Jehovah se assenta sobre o dilúvio; Jehovah, digo eu, se assenta como Rei para sempre. Jehovah dará força a seu povo; Jehovah abençoará a seu povo com paz.

9. A voz de Jehovah faz as corças darem à luz.[12] Como já disse, aqui se faz uma comparação tácita. Pior que irracional, é monstruoso

---

11 "Fait avortir." – v.f. "Malograr ou experimentar aborto."
12 O Bispo Lowth traduz assim: "Faz os carvalhos tremerem" (Preleções sobre a Poesia Hebraica, vol. II., p. 253), na qual ele é seguido por Dimock, Green, Secker, Horsley, Fry e outros. Mas Dathe, Berlin, De Rossi, Dr. Adam Clarke, Rogers e outros aderem à interpretação comum, na qual são apoiados por todas as versões antigas, exceto a Siríaca, que parece favorecer o ponto de vista de Lowth. O principal argumento de Lowth e daqueles que o seguem em apoio de sua tradução é que a tradução comum, que supõe a passagem relacionando com *as corças dando à luz a seus filhotes*, concorda muito pouco com o resto da imagem quer da natureza quer da dignidade; enquanto que o carvalho atingido por um raio é uma imagem muito mais nobre, e que se adequa mais naturalmente com o espalhar da folhagem da floresta à ação de uma tormenta. Rogers, porém, observa que "não estamos autorizados a alterar o texto hebraico, só porque a imagem oriental que encontramos não corresponde às nossas idéias de beleza e grandeza poética" (Book of Psalms in Hebrew, metrically arranged, vol. ii. p. 186). Com respeito ao sentido comunicado pela redação comum, pode observar-se que as corças dão à luz seus filhotes com grande dificuldade e dores, "Seus filhos enrijam, crescem no campo livre; saem, e não tornam para elas ... ao qual dei o ermo por casa, e a terra salgada por morada" [Jó 34.4,6], e assim corrobora a descrição dada do terrível caráter de uma tempestade, quando o trovão, que é aqui chamado a voz de Deus, é representado como que, pelo terror que inspira, a forçar as corças, em seu estado de prenhez, a expelir prematuramente seus filhotes; embora, segundo nossas idéias de imagem poética, isso não concorde tanto com as demais imagens da passagem, nem pareça tão belo e sublime quanto à imagem dos carvalhos tremendo ante a voz de Jehovah.

imaginar que os homens não se deixem comover pela voz de Deus, quando ela exerce tal poder e influência sobre as bestas selvagens. Aliás, é vil ingratidão não perceberem os homens sua providência e governo em todo o curso da natureza; é uma detestável insensibilidade, porém, que pelo menos suas obras incomuns e extraordinárias, as quais compelem até mesmo as bestas selvagens a obedecê-lo, não lhes ensinem a sabedoria. Alguns intérpretes pensam que as *corças* são mencionadas, e não outros animais selvagens, em virtude de sua dificuldade em darem à luz seus filhotes; o que não desaprovo. Diz-se também que *a voz do Senhor descobre* ou *desnuda as florestas*, seja porque não haja cobertura que a impeça de penetrar os mais secretos recessos das cavernas, ou porque os relâmpagos, chuvas e ventos tempestuosos derrubam as folhas, deixando as árvores nuas. Ambos os sentidos se adequam bem.

Em seu templo. A voz divina enche o mundo inteiro, e se espalha sem encontrar qualquer fronteira; mas o profeta declara que sua glória só é celebrada em sua igreja, porque Deus não só fala inteligível e distintamente ali, mas também ali mansamente atrai a si os fiéis. Sua terrível voz, que ribomba de várias formas na atmosfera, estrondeia os ouvidos e deixa os corações humanos de tal forma aturdidos, que recuam em vez de se aproximarem dele [Deus] – para não mencionar que uma considerável porção deles faz ouvidos moucos a essa voz ao som das tempestades, chuvas, trovões e relâmpagos. Como os homens, pois, não tiram suficiente proveito nessa escola, ao ponto de submeter-se a Deus, Davi sabiamente diz de forma especial que os fiéis cantam os louvores de Deus em seu templo, porque, sendo familiarmente instruídos ali, por sua voz paternal, se devotam e se consagram totalmente ao seu serviço. Ninguém proclama a glória de Deus corretamente senão aquele que o adora espontaneamente. Isso pode ser também entendido como uma queixa, na qual Davi reprova o mundo inteiro de manter silêncio no tocante à glória de Deus,[13] e lamenta que, embora sua voz ressoe por todas as regiões, não obstante seus

---

13 "Etant que touche la gloire de Dieu." – v.f.

louvores não são entoados em todos os lugares, mas somente em seus templos. Entretanto, tudo indica que ele, segundo o exemplo de todos os santos, exorta toda a raça humana a louvar o nome de Deus e propositadamente erigir um templo como receptáculo de sua glória, com o propósito de ensinar-nos que para conhecermos verdadeiramente a Deus, e louvá-lo como ele merece, é mister que se ouça outra voz além daquela ouvida nos trovões, nos temporais, nos ventos tempestuosos, nas montanhas e nas florestas; pois se ele não nos ensinar com linguagem clara, e bondosamente não nos atrair para si, dando-nos prova de seu amor paternal, então continuaremos embotados. Portanto, é tão-somente a doutrina da salvação que alegra nossos corações e abre nossos lábios para entoarem seus louvores, manifestando-nos claramente sua graça e a plenitude de sua vontade. É desta fonte que havemos de aprender como devemos louvá-lo. Podemos também inquestionavelmente ver que naquele tempo não existia qualquer luz de piedade no mundo inteiro além da Judéia. Mesmo os filósofos, que aparentavam ter maior proximidade do conhecimento de Deus, nada contribuíram para que ele fosse verdadeiramente glorificado. Tudo o que diziam no tocante à religião não passava de algo frígido e em sua maior parte insípido. É portanto unicamente em sua Palavra que resplandece aquela verdade que nos conduz à genuína piedade, ao temor e ao modo correto de servir a Deus.[14]

10. Jehovah se assenta sobre o dilúvio. Há quem pense que Davi, aqui, alude àquele memorável exemplo da vingança divina, quando Deus afogou o mundo, de uma vez, no dilúvio,[15] e assim testificou a todas as eras que ele é o Juiz da humanidade. Concordo com isso em parte, mas estendo seu sentido ainda mais. Em minha opinião, ele dá seguimento ao primeiro tema, conscientizando-nos de que aqueles dilúvios, que ainda ameaçam de destruição a terra, são controlados pela

---

14 "Pour le craindre et servir comme il appartient." – v.f.
15 "Par le deluge." – v.f. Este é o ponto de vista extraído da passagem pelas versões antigas. Diz a Caldaica: "Deus, na geração do dilúvio, assentou-se em juízo." A Septuaginta traz: "Deus fará o dilúvio ser habitado", ou "fará o mundo habitável depois dele"; a Siríaca: "Deus retirou o dilúvio"; e a Árabe: "Deus restringiu o dilúvio." Ainsworth tem: "Jehovah se assentou no dilúvio", e o explica como sendo o "dilúvio de Noé".

providência divina, de tal maneira, que põe em relevo que é tão-somente ele quem governa todas as coisas em todos os tempos.[16] Davi, pois, menciona esta entre as provas do poder de Deus, que mesmo quando os elementos parecem misturados e confundidos pela fúria máxima da atmosfera, Deus controla e modera tais comoções, de seu próprio trono celestial. Conseqüentemente acrescenta, à guisa de explicação: *Deus se assenta como Rei sempre e eternamente.*

11. Jehovah dará força a seu povo. Ele volve à sua doutrina anterior, a saber, que ainda que Deus exiba indiscriminadamente seu poder visível à vista do mundo inteiro, contudo ele o exerce de maneira peculiar em favor de seu povo eleito. Além do mais, ele aqui o descreve de uma maneira muito diferente da que fez anteriormente; equivale dizer, não como aquele que aterra com medo e pavor àqueles com fala, mas como Aquele que os sustenta, os anima e os fortalece. Pelo termo, *força*, deve entender-se toda a condição humana. E assim ele notifica que cada coisa necessária à preservação da vida dos santos depende inteiramente da graça divina. Ele o amplia fazendo uso do verbo *abençoar*; pois de Deus se diz *abençoar com paz* àqueles a quem trata com liberalidade e com benevolência, de sorte que nada falte ao próspero curso de sua vida e à sua completa felicidade. À luz desse fato podemos aprender que devemos reverenciar a majestade divina, de maneira tal que esperemos dele tudo quanto de que depende nossa prosperidade; e que sejamos convictamente persuadidos de que, posto que seu poder é infinito, somos defendidos por uma fortaleza inexpugnável.

---

16 "Que c'est luy seul qui gouverne toutes choses en tout temps." – v.f.

Salmos 30

Vendo-se Davi libertado de um perigo muitíssimo grave, não só rende graças a Deus no tocante à sua própria pessoa, mas, ao mesmo tempo, convida e exorta a todos os crentes piedosos a procederem da mesma forma. Ele, pois, confessa que se gloriara com uma confiança tal em sua prosperidade, que sua segurança havia sido merecidamente castigada. Em terceiro lugar, havendo expresso sua aflição de forma mui breve, ele se volve uma vez mais à ação de graças.

> Salmo cantado na dedicação da casa de Davi.

Os intérpretes têm dúvida se este Salmo foi composto por Davi ou se o foi por algum dos profetas após o regresso dos judeus do cativeiro babilônico; pois *casa*, em sua opinião, significa *o templo*. Como o título, porém, expressamente menciona Davi nominalmente, é mais provável que a referência seja à sua casa residencial. Além do mais, a suposição acalentada por alguns de que, quando estava para dedicar seu palácio, ele se viu apoderado de séria enfermidade, não se funda em nenhuma razão sólida. Podemos, ao contrário, conjeturar, à luz do que se acha expresso na história sacra, que tão logo viu ele construído seu palácio real, passou a habitá-lo tranqüila e despreocupadamente. Disse ele ao profeta Natã que se sentia envergonhado por confortavelmente "habitar uma casa de cedro", enquanto "a arca de Deus habita em tendas" [2 Sm 7.2]. Além disso, é totalmente sem fundamento restringir isso a enfermidade que aqui expressava geralmente algum tipo de perigo. É mais provável que Absalão, sendo morto, e sua facção extinta, e debelada a sublevação fatal que ele suscitara, Davi celebra o divino favor para com ele, como alguém que regressava do exílio e se engajava, em seu reino, à sua condição anterior. Pois ele menciona que fora castigado pela mão divina porque, exultando em extremo em seu feliz estado, e quase intoxicado por ele, falsa e precipitadamente prometera a si mesmo total isenção de adversidade. Além do mais, quando começou a desfrutar do palácio magnificente e real, do quê já me expressei, a paz de seu reino não havia ainda sido consolidada plenamente. Não era ainda tempo, pois, para deixar que a negligência oriunda da fragilidade humana o dominasse, o que poderia provocar a ira divina e expô-lo a perigos que poderiam envolvê-lo em muitas circunstâncias de destruição. Portanto, não é nenhum exagero supor que neste Salmo Davi celebra o favor divino em restaurá-lo a seu estado anterior. Era necessário dedicar novamente sua casa, a qual fora maculada pela incestuosa prostituição, e outras perversidades, de Absalão; e sob esta palavra parece denotar-se uma dupla bênção, a saber, restauração pessoal à vida e restauração de seu reino, como se quisesse dizer que depois de estabelecer os negócios públicos de seu reino ele entoou este cântico e solenemente dedicou sua casa a Deus para que pudesse viver no seio de sua própria família. Mas é preciso observar-se brevemente acerca desta cerimônia da lei que, visto que somos muito lentos e frios em ponderar sobre os benefícios divinos, este exercício foi ordenado a seu antigo povo para que entendessem que, sem ação de graças a Deus, não existe nenhum uso puro e lícito de coisa alguma. Portanto, quando eles, ao oferecerem as primícias a Deus, reconheciam que estavam recebendo dele o excedente do ano inteiro, de igual forma, ao consagrar a Deus suas casas, declaravam que eram arrendatários de Deus, confessando que eram estrangeiros, e que Deus era quem os hospedava e lhes dava ali uma moradia.[1] Portanto, se ocorria um recrutamento para a guerra, caso alguém alegasse

---

1 "Se recognoissans estrangers, et que c'estoit luy qui les y logeoit et leur bailloit demeurance." – v.f.

que ainda não havia dedicado sua casa,[2] esta era uma causa justa para dispensa. Além disso, eram ao mesmo tempo admoestados por esta cerimônia, a saber, alguém só ordenava sua casa correta e regularmente quando ele a regulava de tal sorte que fosse um santuário de Deus, e que reinasse nela a genuína piedade e o culto imaculado pertencente a Deus. Os tipos da lei agora cessaram, mas devemos ainda conservar a doutrina de Paulo, ou seja, que todas as coisas que Deus destina ao nosso uso são ainda "santificadas pela palavra de Deus e pela oração" [1 Tm 4.4,5].

> [vv. 1-3]
> Eu te exaltarei, ó Jehovah! porque me soergueste,[3] e não deixaste que meus inimigos se regozijassem sobre mim. Ó Jehovah, meu Deus! clamei a ti e me curaste. Ó Jehovah! tu retiraste minha alma da sepultura; tu me tens vivificado dentre aqueles que descem[4] à cova.

1. Eu te exaltarei, ó Jehovah! Sendo Davi, por assim dizer, reconduzido da sepultura para respirar ar vivificante, ele promete enaltecer o *Nome* de Deus. É Deus quem nos ergue com sua própria mão, quando nos vemos imersos num profundo abismo; e por isso é nosso dever, de nossa parte, entoar com nossas línguas os louvores divinos. Ao dizer que *os inimigos* não conseguiram regozijar-se contra ele, podemos deduzir que ele fala de inimigos tanto domésticos quanto estrangeiros. Embora pessoas perversas premeditadamente tentassem conquistá-lo com servil adulação, ao mesmo tempo nutriam ódio secreto contra ele e estavam sempre prontas a insultá-lo tão logo lhes surgisse uma oportunidade. No segundo versículo, ele conclui que fora preservado pelo favor divino, alegando em prova disso que, quando se viu ante as fauces da morte, ele dirigiu suas súplicas exclusivamente a Deus, e imediatamente sentiu que não agira

---

2 "Quand l'homme allegoit qu'il n'avoit encores dedié sa maison." – v.f.
3 Ainsworth lê: "Tu me tens içado", o que ele explica assim: "Içar de um poço de águas"; "porque", diz ele, "esta palavra é usada para 'tirar das águas' [Êx 2, águas no sentido de distúrbios". "דליתני, *Tu me tens içado para fora de um calabouço.*" – *Rogers' Book of Psalms*.
4 "D'entre ceux que descendent." – v.f.

em vão. Quando Deus ouve nossas orações, é isso uma prova que nos habilita a concluir com toda certeza que ele é o Autor de nossa salvação e do livramento que dele obtemos. Visto que o termo hebraico, רפא (*rapha*), significa *curar*, os intérpretes têm sido levados, à luz desta consideração, a restringi-lo à doença. Visto, porém, ser indiscutível que às vezes ele significa *restaurar* ou *recompor-se*, e é além do mais aplicado a um altar ou a uma casa quando se diz ser reparada ou reconstruída, com bastante propriedade pode significar, aqui, algum livramento. A vida de uma pessoa corre perigo de muitas outras formas que meramente por alguma enfermidade; e sabemos ser uma forma de expressão que ocorre por todos os Salmos, dizer que Davi foi restaurado à vida sempre que o Senhor o libertava de algum perigo grave e extremo. Conseqüentemente, à guisa de ampliação, ele imediatamente acrescenta: **Tu retiraste minha alma da sepultura**. Ele reconhece que não tinha como expressar suficientemente por meio de palavras a magnitude do favor que Deus lhe conferira, a não ser que comparasse as trevas daquele período com uma sepultura e cova, nas quais fora forçado a lançar-se às pressas para proteger sua vida, ocultando-se até que o furor da insurreição se aplacasse. Portanto, como alguém cuja vida fora restaurada, ele proclama que havia sido libertado da morte presente, como se fora restaurado à vida depois de estar morto. E indubitavelmente transparece da história sacra quão completamente fora submerso em desespero de todos os lados.

[vv. 4, 5]
Cantai a Jehovah, ó vós que sois seus mansos! e reconheceis a memória de sua santidade.[5] Pois sua ira dura só por um instante,[6] mas em seu favor está a vida;[7] o choro se alojará à noite, e o júbilo virá pela manhã.

---

5 "Ou chantez afin qu'il soit memoire." – versão francesa marginal. "Ou, cantai para que ele seja lembrado."
6 Literalmente: "Há apenas um momento em sua ira"; e essa é também a tradução literal do hebraico.
7 "C'est, un long temps." – versão francesa marginal. "Isto é, por muito tempo."

4. Cantai a Jehovah. Para melhor testificar sua gratidão, Davi convoca a todos os santos para unirem-se a ele num cântico de louvor a Deus; e sob uma só classe ele descreve todo o corpo. Visto que fora preservado além de toda e qualquer expectativa, e por meio de tal exemplo fora instruído acerca da bondade contínua e infinita de Deus para com todos os piedosos, ele prorrompe nesta exortação, na qual inclui o livramento geral tanto de toda a igreja quanto de si próprio. Ele reitera não só o que Deus fizera por ele pessoalmente, mas também quão liberal e amavelmente costumava assistir a seu povo. Em suma, confirmado por um só exemplo particular, ele volve seus pensamentos para a verdade geral. O significado do termo hebraico, חסידים (*chasidin*), o qual traduzimos por *mansidão*, pelo qual Davi com freqüência descreve os fiéis, já foi exposto no Salmo 16. Sua adoção celestial deve incitá-los ao exercício da beneficência, para que imitassem a disposição de seu Pai, "que faz nascer seu sol sobre maus e bons" [Mt 5.45]. Não há nada em que os homens se assemelhem mais verdadeiramente a Deus do que na prática do bem em favor de outrem. **A memória de sua santidade**, na segunda cláusula do versículo, pode referir-se ao tabernáculo; como se Davi exortasse a todos os filhos de Deus a se porem diante da arca do concerto, a qual era o memorial da presença divina. A letra hebraica, ל,[8] (*lamed*), amiúde denota um lugar. De bom grado subscrevo, contudo, a opinião daqueles que crêem que *memorial* significa o mesmo que *nome*; pois Deus indubitavelmente se fez digno de lembrança em virtude de suas obras, as quais são uma refulgente representação de sua glória, à vista das quais devemos ser movidos a louvá-lo.

5. Pois sua ira dura só por um instante. Fica além de toda e qualquer dúvida que *vida*, aqui, se opõe a *por um instante*, e conseqüentemente significa continuação perene, ou constante progresso de tempo dia a dia. Davi, portanto, notifica que se Deus, em qualquer tempo, pune a seu povo, ele não só mitiga o rigor da punição que lhes

---

8 לזכר (*lezeker*), *no memorial*.

aplica, mas imediatamente aplaca e modera sua ira; enquanto que prolonga sua bondade e graça por muito tempo. E, como já observei, ele preferiu antes exprimir seu discurso em termos gerais do que falar especificamente de sua própria pessoa, para que todos os santos pudessem perceber que esta manifestação contínua do favor divino lhes pertence. Entretanto, somos com isso ensinados com quanta mansidão de espírito e com que pronta obediência ele entregou suas costas à vara divina. Sabemos que desde a primeira florescência da juventude, durante quase toda sua vida, ele fora sempre tão tentado por um excedente acúmulo de aflições, que podia considerar-se miserável e desprezível acima de todos os demais homens; todavia, ao celebrar a bondade divina, ele reconhece que havia sido gravemente afligido só por um curto período e de uma forma passageira. Ora, o que o havia inspirado com tão profunda mansidão e equanimidade de espírito foi que pusera um imenso valor nos benefícios divinos e se submetera mais resignadamente à paciência da cruz do que o mundo costuma fazer. Se experimentamos a prosperidade, dissipamos as bênçãos divinas sem sentir que elas são dele, ou, pelo menos, indolentemente permitimos que elas passem desapercebidamente; mas se algo doloroso e adverso nos sobrevêm, imediatamente reclamamos de sua severidade, como se ele jamais nos tratasse bondosa e misericordiosamente. Em suma, nosso próprio mau humor e impaciência ante a aflição transforma um minuto em um século; enquanto que, em contrapartida, nosso descontentamento e ingratidão nos levam a imaginar que o favor divino, por mais que ele o exerça para conosco, não passa de um momento. É nossa própria perversidade, pois, que na realidade nos impede de perceber que a ira divina é de mui curta duração, enquanto que seu favor para conosco prossegue durante todo o curso de nossa vida. Nem Deus debalde declara com tanta freqüência que ele é misericordioso e gracioso, longânimo, tardio em irar-se e pronto a perdoar a milhares de gerações. E visto que o que ele diz pelos lábios do profeta Isaías tem uma especial referência ao reino de Cristo, isso deve cumprir-se diariamente: "Por um breve momento te deixei, mas com grande compaixão te recolherei" [Is 54.7]. Nossa condição neste mundo, confesso, nos envolve em desgraças tais, e somos atormentados com uma tal variedade de aflições, que dificilmente um dia transcorra sem algum problema ou tristeza. Além do mais, em meio a eventos tantos e incertos, não podemos viver de outra forma senão cotidianamente cheios de ansiedade e temor. Portanto, por onde quer que os homens se volvam, um labirinto de males os cerceia. Mas, por mais que Deus terrifique e humilhe a seus servos fiéis, com inúmeros sinais de seu desprazer, ele sempre os esparge com a doçura de seu favor com o fim de mitigar e suavizar suas tristezas. Portanto, se eles pesarem a *ira* e o *favor* divinos numa balança de precisão, haverão sempre de descobrir ser verídico que, enquanto aquela não dura mais que um momento, este continua até ao fim da vida; não! vai além dela, pois é um grave erro confinar o favor divino dentro das fronteiras desta vida transitória. E é inquestionavelmente certo[9] que ninguém, senão aqueles cuja mente se eleva acima deste mundo pela prelibação da vida celestial realmente experimentam essa perpétua e ininterrupta manifestação do favor divino, a qual os capacita a suportar seus castigos com real prazer. Paulo, por conseguinte, para que nos inspirasse com invencível paciência, o refere em 2 Coríntios 4.17,18: "Porque nossa leve e momentânea tribulação produz para nós cada vez mais abundantemente um eterno peso de glória, não atentando nós nas coisas que se vêem, mas, sim, nas que se não vêem." Entrementes, é preciso observar-se que Deus nunca inflige castigos por demais pesados e contínuos sobre seu povo, sem freqüentemente mitigá-los e adocicar seu amargor com alguma dose de consolação. Portanto, quem quer que dirija sua mente a meditar na vida celestial, jamais desfalecerá em suas aflições, por mais que estas durem; e, comparando-as com os imensuráveis e multiformes favores divinos para com ele, Davi atribui honra a estes, julgando que a benevolência divina, em seu valor intrínseco, excede muitíssimo, centuplicadamente, o desprazer divino. Na segunda cláu-

---

9 "Et de faict, c'est un poinct tout resolu." – v.f.

sula, Davi reitera a mesma coisa figuradamente: **O choro se alojará à noite; e o júbilo virá pela manhã**. Sua intenção não é simplesmente que a aflição duraria só uma noite, e, sim, se as trevas da adversidade caísse sobre o povo de Deus, por assim dizer, durante a noite, ou ao pôr-do-sol, a luz logo brilharia sobre eles a confortar seus espíritos espicaçados. A instrução de Davi equivale dizer que, não fôssemos tão obstinados, reconheceríamos que o Senhor, mesmo quando parece envolver-nos por algum tempo com as trevas da aflição, ele sempre e oportunamente nos ministra uma porção de alegria, justamente como a manhã toma o lugar da noite.

[vv. 6-10]
E eu havia dito em minha tranqüilidade:[10] jamais serei abalado. Ó Jehovah! em teu beneplácito fizeste que minha montanha permanecesse forte; ocultaste tua face, e fiquei terrificado. Ó Jehovah! a ti clamei, e ao meu Senhor[11] fiz minha súplica. Que proveito há em meu sangue, quando desço à cova?[12] O pó te louvará? ele declarará tua verdade? Ouve, ó Jehovah! e tem misericórdia de mim; ó Jehovah, sê tu meu ajudador.

6. E eu havia dito em minha tranqüilidade. Esta é a confissão que previamente mencionei, na qual Davi reconhece que havia sido justa e merecidamente punido por sua estulta e precipitada confiança, ao esquecer-se de sua mortal e mutável condição de ser humano, e ao pôr demasiadamente seu coração na prosperidade. Pelo termo, *tranqüilidade*, ele quer dizer o calmo e florescente estado de seu reino. Há quem traduza o termo hebraico, שלוה (*shiluah*), o qual traduzimos por *tranqüilidade*, por *abundância*, sentido este que às vezes é usado em outros passos; mas o termo *tranqüilidade* se harmoniza melhor com o texto; como se Davi dissesse: Quando a fortuna sorriu-me de todos os lados, e nenhum perigo parecia ocasionar temor, minha mente buscou, por assim dizer, profundo repouso, eu me exaltei dizendo que minha feliz

---

10 "C'est, en ma prosperite." – versão francesa marginal. "Isto é, em minha prosperidade."
11 Nosso autor aqui usa *Dominus*; mas no hebraico é יהוה, *Yehovah*.
12 A Septuaginta tem "Εἰς διαθοράν", "à corrupção". A tradução de Jerônimo é a mesma: "In corruptionem."

condição continuaria, e que as coisas seguiriam sempre um curso imutável. Tal confiança carnal amiúde se apodera dos santos quando confiam em sua prosperidade e, por assim dizer, se espojam em sua esterqueira.[13] Daí Jeremias [31.18] comparar-se a um boi selvagem antes que o Senhor o domesticasse e o habituasse ao jugo. Este pode, à primeira vista, afigurar-nos como sendo um crime de pequena monta, todavia podemos deduzir de sua punição o quanto ele é desagradável aos olhos de Deus; nem nos surpreenderemos ante esse fato se considerarmos a raiz da qual ele emana e os frutos que ele produz. Visto que inumeráveis mortes pairam continuamente diante de nossos olhos, e visto que há tantos exemplos de mudança a despertar em nós o temor e a prudência, eles seriam fascinados com diabólica soberba a convencê-los que sua vida é privilegiada acima da porção comum do mundo. Vêem toda a terra misturada numa variedade indistinta e suas partes individuais de certa maneira lançadas de um lado a outro; e, não obstante, como se não pertencessem à raça humana, imaginam que continuarão sempre estáveis e não sujeitos a quaisquer mudanças. Daí aquela devassidão da carne com que tão licenciosamente se entregam às suas luxúrias; daí sua soberba e crueldade, bem como sua negligência à oração. Aliás, como buscariam refúgio em Deus aqueles que não têm nenhum senso de sua necessidade a instigá-los ou a movê-los a isso? Os filhos de Deus também possuem pia confiança em seus corações que mantém suas mentes em tranqüilidade em meio às pavorosas tormentas do mundo; como Davi que, embora visse o mundo todo a sacudir-se, não obstante, pondo sua confiança na promessa de Deus, se via impulsionado a esperar com denodo o avanço de seu reino. Mas ainda que os fiéis, quando são arremessados às alturas pelas asas da fé, a despeito da adversidade, considerando-se sujeitos às comuns tribulações da vida, contudo se vêem no dever de suportá-las – a todo momento estão preparados a receber ferimentos –, sacodem sua morosidade e se exercitam no

---

13 "Qu'ils se mignardent en leur prosperité, et par maniere de dire, croupissent sur leur fumier." – v.f.

combate para o qual, eles sabem muito bem, foram destinados – e com humildade e temor se põem sob a proteção divina; nem se consideram a salvos em qualquer outro lugar senão debaixo da mão divina. Outra não foi a experiência de Davi que, ao ver-se emaranhado pelos encantos de seu estado de prosperidade, prometeu a si mesmo uma tranqüilidade ininterrupta, não provinda da palavra de Deus, mas de seus próprios sentimentos. O mesmo também se deu com o piedoso rei Ezequias que, embora há pouco afligido com dolorosa enfermidade, tão logo viu estar tudo bem e de conformidade com seus anelos, impulsionado pela vaidade da carne, correu para a soberba e vã ostentação [2 Cr 32.24]. E assim somos instruídos a pôr-nos de guarda quando vem a prosperidade, a fim de que Satanás não nos encante com suas adulações. Quanto mais liberalmente Deus trate alguém, mais prudentemente deve ele vigiar para não ser preso em tais malhas. Aliás, não é provável que Davi estivesse tão empedernido ao ponto de desprezar a Deus e a desafiar todos os infortúnios, como fazem muitos dos grandes homens deste mundo que, ao se verem imersos em suas luxúrias e excessos, insolentemente escarnecem de todos os juízos divinos; mas uma excessiva desatenção, apossando-se de sua mente, ele se tornou mais frio em oração, não dependendo nem mesmo do favor divino; em suma, ele depositou demasiada confiança em sua prosperidade incerta e transitória.

7. Ó Jehovah! em teu beneplácito. Este versículo descreve a diferença que existe entre a confiança que se acha fundamentada na palavra de Deus e a segurança carnal que é fruto de presunção. Os crentes genuínos, quando confiam em Deus, não se tornam por essa conta negligentes à oração. Ao contrário, mirando detidamente na vastidão dos perigos pelos quais se vêem cercados, e nos multiformes exemplos de fragilidade humana que passam diante de seus olhos, se mostram precavidos em face deles e derramam seus corações diante de Deus. O profeta então falha em sua responsabilidade no tocante a esta matéria, porque, ao firmar-se em sua presente riqueza e tranqüilidade, ou ao estender suas velas ao sabor dos ventos da prosperidade, ele deixou de depender do gracioso favor divino de uma maneira tal ao ponto de estar disposto em qualquer tempo a resignar aquelas bênçãos provenientes das mãos divinas que lhe haviam sido concedidas. É preciso observar-se o contraste existente entre aquela confiança na estabilidade oriunda da ausência de problema e aquela que repousa no gracioso favor de Deus. Ao dizer Davi que *a força foi estabelecida em sua montanha*, alguns intérpretes entendem como sendo o monte Sião. Outros o entendem como sendo uma fortaleza ou torre fortificada, visto que nos tempos antigos usava-se construir fortificações sobre as montanhas e lugares altos. Eu, porém, entendo o termo metaforicamente no sentido de um apoio sólido, e portanto prontamente admito que o profeta está fazendo alusão ao monte Sião. Davi, portanto, sente-se envergonhado de sua própria estultícia, visto que não atinava, como deveria ter feito, para o fato de não haver estabilidade no ninho que construíra para si, mas exclusivamente no beneplácito divino.

Ocultaste tua face. Então ele confessa que, depois de haver sido privado dos dons divinos, isso serviu para purgar sua mente, por assim dizer, com a medicina contra a doença da confiança perversa. Certamente que este foi um método maravilhoso e incrível, a saber: Deus, ao ocultar sua face e, por assim dizer, ao suscitar as trevas, abriu os olhos de seu servo, que nada mais via na generosa luz da prosperidade. Por isso se faz necessário que sejamos violentamente sacudidos, a fim de que sejam dissipadas as ilusões que tanto extingue nossa fé quanto emperram nossas orações, as quais nos fazem totalmente estúpidos ante a suavizante enfatuação. E se Davi tinha necessidade de tal remédio, não presumamos que somos dotados de um coração tão cordial que consideremos a vida de carência algo de grande proveito, para que removamos de nós a confiança carnal, a qual, por assim dizer, é uma saciedade tão mórbida que de outra forma nos sufocaria. Não temos, pois, razão alguma para perplexidade, embora Deus às vezes oculte de nós sua face quando a luz dela, mesmo brilhando serenamente sobre nós, miseravelmente nos cega.

8. Ó Jehovah! a ti clamo. Então vem o fruto do castigo de Davi. Ele estivera em profundo repouso, e nutrira sua indolência com a indulgência. Mas estando agora súbita e totalmente desperto, com temor e terror, começa então a clamar a Deus. Como o ferro que se haja entortado não tem qualquer utilidade até que seja aquecido no fogo e batido na bigorna com um martelo, assim também, quando a segurança carnal se haja assenhoreado de alguém, tal pessoa não pode entregar-se alegremente à oração até que seja feita maleável pela cruz e completamente subjugada. E esta é a vantagem primordial das aflições, ou seja, enquanto nos tornam conscientes de nossa miséria, nos estimulam novamente para suplicarmos o favor divino.

9. Que proveito há em meu sangue? Há quem explique o versículo da seguinte forma: De que me valerá ter vivido, a não ser que prolongues minha vida até que eu haja concluído a trajetória de minha vocação? Tal explicação, porém, parece um tanto forçada, especialmente quando o termo *sangue*, aqui, significa *morte*, não *vida*; como se Davi houvera dito: Que proveito obterás com minha morte? Esta interpretação é ainda mais confirmada pela cláusula seguinte, onde Davi se queixa de que seu corpo inerte então seria sem qualquer proveito para celebrar os louvores de Deus. E tudo indica que expressamente menciona a *veracidade* divina, ao notificar que seria impróprio para o caráter de Deus arrebatá-lo do mundo por uma morte prematura, antes que este consumasse a promessa que lhe fizera concernente ao seu futuro herdeiro. Como existe uma relação mútua entre as promessas de Deus e nossa fé, a verdade é, por assim dizer, o meio pelo qual Deus publicamente revela que ele não nos faz simples e verbalmente promessas liberais de alimentar-nos com vazias esperanças para logo a seguir desapontar-nos. Além do mais, para obter maior longevidade, Davi extrai um argumento dos louvores de Deus, para cuja celebração nascemos e crescemos; como a dizer: Pois com que propósito me criaste, ó Deus, senão para que, ao longo de todo o curso de minha vida, fosse uma testemunha e arauto de tua graça a proclamar a glória de teu nome? Minha morte, porém, interromperia o prosseguimento desse exercício e me reduziria a eterno silêncio. Entretanto, surge aqui uma pergunta: Não é verdade que tanto a morte quanto a vida dos verdadeiros crentes glorificam a Deus? Eis a resposta: Davi não fala simplesmente de morte, mas adiciona uma circunstância da qual já tratei no Salmo 6. Uma vez lhe havendo Deus prometido um sucessor, a esperança de viver mais, invadindo seu ser, ele com boas razões temia que, com sua morte, tal promessa fosse frustrada, e por isso foi compelido a clamar: *Que proveito há em meu sangue?* Muitíssimo preocupado com a glória de Deus que o manteria vivo até que concretizasse seu desejo, ele seria capaz de testificar da fidelidade de Deus no pleno cumprimento de sua promessa nele. Ao inquirir no final do versículo: *O pó te louvará?* ele não quer dizer que os mortos são totalmente privados da faculdade de louvar a Deus, como já o demonstrei no Salmo 6. Se os fiéis, enquanto se acham atravancados com o peso da carne, exercitam-se neste piedoso dever, como desistiriam dele ao se verem desimpedidos e livres das restrições do corpo? É preciso observar-se, pois, que Davi não trata declaradamente do que fazem os mortos ou quão ocupados vivem, mas que simplesmente considera o propósito pelo qual vivemos neste mundo, a saber, para que reciprocamente declaremos a glória de Deus. Vivendo engajados neste exercício até ao final de nossa vida, a morte por fim nos sobrevirá e fechará nossos lábios.

10. Ouve, ó Jehovah! Nesta cláusula o salmista suaviza e corrige sua queixa anterior; pois teria sido um absurdo censurar a Deus como alguém que removeu toda segurança e que extravasa todo o seu mau humor. Havendo, pois, perguntado com lágrimas que proveito Deus teria com sua morte, ele se anima no exercício da oração de uma forma mais descontraída e, nutrindo nova esperança, invoca a Deus que o cubra de misericórdia e o socorra. Ele põe a graça de Deus, contudo, em primeiro plano, de quem unicamente poderia esperar o socorro solicitado.

[vv. 11, 12]
Tu converteste meu pranto em dança; removeste meu cilício e me cingiste de alegria. Para que minha glória te cante louvores, e não se cale. Ó Jehovah, meu Deus, eu anunciarei teus louvores para sempre.

11. Tu converteste meu pranto em dança. Davi conclui o Salmo da forma como o começara, ou seja, com ações de graças. Afirma que escapara em segurança por causa do socorro e da bênção de Deus; e então acrescenta que o objetivo final de seu escape foi para que empregasse o resto de sua vida na celebração dos louvores de Deus. Além do mais, ele nos mostra que não fora insensível nem obstinado ante suas aflições, senão que pranteara com dor e tristeza. E também mostra que seu próprio pranto fora o meio de se guiar em oração para que Deus aplacasse sua ira. Ambos estes pontos são mui dignos de nossa observação, a fim de que, primeiro, não presumamos que os santos sejam culpados de insensibilidade estóica, privando-se de todo senso de tristeza; e, segundo, para percebermos que em seu pranto se exercitavam em arrependimento. Ele denota este último do termo *cilício*. Era prática comum entre os antigos cingir-se com cilício durante seu pranto,[14] por nenhuma outra razão senão para demonstrar-se culpados, para que pudessem aproximar-se de seu Juiz celestial, implorando com toda humildade seu perdão, e testificando, por seu luto, sua humilhação e descontentamento.[15] Sabemos também que os orientais eram dados a cerimônias mais que quaisquer outros. Percebemos, pois, que Davi, embora se submetesse pacientemente a Deus, não se sentia livre de tristeza. Vemos também que sua tristeza "era segundo a piedade", no dizer de Paulo [2 Co 7.10]; pois para testificar de sua penitência, ele se cingia de cilício. Pelo termo *dança* ele não tem em mente aqueles movimentos físicos devassos e profanos, mas uma sóbria e santa exibição de alegria como aquela que a Santa Escritura menciona quando Davi transportou a arca do concerto para seu lugar [2 Sm 6.16]. Não obstante, se conjeturarmos detidamente, e deduzirmos disto que o grande perigo de que fala Davi neste Salmo é por alguns indevidamente restringido à doença,

---

14 Este costume não se restringia só aos israelitas. Era praticado também entre as nações pagãs. Um exemplo disto está registrado em Jonas 3.5-8. Transparece de Plutarco que essa era também a prática entre os gregos. O termo hebraico para *cilício* é שק, *sak*; e é notável que o termo *sak* existe em várias línguas, denotando a mesma coisa. Ele revela o caráter natural da dor real, levando os homens a arrancarem de si os adornos, quando descobrimos várias nações manifestando-a pelo uso do mesmo luto e empregando um termo com o mesmo som para expressá-lo.

15 "Ne monstrant qu'abjection et despláisance d'eux-mesmes." – v.f.

concluiremos que era totalmente improvável que ele se cingisse de cilício só quando se via confinado ao leito de enfermidade. Esta, aliás, não é uma razão por si só suficiente, mas em caso de dúvida, como este, ela não é destituída de força. Davi, pois, quer dizer que, desvencilhando-se de seu luto, ele se volvia de um estado de dor e tristeza à alegria; e tal coisa ele atribui tão-somente à graça de Deus, asseverando que este fora seu Libertador.

12. Para que minha glória te cante louvor. Neste versículo ele expressa de maneira mais plena seu reconhecimento quanto ao propósito pelo qual Deus o preservara da morte, e que seria cuidadoso em devotar-se a uma atitude correta de gratidão. Alguns aplicam a palavra *glória* ao corpo, e outros à alma ou às faculdades mais elevadas da mente. Outros, como o pronome *minha*, do qual nos valemos para completar a frase, não está no texto hebraico, preferem traduzi-lo no caso acusativo, usando no lugar a expressão, *todo homem*, ficando assim: *Para que todo homem celebre tua glória*; como se o profeta estivesse dizendo: Eis uma bênção digna de ser celebrada pelos louvores públicos de todos os homens. Visto, porém, que todas essas interpretações são forçadas, fico com o sentido que dei. O termo hebraico, כבוד (*kebod*), que significa *glória*, é sobejamente conhecido, e às vezes se aplica metaforicamente para significar *a língua*, como já vimos no Salmo 16.9. E visto que Davi acrescenta logo a seguir: *celebrarei teu louvor para sempre*, o contexto demanda que ele estaria falando, neste lugar, particularmente de seu próprio dever. O que ele tinha em mente, pois, é isto: Ó Senhor, como sei que me preservaste com este propósito, para que teus louvores ressoem de minha língua, fielmente me desincumbirei deste serviço que dedico a ti, e farei minha parte até que a morte chegue. *Cantar, e não calar-se*, é uma *ampliação* hebraica; como se ele quisesse dizer: Minha língua não ficará muda, nem privará a Deus de seu devido louvor. Ao contrário, ela se devotará à celebração de sua glória.

FIEL MINISTÉRIO

O Ministério Fiel tem como propósito servir a Deus através do serviço ao povo de Deus, a Igreja.

Em nosso site, na internet, disponibilizamos centenas de recursos gratuitos, como vídeos de pregações e conferências, artigos, e-books, livros em áudio, blog e muito mais.

Oferecemos ao nosso leitor materiais que, cremos, serão de grande proveito para sua edificação, instrução e crescimento espiritual.

Assine também nosso informativo e faça parte da comunidade Fiel. Através do informativo, você terá acesso a vários materiais gratuitos e promoções especiais exclusivos para quem faz parte de nossa comunidade.

Visite nosso website

www.ministeriofiel.com.br

e faça parte da comunidade Fiel

Esta obra foi composta em Cheltenham Std Book 10.5, e impressa
na Promove Artes Gráficas sobre o papel Pólen Soft 70g/m²,
para Editora Fiel, em Fevereiro de 2021